合格

■医用電気電子工学
■医用機械工学
■生体物性材料工学

臨床工学技士国家試験研究会 編

医歯薬出版株式会社

本書の使い方

本書では過去10年分以上の国家試験（以下，国試）を分析・分類し，特に直近5年分の出題傾向に沿って効率よく学習できるように構成しています．

領域ごとに分類された，インプット＜要点のまとめ＞とアウトプット＜Check UP!（国家試験問題）＞を何度も繰り返し，国試合格に必要な知識を確実なものにしましょう．

インプット＜要点のまとめ＞

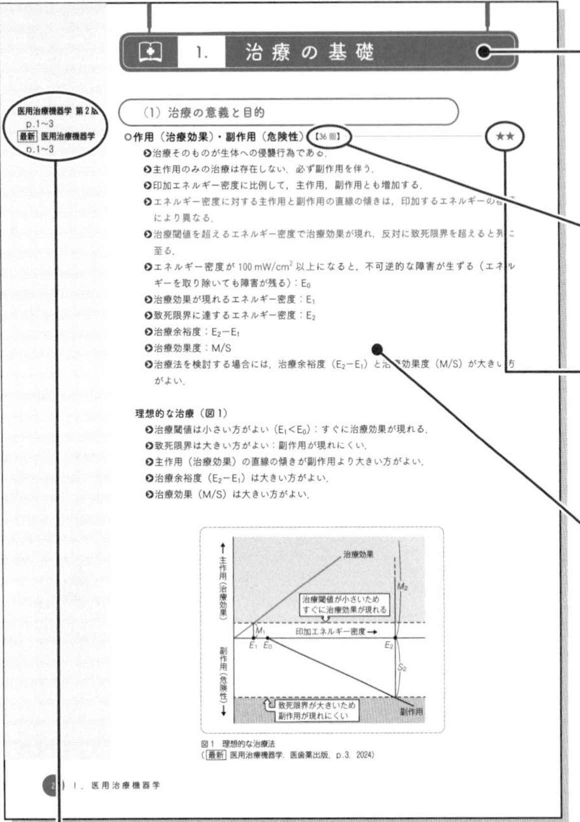

1. 治療の基礎

医用治療機器学 第2版 p.1～3
最新 医用治療機器学 p.1～3

（1）治療の意義と目的

○作用（治療効果）・副作用（危険性）【36回】 ★★

- 治療そのものが生体への侵襲行為である．
- 主作用のみの治療は存在しない．必ず副作用を伴う．
- 印加エネルギー密度に比例して，主作用，副作用とも増加する．
- エネルギー密度に対する主作用と副作用の直線の傾きは，印加するエネルギーの種により異なる．
- 治療閾値を超えるエネルギー密度で治療効果が現れ，反対に致死限界を超えると死に至る．
- エネルギー密度が 100 mW/cm^2 以上になると，不可逆的な障害が生ずる（エネルギーを取り除いても障害が残る）：E_0
- 治療効果が現れるエネルギー密度：E_1
- 致死限界に達するエネルギー密度：E_2
- 治療余裕度：E_2-E_1
- 治療効果度：M/S
- 治療法を検討する場合には，治療余裕度（E_2-E_1）と治療効果度（M/S）が大きい方がよい．

理想的な治療（図1）

- 治療閾値は小さい方がよい（$E_1<E_0$）：すぐに治療効果が現れる．
- 致死限界は大きい方がよい：副作用が現れにくい．
- 主作用（治療効果）の直線の傾きが副作用より大きい方がよい．
- 治療余裕度（E_2-E_1）は大きい方がよい．
- 治療効果（M/S）は大きい方がよい．

図1 理想的な治療法
（最新 医用治療機器学．医歯薬出版，p.3，2024）

1．医用治療機器学

国試は国家試験出題基準に沿って出題されます．本書の章の見出しは「令和3年版臨床工学技士国家試験出題基準」の大項目に対応しています．
（内容を理解しやすいように構成を変えているところもあります）

直近5年（33回～37回）の国試で出題された回を表示しています．

頻出問題を★マークで表示しています．

★★★	：頻出！直近5年の国試で3回以上出題あり
★★	：直近5年の国試で1～2回の出題あり
★	：5年以上前の国試で3回以上の出題あり
星なし	：5年以上前の国試で3回未満の出題

既出国試問題の選択肢を正しい内容の文章に整理しています（一部は，わかりやすいように解説を多めにしました）．特に重要な箇所を色文字で強調しています．

教科書（臨床工学講座および最新臨床工学講座：医歯薬出版発行）の参照ページ．教科書とあわせて読むと理解が深まります．また，授業で習った重要ポイントを転記したり，図表をコピーして本書に貼れば，最強のオリジナル国試対策書に！

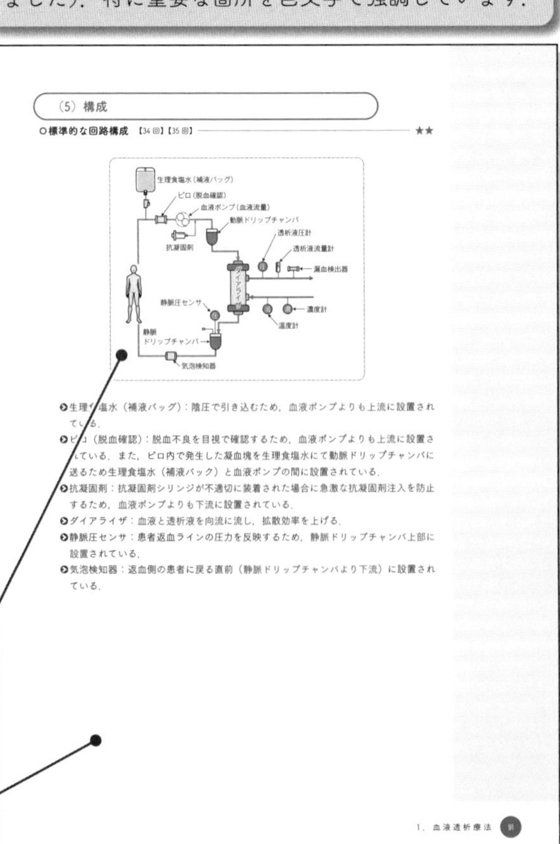

（5）構成

○標準的な回路構成 【34回】【35回】 ★★

- 生理食塩水（補液バッグ）：陰圧で引き込むため，血液ポンプよりも上流に設置されている．
- ピロ（脱血確認）：脱血不良を目視で確認するため，血液ポンプよりも上流に設置されている．また，ピロ内で発生した凝血塊を生理食塩水にて動脈ドリップチャンバに送るため生理食塩水（補液バック）と血液ポンプの間に設置されている．
- 抗凝固剤：抗凝固剤シリンジが不適切に装着された場合に急激な抗凝固剤注入を防止するため，血液ポンプよりも下流に設置されている．
- ダイアライザ：血液と透析液を向流に流し，拡散効率を上げる．
- 静脈圧センサ：患者返血ラインの圧力を反映するため，静脈ドリップチャンバ上部に設置されている．
- 気泡検知器：返血側の患者に戻る直前（静脈ドリップチャンバより下流）に設置されている．

1．血液透析療法

文章だけではわかりにくいところは，図表を用いて解説しています．

余白を多めにしています．自由に使って，オリジナル国試対策書を作りましょう．

アウトプット＜Check UP!（国家試験問題）＞

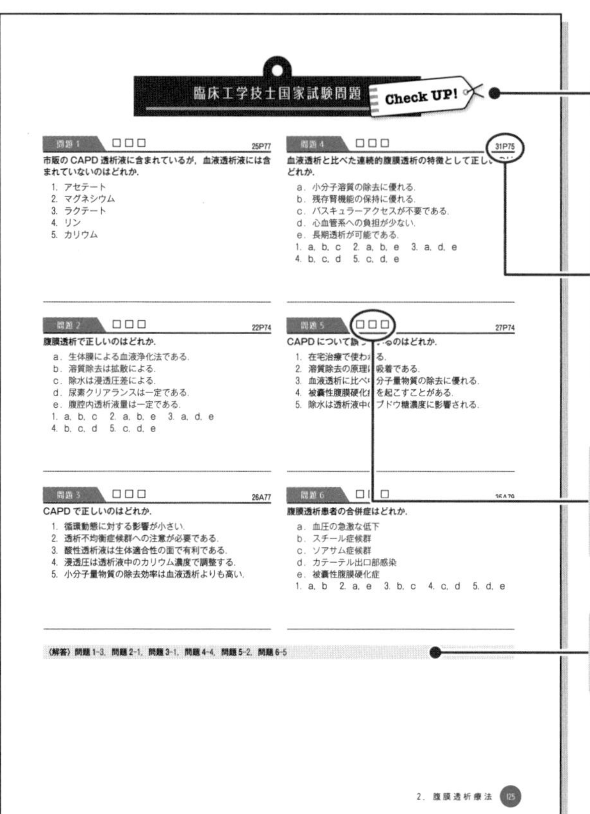

臨床工学技士国家試験問題 Check UP!

問題 1 □□□ 25P77

市販の CAPD 透析液に含まれているが，血液透析液には含まれていないのはどれか．

1. アセテート
2. マグネシウム
3. ラクテート
4. リン
5. カリウム

問題 2 □□□ 22P74

腹膜透析で正しいのはどれか．

a．生体膜による血液浄化法である．
b．溶質除去は拡散による．
c．除水は浸透圧差による．
d．尿素クリアランスは一定である．
e．腹腔内透析液量は一定である．

1. a, b, c　2. a, b, e　3. a, d, e
4. b, c, d　5. c, d, e

問題 3 □□□ 26A77

CAPD で正しいのはどれか．

1. 循環動態に対する影響が小さい．
2. 透析不均衡症候群への注意が必要である．
3. 酸性透析液は生体適合性の面で有利である．
4. 浸透圧は透析液中のカリウム濃度で調整する．
5. 小分子量物質の除去効率は血液透析よりも高い．

問題 4 □□□ 31P75

血液透析と比べた連続的腹膜透析の特徴として正しいのはどれか．

a．小分子溶質の除去に優れる．
b．残存腎機能の保持に優れる．
c．バスキュラーアクセスが不要である．
d．心血管系への負担が少ない．
e．長期透析が可能である．

1. a, b, c　2. a, b, e　3. a, d, e
4. b, c, d　5. c, d, e

問題 5 □□□ 27P74

CAPD について誤っているのはどれか．

1. 在宅治療で使われる．
2. 溶質除去の原理は吸着である．
3. 血液透析に比べ分子量物質の除去に優れる．
4. 被嚢性腹膜硬化症を起こすことがある．
5. 除水は透析液中のブドウ糖濃度に影響される．

問題 6 □□□ 25A79

腹膜透析患者の合併症はどれか．

a．血圧の急激な低下
b．スチール症候群
c．ソアサム症候群
d．カテーテル出口部感染
e．被嚢性腹膜硬化症

1. a, b　2. a, e　3. b, c　4. c, d　5. d, e

〈解答〉問題 1-3，問題 2-1，問題 3-1，問題 4-4，問題 5-2，問題 6-5

2．腹膜透析療法 125

既出国試問題で重要な問題を掲載しました．

国試出題回を表示しています．古い問題については，必要に応じて内容を最新の情報に更新しています．

例）35A01　→　35回国試午前問題1
　　24P50改　→　24回国試午後問題50を改変（内容の更新など）

チェックボックスを活用しましょう．
問題を解いたら☑，正解できたら☑，不正解だったら☑など

正解を導けなかったときは要点のまとめページに戻り，確認しましょう．

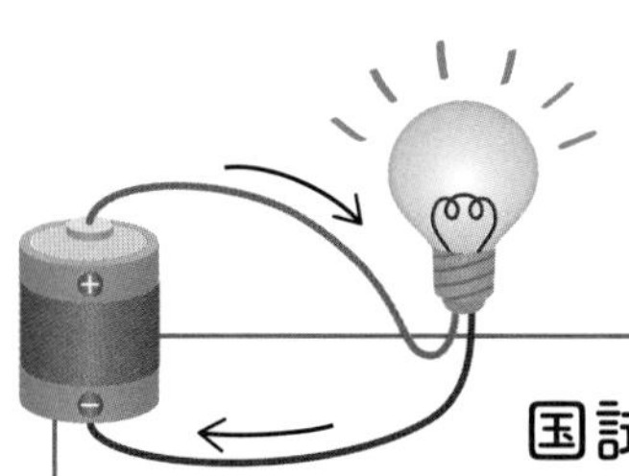

国試に合格した先輩はこんな使い方をしました！

・余白にどんどんメモを書き込んだり，追加事項を大きな付箋にまとめて貼り付けたり，教科書で重要な図表はコピーして貼り付けました．国試直前にはこのオリジナル本を見直しして，自信をもって国試に臨めました！

・内容の理解が不十分なページには付箋を貼って，理解ができたら付箋を剥がしていきました．最初は付箋だらけでしたが，勉強を進めると付箋が減っていき，最後には自分の弱点が残ります．幅広い国試の範囲を1つずつ攻略できました！

序

臨床工学技士国家試験は第37回が終了しました．近年，臨床工学技士に求められる業務内容に変化があり，国家試験出題内容も変化しつつあります．

臨床工学技士国家試験の出題範囲は，医学系，工学系，医用機器，安全管理と多岐にわたり，多くの内容を理解する必要があります．しかし，臨床工学技士国家試験対策の参考書は他職種と比べると種類が少なく，充実した内容のボリュームの大きい書籍，または簡潔にまとめられたコンパクトな書籍はありますが，その中間的なものはありませんでした．

そこで，臨床工学技士養成校の教員が学生からの声を集め，学生の求める視点に立ち，国家試験対策テキストを作成しました．そのテキストは毎年バージョンアップを繰り返し，その結果多くの臨床工学技士国家試験合格者を誕生させています．学生の声を集めた国家試験対策テキストのノウハウを多くの全国の学生さんに活用してもらいたいと思い，本書の発行となりました．

臨床工学技士国家試験はこれまで大きな変更はありませんでしたが，現在の業務内容と国家試験問題との相違により見直しが行われ，2022年3月の第35回臨床工学技士国家試験からは新たな出題基準により実施されています．本書は令和3年版国家試験出題基準（2022年）をもとに構成，最新の国家試験問題も掲載しています．また，「医学系」，「工学系」，「治療・計測，安全管理」，「生体機能代行装置」の全4巻で，臨床工学技士国家試験出題範囲をすべてカバーできます．

本書は，各章要点のまとめ（本文）と既出国試問題（Check UP!）の2部構成となっており，まとめを理解した後は実際の国試問題を解くことにより，理解度確認まで行える構成となっています．国試問題の解説はすべて本文にまとめてあるため，何度も戻って繰り返し確認・見直しを効率的に行うことができます．また，工学系分野では，できるかぎり解説を詳しくし理解しやすい内容を心がけました．

国試問題を分析すると多くの重複したキーワードが出題されているため，本書では必ず覚えなければいけないキーワード・重要ポイントは色文字で強調しています．そのため，1年生からでも，普段の試験対策，授業の予習・復習のまとめとしても活用できます．

臨床工学技士国家試験に合格するためには，コツがあります．いきなり国試問題を平たく勉強する方法は効率が悪いため，まずは自信のある分野ごとに勉強し，自分に足りない知識を1つ1つ確実に理解していくことが重要です．そのうえで何度も国試問題を解き，少なくとも過去5年の問題は必ず理解（答えを暗記するのではなく，各選択肢の内容を理解）してください．

これまで国試に合格した学生の多くは，本書の前身のテキストをサブノート的に使用し，必要な情報を補足しながら自分だけのノートを作っていました．そのため本書は，書き込みができたり付箋が貼れるよう，ある程度の余白を残しています．本書を最大限に活用することで，臨床工学技士国家試験合格の一助となれば大変嬉しく思います．

最後に，発刊にあたりご尽力いただきました医歯薬出版のスタッフにお礼を申し上げます．

2024 年 7 月

臨床工学技士国家試験研究会

目　次

● 正誤表・訂正

本書の内容について訂正箇所がある場合には，医歯薬出版ホームページ内「正誤表」を随時更新しお知らせいたします．以下のURLまたはQRコードからウェブページにアクセスしてください．

https://www.ishiyaku.co.jp/corrigenda/details.aspx?bookcode=732350

Ⅰ. 電気工学

1. 電磁気学

(1) 電荷と電界

医用電気工学1 第2版
p.5

○**静電気** 【33回】 ★★

➋静電気とは，物体に蓄えられている電荷自体，または物体が電荷を蓄えている状態のこと．

➋電荷とは，素粒子が持つ性質の一つ．国試では電気を帯びた極小の粒子のことを電荷と考えればよい．

医用電気工学2 第2版
p.19

電荷量

➋量記号：Q または q

➋単位：C（クーロン）

➋粒子や物体が帯びている電荷（電気）の量を表す物理量である．

➋電荷には正の状態と負の状態があり，電荷の大きさを電荷量という．電荷量のことを単に電荷と呼ぶこともある．

➋電荷量が正である電荷を正電荷といい，電荷量が負である電荷を負電荷という．

➋粒子状の電荷を特に点電荷と呼ぶ（粒子といってもきわめて小さく，大きさや質量を持たないと考えた方がよい）．

➋電荷を持った平面を面電荷と呼ぶ．形状によらず電荷を蓄えた物体を帯電体と呼ぶ．

➋原子を構成する陽子1個の電荷量は $+1.6\times10^{-19}$ C，電子1個の電荷量は -1.6×10^{-19} C である．

※参考：陽子・電子1個あたりの電荷量の大きさ（1.6×10^{-19} C）を電気素量という．

医用電気工学2 第2版
p.77

誘電率

➋量記号：ε（イプシロン：ギリシャ文字）

➋単位：F/m（ファラド/メートル）

➋物質内で，電荷とその電荷によって生じる力との関係を示す係数というのが誘電率の本来の意味．

➋電荷との関係では，誘電率が大きい物質ほど電荷を蓄えやすいと考えればよい．

➋理科年表などで物質の誘電率の大きさを調べると，比誘電率 ε_r が記されている．

・比誘電率 ε_r とは真空の誘電率 ε_0（8.85×10^{-12} F/m）に対する倍率で，単位はない．

・物質の真の誘電率 ε は真空の誘電率×比誘電率 $=\varepsilon_0\times\varepsilon_r$ で得られる．

比誘電率一覧

水素　約1	塩化ナトリウム　約6	紙　2.0～2.5	ガラス　3.7～10.0
空気　約1	エチルアルコール　約23	シリコン樹脂　3.5～5.0	ポリウレタン　5.0～5.3
酸素　約1	水　約80	ナイロン　3.5～5.0	尿素　5.0～8.0

電気双極子の特性を持つ水やエチルアルコールは，比誘電率が他の物質に比べて大きい．

医用電気工学2 第2版
p.19

○**クーロンの法則** 【33回】 ★★

➋異なる極性をもった電荷間には引力が，同じ極性をもった電荷間には斥力（反発力）が作用する．

➋電荷量が Q(C)，Q'(C) である 2 つの電荷が d(m) の間隔をおいて存在するとき，電荷間に作用する力 F(N) は，$F=\dfrac{1}{4\pi\varepsilon}\dfrac{Q\cdot Q'}{d^2}$ となる．

ここではQ，Q'を同極性としている

➋この関係をクーロンの法則と呼び，電荷に作用する力 F をクーロン力と呼ぶ．この式で，ε は電荷間に存在する物質の真の誘電率である．

➋この式は，電荷間に作用する力の大きさは電荷の電荷量 Q に比例し，電荷からの距離 d の 2 乗と電荷間物質の誘電率に反比例することを示している．

➋真空中では $\dfrac{1}{4\pi\varepsilon}\fallingdotseq 9\times10^9\ \mathrm{N/m^2\cdot C^2}$ であるが，国試で必要な場合には問題文中に示してある．

○電荷保存則

医用電気工学1　第2版
p.6

➋電荷の総量は永遠に変わらない（保存される）という法則である．

➋何もないところから電荷自体が現れたり，電荷自体が消失したりしない．物体が帯電するのは電荷の移動の結果である．

➋エネルギー保存則などとともに，自然界の基本法則であると考えられている．

○電界 ★

医用電気工学2　第2版
p.24

➋前述したクーロンの法則は，2 つの電荷間で力を及ぼしあうことを示している．

・これは，ある空間に電荷 Q と電荷 Q' を置いたとき，電荷 Q' が存在することで周囲に電気的性質が及ぶ空間が生じる．その空間の性質によって電荷 Q に力が作用したと解釈することもできる．

➋電気的性質とは「他の電荷に力を及ぼすという性質」であり，この性質をもった空間を電界と呼ぶ．

・電界中にある電荷に作用する力 F(N) は，電荷の電荷量 Q(C) と電気的性質＝電界の強さ E に比例するため，$F=QE$ と示すことができる．この式を変形して，$E=\dfrac{F}{Q}$ となるので，電界の強さ E の単位を N/C と表すことができる．

➋電界は力と同じように方向を持つ．電界の強さ E はベクトル量であり，電界の強さ E と正電荷に作用する力 F の向きは一致する．したがって，$\vec{F}=Q\vec{E}$ とするのが望ましい．

点電荷によって生じる電界

医用電気工学2　第2版
p.24

➋点電荷によって生じる電界は，右図に示すように点電荷の表面から垂直で，すべての方向へ放射状に広がっている．

➋電界の方向を表した線（図中では矢印）を電気力線と呼ぶ．矢印は，正電荷から負電荷に向かうように描かれる．

➋正電荷の電気力線は電荷から外側に向かい，負電荷の電気力線は電荷の方向に向かう．

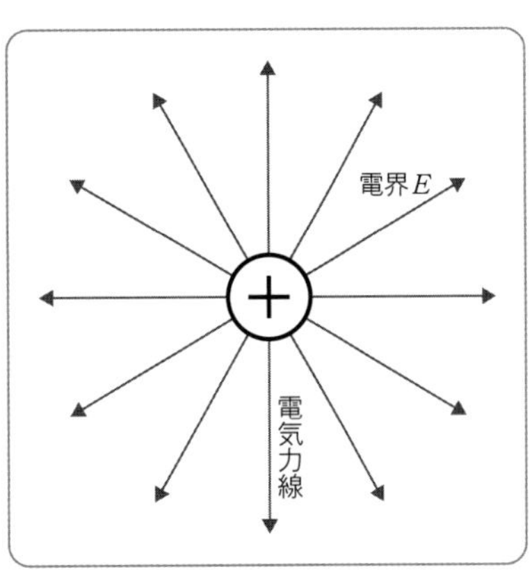

➲$F=QE$ として表すことができる力は，先に示したクーロン力と同じ大きさになるので，$F=QE=\frac{1}{4\pi\varepsilon}\frac{Q\cdot Q'}{d^2}$ となり，$E=\frac{1}{4\pi\varepsilon}\frac{Q'}{d^2}$ となる．

- この式は電荷 Q'（点電荷）から距離 d にある位置の電界の強さ E を表しており，一般的には $E=\frac{1}{4\pi\varepsilon}\frac{Q}{d^2}$ と示される．
- この式から，点電荷の周りの電界の強さ E は電荷の電荷量 Q に比例し，電荷からの距離 d の2乗と電荷をとりまく物質の誘電率に反比例することが分かる．

医用電気工学2 第2版
p.45

面電荷によって生じる電界

➲平面が電荷を持った面電荷は，電荷がその表面に一様に広がる．正電荷を持った平面と負電荷を持った平面を向かい合わせると，2つの平面間に電界が生じる．

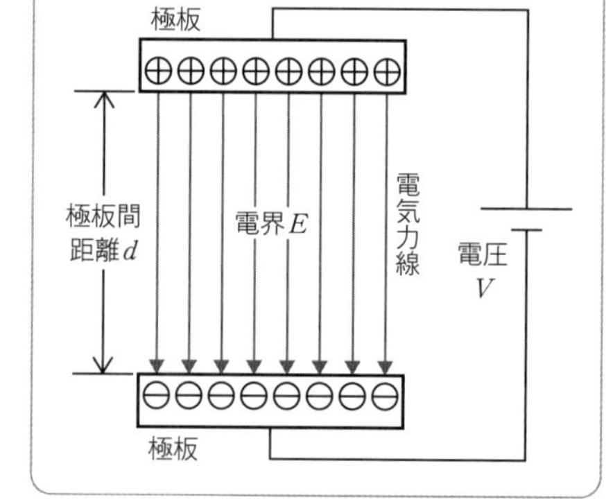

➲電気力線が平行となる電界を平行電界と呼ぶ．平行電界の強さは，極板間のどこでも等しい．このことから平行電界は一様電界とも呼ばれる．

➲このような電界を生じさせるには，平行に向かい合わせた導体の平板（導体極板）に電池を接続するのが最も簡単である（このような仕組みを平行平板コンデンサと呼ぶ）．

➲このときに極板間に生じる電気力線は，極板から垂直に生じて，＋極から －極に向かっており，互いに平行となる．国試で，平行電界，一様電界と示された場合は，図のように電気力線が平行で強さが一様な電界と考えてよい．

➲平行電界の強さ E は，極板間距離 d(m) と極板に接続された電池電圧 V(V) で与えられ，$E=\frac{V}{d}$ と定義される．また，これを変形した $V=Ed$ もよく用いられる．

- この式より，電界の強さ E の単位は V/m となる．
- これは前述した電界の強さの単位（N/C）と異なるが，どちらも正しく，いずれの単位を用いてもよい．
- 国試では，どちらの単位も用いられる．

医用電気工学2 第2版
p.37

➲この極板間に生じた電界中に電荷量 Q の点電荷を置くと，電界によって電荷には力 F が作用する．その大きさは $F=QE$ と示すことができ，さらに $F=QE=Q\frac{V}{d}$ と示すこともできる．

- 力の方向は電気力線と平行となる．
- 正電荷に作用する力は電気力線と同じ向きだが，負電荷に作用する力は電気力線と逆の向きになる．

➲電界は「電荷に力を及ぼすという性質を持った空間」であるが，電界には必ず電気力線が存在する．このことから，電気力線が存在する空間を電界と考えてよい．

➲電界中に物体を置くと，物体表面に電荷が現れる．導体の場合は静電誘導，絶縁体の場合は誘導分極と，電荷が現れる仕組みが異なる（詳しくは後述）．

➲Q(C) の電荷を帯びた物体の表面に生じる電気力線の数は定義されている．物体の周りの物質の真の誘電率が ε であるとき，電気力線の数は $\frac{Q}{\varepsilon}$ 本とされている．

○電圧と電位差 ★

医用電気工学1 第2版 p.16

➲電位とは，電界中で単位電荷（電荷量が1Cの電荷）が持つ静電エネルギー（電気的な位置エネルギー＝ポテンシャルエネルギー）が本来の意味．

➲回路または電界中のどこかを基準（0V）としたとき，「ある点」との間に高性能な電圧計を接続し，測定値が何Vであるかが，「ある点」の電位と解釈すればよく，単位はV（ボルト）である．

➲基準（0V）とする点は自由に決めてよいが，国試では次のように考えるとよい．

・回路中に接地された場所があれば，その場所を基準（0V）とする．

・回路中に接地された場所がない場合は

①直流回路では，電池（直流電源）の－極側（複数の電池がある場合は1カ所だけを0Vとする）．

②交流回路では，交流電源の片側（一般には下側または右側を0Vとすることが多い）．

③電子回路図上では一番下の導線を基準（電位0V）とすると便利なことが多い．

➲電位と同様にV（ボルト）を単位とする電位差，電圧があるが，次のような解釈でよい．

・電位差：異なる2点間の電位の差をいう．単位はV（ボルト）．

・電圧：単位がV（ボルト）で表される物理量をすべて電圧といい，特別な定義はない．

電荷の周囲の電位

医用電気工学2 第2版 p.41

➲電荷によって生じる電界にも電位が存在する．等電位線は電気力線と直交するので，等電位線は同心円状となる．

➲電荷 Q から距離 d の点Aの電界の強さは $E=\frac{1}{4\pi\varepsilon}\frac{Q}{d^2}$ である．点Aの電位 V についても「電界の強さ × 距離」の関係が成り立つので，$V=Ed=\frac{1}{4\pi\varepsilon}\frac{Q}{d^2}d=\frac{1}{4\pi\varepsilon}\frac{Q}{d}$ となる．電荷から離れた点の電位は，電荷量に比例し，距離と誘電率に反比例する．

➲複数の電荷が存在する空間中のある1点の電位は，それぞれの電荷が与える電位の総和で求められる．

電界中の電位

医用電気工学2 第2版 p.45

➲電界中でも電位は存在する．次ページの図に示した平行平板コンデンサの中に生じる一様電界では，極板からの距離で電位が決まる．

➲ここで，電位の基準（電位0V）となる点を電池の－極側とする．

・このとき，電池の－極側と導線で接続された－極板は同電位なので，－極板の電位は0となる．

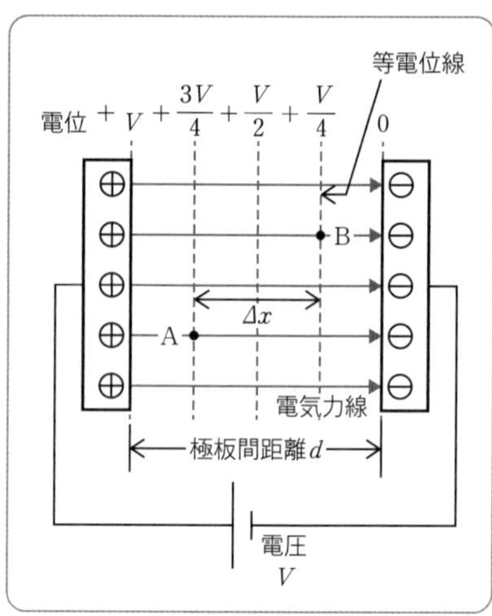

- 電池電圧が V なので，電池の＋極側の電位は $+V$ となる．電池の＋極側と導線で接続された＋極板の電位も $+V$ となる．したがって，極板間の電位差は，$+V-0=+V$ となる．
- 極板の中点では電位は $+\frac{V}{2}$ となり，＋・－両極板から等距離にある点ではどこでも電位は $+\frac{V}{2}$ となる．
- 電位が等しい点同士を結んだ線を等電位線という．
- 等電位線は電気力線と必ず直交する．上図のような一様電界では等電位線も平行となる．

医用電気工学2　第2版
p.45

電界中の電位差

- 上図の電界中に2つの点A，Bを考えてみよう．
- このときの電界の強さ E は，極板間距離 d(m) と極板に接続された電池電圧 V(V) で与えられ，$E=\frac{V}{d}$ となる．したがって $V=Ed$ と示すことができる．この関係は2点A，B間の電位差 ΔV と距離 Δx についても成立し，$\Delta V=E\cdot\Delta x$ となる．
- ここで，2点間の距離は電界の方向＝電気力線の方向（上図では左右方向）の距離であることに注意する．言い換えれば，等電位線方向（上図では上下方向）の距離＝等電位線方向の間隔は電位差に影響しない．

医用電気工学2　第2版
p.37

電界中で電荷を移動させる仕事

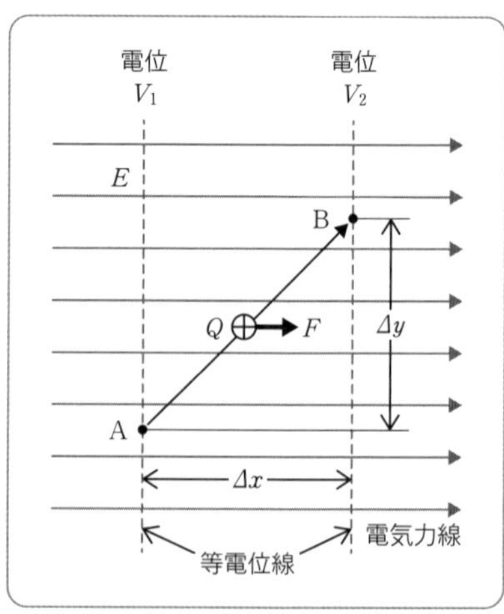

- 前述したように，電界中に置いた電荷には力が作用する．
- 電界の強さが E である一様電界中の点Aにあった正の点電荷 Q を，点Bまで移動させることを考えてみよう．
- このとき点電荷は，電界の方向に Δx，等電位線の方向に Δy 移動する．この点電荷には電界からの力 F が作用し，その大きさは，$F=QE$ である．この力の方向は電界の方向に一致し，右図では左右の方向に作用する．そのため，点電荷を左右の方向＝電界の方向（電気力線の方向）に移動させるための仕事（エネルギー）が必要となる．しかし，等電位線の方向（図の上下方向）には力が作用していないので，等電位線と平行方向の移動には仕事が必要ない．

※参考：電荷は等電位線と平行な方向の移動に仕事を必要としないので自由に（勝手に）動くことができる．

- この点電荷が点Aから点Bまで移動したとき，必要となる仕事の大きさ $W_{(J)}$ は，仕事の定義（仕事＝力×力の方向（電界の方向）の移動距離）から，電界の方向に作用する力 $F_{(N)}$ と電界の方向（左右の方向）への移動距離 $\Delta x_{(m)}$ で求めることができ，点電荷が点Aから点Bまで移動するために必要な仕事は $W=F\cdot\Delta x$ となる．電荷量が $Q_{(C)}$ である点電荷が電界から受ける力 F は $F=QE$ であるから，$W=QE\cdot\Delta x$ と表すこともできる．
- 点Aと点Bの電位差 $\Delta V_{(V)}$ は，電界の強さ E と2点間の距離から求めることができる．
- ただし，2点間の距離とは，電界の方向に沿った距離だけを考えればよいので，ここでは Δx となる．したがって，点Aと点Bの電位差は，$\Delta V=E\cdot\Delta x$ となる．
- これを移動に要した仕事の式に用いると，$W=QE\cdot\Delta x=Q\cdot\Delta V$ となり，移動に要した仕事は点電荷の電荷量と2点間の電位差だけからも求めることができる．
  - 図のように点Aの電位が V_1，点Bの電位が V_2 であれば，$W=Q\cdot\Delta V=Q(V_2-V_1)$ となる．
  - このときに必要となる仕事は，移動の経路に関わらず同じ大きさとなる．移動元と移動先について，電界の方向に沿った距離または電位差を比較するだけでよい．

○ポテンシャルエネルギー

医用電気工学2 第2版
p.38

- 「電界中で電荷を移動させる仕事」で考えた仕事は，外部から電荷に与える仕事（エネルギー）である．このエネルギーは電荷が受け取るので，電荷の持つエネルギーが増減する．
- 「電界中で電荷を移動させる仕事」で示したように，一様電界での増減量は $W=F\cdot\Delta x=QE\cdot\Delta x$ と表すことができる．これは移動量によって決まるエネルギーであるから，電界中での電荷 Q の位置エネルギーと考えてよい．これを電界（電場）のポテンシャルエネルギーという．
- $\Delta V=E\cdot\Delta x$ であるから，$W=QE\cdot\Delta x=Q\cdot\Delta V$ となり，ポテンシャルエネルギーを移動元と移動先の電位差で表すこともできる．
- ポテンシャルエネルギーは，2つの電荷間で考えることもできる．
  - 電荷 Q によって生じる電界中に電荷 q を置く．電荷間の距離を x とすると，電荷間には力 $F=\frac{1}{4\pi\varepsilon}\frac{Q\cdot q}{x^2}$ が作用する．
  - 電荷間の電界は一様ではないので，無限に離れた位置を基準とし，2つの電荷を距離 r まで近づけたとき，電荷間のポテンシャルエネルギーの差は $W=\int_r^\infty Fdx=\int_r^\infty\frac{1}{4\pi\varepsilon}\frac{Q\cdot q}{x^2}dx=\frac{1}{4\pi\varepsilon}\frac{Q\cdot q}{r}$ となり，電荷の積に比例し，電荷間の距離と電荷を取りまく物質の誘電率に反比例することが分かる．

医用電気工学2　第2版
p.51

○静電誘導

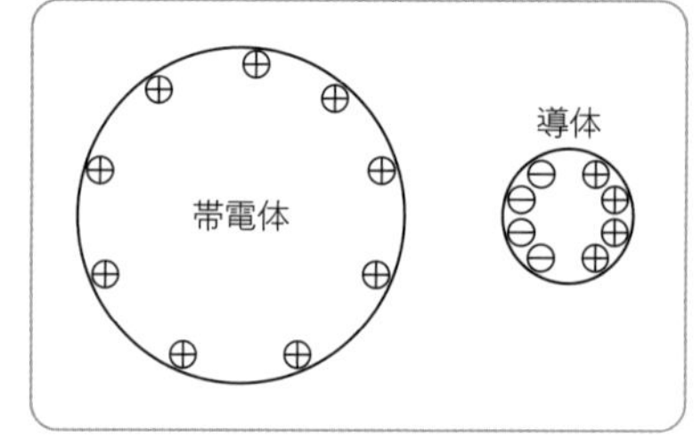

➋静電誘導とは，帯電した物体（帯電体）を導体に接近させたとき，導体の帯電した物体に近い側に，物体に帯電した電荷の極性とは逆の極性の電荷が導体表面に引き寄せられる現象をいう．

- このとき導体に現れた電荷は，もともと導体内部に分散していたもので，その一部がクーロン力によって引き寄せられたと考えてよい．

➋帯電体の影響を受けない通常の状態では，導体内部に大量の正と負の電荷が均一に分散する．それらは，その極性を打ち消しあって，正にも負にもかたよりのない状態となる．そのため見かけ上は導体内部に電荷が存在しないと考えた方がよい．

➋電荷の移動は起きたが，導体はどの部分も同電位なので，導体内部には電位差が生じない．したがって，導体内部には電界は存在しない．

医用電気工学2　第2版
p.54

○静電シールド

➋帯電体が，帯電していない導体に静電誘導が起きるのを妨げる仕組み．

➋材料は良導体（抵抗率が小さい物質，導電率が大きい物質）が望ましい．

➋電界の影響を妨げたい空間を良導体で囲う．さらにそれを接地すると効果が高まる．

〈導体Aが導体殻で囲われているだけの場合〉

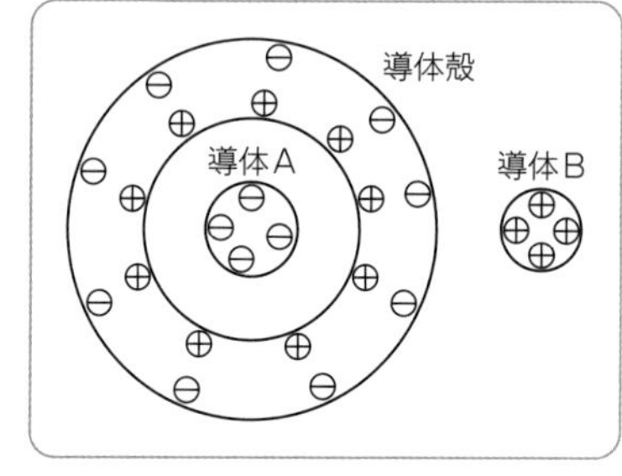

➋導体殻に正に帯電した導体Bが近づいたとする．

- 導体Bによる静電誘導のため，導体殻の外側表面には導体殻内部に存在していた負電荷が移動してくる．
- 負電荷が外側表面に移動した結果，導体殻の内側表面では相対的に正の電荷が増える．すると，導体殻の内側表面の正電荷に誘導され，導体Aの表面は負の電荷が現れる．つまり，導体Aは静電シールドされたことにはならない．

〈導体殻が接地してある場合〉

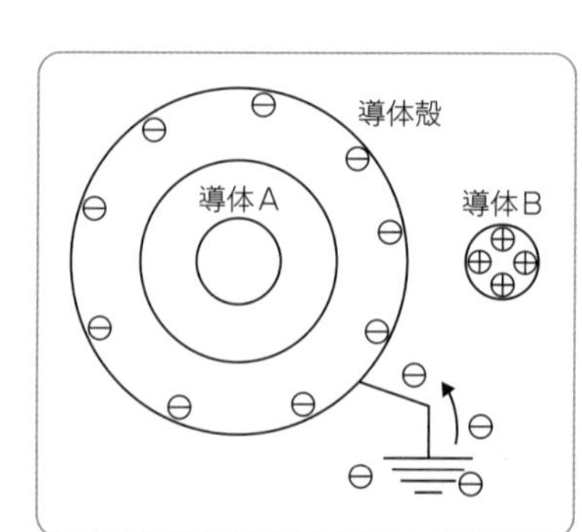

➋導体殻が接地してあるので，導体殻の電位は表面・内部とも地面と同電位に保たれ，導体殻のどこにも電位差は生じない．

➋導体殻に正に帯電した導体Bが近づくと，導体Bに誘導されて，導体殻の外側表面は負に帯電する．

- このとき導体殻の外側表面に現れる負電荷は，接地された地面から移動してきたもので，導体殻内部に存在していた負電荷ではない（地面には正電荷，負電荷とも無尽蔵に存在し，接地してあれば必要に応じていくらでも供給される）．
- そのため，導体殻内部に存在していた電荷は移動する必要がなく，導体殻の内側表面が帯電することもない．

・したがって，導体Aは帯電することがなく，導体殻によって電界が遮断された（シールドされた）といえる．導体殻の接地は，特に静電界（変動しない電界）のシールド効果を期待できる．

○分極電位

医用電気工学2 第2版
p.56

➋帯電体を絶縁体に接近させた場合，絶縁体表面に電荷が現れる現象を誘電分極または電気分極という．しかし導体のように内部に存在した電荷が移動するわけではない．

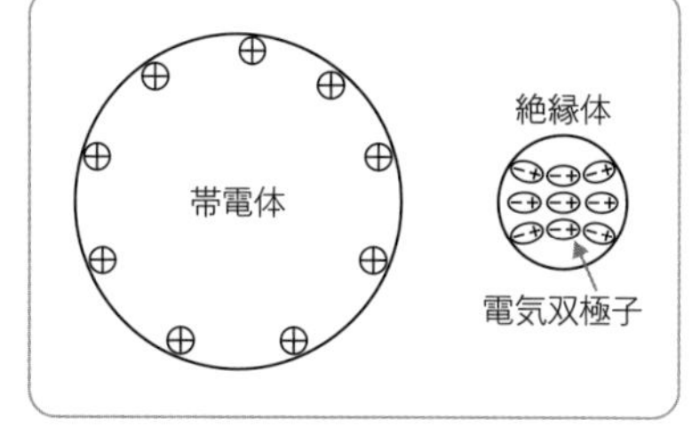

➋帯電体によって生じた電界によって，絶縁体内部の電気双極子（大きさの等しい正負の電荷が無限小の間隔で対となって存在する状態のこと）が整列することで引き起こされる．ただし，電気双極子については，詳しく知る必要はない．

➋電気双極子は正負の電荷の組が無数に並んで列をなすため，両端となる絶縁体表面には電荷が現れたように見える．また，絶縁体の誘電率が大きいほど，誘導分極が起きやすく電気双極子の列が多く生じる．

➋水分子は構造上，電気双極子の特性を持っており誘導分極が起きやすい．そのため，水は他の物質と比較して誘電率が大きい（水の比誘電率＝約 80）．

➋電気双極子の列は見かけ上，絶縁体内部に正負の電荷が交互に並んで存在すると考えた方がよい．極端にいえば，極小な電池が直列に並んでいると考えてもよい．

・そのため電気双極子の列に沿って，電位の高低＝電位差が生じるため，絶縁体内部には電界が存在する．この電界の方向に生じる電位を分極電位という．

○静電界と導体

医用電気工学2 第2版
p.52，57

〈平行電界中に導体を置いた場合〉

➋静電誘導によって導体中の電荷が移動する．電気力線は物体の表面に垂直に現れるので，平行であった電気力線は図のように変化する．

➋極板間には電位差があるが，極板間の導体では表面，内部ともに電位差がなく，電位差が 0 V であることに注意する．したがって，電界中の導体内部には電界が存在しないことになる．

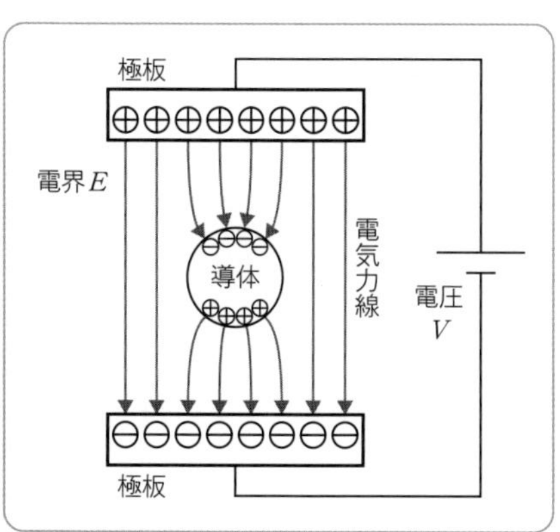

〈平行電界中に絶縁体を置いた場合〉

➋誘導分極によって，絶縁体内部の電気双極子が整列し，見かけ上，絶縁体表面に電荷が現れ，導体のときと同じように電気力線が変化する．

➋ただし，この絶縁体の表面および内部には電位差が生じ，電界中の絶縁体内部には電界が存在することに注意する．

医用電気工学2 第2版
p.71

○キャパシタと静電容量 【37回】 ★★

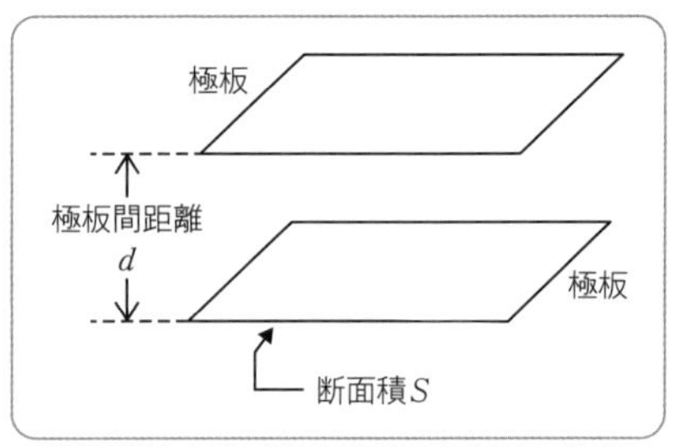

- キャパシタとは電荷を蓄える仕組みで，国試で考える場合はコンデンサと思ってよい．
- 静電容量とは，電荷を蓄える能力の高さを表す量である．
  - ・量記号：C
  - ・単位：F（ファラド）
- 静電容量は単に容量または電気容量，キャパシタンスとも呼ばれる．
- 平行平板コンデンサの場合，静電容量 C(F) は，断面積 S(m^2) に比例し，極板間距離 d(m) に反比例する．
- 極板間を満たしている絶縁体（誘電体という）は物質ごとに誘電率 ε(F/m) が異なる．誘電率が大きいほど電荷を蓄えやすくなるので，静電容量は誘電率に比例する．
  - ・静電容量を C(F) とすると，一般式は $C=\varepsilon\dfrac{S}{d}$ となる．
- コンデンサに蓄えられる電荷の量（電荷量）は，両極板間に印加された電圧（極板間電圧）に比例する．静電容量は，その関係式の比例定数となる．

医用電気工学2 第2版
p.56

○誘電体

- 電界中で誘導分極を起こす物質を誘電体という．
- 誘電体に静電誘導が起きないのは，物質内部に自由電子が存在しないためである．したがって，誘電体には電流が流れない．つまり，誘電体は絶縁体と考えてよい．
- コンデンサの極板間物質と利用される誘電体の例として，チタン酸バリウム，プラスチック，セラミックス，雲母（マイカ），油などがある．チタン酸バリウムは比誘電率が約5000と極めて大きく，小型で静電容量の大きなコンデンサで利用される．

臨床工学技士国家試験問題 Check UP!

問題1 □□□ 25A46

真空中で10 μC と20 μC の点電荷が0.5 m 離れている．この電荷間に働く力［N］はどれか．ただし，$\dfrac{1}{4\pi\varepsilon_0}=9\times10^9$ Nm^{-2}C^{-2} とする．

1. 0.45
2. 0.90
3. 3.6
4. 7.2
5. 36

問題2 □□□ 26A45

6 cm 離れた2点A，Bにそれぞれ Q［C］，4Q［C］の正の点電荷がある．3個目の点電荷を線分AB上に置くとき，これに働く力がつり合うAからの距離［cm］はどれか．

1. 1.0
2. 1.2
3. 1.5
4. 2.0
5. 3.0

問題 3　□□□　28P45

比誘電率が最も大きいのはどれか.

1. 水素
2. 空気
3. エチルアルコール
4. 水
5. 塩化ナトリウム

問題 4　□□□　34A46

真空中に1C（クーロン）の点電荷Aと2Cの点電荷Bが1mの距離で存在する．正しいのはどれか.

1. Bの受ける力は，Aの受ける力の2倍である.
2. Bの受ける力の方向は，A，Bを結ぶ直線に垂直である.
3. A，B間の距離を0.5mにすると，Bの受ける力は2倍になる.
4. Aの電荷量を2倍にすると，A及びBの受ける力は2倍になる.
5. A及びBの電荷量を両方とも2倍にしても，Aの受ける力は変わらない.

問題 5　□□□　35P46

+1C，−1Cの点電荷の間に働く引力は，電荷間の距離が 2×10^{-2} mのとき，1×10^{-2} mの場合に比べて何倍となるか.

1. 2
2. 1
3. $\frac{1}{2}$
4. $\frac{1}{4}$
5. $\frac{1}{8}$

問題 6　□□□　32A47

図のようにA点に電気量Q，B点とC点に電気量2Qの点電荷が正方形の各頂点に固定してある．A点の点電荷に働く静電気力がつり合うとき，X点の電気量はどれか.

1. Q
2. $-Q$
3. $2\sqrt{2}Q$
4. $-2\sqrt{2}Q$
5. $-4\sqrt{2}Q$

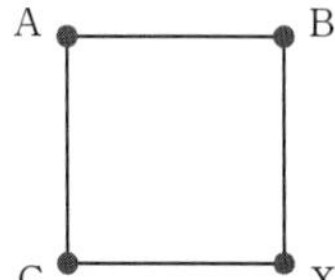

問題 7　□□□　33A49

真空中に，それぞれ電荷+Q［C］が帯電する質点A及びBがある．これらの帯電体をそれぞれ長さ a［m］の糸で点Pからつるしたところ，図のように，帯電体A，Bは糸の鉛直直線に対する傾きが45°となって静止した．帯電体A，B間に働く力 F［N］の大きさとして，正しいのはどれか．ただし，真空の誘電率は ε_0［F/m］とし，糸の質量は無視できるものとする.

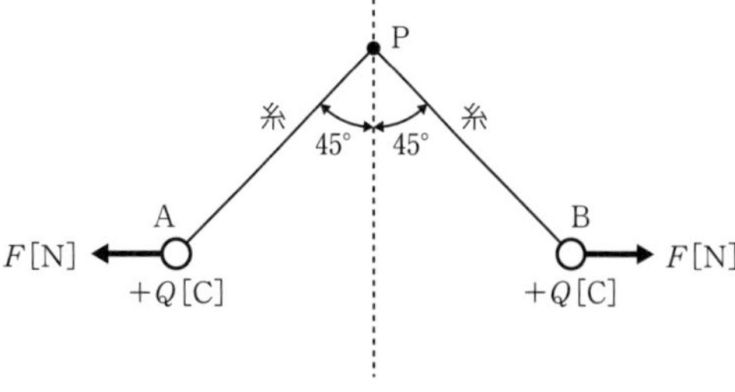

1. $\frac{Q}{4\sqrt{2}\pi\varepsilon_0 a}$
2. $\frac{Q}{8\pi\varepsilon_0 a^2}$
3. $\frac{Q^2}{2\sqrt{2}\pi\varepsilon_0 a}$
4. $\frac{Q^2}{4\pi\varepsilon_0 a^2}$
5. $\frac{Q^2}{8\pi\varepsilon_0 a^2}$

問題 8 □□□

30A45

図のような一様電界 $E = 5.0\times10^3$ V/m 中の点 A に+1C の電荷がある．この電荷を点 A →点 B →点 C の経路で移動させたときの仕事［J］はどれか．

1. −1000
2. −500
3. 0
4. 500
5. 1000

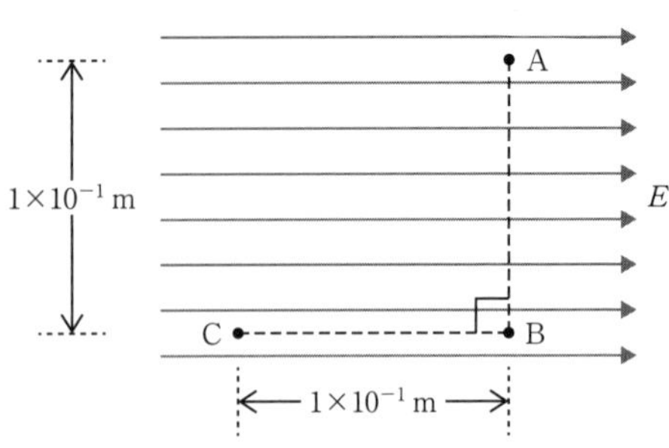

問題 9 □□□

28A47

x 軸方向に電界が存在する平面上で，2 点 ab 間の電界分布が図のようになっているとき，ab 間の電位差［V］はどれか．

1. −2
2. 0
3. 1
4. 2
5. 4

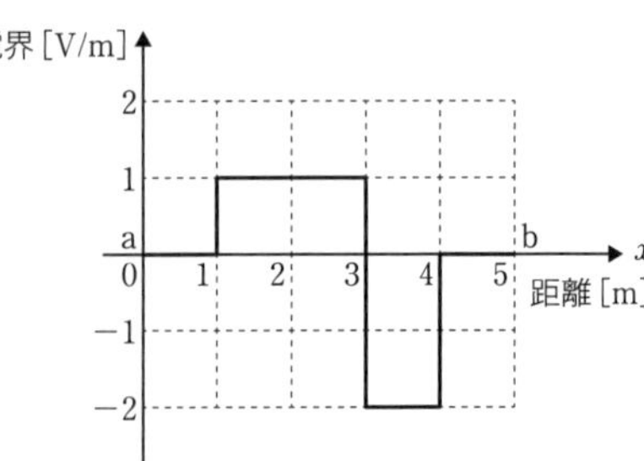

問題 10 □□□

36A46

真空中において，図のように xy 平面上に点電荷 A（+3C），B（−1C）が置かれている．xy 平面上で点 P の電位は点 O の電位の何倍か．

1. −1.6
2. −1.28
3. 0
4. 1.28
5. 1.6

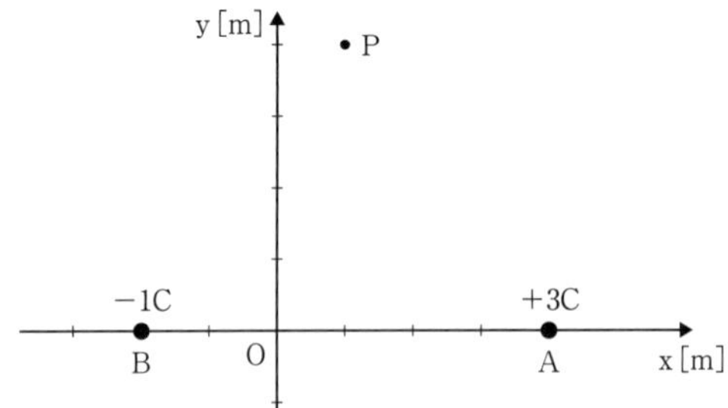

問題 11 □□□

29A46

x 軸に沿って図のように電位が変化するとき，区間 A と電界の大きさ（絶対値）が等しい区間はどれか．

1. B
2. C
3. D
4. E
5. なし

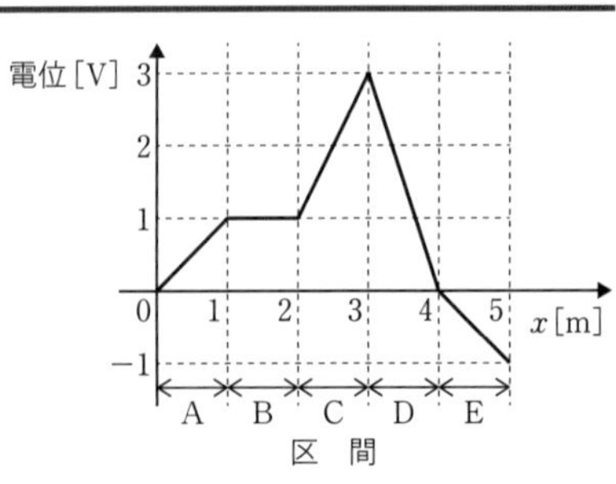

問題 12 □□□ 35A47

帯電している導体球が真空中におかれている．正しいのはどれか．ただし，導体には電流は流れておらず，すべての電荷が静止しているものとする．

1. 導体表面は等電位面である．
2. 導体内部には一様な電荷が存在する．
3. 導体内部には同心円状に電界が存在する．
4. 導体内部から放射状に電気力線が出入りする．
5. 導体球に帯電体を近づけると導体内部に電位差が生じる．

問題 13 □□□ 25A45

真空中に正電荷で帯電した半径 r の球形導体がある．電界強度が最も大きい部分はどれか．

1. 導体の中心点
2. 導体の中心から $0.5r$ 離れた位置
3. 導体表面近傍で導体内の位置
4. 導体表面近傍で導体外の位置
5. 導体中心から $2r$ 離れた位置

問題 14 □□□ 32P45

図は，真空中に正電荷で帯電した半径 r の導体球の断面である．図の各点（＊）において電界強度が最も大きい点はどれか．

1. A
2. B
3. C
4. D
5. E

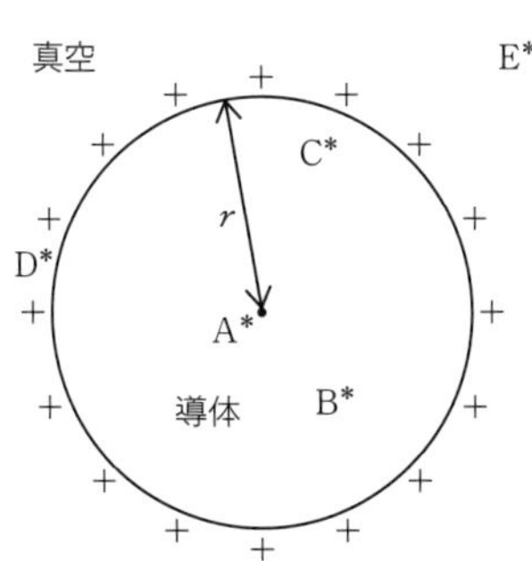

問題 15 □□□ 30P47

電荷 Q を蓄えた平行平板空気コンデンサの極板間に比誘電率 5 の材料を挿入すると，極板間の電界強度は何倍になるか．

1. 0.2
2. 0.5
3. 1.0
4. 2.0
5. 5.0

問題 16 □□□ 23A47

平行平板コンデンサの極板面積を 3 倍，極板間距離を 1/3 にしたとき，コンデンサの静電容量は何倍になるか．

1. 1/9
2. 1/3
3. 1
4. 3
5. 9

問題 17 □□□ 33A48

図の導体 A を静電シールドする場合，正しい方法はどれか．

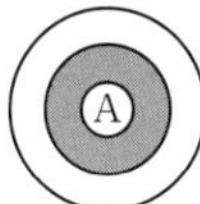

白色部：導体
灰色部：絶縁体

1.

2.

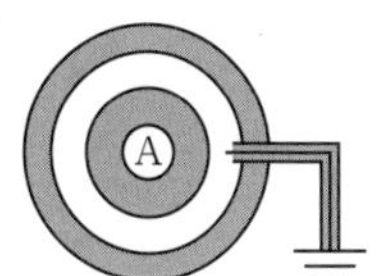

3.

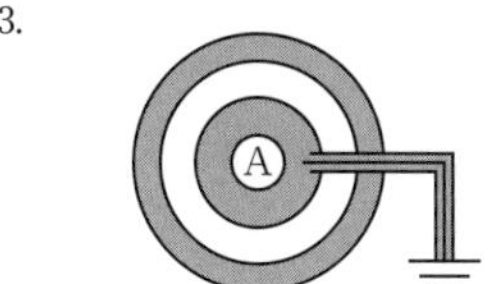

4.

5.

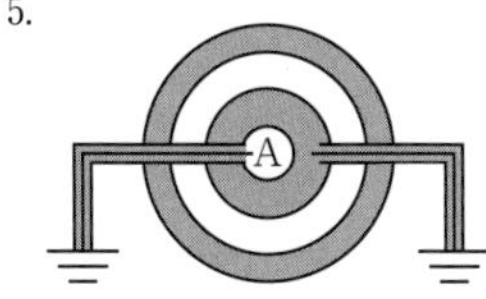

問題 18 □□□

36P46

2 枚の同じ面積の金属平板 A，B を間隔 d だけ離して平行に並べた．金属平板 A に電荷 $+Q$ を，金属平板 B に電荷 $-Q$ を与えた．その後，金属平板 B だけ動かし，最初の位置から 10 d 離した．金属平板 A と金属平板 B'の電位差は，金属平板 B を動かす前の何倍か．

1. 1.0 倍
2. 5.0 倍
3. 5.5 倍
4. 10 倍
5. 11 倍

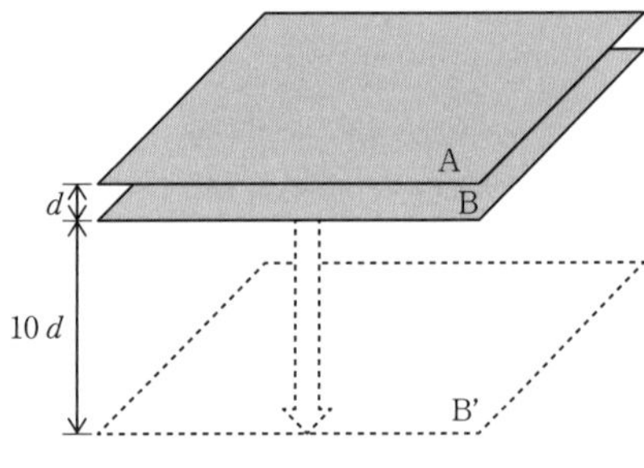

問題 19 □□□

31P45

図 1 の極板間距離 d の平行平板空気コンデンサの極板間を，比誘電率（ε_r）
3 及び 6 の材料で図 2 のように充填すると，静電容量は何倍になるか．

1. 3.0
2. 4.0
3. 4.5
4. 5.0
5. 6.0

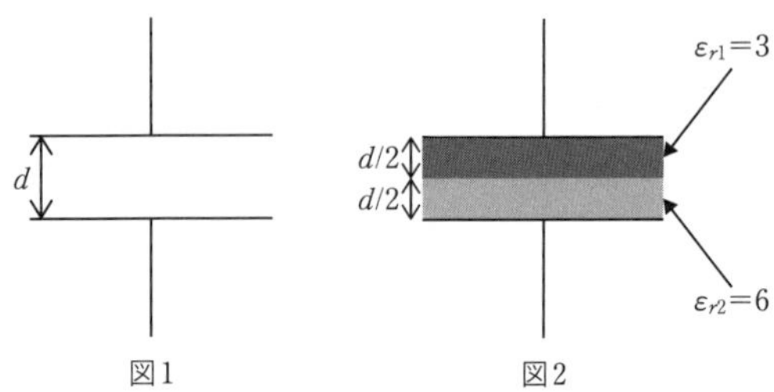

問題 20 □□□

37A46

図 1 のように，真空中に置かれた半径 R の円形の平行平板電極からなるキャパシタの静電容量を C_0 とする．図 2 のように，この電極間に半径 $\frac{R}{2}$，比誘電率 7 の円柱誘電体を隙間なく挿入したときの静電容量 C_1 はどれか．ただし，電極間距離は変わらず，端部の影響（端効果）は無視できるものとする．

1. $\frac{4}{5}c_0$
2. $\frac{3}{2}c_0$
3. $2c_0$
4. $\frac{5}{2}c_0$
5. $5c_0$

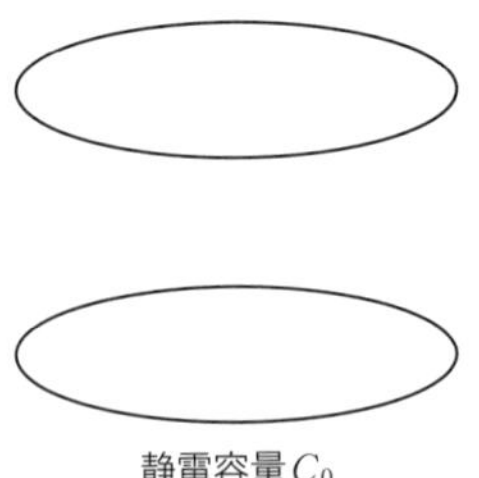
静電容量 C_0

図1

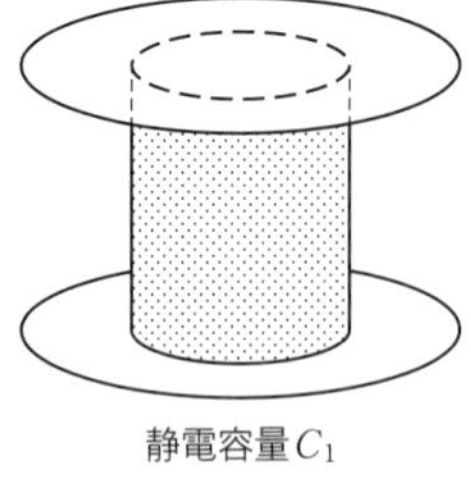
静電容量 C_1

図2

〈解答〉問題 1-4，問題 2-4，問題 3-4，問題 4-4，問題 5-4，問題 6-5，問題 7-5，問題 8-4，問題 9-2，問題 10-5，問題 11-4，問題 12-1，問題 13-4，問題 14-4，問題 15-1，問題 16-5，問題 17-2，問題 18-5，問題 19-2，問題 20-4

(2) 磁気と磁界

○磁石と磁界

医用電気工学2　第2版
p.97

- 磁界とは，電気的現象・磁気的現象を説明するための物理的概念であり，磁場とも呼ばれる．
- 磁界そのものを具体的に示すことは難しい．電界を電気力線が存在する空間と考えればよいように，磁界は磁力線が存在する空間または磁力が及ぶ空間と考えればよい．
- 最も簡単に磁界を作るには，磁石を向かい合わせればよい．このとき磁力線は，N 極から S 極に向かって生じる．右に簡単な図を示したが，実際の磁力線はこれよりも広範囲に広がる．この磁力線が存在する空間を磁界と呼ぶ．

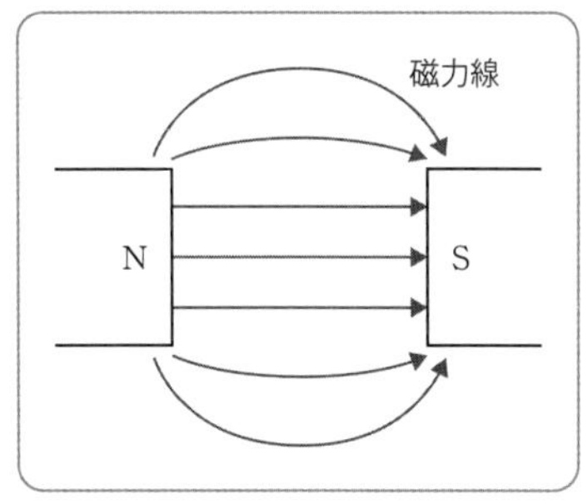

- 電気力線は導体内部には存在しないが，磁力線は導体を含むあらゆる物質を透過する．これはあらゆる物質の中に磁界が生じうることを示している．

磁界の強さ

医用電気工学2　第2版
p.102

- 量記号：H
- 単位：A/m（アンペア/メートル）
- 磁界の強さは磁荷（電界における電荷に対応するもの）に作用する力の大きさで決まる物理量などと定義される．
- 後述する磁束密度との関係と電流との関係を押さえておけばよい．ただし，量記号 H をインダクタンスの単位ヘンリー（H）と混同しないこと．

○透磁率

医用電気工学2　第2版
p.100

- 量記号：μ（ミュー：ギリシャ文字）
- 単位：H/m（ヘンリー/メートル）または N/A^2（ニュートン/平方アンペア）
- 磁界の強さ H と磁束密度 B は比例するが，透磁率はその関係を表したときの比例定数と定義される（$B=\mu H$）．
- 国試では，透磁率を磁力線の通りやすさ，または磁界の生じやすさを表す物性値と考えてよい．
- 透磁率の大きな物質を磁界中に置くと，$B=\mu H$ の関係から物質中の磁束密度が大きくなることが分かるが，これはその物質中に多くの磁力線が透過するようになったことを示している．したがって，磁界中で物質が周囲の磁力線を引き寄せる性質の強さを透磁率と考えてもよい．
- 理科年表などで物質の透磁率の大きさを調べると，比透磁率 μ_r が記されている．
  - ・比透磁率 μ_r とは真空の透磁率 μ_0（$4\pi\times10^{-7}$ H/m）に対する倍率で，単位はない．
  - ・物質の真の透磁率 μ は $\mu=\mu_0\times\mu_r$ で得られる．

磁性体

医用電気工学2　第2版
p.101

- 物質の比透磁率 μ_r に注目して，物質を強磁性体，常磁性体，反磁性体に分けることができる．
- 鉄やニッケル，コバルトなどの比透磁率 μ_r が 1 よりもはるかに大きな物質は強磁性体と呼ばれ，磁石に引きつけられる．ビスマス，炭素，銀，銅，鉛，水銀，水などの比透磁率 μ_r が 1 より小さな物質は反磁性体と呼ばれ，磁石を近づけると反発する．

- 比透磁率 μ_r がほぼ 1 である物質は常磁性体と呼ばれ，磁石に引きつけられることも反発することもない．単に磁性体と呼んだ場合は，強磁性体のみを指す．
- 永久磁石の材料には強磁性体（透磁率の大きい物質：鉄・フェライトなど）が用いられる．
- 生体の比透磁率はほぼ 1 としてよい．
- 脱酸素化ヘモグロビンは常磁性体，酸素化ヘモグロビンは反磁性体である．

医用電気工学2　第2版
p.104

○磁束と磁束密度

磁束

- 量記号：Φ（ファイ：ギリシャ文字）
- 単位：Wb（ウェーバー）
- 国試では，磁界中にどれだけ多くの磁力線が存在しているかを表していると思えばよい．

磁束密度

- 量記号：B
- 単位：T（テスラ）または Wb/m²（ウェーバー/平方メートル）
- 磁束を単位面積あたりに換算した値．国試では，単位面積（1 m²）あたりにどれだけの磁力線が存在しているかを表していると思えばよい．
- 磁束と磁束密度は互いに関係しており，次の関係が成り立つ．$B=\dfrac{\Phi}{S}$ または $\Phi=BS$（S は磁界の影響を考えたい範囲の面積（m²））
- 磁界の強さ H と磁束密度 B は比例し，$B=\mu H$（μ は磁界を満たす物質の透磁率）が成り立つ．磁界の強さ H と磁束密度 B はベクトル量であり，どちらも方向は磁力線の向きと一致する（$\vec{B}=\mu\vec{H}$）．

医用電気工学2　第2版
p.105

○磁気シールド　【37 回】　★★

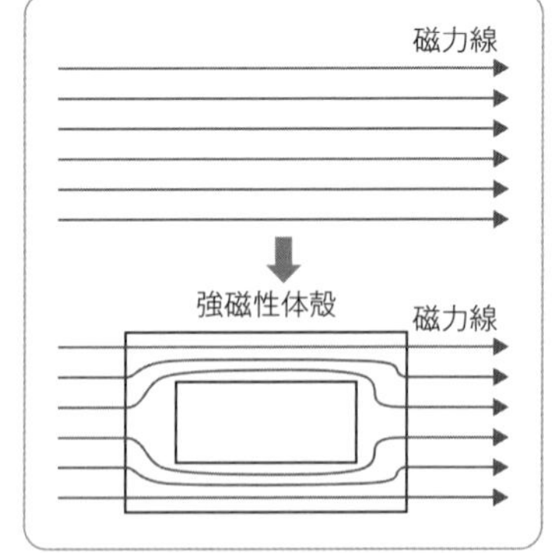

- 定常的に存在する磁界（磁力線）が空間を通り抜けるのを妨げる仕組み．磁気シールドに適した材料には強磁性体（透磁率が大きい物質）が望ましい．
- 透磁率は磁力線の通りやすさを表す物性値であり，磁界中では周囲の磁力線を引き寄せる性質の強さを示している．
- 右の上図のように一様に磁界が広がっている空間を考える．ここに強磁性体で作られた強磁性体殻を置く．強磁性体は透磁率が大きく，周囲の磁力線を強磁性体内部に引き寄せる．そのため強磁性体で囲われた空間には磁力線が入りづらくなり，強磁性体殻によって磁界が遮断されたといえる．
- 特に静磁界（変動しない磁界）のシールド効果が期待できる．ただし，この仕組みでは変動する磁界のシールドは十分にはできない．

○電流と磁界 【33回】 ★★

医用電気工学2 第2版 p.107

❯電流が流れると，その周りに磁界が生じる．磁界の強さは電流に比例する．

直線電流の周囲にできる磁界

医用電気工学2 第2版 p.107

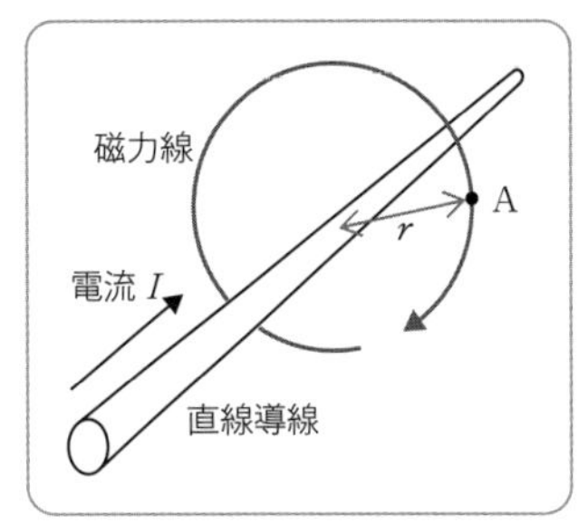

❯直線導線に電流を流すと，その周囲では導線を中心に同心円状に磁界が生じる．また，磁力線が作る面は導線に垂直である．

❯その方向は，電流が流れていく方向に向かって時計回りとなる．磁界の方向と電流の方向の関係は，右ねじを回す方向とねじが進む方向の関係と同じになり，これを右ねじの法則という．

❯電流 I(A) が流れている導線から r(m) 離れた点 A における磁界の強さ H は，$H=\dfrac{I}{2\pi r}$ となる（半径 r の円周に反比例することに注意）．

❯磁束密度 B は，$B=\mu H=\dfrac{\mu I}{2\pi r}$ となる．

❯直線電流の周囲の磁界の強さや磁束密度は，導線からの距離に反比例して小さくなる．

円形電流の面内にできる磁界

医用電気工学2 第2版 p.110

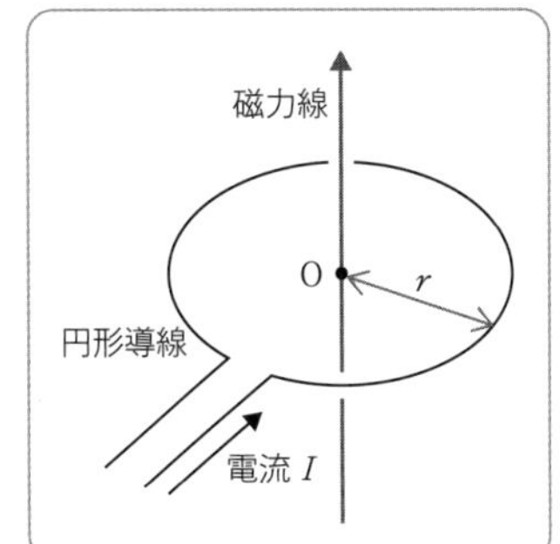

❯円形導線（円形コイルともいう）に電流を流す（円電流という）と，その導線が作る面に垂直な方向に磁界が生じる．半径が r(m) である円形導線に，電流 I(A) を流したとする．

❯このとき，1回巻きの円形導線の中心 O における磁界の強さ H は，$H=\dfrac{I}{2r}$，磁束密度 B は，$B=\mu H=\dfrac{\mu I}{2r}$ となる．

❯それらは円形導線の巻数に比例するので，巻数が N 回のとき，磁界の強さ H は，$H=\dfrac{NI}{2r}$，磁束密度 B は，$B=\dfrac{\mu NI}{2r}$ となる（円の直径または半径に反比例することに注意）．

❯円形導線の内側の磁界の強さや磁束密度は，導線に近いほど大きくなり，中心 O の位置で最も小さくなる．

ソレノイドの内側にできる磁界

医用電気工学2 第2版 p.110

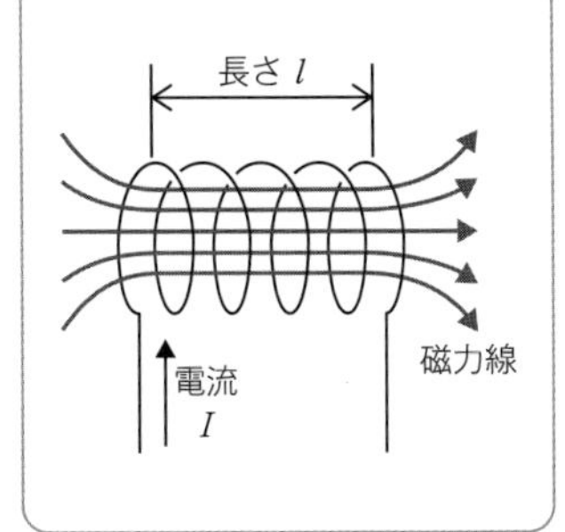

❯ソレノイドとは，円形導線をいくつも重ねたもので，コイルと全く同じ構造である．特にソレノイドという場合は，磁界を発生させることを目的にしたものを指すことが多く，ソレノイド＝電磁石と解釈してもよい．

❯巻数が N 回で長さが l(m) のソレノイドに電流 I(A) を流したとする．このときソレノイドの内側に生じる磁界の強さ H は，$H=\frac{NI}{l}$ となる．

- 導線を密に巻いたソレノイドでは，巻数を大きくすれば長さも比例して長くなる．単位長さ（1 m）あたりの巻数 n は $\frac{N}{l}$ と等しく一定となる．これを用いて，磁界の強さ H は，$H=\frac{NI}{l}=nI$ と表すこともある．このとき，磁束密度 B は，$B=\mu H=\frac{\mu NI}{l}=\mu nI$ となる．
- 国試で出題される理想的なソレノイドまたは無限長ソレノイドの内側であれば，中心以外の場所（導線に近い位置やソレノイド端に近い位置など）でも，磁界の強さや磁束密度は同じ大きさとなる（円形電流によって生じる磁界との違いを知っておきたい）．
- ソレノイドに流れる電流の向きと磁界（磁力線）の方向の関係は，右手を使って右図のように表すことができる．

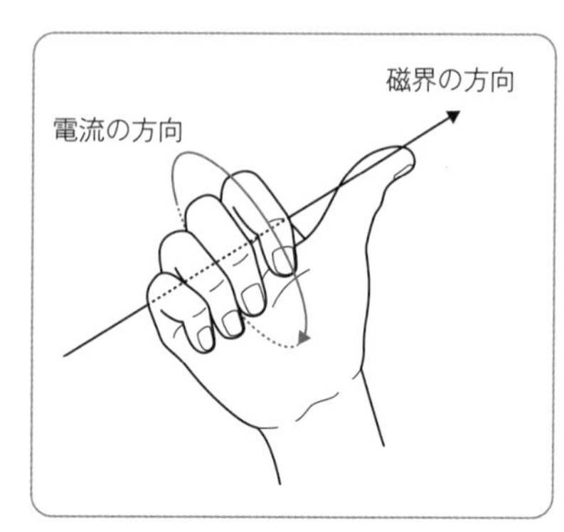

- この電流と磁界の方向の関係は，円形電流（円形コイル）にも適用できる．

医用電気工学2　第2版
p.135

○電磁誘導

フレミングの法則 ★

- 磁界中を流れる電流（導線）には，電流に比例する力が作用する．
- 磁界中に直線導線を置き電流を流すと，電流によって生じた磁界との相互作用によって，導線には力が作用する．
- 上図のように，鉛直方向に磁束密度 B(T) の一様磁界があるとする．そこに水平に直線導線を置き，電流 I(A) を流したとする．このとき導線には力 F が作用する．

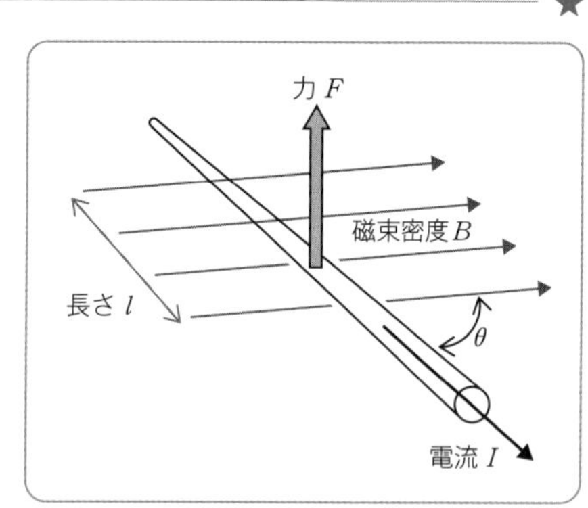

- 力の大きさは $F=BIl$ で与えられる．式中の l は，磁界を横切る導線の長さ (m) である．
- 上図では導線と磁界が直交している．その角度が θ であった場合，力の大きさは，$F=BIl\sin\theta$ となる．したがって，導線と磁界の角度が 90°（垂直）のとき，作用する力は最大となる．

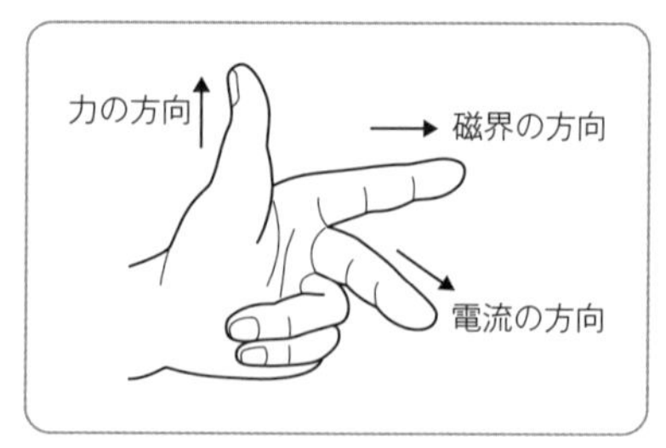

- 電流・磁界・力の方向の関係はフレミングの左手の法則で示される（下図）．

医用電気工学2　第2版
p.137

平行電流 【37 回】 ★★

- 平行電流
  - ・平行に置いた 2 本の導線に電流が流れるとき，導線間に生じる力について出題される．

➋力の方向

・電流の方向が同方向のとき引力，電流の方向が逆方向のとき反発力（斥力）が導線に作用する．

➋力の大きさ

・一方の電流（導線）によって生じた磁界中で，他方の電流（導線）に力が作用すると考えればよい．この力の方向と大きさはフレミングの法則に従う．

・流れる電流を I_1，I_2，導線間の距離を r とする．電流 I_1 によって生じる磁界中で，電流 I_2 が流れる導線の位置の磁束密度 B は，$B=\frac{\mu I_1}{2\pi r}$ であるから，電流 I_2 が流れる導線に作用する力は $F=BI_2l$ となる（式中の l は，磁界を横切る導線の長さである）．したがって，磁界を横切る導線 1 m あたり（$l=1$）に作用する力は，$F=BI_2=\frac{\mu}{2\pi}\frac{I_1I_2}{r}$ となり，電流の積に比例し，距離に反比例することが分かる．μ は導線間を満たす物質の真の透磁率であり，力の大きさは透磁率に比例する．

※注意：距離の 2 乗に反比例している電荷間に作用する力と混同しないこと．

・導線の方向が平行でなく，導線同士のねじれの位置にあり角度が θ のとき，$F=\frac{\mu}{2\pi}\frac{I_1I_2}{r}\cos\theta$ となる．したがって，導線同士が垂直であるとき（$\theta=90°$ のとき）には力が作用しない．

導線間の磁界

医用電気工学2　第2版
p.108

➋平行電流の方向が同じとき，導線間で 2 つの電流が作る磁力線の向きが逆方向となり，互いに打ち消しあう．導線間の磁界は弱めあう＝磁界の強さが小さくなる．

➋電流の方向が互いに逆のとき，導線間で 2 つの電流が作る磁力線が同方向となり，互いに強めあう．導線間の磁界は強めあう＝磁界の強さが大きくなる．

○ローレンツ力

医用電気工学2　第2版
p.113

➋磁束密度が B(T) である磁界中を移動する電荷にも力が作用する．この力をローレンツ力という．

➋電荷の電荷量 q(C)，電荷が磁界の方向に対して角度 θ の方向に速度 v(m/s) で移動するとき，電荷に作用する力 F は，$F=Bqv\sin\theta$ で与えられる．

➋電荷が磁界方向と平行な方向に移動するとき（$\theta=0$ のとき），$F=0$ となり電荷に力が作用しない．

➋正電荷の場合は速度の方向を電流の方向，負電荷の場合には速度の逆方向を電流の方向とすれば，電荷に作用する力の方向をフレミングの左手の法則で知ることができる．

ファラデーの電磁誘導の法則　【33 回】 ★★

医用電気工学2　第2版
p.119

➋磁束が変動することによって，周囲の導体に電位差（電圧）が生じる現象を電磁誘導という．このときの電位差を誘導起電力，電位差によって生じる電流を誘導電流という．

➋円形コイルでは，コイル面を通る磁束の大きさが変化すると，円形コイルに起電力が生じ，電流が流れる．

➋図（次ページ）のように，磁石が円形コイルに向かって近づくとき，円形コイルのコイル面を通る磁束は増大する．このとき，磁束の増大分を打ち消そうとして，磁石と逆向きの磁界を作るためにコイルが電流を発生させる．これをレンツの法則という．

医用電気工学2　第2版
p.121

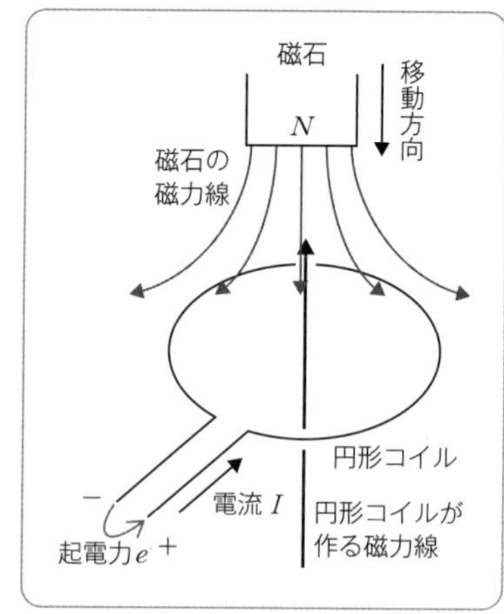

- 逆に磁石が円形コイルから遠ざかるとき，円形コイルのコイル面を通る磁束が減少する．このとき，その磁束の減少分を補おうと，磁石と同じ向きの磁界を作るようにコイルが電流を発生させる．
- このときの電流の方向と磁界の方向の関係は，「ソレノイド内部にできる磁界」と同じく右手を使って表すことができる．
- コイル面を通る磁束 Φ(Wb) の変化を $d\Phi$，その変化に要した時間（磁束変化に要した時間）を dt とすると，N 回巻きの円形コイルに生じる誘導起電力 e は，$e=-N\dfrac{d\Phi}{dt}$ で与えられる．
  - $\dfrac{d\Phi}{dt}$ は磁束の時間変化率で，起電力は磁束の時間変化率に比例する．

    これをファラデーの電磁誘導の法則という．

渦電流

- 導体に対して磁石を近づけたり遠ざけたりした場合も，磁石に近い導体の表面付近で磁束の大きさが変化する．このときレンツの法則やファラデーの電磁誘導の法則に従って，導体内の表面付近に円形（環状）に電流が流れる．これを渦電流という．

医用電気工学2　第2版
p.160

(3) 電磁波

○反射，屈折，透過，回折　【37回】　★★

- 電磁波は，音波と違い，媒質がない真空中でも伝搬する横波である．電磁波も波動であるから，伝搬速度 c と波長 λ，周波数 f の間に $c=f\cdot\lambda$ の関係が成り立つ．
- 真空中では電磁波の伝搬速度は 3×10^8 m/s である．
- 真空以外の物質中の電磁波の伝搬速度 c は $c=\dfrac{1}{\sqrt{\varepsilon\cdot\mu}}$ （ε：物質の誘電率，μ：物質の透磁率）で示される．
- 電磁波も物質の境界面で反射を起こし，屈折や回折が起きる．波長が短いほど大きく屈折し，波長が長いほど大きく回折する．
- 波長が短い（周波数が高い）ほど電磁波のエネルギーは大きくなる．電磁波のエネルギーは振幅の 2 乗に比例する．同一物質を伝搬するとき，電磁波のエネルギーは伝達距離の 2 乗に反比例して減衰する（逆 2 乗の法則）．

医用電子工学　第2版
p.230

○アンテナ

- 医用テレメータでは，電磁波を用いて生体情報を伝送している．
  - 送受信には右図のような棒状のモノポールアンテナが使用されることが多い．
  - モノポールアンテナでは，その全長を利用する電磁波の 1/4 波長にすると送受信の効率が最大となる．

○周波数・波長による分類，性質

❯電磁波は周波数または波長によって区別される．

・名称ごとの境界となる周波数（波長）の値を知っておく必要はないが，順序は知っておきたい．

周波数	低い ←→ 高い					
名称	電波	光			X線	γ線
		赤外線	可視光線	紫外線		
波長	長い ←→ 短い					
エネルギー	低い ←→ 高い					

・可視光線は波長の長い側から，赤・橙・黄・緑・青・藍・紫の光として識別できる．

・赤外線領域は，波長の長い（電波領域に近い）範囲を遠赤外線，波長の短い（可視光線領域に近い）範囲を近赤外線と呼び分ける．

・紫外線領域は，波長の長い（可視光に近い）方からUVA，UVB，UVCと呼び分ける．

○電磁波障害と雑音対策

医用電気工学2　第2版
p.167

電磁シールド　【33回】　★★

❯主に変動する電磁場（電界と磁界）が殻を通り抜けるのを妨げるための処理．

❯電磁シールドは変動する電界と磁界の両方のシールドに有効である．

❯導体を用いた電磁シールドで，シールド外部の電界が変化すると，シールド材料内部で電荷の移動が発生する．それによって生じた内部の電界と外部の電界が打ち消しあうことになる．この仕組みによる変動電界のシールドでは，導体部の接地は必要としない．ただし，静電界のシールドも行うのであれば，静電シールドと同じく接地することが望ましい．

❯導体を用いた電磁シールドでは，シールド外部で磁界が変化すると，シールド材料表面付近に渦電流が発生する．渦電流によって生じた磁界と外部の磁界が打ち消しあう結果，磁界がシールド深部へ入り込めなくなる．これを表皮効果という．この仕組みは変動磁界のシールドに効果的だが，静磁界のシールドも行うのであれば，磁気シールドと同じく透磁率の高い材料を使用することが望ましい．

❯電荷の移動，渦電流によるシールド効果は，電磁波の周波数が高いほど高い効果が期待できる．

❯電磁シールドの好材料

・静電シールドと磁気シールドの両方に有効な材料，つまり良導体で強磁性体が望ましい．強磁性体として鉄があげられるが，鉄は導電率が十分に大きいとはいえず（他の金属に比べ抵抗率が比較的大きい），望ましい電磁シールドの材料とはいいがたい．

・超電導体は，理想的なシールド材料．しかし一般に，超低温下でないと超電導現象が起こらず十分なシールド効果が得られない．

・常温下で良導体，同時に強磁性体である物質が望ましいが，実際には存在しない．そのため，良導体（銅など）と強磁性体（鉄など）を重ねあわせ互層にして用いることがある．

❯静磁界のシールド効果が必要なければ，銅などの反磁性体を用いても変動磁界のシー

ルド効果が期待できる

- 商用交流電界のシールドは金網でも可能である．対象となる電磁波の波長に比べて，金網のすき間が十分に小さければシールド効果が期待できる．
  - 例：電子レンジの前面ドアに穴の開いた金属板が取り付けられているが，穴の直径が庫内に照射されている電磁波（周波数 2.45 GHz）の波長（約 12 cm）に比べ小さいので，十分なシールド効果がある．
- 電磁波吸収材料を表面に貼付または塗布しても電磁シールド効果が期待できる．電磁波吸収材料は短波長（高周波）の電磁波に対して効果が大きい．材料としてフェライトやカーボンなどが用いられる．

EMC，EMI，EMS

- 電気・電子機器自身から発する電磁妨害波が他の機器やシステムに影響を与えず，他の機器やシステムからの電磁波雑音を受けても自身も満足に動作する特性を EMC（電磁両立性）という．
- EMC は，EMS と EMI の 2 つから成り立っている．
  - EMS はイミュニティ（immunity：免疫）とも呼ばれ，電磁妨害波を受けても正常に動作できる能力を指す．
  - EMI はエミッション（emission：放出）とも呼ばれ，機器から放出される電磁妨害波が抑制されていることを指す．
  - 高周波（30 MHz 以上）の電磁妨害波は電磁波として伝わる（放射エミッション）．放射エミッションを抑制するために電磁シールドは有効である．
  - 低周波（30 MHz 以下）の電磁妨害波は機器間の接続線を経由して伝わる（伝導エミッション）．伝導エミッションを抑制するために，フィルタなど別の対策が必要となる．
- EMC 試験に関する国際規格（ISO14117）で推奨される携帯電話と植込み型医療機器との離隔距離は 15 cm 以上とされている．

問題 1 □□□ 31A48

無限に長い直線導体に 6.28 A の電流が流れているとき，導体から 1.00 m 離れた位置の磁界の強さ［A/m］に最も近いのはどれか．

1. 0.1
2. 0.3
3. 1
4. 6
5. 10

問題 2 □□□ 33P46

直径 10 cm，巻数 100 回の円形コイルに 20 mA の電流が流れた時，コイルの中心にできる磁界の大きさ［A/m］はどれか．ただし，巻き線の太さは無視する．

1. 1
2. 10
3. 20
4. 100
5. 200

問題 3 □□□ 34A47

磁気の性質について正しいのはどれか.

1. 無限に長いソレノイドでは内部の磁束密度は一様である.
2. 有限長のソレノイドでは外部に一様な磁界が存在する.
3. 一回巻き円形コイルの中心における磁界の大きさは,円形コイルの半径の 2 乗に反比例する.
4. 直線電流によって生じる磁界の大きさは,電流からの距離の 2 乗に反比例する.
5. 永久磁石に使用する磁性体の比透磁率は約 1 である.

問題 4 □□□ 21P02

一様な磁界の中に 8 A の電流が流れている直線状の導線がある.この導線 1 m 当たりに作用する力はどれか.ただし,磁束密度は 0.5 T,磁界と電流の間の角度は 30 度とする.

1. 0.5 N
2. 0.9 N
3. 2.0 N
4. 3.4 N
5. 4.0 N

問題 5 □□□ 35P48

巻数 20 回のコイルを貫く磁束が 3 秒間に 0.5 Wb から 2.0 Wb まで一定の割合で変化した.コイルに発生する電圧 [V] はどれか.

1. 5
2. 10
3. 40
4. 75
5. 90

問題 6 □□□ 32P46

図のように真空中で,r 離れた無限に長い平行導線 1,2 に,大きさが等しい電流 I_1,I_2 が同じ方向に流れているとき,正しいのはどれか.ただし,I_1 が導線 2 につくる磁束密度を B_1,I_2 が導線 1 につくる磁束密度を B_2,導線 2 の単位長さにかかる力を F_2 とする.

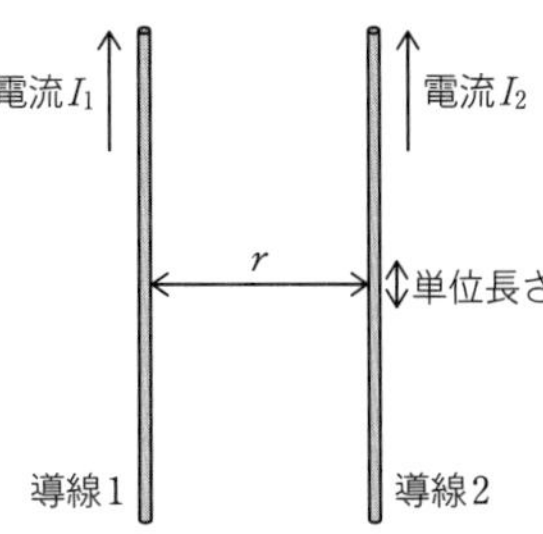

1. 磁束密度 B_1 は電流 I_1 に反比例する.
2. 電流 I_1 と磁束密度 B_1 との向きは逆方向となる.
3. 導線 1 と導線 2 の間には引力が働く.
4. 力 F_2 は導線間の距離 r に比例する.
5. 磁束密度 B_1 と磁束密度 B_2 の向きは同方向となる.

問題 7 □□□ 37P46

図のように,真空中に置かれた無限に長い直線状導体 A,B,C に電流 I [A] を流したところ,導体 A には x 軸方向の力が働いた.導体 A の長さ 1 m の部分にかかる電磁力の大きさ [N] はどれか.ただし,A,B,C は,xy 平面上の y 軸と平行に距離 a [m] を隔てて置かれており,真空の透磁率を μ_0 [H/m] とする.

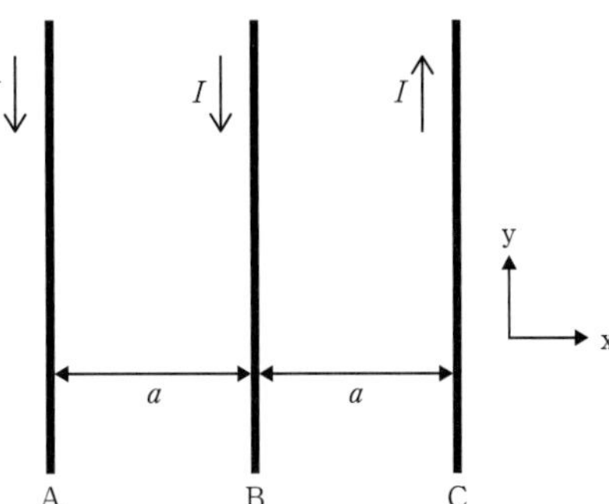

1. x 軸方向に $-\dfrac{3\mu_0 I^2}{4\pi a}$
2. x 軸方向に $-\dfrac{\mu_0 I^2}{4\pi a}$
3. 0
4. x 軸方向に $-\dfrac{\mu_0 I^2}{4\pi a}$
5. x 軸方向に $-\dfrac{3\mu_0 I^2}{4\pi a}$

問題 8　□□□

35P47

糸に円形磁石を取り付けて振り子を作り，その振り子の支点の真下に円形コイルを水平に置いた．磁石の上面はN極，下面はS極であり，磁石の直径はコイルの直径と同程度とする．振り子2往復分のコイルの端子電圧波形はどれか．

1.
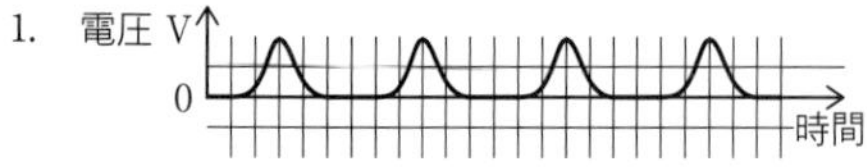

2.
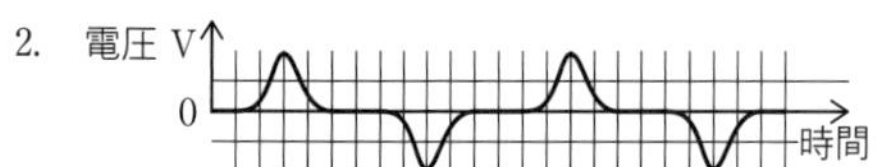

3.
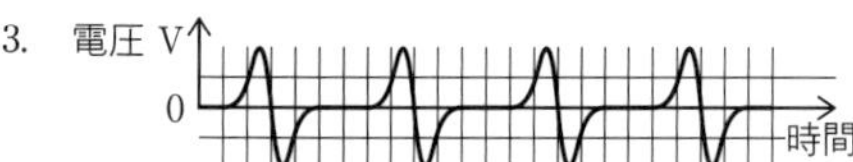

4. 電圧 V　0　時間

5.
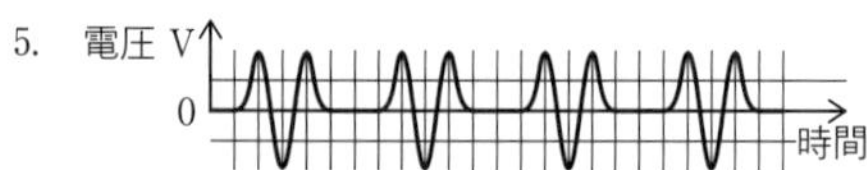

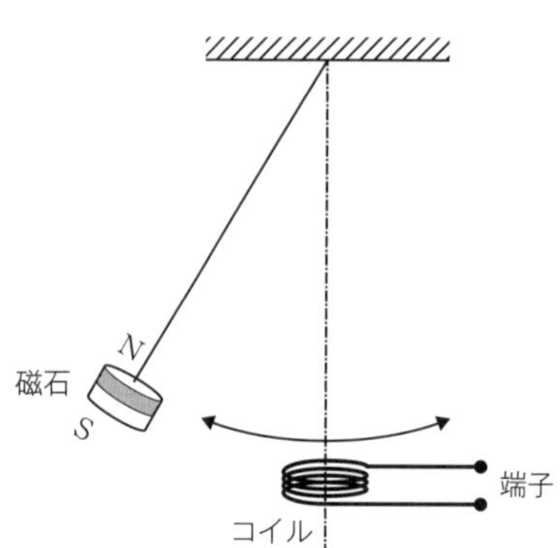

問題 9　□□□

36A47

図のような1回巻きのコイルの中心に向けて磁石を急速に動かした後，磁石を停止させた．このとき，コイルに流れる電流について正しいのはどれか．

1. 磁石の動きに関わらず，電流は流れない．
2. 磁石が動いている間，電流はA→B→Cの方向に流れる．
3. 磁石が動いている間，電流はC→B→Aの方向に流れる．
4. 磁石が停止すると，電流はA→B→Cの方向に流れる．
5. 磁石が停止すると，電流はC→B→Aの方向に流れる．

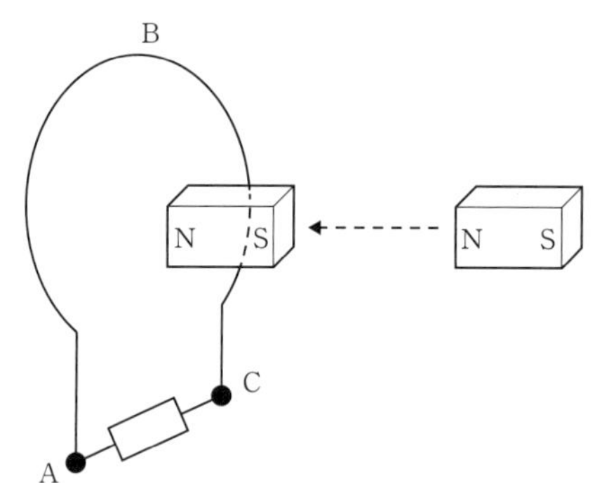

問題 10　□□□

34P46

N巻きコイル（右巻き）をダイオードD，抵抗Rからなる回路につなぎ（図1），時間 t とともに変化する一様な磁界中に置いた．図2は，3つの時間領域，①，②，③における B の時間変化を表している．図1における電流 I の有無について正しいのはどれか．ただし，ダイオードは理想的とする．

	①	②	③
1.	電流あり	電流なし	電流なし
2.	電流あり	電流なし	電流あり
3.	電流あり	電流あり	電流あり
4.	電流なし	電流あり	電流なし
5.	電流なし	電流なし	電流あり

磁束密度 B　I　R　D

図1

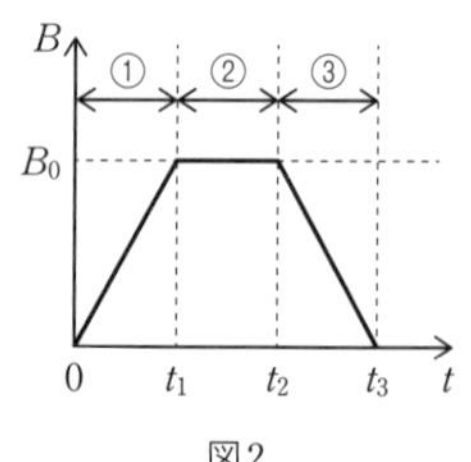

図2

問題 11 □□□ 28P46

通信周波数 1.5 GHz 帯の携帯電話が出す電磁波の波長 [cm] に最も近いのはどれか．ただし，光速を 3.0×10^8 m/s とする．

1. 1
2. 2
3. 5
4. 10
5. 20

問題 12 □□□ 29A47

電磁波の発生源から距離 15 cm の地点で受ける電磁波のエネルギーを W_1，22 cm の地点で受ける電磁波のエネルギーを W_2 とするとき，W_1/W_2 はどれか．

1. 0.45
2. 0.68
3. 1.5
4. 2.2
5. 7.0

問題 13 □□□ 35A56

周波数 150 MHz の電波を最も効率よく受信できるアンテナの長さ [m] はどれか．

1. 0.5
2. 2.0
3. 3.0
4. 4.0
5. 5.0

問題 14 □□□ 37P47

比誘電率 4，比透磁率 1 の材質中の電磁波の速度は真空中の何倍か．

1. $\frac{1}{4}$ 倍
2. $\frac{1}{2}$ 倍
3. $\frac{1}{\sqrt{2}}$ 倍
4. $\sqrt{2}$ 倍
5. 2 倍

問題 15 □□□ 34P47

シールドについて正しいのはどれか．

a．フェライトは磁気シールド材として用いられる．
b．真空にすると電気力線は遮断される．
c．磁力線を遮断するには誘電体が適している．
d．同軸ケーブルは静電シールドの機能をもっている．
e．電磁波をシールドするには導電率の大きな材料が適している．

1. a，b，c　2. a，b，e　3. a，d，e
4. b，c，d　5. c，d，e

問題 16 □□□ 37A47

磁気シールドの材料として使用されるのはどれか．

1. 水
2. 鉛
3. 鉄
4. 白　金
5. 石英ガラス

〈解答〉問題 1-3，**問題 2**-3，**問題 3**-1，**問題 4**-3，**問題 5**-2，**問題 6**-3，**問題 7**-4，**問題 8**-3，**問題 9**-3，**問題 10**-1，**問題 11**-5，**問題 12**-4，**問題 13**-1，**問題 14**-2，**問題 15**-3，**問題 16**-3

2. 電気回路

(1) 受動回路素子

- 受動回路素子（受動素子）とは，供給される電力を消費，蓄積，放出する素子であり，抵抗器，コンデンサ，コイルなどがその例である．また，供給される電力で増幅，整流などの動作を行うものが能動素子であり，トランジスタ，FET，ダイオードなどがその例である．

○抵抗器 【37 回】 ★★

- 一定の抵抗値を得る目的で使用される電気部品であり受動素子．レジスタともいう．
- 抵抗器・抵抗値のいずれも，単に「抵抗」と呼ばれることも多い．

抵抗値

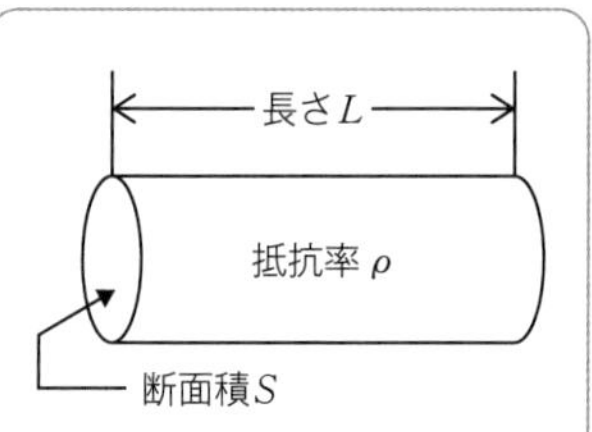

- 量記号：R
- 単位：Ω（オーム）．
- 電気抵抗，電気抵抗値，レジスタンスとも呼ばれる．
- 1 V の電圧を抵抗器の両端に加えたとき，1 A の電流が生じるならば，その抵抗器は 1Ω の抵抗値を持つと定義される．
- 抵抗器の基本的な形状として，右図のような円筒形の物質を考える．抵抗値は，長さ L(m) に比例し，断面積 S(m^2) に反比例する．物質ごとに抵抗率 ρ(Ω·m)（電流の流れにくさを表す物性値，電気抵抗率ともいう）が異なるが，抵抗値は抵抗率に比例する．
- 物質の抵抗値を R(Ω) とすると，$R=\rho\dfrac{L}{S}$ で求めることができる．
- 抵抗率とは逆に電流の流れやすさを表す物性値として，導電率 σ がある（電気伝導率ともいう）．
  - 導電率 σ の単位には S/m を用いる（S はジーメンス．コンダクタンス［電気伝導度で抵抗値の逆数］の単位）．
  - 導電率を用いて抵抗値を表すと，$\sigma=\dfrac{1}{\rho}$ の関係があるので，$R=\dfrac{1}{\sigma}\cdot\dfrac{L}{S}$ となり，抵抗値は導電率に反比例する．

抵抗の合成

医用電気工学1 第2版
p.27

- 複数の抵抗を接続したとき，それらを合成して全体を 1 つの抵抗と見なすことができる．
- 合成後の抵抗値の大きさ（合成抵抗）は国試で出題されることが多い．

接続方法	直列接続	並列接続
回路構成	R_1　R_2	R_1　R_2
合成抵抗 R	$R=R_1+R_2$	$R=\dfrac{1}{\dfrac{1}{R_1}+\dfrac{1}{R_2}}=\dfrac{1}{\dfrac{R_1+R_2}{R_1 \cdot R_2}}=\dfrac{R_1 \cdot R_2}{R_1+R_2}$

3つ以上直列接続された抵抗を合成する場合は，合成抵抗は個々の抵抗値の総和で求めることができる．
3つ以上並列接続された抵抗を1度に合成するときは，2つずつ順に合成していくとよい．

○コンデンサ（キャパシタ）★

医用電気工学2　第2版
p.71

➋電荷または静電エネルギー（電気エネルギー）を蓄えたり，放出したりする受動素子で，キャパシタともいう．

静電容量（キャパシタンス）

医用電気工学2　第2版
p.74

➋量記号：C

➋単位：F（ファラド）

➋どのくらい電荷を蓄える能力があるかを表す量．単に容量または電気容量，キャパシタンスとも呼ばれる．

➋コンデンサが実際に蓄えた電荷量は，コンデンサの両端に印加された電圧に比例する．そのときの比例定数を静電容量と呼ぶ．

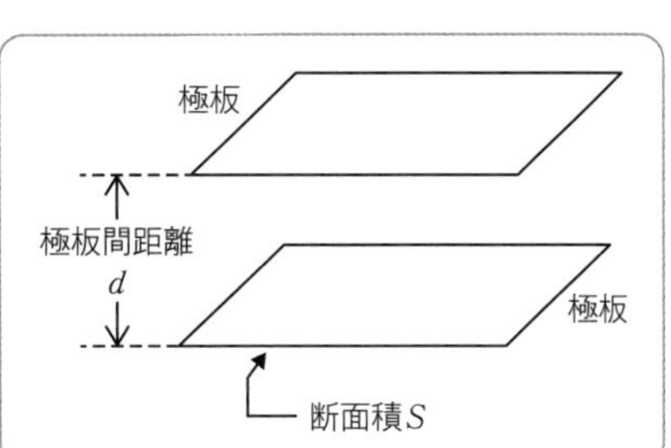

・静電容量 C のコンデンサの両端に電圧 V を印加したとき，コンデンサに蓄えられた電荷量が Q ならば，$Q=CV$ が成り立つ．

➋コンデンサの基本的な構造は，図のように絶縁体を挟んで2枚の導体極板を平行に並べたものである．同じ面積の2枚の平らな極板を平行に並べたものを特に平行平板コンデンサと呼ぶ．国試では，平行平板コンデンサを考えればよい．

医用電気工学2　第2版
p.77

➋平行平板コンデンサの静電容量 C(F) は，断面積 S(m^2) に比例し，極板間距離 d(m) に反比例する．極板間を満たしている物質（誘電体）によって誘電率 ε(F/m) が異なり，静電容量はその誘電率 ε に比例する（誘電体はコンデンサの極板間に電荷を蓄える能力を高める物質と考えてよい）．静電容量を C(F) とすると，$C=\varepsilon\dfrac{S}{d}$ となる．

参考）物質の比誘電率

➋物質の誘電率は，真空の誘電率（ε_0）× 比誘電率（ε_r）で求められる．

➋比誘電率とは，ある物質が真空の誘電率に対して何倍の誘電率を持っているかを示したもので，単位はない．

➋空気の誘電率は真空とほぼ等しく，空気の比誘電率は約1となる．

➋紙・ゴム・ガラスや陶器など身近な絶縁体の比誘電率は2〜10の値をもち，コンデンサの誘電体にも利用される．

➋比誘電率がきわめて大きな物質を強誘電体と呼ぶ．

・代表的な強誘電体であるチタン酸バリウムの比誘電率は約 5000 である．コンデンサの極板間に挟む誘電体として利用され，小型で静電容量の大きなコンデンサを作ることができる．

❷水の比誘電率は約 80（20℃のとき）と比較的大きいため，生体組織の比誘電率も大きくなる．

医用電気工学2　第2版
p.82

静電容量の合成

❷複数のコンデンサを接続したとき，それらを合成して全体を 1 つのコンデンサと見なすことができる．合成後の静電容量の大きさ（合成容量）は国試での出題も多い．

接続方法	直列接続	並列接続
回路構成	C_1 C_2	C_1 C_2
合成容量 C	$C=\dfrac{1}{\dfrac{1}{C_1}+\dfrac{1}{C_2}}=\dfrac{1}{\dfrac{C_1+C_2}{C_1\cdot C_2}}=\dfrac{C_1\cdot C_2}{C_1+C_2}$	$C=C_1+C_2$

3 つ以上直列接続されたコンデンサを 1 度に合成するときは，2 つずつ順に合成していくとよい．
3 つ以上並列接続されたコンデンサを合成する場合，合成容量は個々の静電容量の総和で求めることができる．

医用電気工学2　第2版
p.74

電荷量

❷量記号：Q

❷単位：C（クーロン）

・この単位 C を，静電容量を表す量記号 C と混同しないこと．

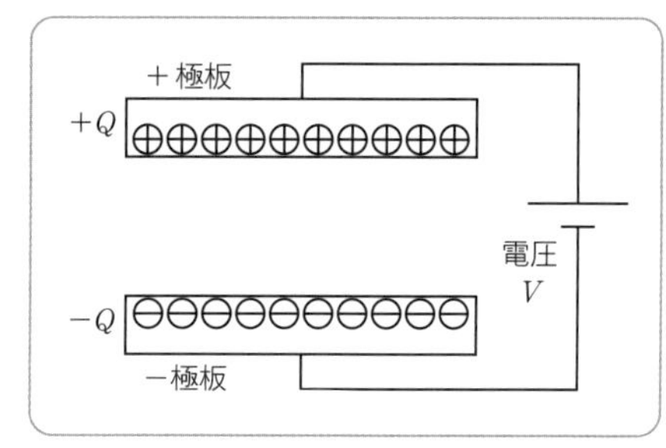

❷コンデンサに実際に蓄えられる電荷量を指し，電気量ともいう．極板間に電位差を与えると，コンデンサ（極板間）に電荷が蓄えられる．

❷図のように極板間の電位差を極板間電圧 V(V)，コンデンサの静電容量を C(F) とすると，コンデンサに蓄えられる電荷 Q(C) は，静電容量と極板間電圧に比例し，$Q=CV$ となる．

・このとき電荷はどのように蓄えられているのだろうか．電池の＋極に接続された＋電極には正電荷が，電池の－極に接続された－電極には負電荷が同じ量だけ集まっている（正電荷・負電荷とも電池から供給されたと考えてよい）．つまり，それぞれの極板に帯電した電荷量は $+Q$(C)，$-Q$(C) で，大きさは等しい．電荷がこのように帯電している状態を，Q(C) の電荷が蓄えられたという．

❷コンデンサに蓄えられる電荷量は，コンデンサに流れる電流から求めることもできる．コンデンサに流れる電流を i(A)，時間を t(s) とすると，電荷量 Q(C) は，

$Q=\int i\,dt$　となる．

・縦軸を電流，横軸を時間とするグラフが示されていれば，電流変化が描く図形の面積が電荷量と一致する．ただし，このとき単位に注意する必要がある．電流は A，時間は秒 (s) の単位で計算する．コンデンサを流れる電流が一定（定電流）であれ

ば，電荷量は単に $Q=i\times t$ で求めることができる．

コンデンサに蓄えられる静電エネルギー

医用電気工学2　第2版
p.86

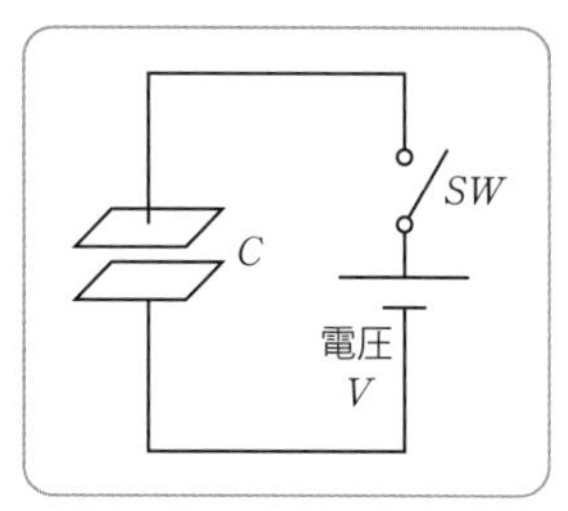

- 量記号：W
- 単位：J（ジュール）
- コンデンサに蓄えられる静電エネルギーの量は，仕事，力学的エネルギーなどと同様に扱うことができる．
- コンデンサの極板間電圧 を V(V)，コンデンサの静電容量を C(F) とすると，コンデンサに蓄えられる静電エネルギー W(J) は，静電容量と極板間電圧の 2 乗に比例し，$W=\frac{1}{2}CV^2$ となる．
- 電荷量の式 $Q=CV$ より，$V=\frac{Q}{C}$ となるので，$W=\frac{1}{2}C\frac{Q^2}{C^2}=\frac{1}{2}\frac{Q^2}{C}=\frac{Q^2}{2C}$ と表すこともできる．

○コイル（インダクタ）【33 回】 ★★

医用電気工学2　第2版
p.127

- 流れる電流に応じて起電力が生じる受動部品．その際，一時的に磁気エネルギーを蓄えることもできる．インダクタ，またはソレノイドともいう．

インダクタンス

- 量記号：L
- 単位：H（ヘンリー）
- 電流の単位変化あたり（1 秒あたりにコイルを流れる電流が 1 A 変化するとき）にコイルに生じる起電力の大きさでインダクタンスの値が示される．
- コイルに流れる電流を単位時間（1 秒）あたり 1 A 変化させるとき，コイルの両端に 1 V の大きさの起電力が生じるのであれば，そのコイルのインダクタンスを 1 H という．

コイルの形状

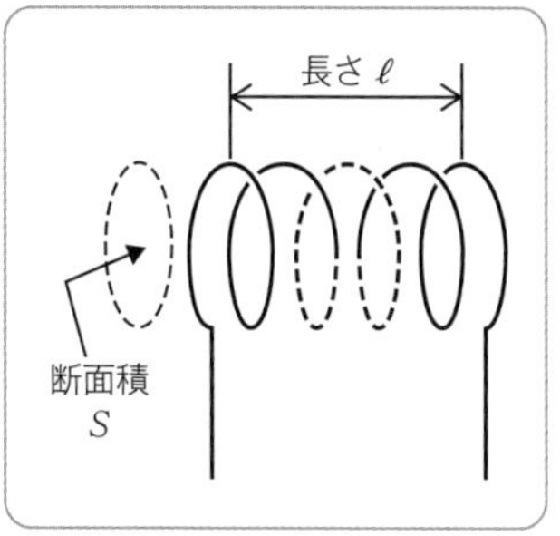

- コイルは電気伝導体（導線）の巻線で構成されている．
- 一般には鉄などの高透磁率材料（強磁性体）を円筒型にし，それを芯材として導線を巻きつけ作成する．国試では右図のように棒状（直線状）のコイルとして出題されることが多い．

棒状コイルのインダクタンス

医用電気工学2　第2版
p.129

- コイルの軸方向の長さを ℓ(m)，断面積を S(m^2)，導線の巻数を N（回）とする．コイルのインダクタンス L(H) は，$L=\frac{\mu K_N N^2 S}{\ell}$ となる．
- 式中の μ(H/m) はコイル内を占める物質の透磁率である．鉄をコイル芯とした場合は鉄の透磁率を用いる．式中の係数 K_N は長岡係数と呼ばれ，コイルの長さ ℓ とコイル断面の半径 r の比率で値が決まる．コイルの長さと断面半径が等しいとき（$\ell=r$ のとき)，K_N=0.528 となる．

➲国試では，コイルの長さに対して断面半径は極めて小さい（無限長コイル）とするので，K_N=1 としてよく，インダクタンスは $L=\dfrac{\mu N^2S}{\ell}$ を用いることができる（ソレノイド内部の磁束密度の式 $B=\dfrac{\mu NI}{\ell}$ と似ているので混同しないこと)．

・この式では，コイルの長さ，断面積，巻数に対する，インダクタンスの比例・反比例の関係性を理解しておく．

➲棒状コイル以外では，芯材が環状（ドーナツ形状）のものを用いてコイルの両端が向かい合うようにしたトロイダルコイル（右図）がまれに出題される．環状コイル，環状ソレノイドとも呼ばれる．

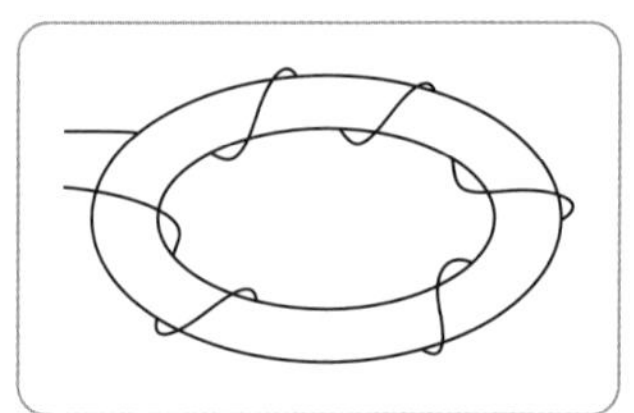

・棒状のコイルでは両端から磁力線がコイル外に飛び出す（磁束漏れがある）が，トロイダルコイルでは磁束漏れがなく，コイル外部に与える磁界変化の影響を小さくすることができる．この形状であっても無限長コイルと同等に扱ってよい．このときのコイル長は，芯材（トロイダルコアという）の周長とすればよい．

インダクタンスの合成

➲複数のコイルを接続したとき，それらを合成して全体を 1 つのコイルと見なすことができる．

➲インダクタンスの合成が国試で問われることは少ないが，合成の考え方は抵抗と同じと考えてよい．

接続方法	直列接続	並列接続
回路構成	L_1 L_2	L_1 L_2
合成インダクタンス L	$L=L_1+L_2$	$L=\dfrac{1}{\dfrac{1}{L_1}+\dfrac{1}{L_2}}=\dfrac{1}{\dfrac{L_1+L_2}{L_1\cdot L_2}}=\dfrac{L_1\cdot L_2}{L_1+L_2}$

3 つ以上直列接続されたコイルを合成する場合は，合成インダクタンスは個々のインダクタンスの総和で求めることができる．
3 つ以上並列接続されたコイルを 1 度に合成するときは，2 つずつ順に合成していくとよい．

医用電気工学2 第2版
p.127

磁束

➲ここでの磁束は，コイルの内側に生じる磁力線数と考えればよい．

➲量記号：Φ（ファイ：ギリシャ文字）

➲単位：Wb（ウェーバー）

➲コイルに電流が流れると，電流に比例した磁束がコイル内部に生じる．

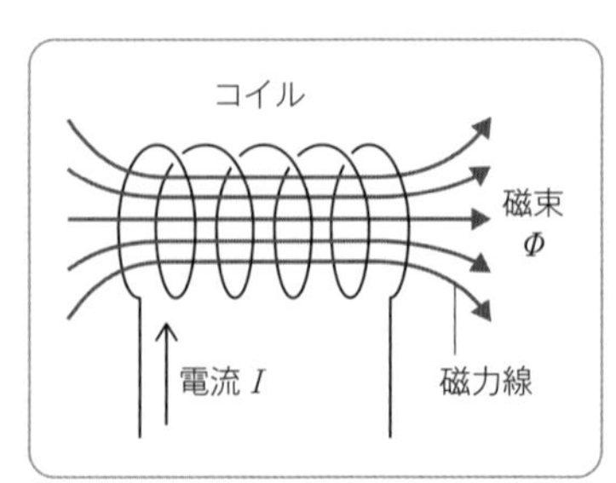

➲コイルに流れる電流を I(A)，コイルのインダクタンスを L(H) とすると，コイル内部に生じ

る磁束 Φ(Wb) の大きさは，インダクタンスと電流に比例し，$\Phi=LI$ となる．

・このとき電流が時間とともに変化すると磁束も電流に比例して変化するため，ファラデーの電磁誘導の法則によってコイルに誘導起電力が発生する．この現象を自己誘導という．自己誘導による誘導起電力で生じる電流の向きは，コイルに流れ込んだ電流と逆向きになることから，この誘導起電力を逆起電力ともいう．

医用電気工学2 第2版 p.127

- コイルを流れる電流の変化を di(A)，その変化に要した時間を dt(s) とすると，インダクタンスが L(H) のコイルに生じる誘導起電力 e(V) は，$e=-L\dfrac{di}{dt}$ で与えられる．上式の $\dfrac{di}{dt}$ は電流の時間変化率で，起電力は電流の時間変化率に比例している．

コイルに蓄えられる磁気エネルギー

医用電気工学2 第2版 p.131

- 量記号：W
- 単位：J（ジュール）
- コイルに蓄えられる磁気エネルギーは，仕事，力学的エネルギーなどと同様に扱うことができる．
- コイルに流れる電流を I(A)，コイルのインダクタンスを L(H) とすると，コイルに蓄えられる磁気エネルギー W(J) は，インダクタンスと電流の 2 乗に比例し，$W=\dfrac{1}{2}LI^2$ となる．

（2）電圧・電流・電力

医用電気工学1 第2版 p.77

○直流と交流

直流（direct current：DC）

- 狭い意味では，下図左のように電流の方向（極性の正負）だけでなく電圧の大きさが変化しないと考えられがちだが，厳密には，時間によって大きさが変化しても流れる方向（正負）が変化しない電流を指す．単に直流とは，流れる方向が変化しない電流のことをいう．
- 同様に，時間によって極性（正負）が変化しない（入れ替わらない）電圧を直流電圧という．
- したがって，下図右のように流れる方向（正負）が変わらないが，電流・電圧の大きさが変化する場合も直流電流・直流電圧と考えてよい．これを特に脈流という．
- 国試で直流という場合は，下図左のように大きさが変化しない電圧または電流と考えてよい．

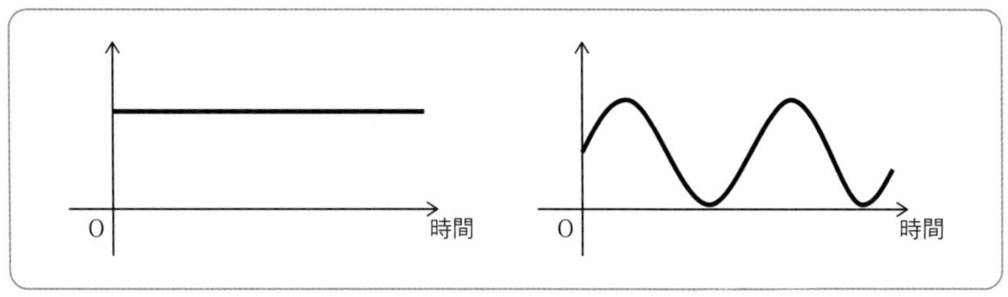

交流（alternating current：AC）

- 交流とは，前頁の図右のように，大きさが変化する電流，電圧のことを指すと考えられがちだが，誤りである．正しくは，大きさと方向（極性の正負）が周期的に変化する（入れ替わる）電流のことで，交番電流の略である．
- 同様に，時間とともに大きさと方向（極性の正負）が周期的に変化する（入れ替わる）電圧を交流電圧という．電流・電圧の区別をせずに交流または交流信号と呼ぶことも多い．
- 交流の代表的な波形は正弦波であるが，周期的に大きさと向きが変化するものであれば正弦波以外の波形を示すものも交流波形と呼ぶ．
- 国試で交流という場合は，正弦波電流または正弦波電圧と考えてよい．正弦波以外の交流波形には，方形波（矩形波）や三角波，のこぎり波などがある．

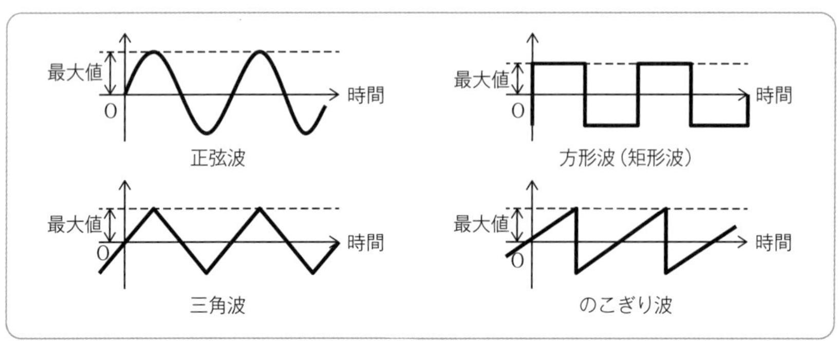

医用電気工学2 第2版 p.67

電流，電流密度

- 単位時間あたりにある断面（もしくは場所）を通過する電荷量の大きさを電流と定義する．
- ある断面を通過する電荷がもつ電荷量の総量が1秒あたり1Cであるとき，1Aの電流が流れているといえる．したがって，t秒間にある断面を通過する電荷量がQ(C)であるとき，流れる電流I(A)は，$I=\frac{Q}{t}$または$Q=I \cdot t$と表すことができる．
- 電流を単位面積あたりに換算した値を電流密度Jで示し，単位はA/m^{2}である．電荷が通過する導体の断面積がS(m^2)ならば，$J=\frac{I}{S}$と表すことができる．
- 物体に電流を流すためには両端に電位差を与える必要がある．物体に電位差が与えられると，物体内部には電界が生じる．オームの法則から電位差と電流の大きさは比例するので，その電界の強さE(V/m)と電流密度Jも比例する．このとき，物体の導電率σがその関係の比例定数になる．したがって，電流密度は，$J=\sigma E$と表すことができる．

臨床工学技士国家試験問題 Check UP!

問題 1 □□□ 32P47

直径 4 mm で長さ 1 m の金属導体がある．この導体の長さを変えずに直径 2 mm にしたとき，抵抗値はもとの何倍か．

1. 1/4
2. 1/2
3. 1
4. 2
5. 4

問題 2 □□□ 30P49

長さ 1 km，半径 1 mm，抵抗率 $2\times10^{-8}\Omega$ m の金属線がある．この金属線の電気抵抗［Ω］に最も近いのはどれか．

1. 1.6
2. 3.2
3. 6.4
4. 13
5. 25

問題 3 □□□ 37A48

同一素材の金属丸棒 M_1（抵抗値 R_1）と M_2（抵抗値 R_2）がある．M_1 を基準として，M_2 の半径が $\frac{1}{2}$ 倍，長さが 2 倍であるとき，抵抗値の比 $\frac{R_2}{R_1}$ はどれか．

1. $\frac{1}{8}$
2. $\frac{1}{4}$
3. 1
4. 4
5. 8

問題 4 □□□ 29P49

図の回路で端子 ab 間の合成抵抗はどれか．

1. $\frac{1}{3}R$
2. $\frac{1}{2}R$
3. R
4. $2R$
5. $3R$

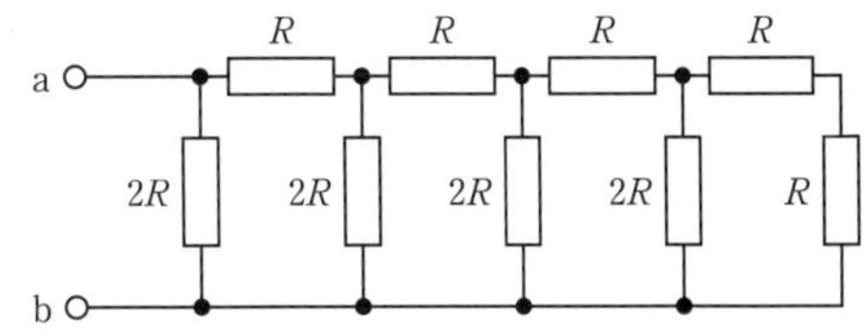

〈ヒント〉
このような梯子型（ラダー型）の合成では，端子から遠い側（この回路では右端）から順に合成するとよい．

問題 5 □□□ 26P47

10 μF のコンデンサに 0.01 C の電荷を充電したときに蓄えられるエネルギー［J］はどれか．

1. 0.05
2. 0.01
3. 5
4. 10
5. 50

問題 6 □□□ 27A46

1 kV の電位差で 0.5 J のエネルギーを蓄えるコンデンサの容量［μF］はどれか．

1. 50
2. 10
3. 5
4. 1
5. 0.5

問題 7 □□□

35A46

静電容量 C [F] のコンデンサに電荷 Q [C] が蓄えられたとき，その静電エネルギー W の単位 [J] の組立て単位は $\frac{\mathrm{m^2 \cdot kg}}{\mathrm{s^2}}$ で表される．静電容量 C の単位 [F] の組立て単位で正しいのはどれか．

1. $\frac{\mathrm{m^2 \cdot kg}}{\mathrm{s^2 \cdot A^2}}$
2. $\frac{\mathrm{m^2 \cdot kg}}{\mathrm{s^4 \cdot A^2}}$
3. $\frac{\mathrm{s^2 \cdot A^2}}{\mathrm{m^2 \cdot kg}}$
4. $\frac{\mathrm{m^2 \cdot A^2}}{\mathrm{kg \cdot s^2}}$
5. $\frac{\mathrm{s^4 \cdot A^2}}{\mathrm{m^2 \cdot kg}}$

問題 8 □□□

36P35

除細動器内部コンデンサの静電容量が 150 μF で，設定エネルギーが 300 J の場合，除細動に用いる充電電圧 [V] はどれか．
ただし，内部損失がないものとする．

1. 141
2. 200
3. 1,414
4. 2,000
5. 14,142

問題 9 □□□

25A47

1.5 V で充電した 5 μF のキャパシタに蓄えられたエネルギーでモータを回したら 5 回転して止まった．同じキャパシタを 6 V で充電して同じモータを回したら何回転するか．
ただし，1 回転するため必要なエネルギーは常に同じとする．

1. 5
2. 10
3. 20
4. 40
5. 80

問題 10 □□□

29P47

図の回路において，ab 間の電圧 [V] はどれか．

1. 5
2. 10
3. 15
4. 20
5. 40

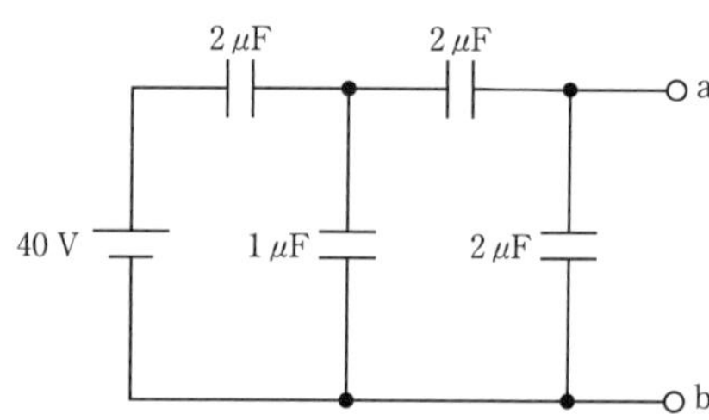

問題 11 □□□

36A48

図のようにキャパシタを直流電圧源に接続したとき，ab 間の電圧 [V] はどれか．

1. 1.0
2. 1.5
3. 2.0
4. 3.0
5. 4.5

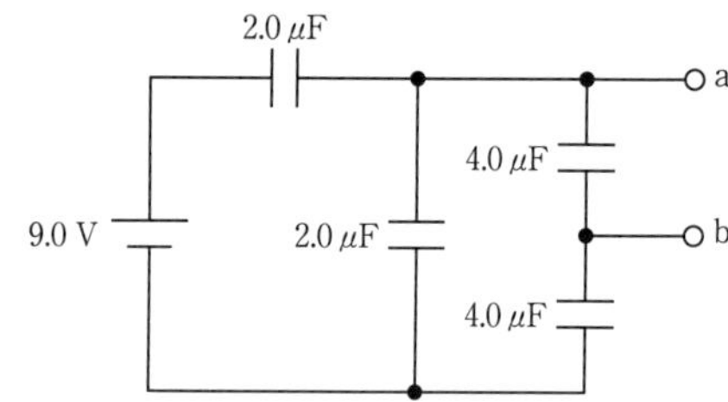

問題 12 □□□

27P48

図の回路で，コンデンサ C_1 にかかる電圧 [V] はどれか．
ただし，$C_1 = 2\mu\mathrm{F}$，$C_2 = C_3 = 1.5\mu\mathrm{F}$ である．

1. 2
2. 3
3. 4
4. 6
5. 8

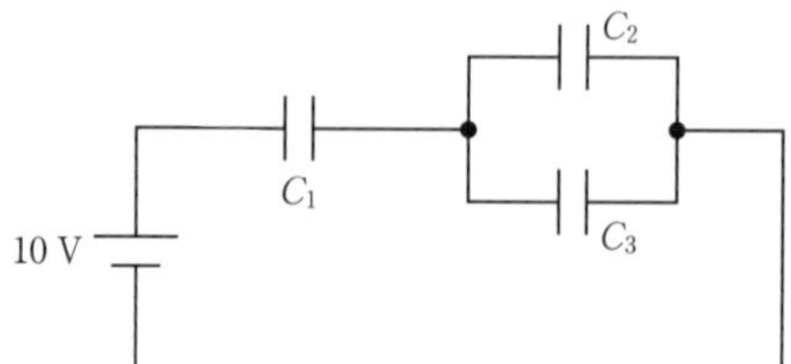

問題 13 □□□ 33P47

インダクタに流れる電流を 1.0 s 間に 0.1 A から 0.2 A に一定の割合で増加させたところ，1.0 V の誘電起電力が生じた．このときの，自己インダクタンス［H］はどれか．

1. 0.1
2. 0.5
3. 1.0
4. 5.0
5. 10

問題 14 □□□ 29P48

2 つのコイル間の相互インダクタンスが 0.5 H のとき，一方のコイルの電流が 1 ms の間に 10 mA から 12 mA に変化すると，他方のコイルに生じる誘導起電力の大きさ［mV］はどれか．

1. 50
2. 100
3. 250
4. 500
5. 1000

問題 15 □□□ 30A46

10 H のインダクタンスをもつコイルに 1 A の電流が流れているとき，磁界内に蓄えられているエネルギー［J］はどれか．

1. 1
2. 2
3. 5
4. 10
5. 50

問題 16 □□□ 25P47

断面積 S［m^2］，長さ d［m］，導電率 σ［S/m］の導体に電流密度 J［A/m^2］の電流が流れているとき，導体の電圧降下［V］はどれか．

1. $\dfrac{Jd}{\sigma}$
2. $J\sigma d$
3. $\dfrac{Jd}{\sigma S}$
4. $\dfrac{J\sigma S}{d}$
5. $\dfrac{JSd}{\sigma}$

〈解答〉問題 1-5，問題 2-3，問題 3-5，問題 4-3，問題 5-3，問題 6-4，問題 7-5，問題 8-4，問題 9-5，問題 10-5，問題 11-2，問題 12-4，問題 13-5，問題 14-5，問題 15-3，問題 16-1

医用電気工学1 第2版
p.22

（3）直流回路

○オーム の法則

➡抵抗値が R（Ω：オーム）の抵抗器に流れる電流 I（A：アンペア）であるとき，抵抗器の両端に生じる電位差 V（V：ボルト）との関係を示す法則で，電気工学で最も重要な法則のひとつである．

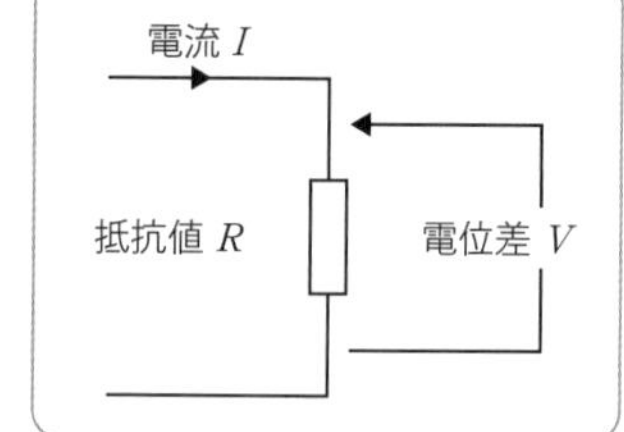

- 抵抗の両端電圧は電流に比例し，$V=I\cdot R$ と表すことができる．
- これを変形した $I=\frac{V}{R}$ または $R=\frac{V}{I}$ も多用される．

➡この法則は，抵抗器については直流回路・交流回路に関わらず適用できる．オームの法則は抵抗値 $R(\Omega)$ を，コンデンサまたはコイルのリアクタンス $X(\Omega)$ や，回路のインピーダンス $Z(\Omega)$ に置き換えても成立し，抵抗値 R を置き換えた $V=I\cdot X$ または $V=I\cdot Z$ は，交流回路のコンデンサやコイルに適用できる．

医用電気工学1 第2版
p.26

○電圧降下（電位差）

➡回路に電流を流したとき，回路上の電気抵抗によってその両端に電位差が生じる現象を電圧降下という．単に抵抗器の両端に生じた電位差の大きさを電圧降下ということもある．

➡電流の方向に向かって抵抗器両端の電位が下がるため，「降下」が用いられる．このとき電気抵抗値，電流，電圧降下の間には，オームの法則が成り立つ．

医用電気工学1 第2版
p.22

○抵抗値，コンダクタンス

➡抵抗値は電流の流れにくさを表す．量記号は R，単位は Ω．

➡逆にコンダクタンスは電流の流れやすさを表す．量記号は G，単位は S（ジーメンス）．

➡抵抗値とコンダクタンスの大きさは互いに逆数の関係にある．コンダクタンス $=\frac{1}{\text{抵抗値}}$ または $G=\frac{1}{R}$

医用電気工学2 第2版
p.51

電池（起電力，内部抵抗）【33回】【37回】 ★★

➡電池とは，エネルギーを直流の電力に変換する電力機器である．化学反応によって化学エネルギーから電気を作る化学電池と，熱や光といった物理エネルギーから電気を作る物理電池に大別される．

➡化学電池，物理電池とも，電池から電力を取り出すことを放電という．

➡化学電池は，放電後に再利用できない一次電池と，放電後に充電によって再利用できる二次電池に分類される（二次電池は充電池・蓄電池とも呼ばれる）．どちらにも属さない化学電池として燃料電池や生物電池がある．

化学電池	一次電池 マンガン電池，アルカリ電池，リチウム電池，空気亜鉛電池など	二次電池 鉛蓄電池，ニッケル・水素電池，リチウムイオン電池など	燃料電池 生物電池
物理電池	太陽電池，熱電池など		

- 電池の起電力とは，電池から流れる電流が0であるとき（きわめて0に近いとき）の＋電極と－電極の電位差である．
- 電池から流れる電流を増加させていくと，電極間の電位差が低下していく．これは，電池内部に存在する内部抵抗によって電圧降下が起きるためである．

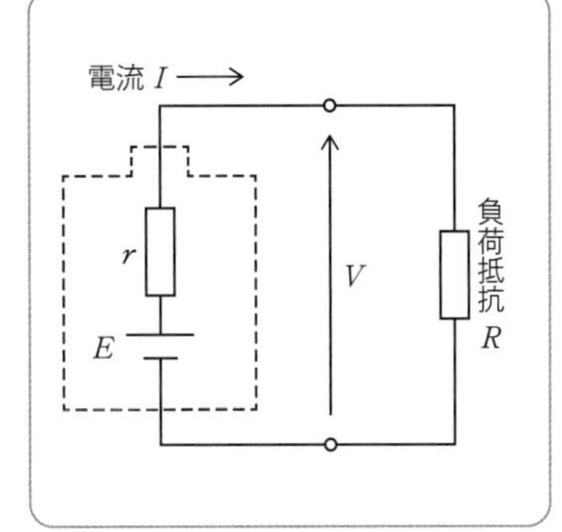

- 右図のように起電力が E(V)，内部抵抗が r(Ω) である電池に，負荷抵抗 R(Ω) を接続し，回路電流 I(A) が流れている場合，$E=IR+Ir$ と表すことができる．電池の電極間の電圧 V(V) は，負荷抵抗の両端電圧 IR と等しく $E=V+Ir$ となり，$V=E-Ir$ と表すことができる．
- 電池だけでなく，電圧計や電流計も内部抵抗を持つ．
- 電圧計の内部抵抗が十分に大きいとき，電圧計を流れる電流はきわめて0に近く，回路上にある電圧計はないものと考えてよい．
- 同様に電流計の内部抵抗が十分に小さいとき，電圧降下はきわめて0に近く，回路上の電流計は導線と考えてよい．
- 必要があれば，回路上の電圧計や電流計も，その内部抵抗と同じ大きさの抵抗器に置き換えた等価回路を考えればよい．

○電力と電力量，消費電力，ジュールの法則 ★

医用電気工学1 第2版 p.65

- 電力は同じ単位 W（ワット）を用いる仕事率と同じ意味を持ち，1秒あたりに発生または消費されるエネルギー（仕事）の大きさを表している．
- 抵抗値が R(Ω) である抵抗器の両端に加えられた電圧 V(V) を印加して流れる電流が I(A) であったとき，この抵抗器は電力 P(W) を消費する．その消費電力の大きさは，$P=V\cdot I$ で与えられる．
  - これにオームの法則を適用すると，$P=V\cdot I=I^2\cdot R=\dfrac{V^2}{R}$ と表すこともでき，これらの式も多用される．ただし，交流電流・交流電圧から電力を求める場合は，いずれも実効値を用いて計算する（実効値については後述）．
- 一般に，抵抗器からはエネルギーは熱（ジュール熱）となって生じる．抵抗器の消費電力は1秒あたりに生じる熱エネルギーの大きさと考えることができる．
- 一定の電力 P(W) が t 秒間継続したときに生じるエネルギー W(J) は $W=P\cdot t$ で与えられる．また，抵抗 R(Ω) を流れる電流 I(A) によって t 秒間に生じる熱エネルギー W(J) は $W=I^2\cdot R\cdot t$ で求められる．
  - これをジュールの第一法則という．このとき発生する熱エネルギーはジュール熱と呼ばれる（ジュールの第二法則もあるが，国試では知っておく必要はない）．
- 電力が1時間あたりに生じるエネルギーの大きさに換算したものを電力量という（定義では，電力量は電力を時間で積分または積算したものとされる）．
- 一定の電力 P(W) が h 時間継続したときに生じる電力量は 電力量$=P\cdot h$ で与えられ，単位には Wh または kWh が用いられる．
- 電力や電力量が時間によって変動する場合には，グラフを描き，グラフの面積を求めればよい．

医用電気工学1　第2版
p.46

○分圧，分流 ★

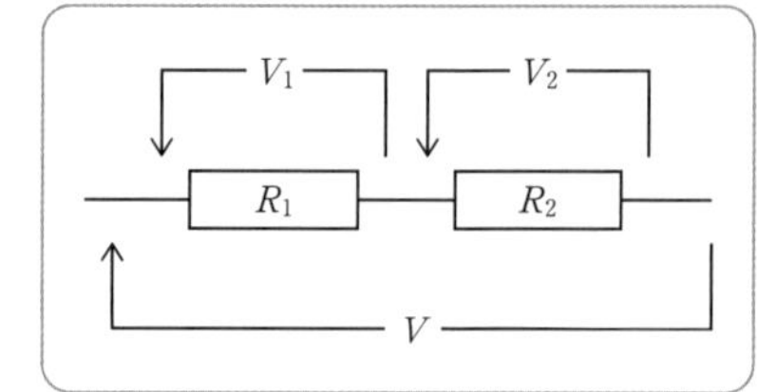

❯抵抗が直列接続された回路では，それぞれの抵抗に流れる電流は同じだが，抵抗の両端電圧が抵抗値に比例する．これを分圧といい，右の回路では $V_1：V_2=R_1：R_2$ が成り立つ．

・それぞれの抵抗に流れる電流が等しいことから，$\dfrac{V_1}{R_1}=\dfrac{V_2}{R_2}$ としてもよい．

❯回路全体に印加される電圧が V ならば，$V_1：V_2：V=R_1：R_2：R_1+R_2$ が成り立ち，

$V_1=\dfrac{R_1}{R_1+R_2}V$，$V_2=\dfrac{R_2}{R_1+R_2}V$ と表すことができる．

❯コンデンサが直列接続された回路でも分圧が起こる．ただし，コンデンサの両端電圧は，その静電容量の逆数に比例する．

医用電気工学1　第2版
p.48

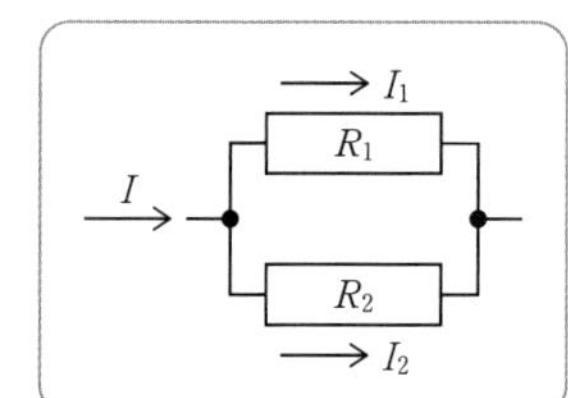

❯抵抗が並列接続された回路では，それぞれの抵抗の電圧降下は同じだが，抵抗を流れる電流が抵抗値の逆数に比例する．これを分流といい，右の回路では $I_1：I_2=\dfrac{1}{R_1}：\dfrac{1}{R_2}$ が成り立つ．

・それぞれの抵抗の電圧降下が等しいことから，$I_1R_1=I_2R_2$ としてもよい．

❯回路全体に流れる電流が I ならば，$I_1：I_2：I=\dfrac{1}{R_1}：\dfrac{1}{R_2}：\dfrac{1}{\dfrac{R_1 \cdot R_2}{R_1+R_2}}$ が成り立ち，

$I_1=\dfrac{R_2}{R_1+R_2}I$，$I_2=\dfrac{R_1}{R_1+R_2}I$ と表すことができる．

医用電気工学1　第2版
p.42

○ブリッジ回路 ★

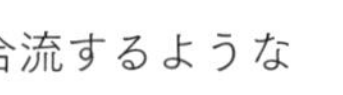

❯ブリッジ回路とは，電流が並列回路の一端で2つに分流し，他端で再合流するような閉回路を形成している電気回路で，かつては素子の計測に用いられていた．

❯国試では，抵抗でブリッジ回路を構成した抵抗ブリッジ回路（ホイートストンブリッジ回路）がよく出題される．

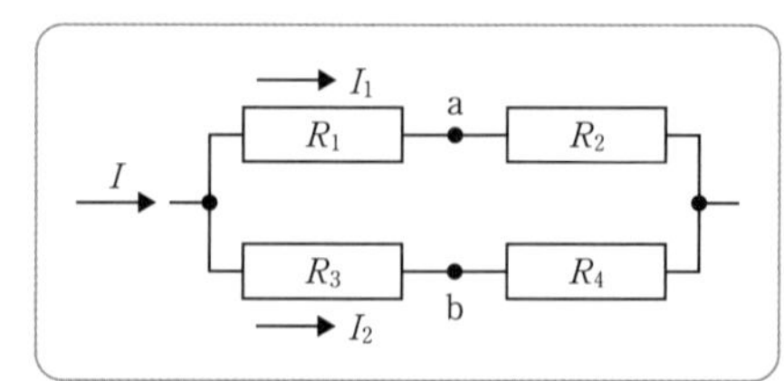

❯右の抵抗ブリッジ回路で電流 I が I_1 と I_2 に分流する．このとき ab 間の電位差が 0(V) であれば，R_1 と R_2 の電圧降下の比は R_3 と R_4 の電圧降下の比と等しいので，ブリッジ回路を構成する抵抗について，$R_1：R_2=R_3：R_4$ が成り立つ．これを変形して，$R_1\times R_4=R_2\times R_3$ または $\dfrac{R_1}{R_3}=\dfrac{R_2}{R_4}$ と表すこともできる．これらの式は，ブリッジ回路の成立条件と呼ばれることもある．

❯上記の抵抗についての条件が成り立つとき，ab 間の電位差は 0(V) であると考えてよい．電位差がなければ電流が流れないので，ab 間を流れる電流は 0(A) となる．

❯ab 間にどのような素子が接続されていても流れる電流は 0(A) となるため，その素子は無効となる．上記の条件が成り立つとき，等価回路を考える場合には ab 間に接続された素子は無視して（取り外して）もよい．具体的には，ab 間が断線状態になったと考えてもよいし，ab 間が導線で接続されていると考えてもよい．

○キルヒホッフの法則 【33 回】 ★★

医用電気工学1 第2版
p.33

❯電気回路において任意の節点に流れ込む電流の総和（第一法則：電流則），および任意の閉回路（一筆書きでたどることができる回路）の電圧の総和に関する法則（第二法則：電圧則）．オームの法則をより一般化したものと考えてよい．

❯電気回路計算に利用される手法のひとつである．

キルヒホッフの第一法則（電流則）

❯任意の節点に流れ込む電流の総和が 0 になることが本来の意味だが，回路中のある 1 点に流れ込む電流の合計と流れ出す電流の合計は等しいと考えてよい．

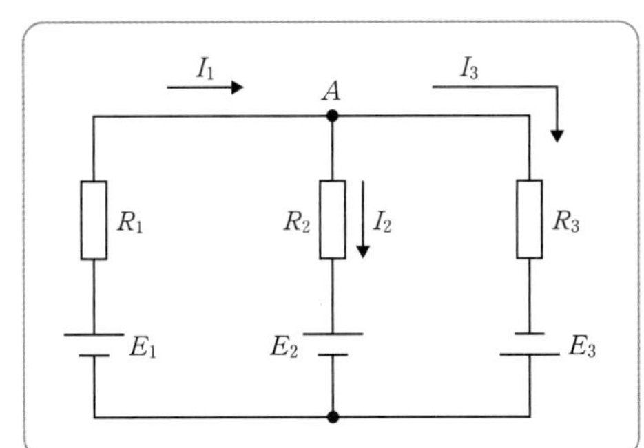

❯右の回路で，A 点に注目する．A 点に流れ込む電流は I_1 のみ，流れ出す電流は I_2 と I_3 である．それぞれの合計が等しく，$I_1=I_2+I_3$ となる．

・これを変形して $I_1-I_2-I_3=0$ と表すことができ，第一法則の本来の式の形となる．この式は，流れ込む電流の符号を＋，流れ出す電流の符号を－として，合計して 0 になる式と考えてよい．

キルヒホッフの第二法則（電圧則）

❯電気回路の任意の閉回路について電圧の向きを一方向に取ったときに，閉回路に沿った各素子の両端電圧の総和は 0 になることが本来の意味だが，閉回路中の電池電圧の合計と素子の両端電圧の合計は等しいと考えた方が扱いやすい．

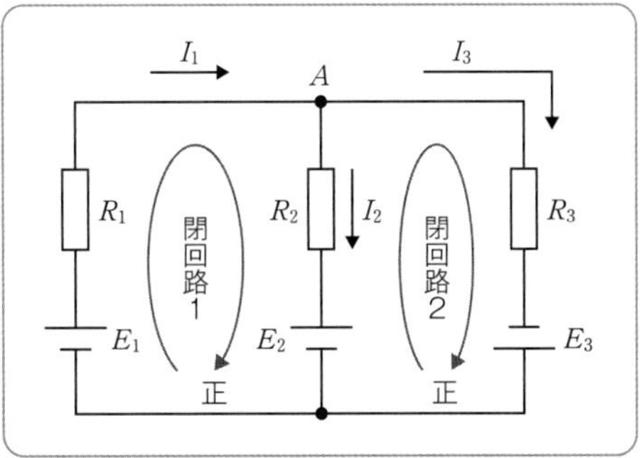

❯電圧則では方向が重要な意味を持つため，閉回路の正の方向を決めておく必要がある．

❯電池では，－極から＋極の方向が正の方向と同じときには電池電圧の符号を＋に，正の方向に対して逆のときには電池電圧の符号を－にして合計する．

❯素子の両端電圧では，素子に流れる電流の方向が正の方向と同じときには両端電圧の符号を＋に，素子に流れる電流の方向が正の方向に対して逆のときには両端電圧の符号を－にして大きさを扱う．

❯例えば，右の回路中の閉回路 1 に注目する．ここでは時計回りを正の方向と考える．

・電池 E_1 は正の方向を向いているが，電池 E_2 は正の方向とは逆になっているので，それぞれの大きさを $+E_1$，$-E_2$ として扱う．

・抵抗の両端電圧では，R_1，R_2 を流れる電流は，どちらも正の方向に沿っている．したがって，それぞれの大きさを $+I_1 \cdot R_1$，$+I_2 \cdot R_2$ として扱う．

・閉回路中の電池電圧の合計と素子の両端電圧の合計は等しいので，$+E_1-E_2=+I_1 \cdot R_1+I_2 \cdot R_2$ となる．

・これを変形すると $E_1-E_2-I_1 \cdot R_1-I_2 \cdot R_2=0$ と表すことができ，第二法則の本来の式の形となる．

➋同様に閉回路 2 に時計回りを基準方向として電圧則を適用すると，$+E_2+E_3=-I_2 \cdot R_2+I_3 \cdot R_3$ となる．これを変形すると $E_2+E_3+I_2 \cdot R_2-I_3 \cdot R_3=0$ と表すことができる．

➋この回路の外周部も閉回路として考えることができる．時計回りを基準方向として電圧則を適用すると，$+E_1+E_3=+I_1 \cdot R_1+I_3 \cdot R_3$ となり，これを変形して $E_1+E_3-I_1 \cdot R_1-I_3 \cdot R_3=0$ と表すことができる．

➋キルヒホッフの法則の解説で示した回路で，回路上の抵抗値が異なる場合には，正しく電流則・電圧則を適用する必要がある．近年の問題では抵抗値が等しい回路が問われており，この場合には簡便な方法が適用できる．

➋今，右の図に示す回路で，抵抗 R はすべて同じ抵抗値とする．

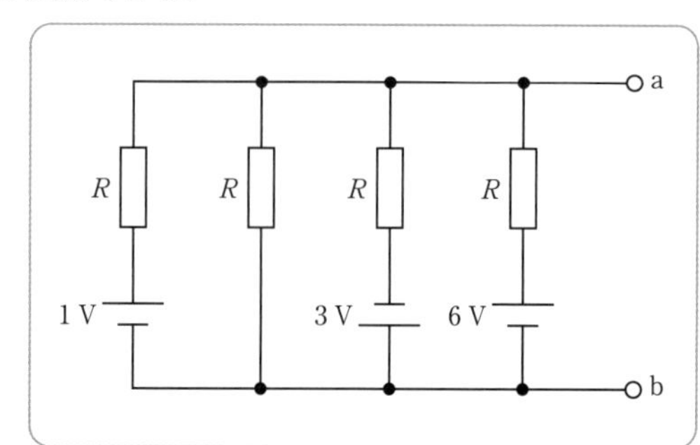

・端子 ab 間の電位差を求めるとき，その大きさは接続された電池電圧の平均と等しくなる．

・接続された電池は 3 つだが，左から 2 番目の抵抗には 0 V の電池が接続されていると考えておこう．また，右から 2 番目の電池は他の電池と極性（向き）が逆になっていることにも注意する．

・ここで，電池電圧の平均を求めると $\dfrac{(+1_{(V)})+0_{(V)}+(-3_{(V)})+(+6_{(V)})}{4}=1_{(V)}$，これが端子 ab 間の電位差である．

・端子 ab 間の電位差が決まれば，個々の抵抗について両端電位差が求められ，各抵抗を流れる電流の大きさも求められる．

医用電気工学1　第2版
p.36

○重ねの理

➋2 個以上の電源（電圧源や電流源）がある回路で，回路の任意の点の電流および電圧はそれぞれの電源が単独で存在した場合の値の和に等しいことを示したものを，重ねの理，重ね合わせの理などとよぶ．キルヒホッフの法則と同じく，電気回路計算に利用される手法のひとつである．

➋電圧源や電流源が混在する回路では有用である．

医用電気工学1　第2版
p.37

○テブナンの定理

➋抵抗器や直流電源で構成された回路内を，内部抵抗を持つ 1 つの直流電圧源＝電池に置き換えることができる定理である．キルヒホッフの法則と同じく，電気回路計算に利用される手法のひとつである．

➋回路内の特定の抵抗について，その両端電圧または流れる電流の大きさを求めるときに有用な定理とされている．

➡国試では，重ねの理またはテブナンの定理を利用した方が便利な問題もあるが，キルヒホッフの法則で対応可能なので，キルヒホッフの法則は使えるようにしておきたい．

○電圧源と電流源

➡電気エネルギーを負荷に供給する装置を電源という．電源には電圧源と電流源がある．これまで扱ってきた電池は電圧源である．

➡電源には負荷（単に接続された抵抗器と考えてよい）を接続する．負荷の大きさが変動しても一定の電圧を供給できる電源を定電圧源といい，負荷の大きさが変動しても一定の電流を供給できる電源を定電流源という．このような働きをする電源装置を安定化電源装置という．

➡現実の電源は内部抵抗を持っているため，負荷の変動に伴って出力も変動する．定電圧源や定電流源は，内部抵抗が 0 Ω の電源と考えてよい．

➡国試では，電圧源＝定電圧源，電流源＝定電流源と考えてよい．電池は定電圧源としてよいが，内部抵抗が示されている場合，回路電流によって供給電圧が変動することに注意する．

問題 1 □□□ 26A48

最大目盛 10 V の電圧計に 32 kΩの倍率器を直列に接続すると，測定可能な最大電圧が 50 V になった．この電圧計の内部抵抗［kΩ］はどれか．

1. 1.6
2. 4.0
3. 6.4
4. 8.0
5. 16

問題 2 □□□ 32A51

図の回路において，抵抗 R を流れる電流 I［mA］はおよそどれか．ただし，電流計 V の内部抵抗 R_V＝ 10 MΩ，電流計 A の内部抵抗 R_a＝ 10 Ωとし，電圧源 E の内部抵抗は無視する．

1. 0.1
2. 0.2
3. 1
4. 2
5. 10

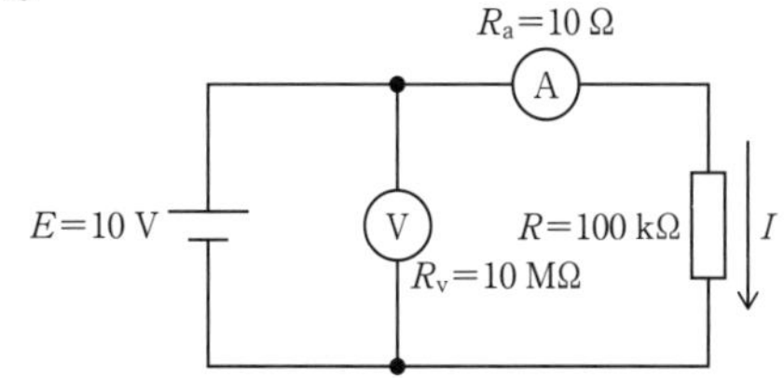

問題 3 □□□ 25A48

起電力 1.5 V，内部抵抗 1.0 Ωの電池を 5 個並列に接続した電源に 1.0 Ωの負荷抵抗をつないだとき，負荷抵抗に流れる電流値［A］はどれか．

1. 0.50
2. 0.75
3. 1.00
4. 1.25
5. 1.50

問題 4 □□□ 35P49

図は内部抵抗 r，起電力 9.0 V の電池に，48 Ωの負荷抵抗を接続した回路である．抵抗の端子間電圧が 8.0 V のとき，内部抵抗 r［Ω］はどれか．

1. 1.0
2. 2.0
3. 3.5
4. 5.0
5. 6.0

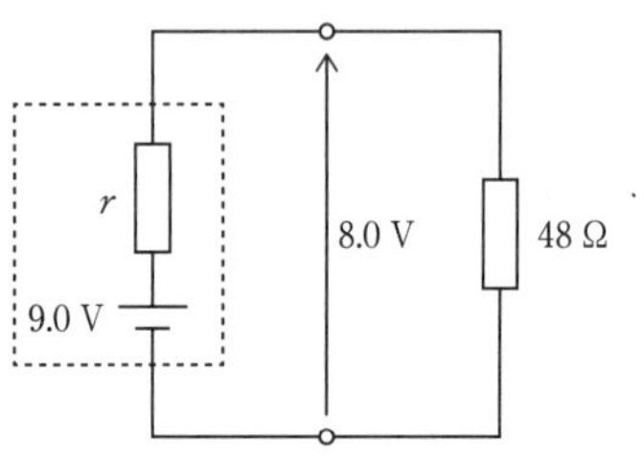

問題 5 □□□ 29A54

図 1 における端子電圧 V と電流 I の関係を図 2 に示す．この電池の両端子を短絡させたとき（負荷抵抗＝ 0），電流 I［A］はどれか．ただし，図 1 の点線内は電池の等価回路である．

1. 0
2. 1.5
3. 2.0
4. 3.0
5. 6.0

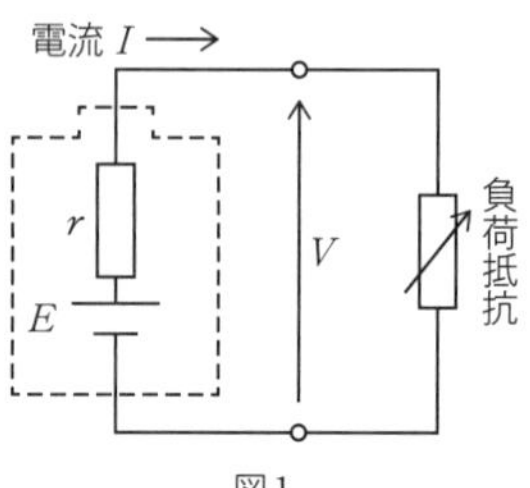

図1

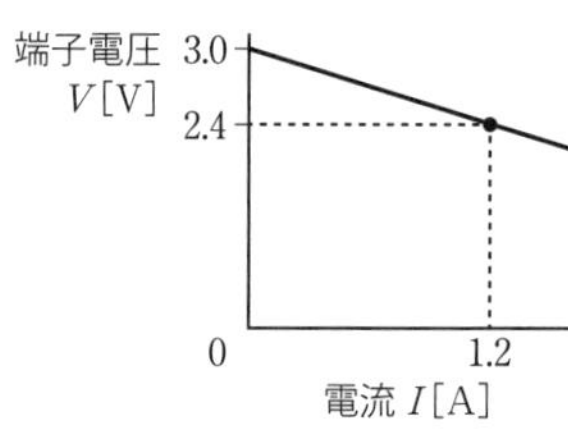

図2

問題 6 □□□ 36A49

起電力 E [V]，内部抵抗 r [Ω] の電池 2 個と可変抵抗 R [Ω] を直列に接続した回路がある．可変抵抗で消費される電力が最大になるように R の値を調整した．このとき，回路に流れる電流 I [A] を表す式として正しいのはどれか．

1. 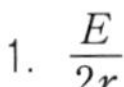 $\dfrac{E}{2r}$
2. $\dfrac{3E}{4r}$
3. $\dfrac{9E}{10r}$
4. 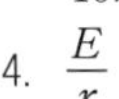 $\dfrac{E}{r}$
5. 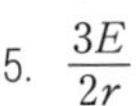 $\dfrac{3E}{2r}$

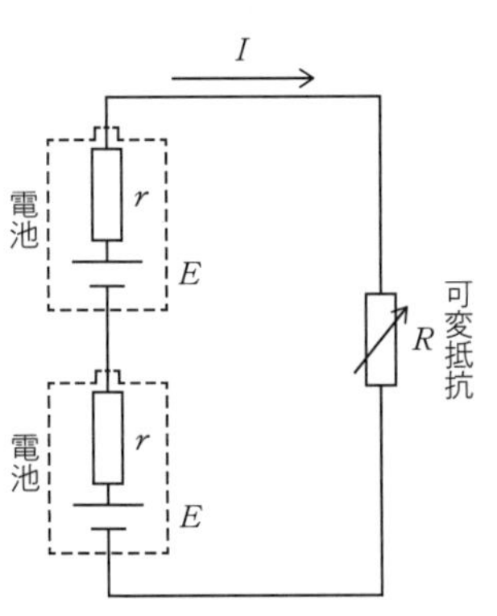

問題 8 □□□ 30P52

図 1 は電池に負荷抵抗を接続した回路である．この回路の端子電圧 V と電流 I の関係を図 2 に示す．端子電圧 V が 2.7 V のときの負荷抵抗の値 [Ω] はどれか．ただし，図 1 の点線内は電池の等価回路である．

1. 3.6
2. 4.2
3. 4.8
4. 5.4
5. 6.0

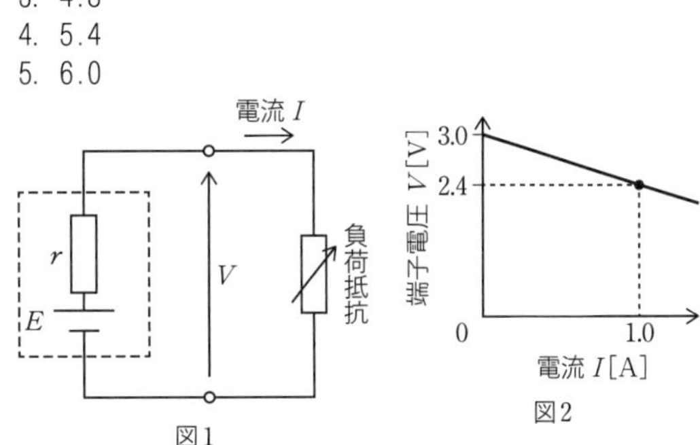

図1　図2

問題 7 □□□ 26P49

起電力 1.5 V，内部抵抗 0.5 Ωの直流電圧源に図のように負荷を接続するとき，負荷電流 I が増加に対する端子電圧 V の変化はどれか．

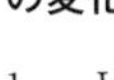

1.
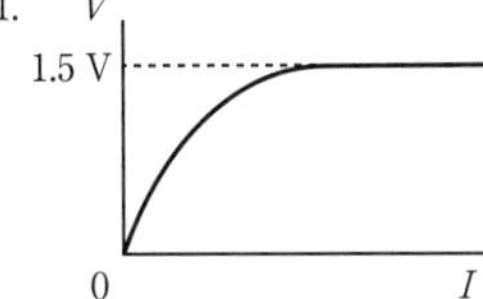

4.
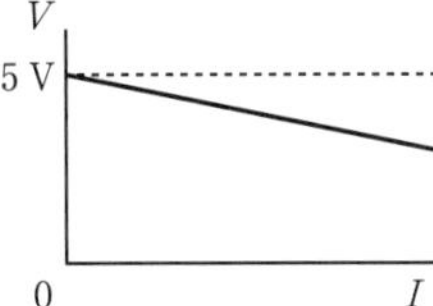

2.
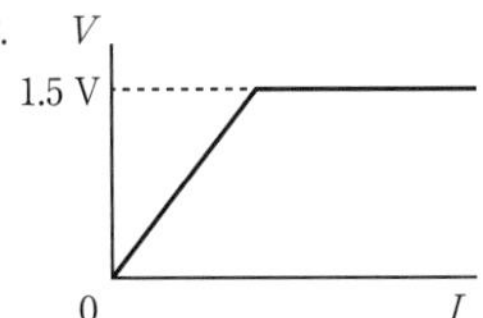

5.
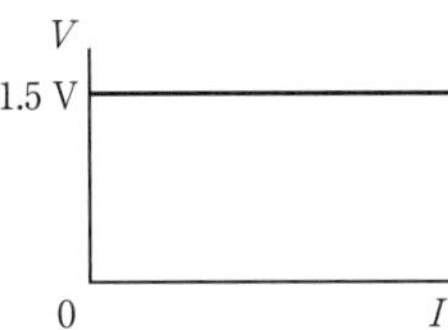

3. V 1.5 V 0 I

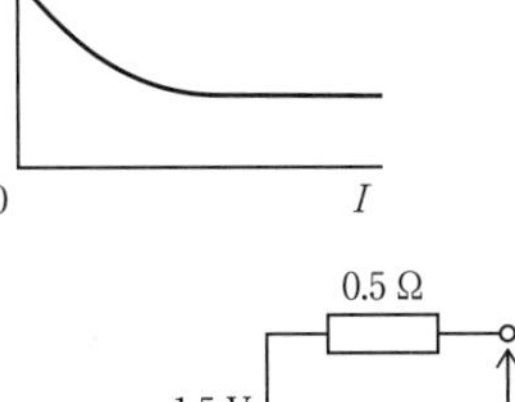

問題 9 □□□ 34P48

100 V の電圧を加えると 5 W の電力を消費する抵抗器に，0.2 A の電流を流したときの消費電力 [W] はどれか．

1. 4
2. 20
3. 25
4. 80
5. 400

問題 10 □□□ 30A47

使用電力が時間帯によって図のように変化したとき，1 日の使用電力量 [kWh] はどれか．

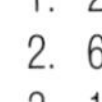

1. 2
2. 6
3. 12
4. 18
5. 24

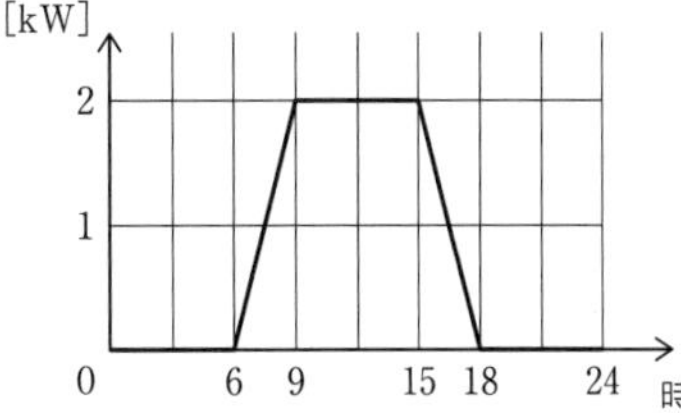

問題 11 □□□ 31A50

起電力 50 V，内部抵抗 5 Ωの電池に負荷抵抗 R を接続する．R を調節して R での消費電力を最大にしたときの R の消費電力［W］はどれか．

1. 25
2. 50
3. 125
4. 250
5. 500

問題 12 □□□ 34A49

20℃の水 100 g が入った保温ポットに電気抵抗 42 Ωのニクロム線を入れて直流 1 A を 10 秒間通電した．水の温度上昇［℃］はどれか．ただし，比熱を $4.2\ \mathrm{J \cdot g^{-1} \cdot K^{-1}}$ とする．

1. 1.0
2. 4.2
3. 10
4. 18
5. 42

問題 13 □□□ 20P07

図の回路で抵抗 200 Ωに 0.1 A の電流が流れている．電圧 E は何 V か．

1. 20
2. 50
3. 70
4. 90
5. 110

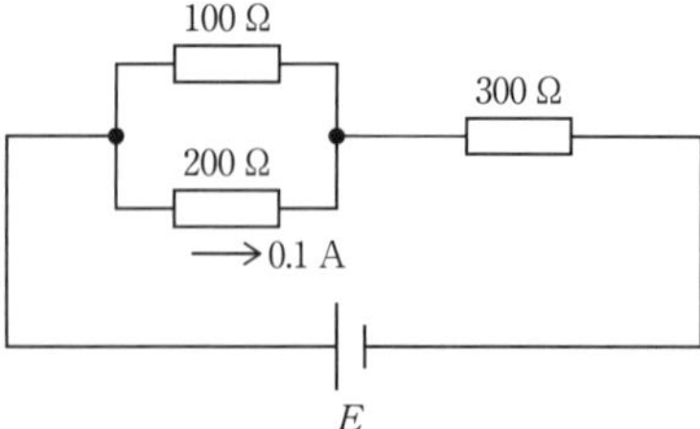

問題 14 □□□ 28P48

図の回路で 3.0 kΩの抵抗を流れる電流 I［mA］はどれか．

1. 1.0
2. 1.5
3. 2.0
4. 3.0
5. 4.8

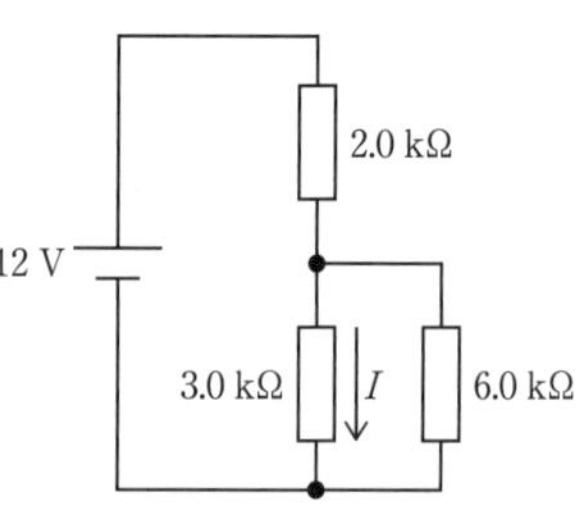

問題 15 □□□ 30P48

図の回路において，18 Ωの抵抗に流れる電流 I［A］はどれか．

1. 1.0×10^{-3}
2. 9.0×10^{-3}
3. 1.0×10^{-2}
4. 9.0×10^{-2}
5. 1.0×10^{-1}

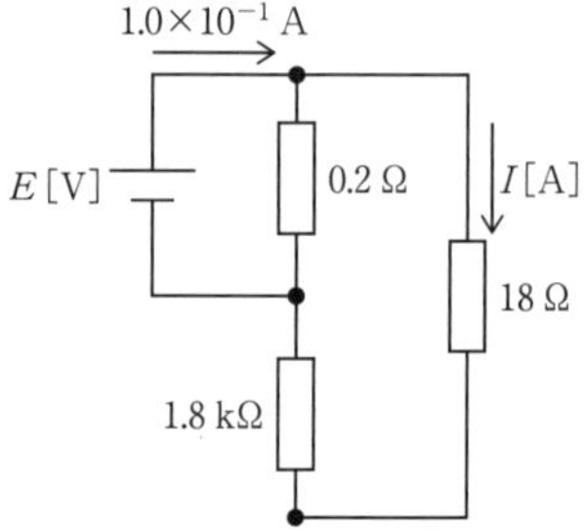

問題 16 □□□ 23A48

図の回路において AB 間の電位差は何 V か．

1. 0
2. 0.5
3. 1
4. 1.5
5. 2

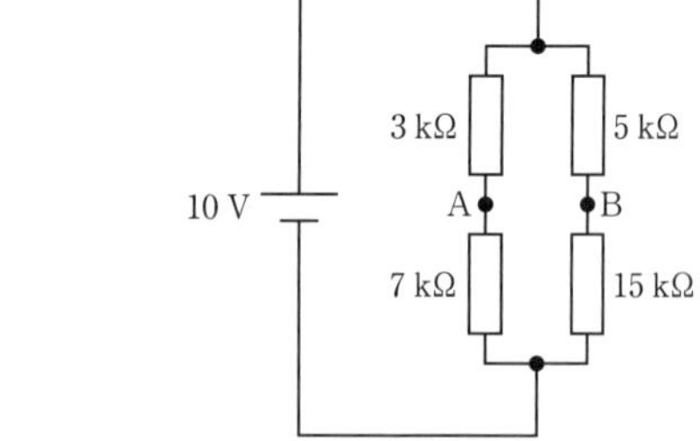

問題 17 □□□ 29P46

図の回路で 2 Ωの抵抗の消費電力が 2 W である．電源電圧 E［V］はどれか．

1. 2
2. 3
3. 4
4. 5
5. 6

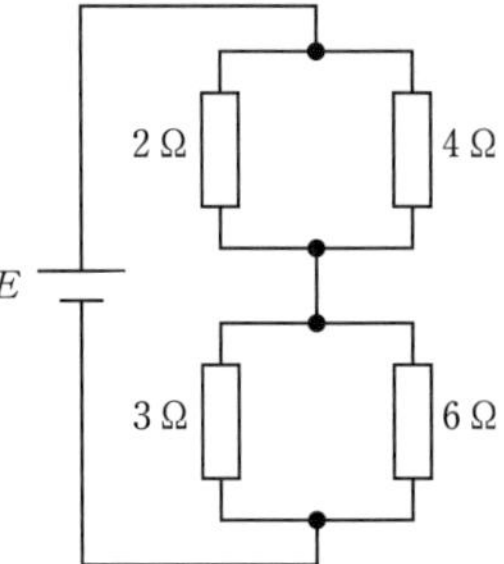

問題 18 □□□ 32A50

図の ab 間の合成抵抗［Ω］はどれか．

1. 1.0
2. 2.0
3. 3.0
4. 4.0
5. 5.0

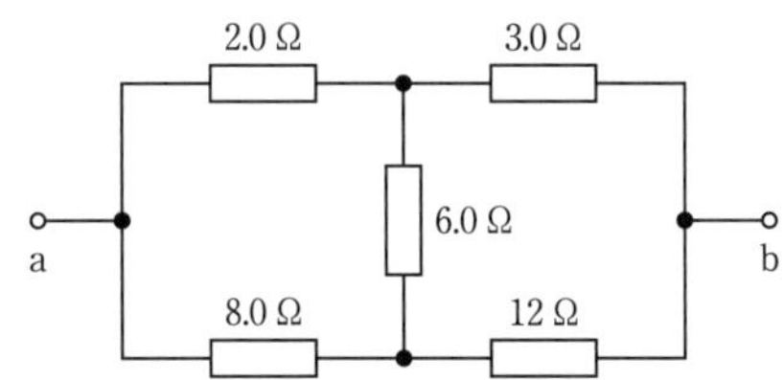

問題 19 □□□ 36P49

図の回路で抵抗 2.0 Ωでの消費電力が 2.0 W のとき，抵抗 4.0 Ωの消費電力［W］はどれか．

1. 0.5
2. 1.0
3. 1.5
4. 2.0
5. 3.0

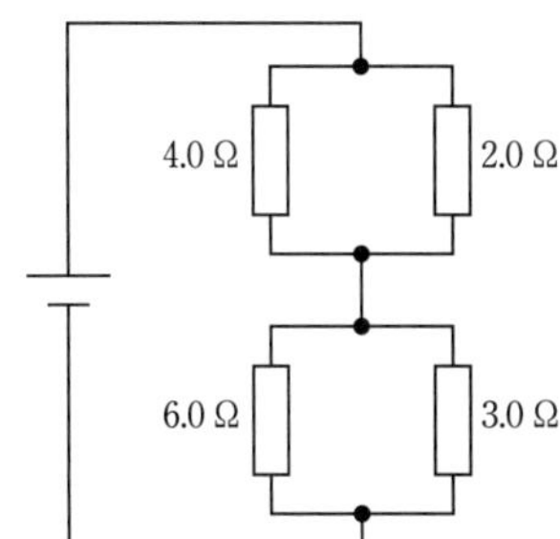

問題 20 □□□ 28A50

図の回路で R を調整して検流計 G の振れがゼロになったとき，ab 間の電圧［V］はどれか．

1. 1
2. 2
3. 3
4. 6
5. 9

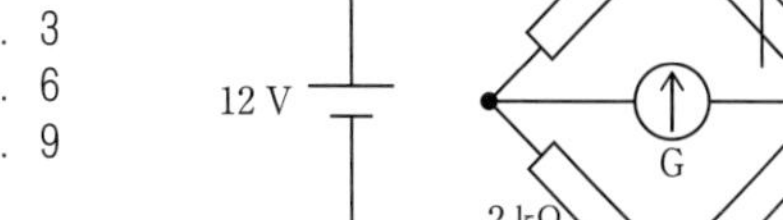

問題 21 □□□ 27A48

R［Ω］の抵抗 5 個を図のように接続したとき，ab 間の合成抵抗は R の何倍か．

1. 0.5
2. 0.75
3. 0.8
4. 10
5. 1.25

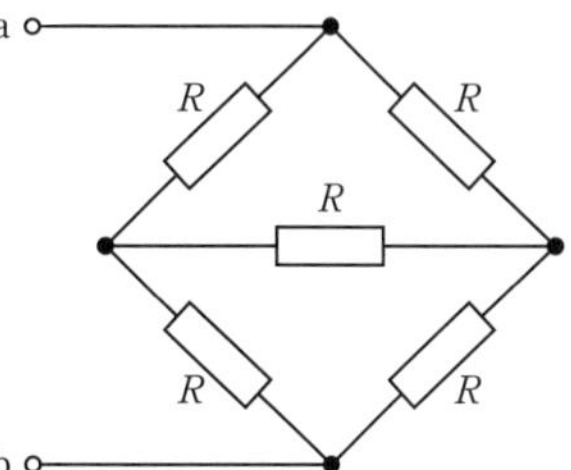

問題 22 □□□ 26A47

R［Ω］の抵抗 12 個を図のように上下左右対称に接続したとき，ab 間の合成抵抗は R の何倍か．

1. 0.5
2. 1
3. 1.5
4. 2
5. 3

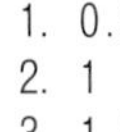

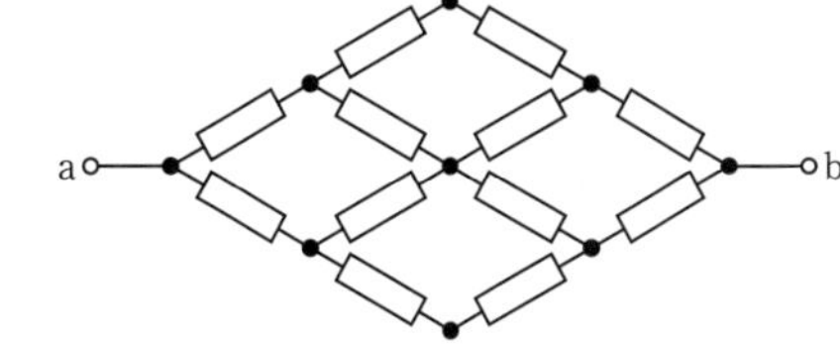

問題 23 □□□

35A48

図の回路で抵抗 R に流れる電流 I [A] はどれか．ただし，電池の起電力は 4.0 V，抵抗はすべて 1.0 Ωとする．

1. 1.0
2. 2.0
3. 3.0
4. 4.0
5. 5.0

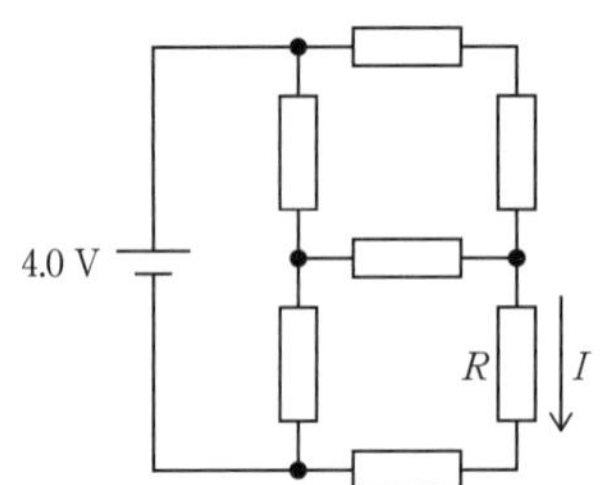

問題 24 □□□

33P48

図の回路で成立するのはどれか．

a．$I_1-I_2-I_3=0$
b．$I_1+I_2+I_3=E_1/R_1$
c．$I_1R_1+I_3R_3=E_1-E_3$
d．$I_1R_1+I_2R_2=E_1$
e．$-I_2R_2+I_3R_3=E_3$

1. a，b，c　2. a，b，e　3. a，d，e
4. b，c，d　5. c，d，e

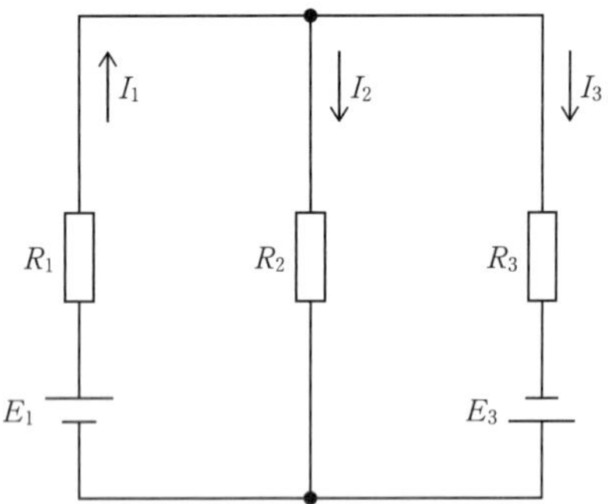

問題 25 □□□

28A49

図の回路で ab 間の電圧 [V] に最も近いのはどれか．

1. 1
2. 1.5
3. 2
4. 3
5. 4

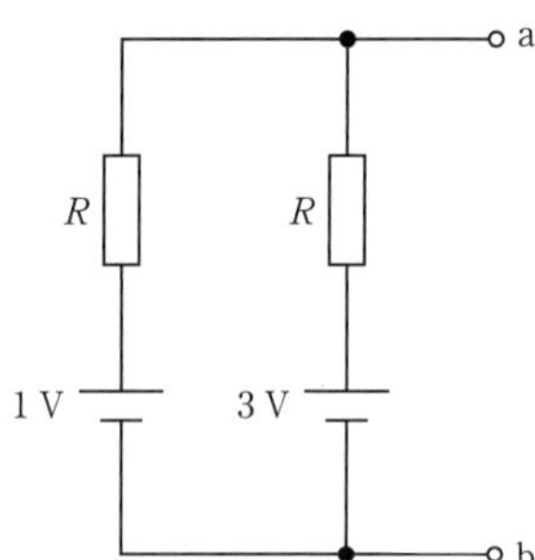

問題 26 □□□

30A48

図の回路で ab 間の電圧 [V] はどれか．ただし，抵抗 R はすべて同じ値とする．

1. 1
2. 2
3. 3
4. 6
5. 12

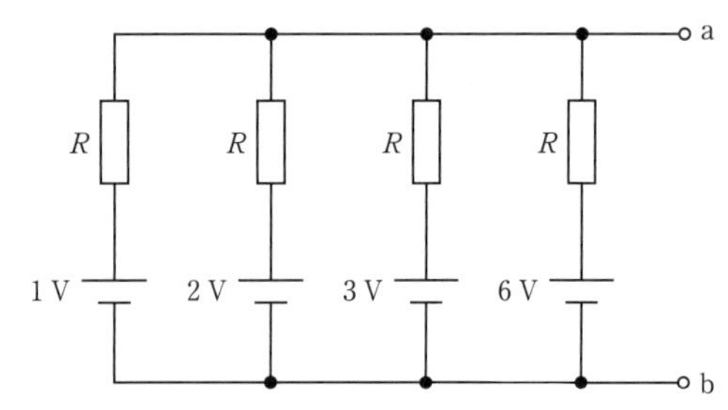

問題 27 □□□ 31P48

図の回路で節点 A の電位［V］に最も近いのはどれか．

1. 3
2. 4
3. 5
4. 6
5. 7

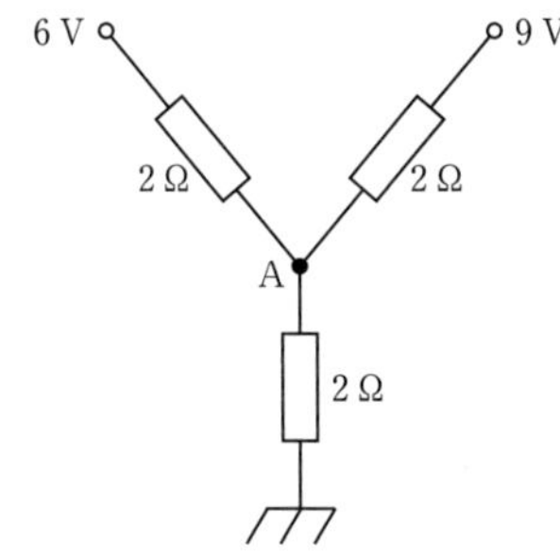

問題 28 □□□ 34A48 改

図の回路でキルヒホッフの法則を用いた解法について誤っているのはどれか．

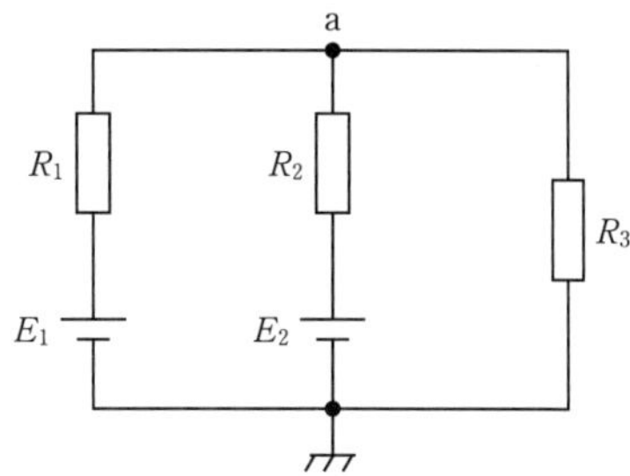

a．a 点の電位は起電力 E_2 と R_2 両端の電圧降下との差となる．
b．図の回路には三つの閉回路がある．
c．a 点に流れ込む電流と a 点から流れ出す電流の和は等しい．
d．一つの閉回路に含まれる電圧降下の大きさと起電力の大きさは等しい．
e．一つの閉回路内で設定する電流の向きによって起電力の正負は変わる．

1. a, b　2. a, e　3. b, c　4. c, d　5. d, e

〈解答〉 問題 1-4，問題 2-1，問題 3-4，問題 4-5，問題 5-5，問題 6-1，問題 7-4，問題 8-4，問題 9-4，問題 10-4，問題 11-3，問題 12-1，問題 13-5，問題 14-3，問題 15-1，問題 16-2，問題 17-4，問題 18-4，問題 19-2，問題 20-3，問題 21-4，問題 22-3，問題 23-1，問題 24-3，問題 25-3，問題 26-3，問題 27-3，問題 28-2

医用電気工学1 第2版
p.81

(4) 交流回路

○正弦波交流（周波数，角周波数，振幅，位相） ★

交流信号の要素

物理量	量記号	単位	意味
周期	T	s（秒）	振動の周期的な繰り返し時間
振幅	A	V（ボルト），A（アンペア）など	振動の振れ幅．最大値とすることが多い
周波数	f	Hz（ヘルツ）または 1/s	単位時間あたりに現れる振動の回数
角周波数	ω	rad/s（ラジアン/秒）	1 Hz を 2π rad に換算した量
位相	θ	rad（ラジアン）	振動のずれ幅

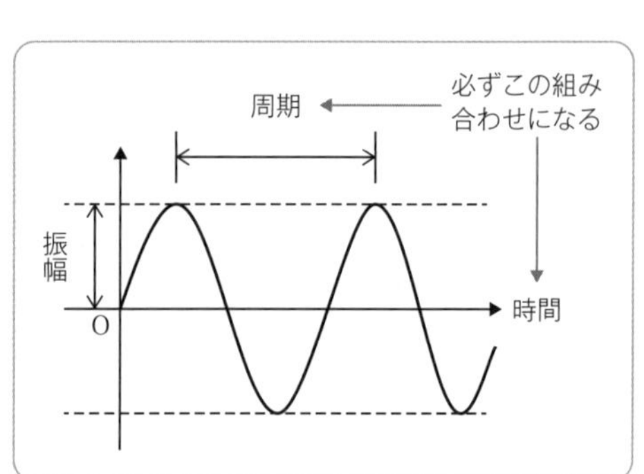

- 物理量のいくつかは，波形のグラフ上で右のような関係にある．
- その他の要素には次式の関係がある．

$$f=\frac{1}{T} \qquad \omega=2\pi f$$

・この 2 式は重要であり，これらを組み合わせて次の関係が得られる．

$$f=\frac{\omega}{2\pi} \qquad T=\frac{1}{f}=\frac{2\pi}{\omega}$$

- グラフから振幅や周期などを読み取る問題が多く，上記の式を用いて，周期から周波数や角周波数を求める問題もある．

正弦波交流信号の基本式

- $y=A\sin(\omega t+\theta)=A\sin(2\pi ft+\theta)=A\sin\left(\frac{2\pi}{T}t+\theta\right)$
- 国試では正弦波交流信号が上式で示されることも多い．
  - ・基本式と示された式を比較して，A：最大値（振幅），ω：角周波数，f：周波数，T：周期，θ：位相（初期位相）に該当する値を比較し読み取れば，必要な情報を得ることができる．
  - ・グラフから得た最大値（振幅），周期，周波数，位相を代入して，信号を数式で表す問題もある．

位相

- 位相とは，同じ周期の 2 つの波の時間変化のズレ，または同じ波長の 2 つの波の位置変化のズレを指す（電気工学では時間変化のズレを扱う．音波や電磁波では時間変化のズレと位置変化のズレの両方が扱われる）．位相の大きさは，ズレ幅が 1 周期と等しいときの位相は 2π rad である．
  - ・したがって，ズレ幅が $\frac{1}{4}$ 周期のとき位相の大きさは，$2\pi\times\frac{1}{4}=\frac{\pi}{2}$ rad となる（本来，位相は単位を持たない無次元量だが，通常は平面角の単位 rad［ラジアン］を使用する）．

- 時間変化が早く現れるときを位相進み，時間変化が遅れて現れるときを位相遅れという．位相の進み遅れを大きさとともに示す場合は符号を用い，位相進みの場合は＋，位相遅れの場合は－で表す．
- ズレ幅が $\frac{1}{6}$ 周期の位相遅れの場合，位相の大きさは $2\pi\times\frac{1}{6}=\frac{\pi}{3}$ rad なので，$-\frac{\pi}{3}$ rad と表記される．
- 国試で位相が問われる問題では，正弦波が扱われる．正弦波では，山の幅（振幅が正となる幅）は周期の 1/2 となるので，山の幅を基準とした方が位相の大きさを求めやすいこともある．波のズレ幅が山の幅と等しいとき，位相の大きさは π rad/s となる．波のズレ幅が山の幅の $\frac{1}{3}$ であれば，位相の大きさは $x\times\frac{1}{3}=\frac{\pi}{3}$ rad/s となる．

位相の大きさ1（グラフから考える：点線で示す波を基準として，実線で描かれた波の位相を考える）

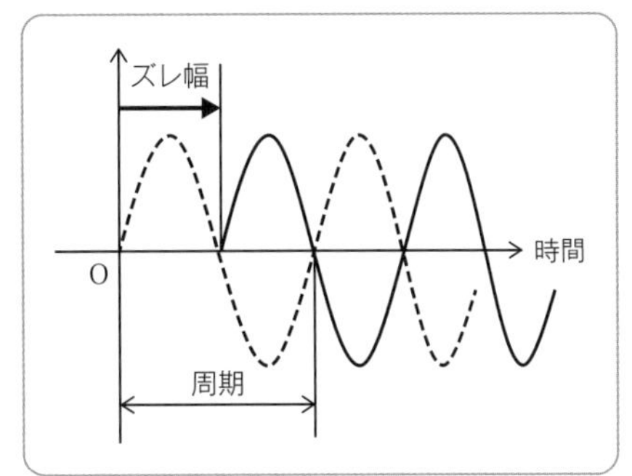

- 右の上図では，基準とする点線の波に対して，実線の波は右向きにズレている．このときの遅れ＝ズレ幅は，周期の $\frac{1}{2}$ にあたるので，位相の大きさは，$2\pi\times\frac{1}{2}=\pi$rad となる．
- 時間軸（横軸）は右向きが正（時間が経過する）方向なので，右方向のズレは基準に対して遅れていることになる．したがって，点線の波に対する実線の波の位相は，$-\pi$rad となる．
- 点線の波のように原点で－側から＋側を通過する波を基準として考えた位相は特に初期位相と呼ばれる．

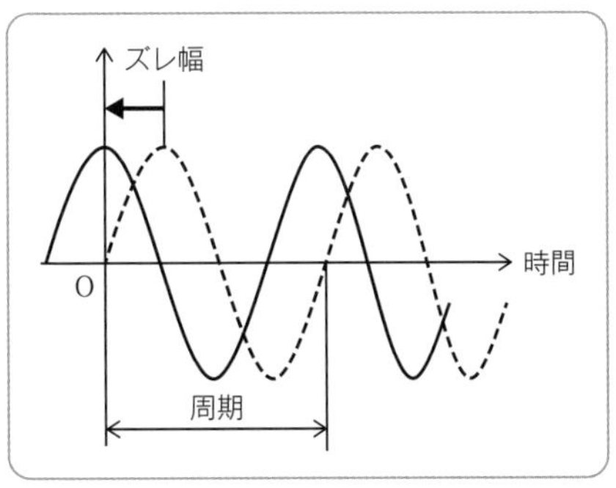

- 右の下図の例では，基準とする点線の波に対して実線の波は左向きにズレている．このときの遅れ＝ズレ幅は，周期

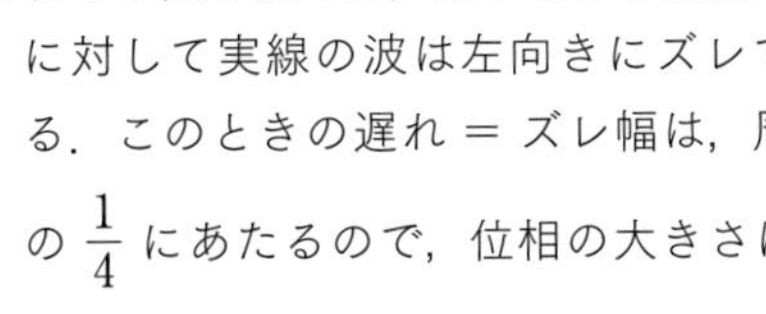

の $\frac{1}{4}$ にあたるので，位相の大きさは，$2\pi\times\frac{1}{4}=\frac{\pi}{2}$rad となる．

- 時間軸は右向きが正方向なので，左方向のズレは基準に対して進んでいることになる．したがって，点線の波に対する実線の波の位相は，$+\frac{\pi}{2}$rad となる．

位相の大きさ 2（極座標で考える）

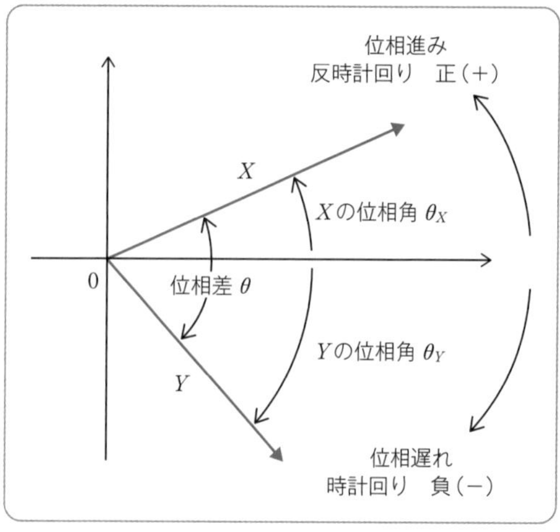

- 同じ周波数の 2 つの波，X と Y が次の式で表されるとする．
  $X = A\sin(2\pi ft + \theta_X)$
  $Y = B\sin(2\pi ft - \theta_Y)$
- 位相に注目すると，X の波は θ_X の位相進み，Y の波は θ_Y の位相遅れであることが分かる．
- 横軸正の方向を位相＝0 rad として，波の位相を青矢印で描くと右図のようになる（矢印の長さは振幅の大きさを表す）．このとき 2 つの矢印が作る角 θ が 2 つの波の位相差となる．
  - 2 つの波の関係は，Y の波を基準として X の波の位相を表す場合，X の波は Y の波に対して位相が θ 進んでいる，または X の波は Y の波より位相が θ 進んでいる，と表すことができる．X の波を基準として Y の波の位相を表す場合，Y の波は X の波に対して位相が θ 遅れている，または Y の波は X の波より位相が θ 遅れている，と表すことができる．

医用電気工学1　第2版
p.85

実効値 【33 回】 ★★

- ある抵抗に交流電源を接続したときの 1 周期あたりの平均電力が，直流電源を接続したときの電力と等しくなるとき，直流電源の電圧値と電流値をそれぞれ交流電源の電圧実効値，電流実効値と呼ぶ．したがって，交流電力を求める場合には，電圧実効値，電流実効値を用いる．
- 問題文中，回路上に示された交流電圧や交流電流の値は，特に指定がなければ実効値と考えてよい．
- 一般に実効値の大きさは，最大値（振幅）や平均値とは異なる．
- 時刻 t における瞬時値が $V_{(t)}$ であるときの実効値・平均値は，1 周期を T として次式で表される．
  - 実効値：$\sqrt{\frac{1}{T}\int_0^T V_{(t)}{}^2 dt}$
  - 平均値（時間平均値）：$\frac{1}{T}\int_0^T V_{(t)} dt$
  - 絶対平均値：$\frac{1}{T}\int_0^T |V_{(t)}| dt$
- 波高率＝最大値／実効値
- 実効値の近似値は最大値から求められる．計算式は波形によって異なるが，周期や周波数によらない．次の表で V_M は最大値（振幅）を表す．

名称	波形	実効値	平均値（時間平均値）	絶対平均値	波高率
正弦波	$+V_M$, 0, $-V_M$, T, 時間	$\frac{V_M}{\sqrt{2}} \fallingdotseq 0.707V_M$	0	$\frac{2}{\pi}V_M \fallingdotseq 0.637V_M$	$\sqrt{2} \fallingdotseq 1.414$
方形波	$+V_M$, 0, $-V_M$, T, 時間	V_M	0	V_M	1
三角波	$+V_M$, 0, $-V_M$, T, 時間	$\frac{V_M}{\sqrt{3}} \fallingdotseq 0.557V_M$	0	$\frac{V_M}{2} = 0.5V_M$	$\sqrt{3} \fallingdotseq 1.732$
両極性パルス波	$+V_M$, 0, $-V_M$, T_1, T, 時間	V_M	$V_M\left(2\frac{T_1}{T} - 1\right)$	V_M	1
片極性パルス波	V_M, 0, T_1, T, 時間	$\sqrt{\frac{T_1}{T}}V_M$	$\frac{T_1}{T}V_M$	$\frac{T_1}{T}V_M$	$\frac{1}{\sqrt{\frac{T_1}{T}}}$
半波整流波	V_M, 0, T, 時間	$\frac{V_M}{2} = 0.5V_M$	$\frac{V_M}{\pi} \fallingdotseq 0.318V_M$	$\frac{V_M}{\pi} \fallingdotseq 0.318V_M$	2
全波整流波	V_M, 0, T, 時間	$\frac{V_M}{\sqrt{2}} \fallingdotseq 0.707V_M$	$\frac{2}{\pi}V_M \fallingdotseq 0.637V_M$	$\frac{2}{\pi}V_M \fallingdotseq 0.637V_M$	$\sqrt{2} \fallingdotseq 1.414$

○複素数

医用電気工学1 第2版 p.113

- 複素数とは，実数 a，b と虚数単位 j を用いて $a+bj$ の形で表すことのできる数をいう．
- 虚数単位 j とは 2 乗すると -1 となる数で，$j^2=-1$ または $j=\sqrt{-1}$ と表される．
  - ・数学分野では虚数単位を表記するのに i を用いるのが一般的である．しかし，電気電子工学分野では交流電流を表記するのに i を用いるのが慣習になっており，混同を避けるため虚数単位の表記にあえて j を使用している．
- $a+bj$ で，a を実部，b を虚部と呼ぶ．複素数を用いると，実数だけでなく虚数も表すことができる．
- 虚部 b が 0 である複素数を実数という．逆に，虚部 b が 0 でない複素数は虚数というが，虚数のうち実部 a が 0 である複素数は特に純虚数と呼ぶ．
- 虚数自体は架空の数であって一般的なものではないが，振動や交流信号など周期的な変化をする状態を解析するのに有効である．国試で複素数を用いた解析問題が取り上げられることはないが，複素数の基礎知識を扱った問題が見られる．具体的には，複素数の絶対値，偏角を求めること，または複素数の実数化などである．

複素数の絶対値と偏角 【37回】 ★★

❯複素数を幾何学的に表現して考えるとよい.

❯ある複素数 Z を, $Z=a+bj$ とする（j は虚数単位).

・ここで横軸を実軸, 縦軸を虚軸とする平面座標系を考える（これをガウス平面などと呼ぶ).

・この平面で, 実部 a と虚部 b によって座標 (a,b) が示される. この座標が複素数 Z を表している. 複素数の絶対値と偏角は, 座標 (a,b) を極座標で表現した結果である.

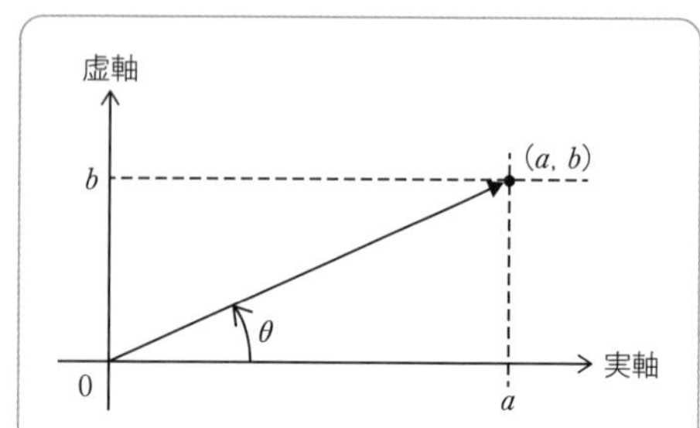

❯複素数 Z の絶対値 $|Z|$ は, 原点と座標 (a,b) の距離を意味している. つまり右図では, 矢印の長さにあたる. これは三平方の定理から求めることができ, $|Z|=|a+bj|=\sqrt{a^2+b^2}$ となる.

❯複素数 Z の偏角とは, 原点から見て座標 (a,b) がどの方向にあるかを意味している. その方向とは右図に示す角 θ であり, 実軸から反時計周りを正とし, 何 rad の角度になるかで方向を示す（偏角の大きさを°（度）で表す場合もあるが, 国試では rad 単位で表す). 角 θ について三角関数を用いれば, $\tan\theta=\dfrac{b}{a}$ となり, $\theta=\tan^{-1}\left(\dfrac{b}{a}\right)$ である.

❯国試問題では $\dfrac{b}{a}$ が $\dfrac{1}{\sqrt{3}}$, $\dfrac{\sqrt{3}}{1}$ などに限られているので, 偏角の大きさも限定できる.

$\frac{b}{a}$ の絶対値	0 $(b=0)$	$\frac{1}{\sqrt{3}}$	$\frac{1}{1}$	$\frac{\sqrt{3}}{1}$	解なし $(a=0)$
偏角 θ の大きさ (rad)	0	$\frac{\pi}{6}$	$\frac{\pi}{4}$	$\frac{\pi}{3}$	$\frac{\pi}{2}$

ただし, 虚部 b が負の値をとるとき, 実軸から時計周りの方向となるので, 偏角も負の値となる.

❯国試での扱いはないが, 複素数 Z の絶対値が r, 偏角が θ であるとき, $Z=r\angle\theta$ と表記したり, $Z=re^{j\theta}$（e はネイピア数）と表記したりすることもある.

○複素数の実数化

❯複素数の実数化と言っても, 複素数全体を実数にすることはできない. ここでいう複素数の実数化（有理化）とは, 実部と虚部（あるいは複素数）の分母を実数化することを指す.

❯例えば, $Z=\dfrac{k}{a+bj}$ と表される複素数があったとする.

・このままでは実部と虚部の大きさが分からないので, 前述した幾何学的な表現を用いて絶対値や偏角を調べることができない.

・そこで分母を実数化するが, ここで j^2 は実数 -1 であることを利用する.

・因数分解の公式, 和と差の積［$(x+y)(x-y)=x^2-y^2$］を用いると,

$$Z=\frac{k}{a+bj}=\frac{k\times(a-bj)}{(a+bj)(a-bj)}=\frac{ka-kbj}{a^2-(bj)^2}=\frac{ka-kbj}{a^2-b^2j^2}=\frac{ka-kbj}{a^2+b^2}=\frac{ka}{a^2+b^2}-\frac{kb}{a^2+b^2}j$$

となるから，実部は $\frac{ka}{a^2+b^2}$，虚部は $-\frac{kb}{a^2+b^2}$ と実数（虚数単位を含まない）で表すことができる．

・この作業によって，幾何学的な表現を用いて絶対値や偏角を調べることができるようになる．

例題

$\frac{1}{\sqrt{3}+j}$ の偏角と絶対値を求めよ．ただし，j は虚数単位である．

解答

分母に虚数単位が含まれているので，分母の実数化を行う．

$$Z=\frac{1}{\sqrt{3}+j}=\frac{1\times(\sqrt{3}-j)}{(\sqrt{3}+j)(\sqrt{3}-j)}=\frac{\sqrt{3}-j}{(\sqrt{3})^2-j^2}=\frac{\sqrt{3}-j}{3+1}=\frac{\sqrt{3}-j}{4}=\frac{\sqrt{3}}{4}-\frac{1}{4}j$$

したがって，実部 a は $\frac{\sqrt{3}}{4}$，虚部 b は $-\frac{1}{4}$ となり，$\frac{b}{a}$ が $\frac{1}{\sqrt{3}}$，ただし $b<0$ であるから，偏角は $-\frac{\pi}{6}$rad となる．実部，虚部の分母または係数の値が等しいとき，その値は座標系に複素数を示したときの矢印の長さ（絶対値）を変化させるだけで，偏角は変わらない．

今回の例題では $\frac{\sqrt{3}-j}{4}$ から，実部 a を $\sqrt{3}$，虚部 b は -1 として偏角を求めてもよい．

複素数の絶対値を求めるときには，偏角のように係数を無視することはできない．

したがって，実部と虚部の値から，

$$|Z|=\sqrt{\left(\frac{\sqrt{3}}{4}\right)^2+\left(\frac{1}{4}\right)^2}=\sqrt{\frac{3}{16}+\frac{1}{16}}=\sqrt{\frac{4}{16}}=\sqrt{\frac{1}{4}}=\frac{1}{2}$$ となる．

ただし，複素数同士の積や分数式について絶対値を求める場合には，１つ１つの複素数の絶対値を求め，式通りに計算しても同じ結果が得られる．

$$|Z|=\left|\frac{1}{\sqrt{3}+j}\right|=\frac{|1|}{|\sqrt{3}+j|}=\frac{1}{\sqrt{(\sqrt{3})^2+1^2}}=\frac{1}{\sqrt{3+1}}=\frac{1}{\sqrt{4}}=\frac{1}{2}$$

○リアクタンス ★

医用電気工学1　第2版
p.98

- コンデンサやコイルも電流を流れにくくする作用を持つが，抵抗器とは異なり電流周波数によって流れにくさが変化する．そこで，抵抗器の電流の流れにくさ（抵抗値）と区別して，コンデンサやコイルでは電流の流れにくさをリアクタンスと呼び，量記号には X が用いられる．回路全体または装置の端子間について電流の流れにくさを考える場合はインピーダンスと呼ぶ．
- リアクタンスの単位は，抵抗値と同じく Ω（オーム）を用いる．
- コンデンサのリアクタンスを特に容量リアクタンス，コイルのリアクタンスを誘導リアクタンスと呼ぶ（表，次ページ）．

素子	電流の流れにくさ	量記号	単位
抵抗器	抵抗値	R	Ω
コンデンサ	容量リアクタンス	X_C	
コイル	誘導リアクタンス	X_L	
回路・端子	インピーダンス	Z	

医用電気工学1　第2版
p.96

容量リアクタンス

❯コンデンサに流れる交流電流，またはコンデンサの両端に印加される交流電圧の角周波数 ω(rad/s)，または周波数 f(Hz) に，電流の流れにくさ（容量リアクタンス）は反比例する．

・コンデンサの静電容量を C(F) とすると，容量リアクタンスの大きさは $X_C=\frac{1}{\omega C}=\frac{1}{2\pi fC}$ で求められる．電圧と電流の位相の関係を考慮する場合には，虚数単位を用いて $X_C=\frac{1}{j\omega C}$ と表す．

医用電気工学1　第2版
p.94

誘導リアクタンス

❯コイルに流れる交流電流，またはコイルの両端に印加される交流電圧の角周波数 ω(rad/s)，または周波数 f(Hz) に，電流の流れにくさ（誘導リアクタンス）は比例する．

・コイルのインダクタンスを L(H) とすると，誘導リアクタンスの大きさは $X_L=\omega L=2\pi fL$ で求められる．電圧と電流の位相の関係を考慮する場合には，虚数単位を用いて $X_L=j\omega L$ と表す．

❯リアクタンスもインピーダンスも電流の流れにくさを表しているので，抵抗値と同じように扱ってよい．交流回路ではリアクタンスを抵抗値と同様に扱うことができ，コンデンサやコイルについても電圧の大きさと電流の大きさの関係にオームの法則を利用できる．

❯コンデンサやコイルは電流の変化と両端電圧の変化に時間的なズレ ＝ 位相差がある．

・コンデンサの両端電圧はコンデンサを流れる電流に対して位相が $\frac{\pi}{2}\mathrm{rad}\left(\frac{1}{4}\text{周期分}\right)$ 遅れる．

・コイルの両端電圧はコイルを流れる電流に対して位相が $\frac{\pi}{2}\mathrm{rad}\left(\frac{1}{4}\text{周期分}\right)$ 進む．

・抵抗の両端電圧は抵抗を電流に対して位相差が 0rad＝同相である．

サセプタンス

❯リアクタンスの逆数をサセプタンスと呼び，量記号には B が用いられる．

❯抵抗値の逆数であるコンダクタンスと同じく，単位には S（ジーメンス）を用いる．

各素子の電圧・電流の関係 【37 回】 ★★

	R（抵抗）	C（コンデンサ）	L（コイル）
回路図	v_R i_R	v_C i_C	v_L i_L
電流の流れにくさ	抵抗値 $R(\Omega)$	容量リアクタンス $X_C=\frac{1}{\omega C}=\frac{1}{2\pi fC}(\Omega)$ 虚数単位を用いると $X_C=\frac{1}{j\omega C}$	誘導リアクタンス $X_L=\omega L=2\pi fL(\Omega)$ 虚数単位を用いると $X_C=j\omega L$
オームの法則	$v_R=i_R\times R$	$v_C=i_C\times Xc$	$v_L=i_L\times X_L$
電圧の位相（基準は電流）	抵抗を流れる電流 i_R に対して，抵抗の両端電圧 v_R の位相は同位相（位相差は 0 rad）	コンデンサを流れる電流 i_C に対し，コンデンサの両端電圧 v_C の位相は 90° $=\frac{\pi}{2}$ rad 遅れる	コイルを流れる電流 i_L に対し，コイルの両端電圧 v_L の位相は 90° $=\frac{\pi}{2}$ rad 進む
極座標で表す電流と電圧の関係（図では流れる電流を基準とし，横軸正の向きに統一している）	v_R 0 i_R	0 i_C v_C	v_L 0 i_L
	極座標に描かれた矢印で，電圧・電流をベクトルとして表している．矢印の方向が位相を，矢印の長さは電圧または電流の大きさを示す．		
電流の位相（基準は電圧）	抵抗の両端電圧 v_R に対し，抵抗を流れる電流 i_R の位相は同位相（位相差は 0 rad）	コンデンサの両端電圧 v_C に対し，コンデンサを流れる電流 i_C の位相は，90° $=\frac{\pi}{2}$ rad 進む	コイルの両端電圧 v_L に対し，コイルを流れる電流 i_L の位相は，90° $=\frac{\pi}{2}$ rad 遅れる

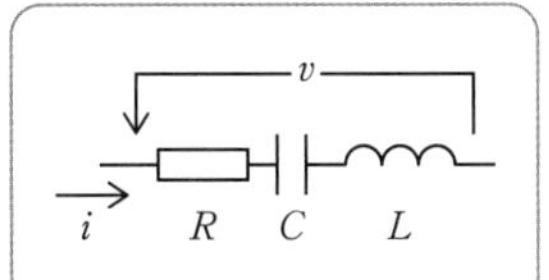

- 右に示す RLC 直列回路について，電圧と電流の関係を考える．回路全体に電流 i が流れ，回路全体に電圧 v，抵抗の両端には v_R，コンデンサの両端には v_C，コイルの両端には v_L の電位差が生じるとする．
  - ・それらの関係を極座標で表すと，右下図のようになる（$|v_L|>|v_C|$ とする）．このとき v_R，v_C，v_L の合成結果が回路全体の電圧 v となる．この図から，回路電流 i に対して回路電圧 v の位相が進んでいることが分かる．

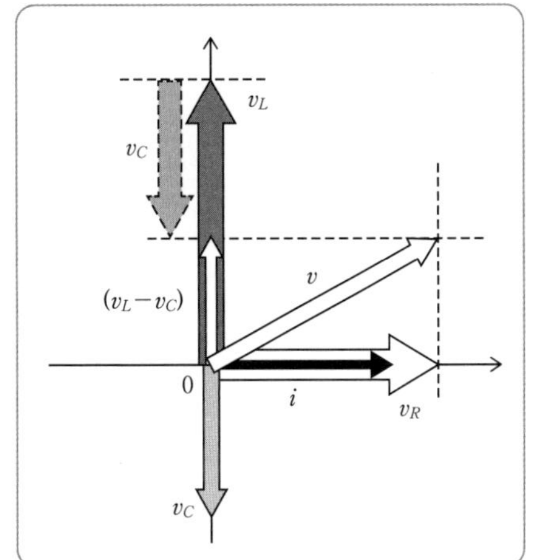

インピーダンスとアドミタンス

インピーダンス

- 抵抗値が抵抗器単体，リアクタンスがコンデンサ単体またはコイル単体の電流の流れにくさを表す．

医用電気工学1 第2版
p.99

➲インピーダンスは，抵抗器，コンデンサ，コイルなどを組み合わせて用いたときの電流の流れにくさを表したもので，量記号として Z を使用し，単位には Ω（オーム）を用いる．抵抗値とリアクタンスをひとまとめにしてインピーダンスということもあり，インピーダンスとは電気回路の電流の流れにくさを表すものと考えてよい（求め方は後述）．

➲装置の入出力端子についての電流の流れにくさもインピーダンスという．

➲回路について，電圧と電流，電流の流れにくさの関係にインピーダンスを用いてオームの法則を利用できる．

- それらの関係を表に示す．v は回路全体に印加される電圧，i は回路全体を流れる電流である．

	RLC 直列回路	RLC 並列回路
回路図	v i　R　C　L	v R C L i
電流の流れにくさ	インピーダンス $Z(\Omega)$ $Z=\sqrt{R^2+(X_L-X_C)^2}$ $Z=\sqrt{R^2+\left(\omega L-\frac{1}{\omega C}\right)^2}$ 虚数単位を用いると $Z=R+(X_L-X_C)j$	インピーダンス $Z(\Omega)$ $\frac{1}{Z}=\sqrt{\left(\frac{1}{R}\right)^2+\left(\frac{1}{X_C}-\frac{1}{X_L}\right)^2}$ $\frac{1}{Z}=\sqrt{\left(\frac{1}{R}\right)^2+\left(\frac{1}{\frac{1}{\omega C}}-\frac{1}{\omega L}\right)^2}$ $\frac{1}{Z}=\sqrt{\left(\frac{1}{R}\right)^2+\left(\omega C-\frac{1}{\omega L}\right)^2}$ 複素数を用いると $\frac{1}{Z}=\frac{1}{R}+\left(\frac{1}{X_C}-\frac{1}{X_L}\right)j$
オームの法則	回路全体の印加電圧　$v=i\times Z$ 抵抗の両端電圧　$v_R=i\times R$ コンデンサの両端電圧　$v_C=i\times X_C=i\times\frac{1}{\omega C}$ コイルの両端電圧　$v_L=i\times X_L=i\times\omega L$	回路電流　$i=\frac{v}{Z}$ 抵抗の電流　$i_R=\frac{v}{R}$ コンデンサの電流　$i_C=\frac{v}{X_C}=\frac{v}{\frac{1}{\omega C}}=v\times\omega C$ コイルの電流　$i_L=\frac{v}{X_L}=\frac{v}{\omega L}$
電圧と電流の相互関係	$v=\sqrt{v_R{}^2+(v_L-v_C)^2}$ $i=i_R=i_C=i_L$	$v=v_R=v_C=v_L$ $i=\sqrt{i_R{}^2+(i_C-i_L)^2}$

抵抗とコンデンサだけで構成される CR 回路ではコイルの項を，抵抗とコイルだけで構成される LR 回路ではコンデンサの項を省いて考えればよい．

アドミタンス

➲コンダクタンスが抵抗値の逆数であるように，インピーダンスの逆数をアドミタンスと呼ぶ．一般に量記号は Y が使用される．

➲コンダクタンスと同じく，単位には S（ジーメンス）を用いる．

○共振回路 ★

医用電気工学1 第2版
p.103

RLC 直列回路全体のインピーダンスの周波数特性

- 抵抗とコンデンサ，コイルの直列回路に交流電源から周波数 f（Hz）で，回路に e（V）の電圧を印加するとき，i（A）の回路電流が流れたとする．このとき抵抗の両端には v_R（V），コンデンサの両端には v_C（V），コイルの両端には v_L（V）の電位差が生じるとする．

回路図	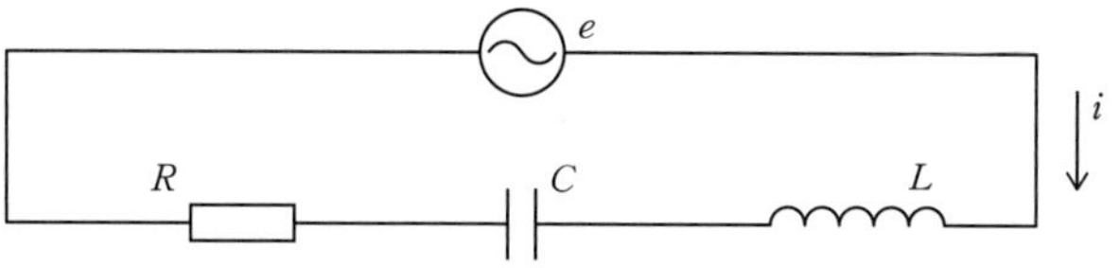 e　i　R　C　L		
	R（抵抗）	C（コンデンサ）	L（コイル）
抵抗値 リアクタンス	$R=\dfrac{v_R}{i}$ 周波数に関わらず一定	$X_C=\dfrac{v_C}{i}=\dfrac{1}{\omega C}=\dfrac{1}{2\pi fC}$ 周波数に反比例する	$X_L=\dfrac{v_L}{i}=\omega L=2\pi fL$ 周波数に比例する
回路全体の インピーダンス	$Z=\sqrt{R^2+(X_L-X_C)^2}=\sqrt{R^2+\left(\omega L-\dfrac{1}{\omega C}\right)^2}=\sqrt{R^2+\left(2\pi fL-\dfrac{1}{2\pi fC}\right)^2}$		
周波数	共振周波数 $f_0=\dfrac{1}{2\pi\sqrt{LC}}$ と比較して		
	f_0 よりも低いとき	f_0 と等しいとき	f_0 よりも高いとき
抵抗値	抵抗値 R　抵抗の両端電圧 $v_R=iR$（R，v_R ともに周波数に関わらず一定）		
リアクタンス	$X_C>X_L\Rightarrow v_C>v_L$ コンデンサの影響大＝ 容量性が高い	$X_C=X_L=\sqrt{\dfrac{L}{C}}$	$X_C<X_L\Rightarrow v_C<v_L$ コイルの影響大＝ 誘導性が高い
回路全体の インピーダンス の周波数特性	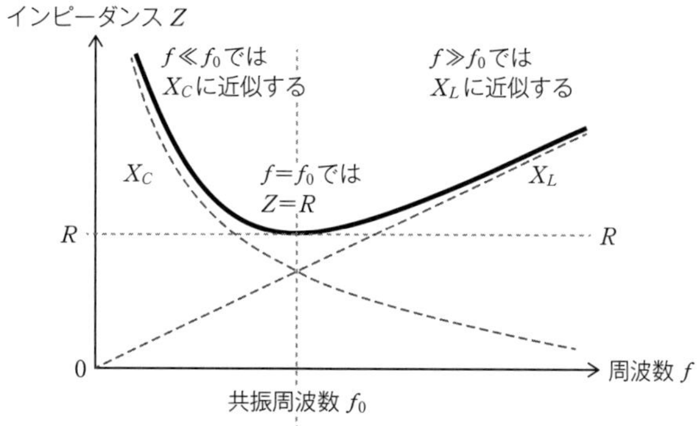 インピーダンス Z $f\ll f_0$ では X_C に近似する $f\gg f_0$ では X_L に近似する X_C $f=f_0$ では $Z=R$ X_L R R 0 周波数 f 共振周波数 f_0		
	$v_C>v_L$ となるので， 回路電流 i に対して， 印加電圧 e の位相は遅れる	回路電流 i と， 印加電圧 e は 同位相	$v_C<v_L$ となるので， 回路電流 i に対して， 印加電圧 e の位相は進む

RLC 回路の共振

医用電気工学1 第2版
p.120

- RLC 回路では，直列・並列に関わらず特定の周波数でコンデンサとコイルのリアクタンスが等しくなる．この状態を共振と呼び，そのときの周波数を共振周波数といい，f_0 で表す．
- 回路上のコンデンサの静電容量が C(F)，コイルのインダクタンスが L(H) のとき，$|X_C|=|X_L|$ となるので，共振周波数が f_0 ならば，$\dfrac{1}{2\pi f_0 C}=2\pi f_0 L$ が成り立つ．これを変形して共振周波数 $f_0=\dfrac{1}{2\pi\sqrt{LC}}$ が得られる．また，角共振周波数 $\omega_0=\dfrac{1}{\sqrt{LC}}$ と表すこともある．

RLC 直列回路が共振するとき，$|X_C|=|X_L|$ より $|i \cdot X_C|=|i \cdot X_L|$，コンデンサの両端電圧 v_C とコイルの両端電圧 v_L の間に，$|v_C|=|v_L|$ が成り立つ．また，v_C と v_L は常に逆位相（極性が逆）なので $v_C=-v_L$，$v_C+v_L=0$ となる．したがって，抵抗の両端電圧 v_R は常に電源電圧 e と等しく，回路電流 i は $\dfrac{e}{v_R}$ となる．これは，共振した RLC 直列回路が抵抗 R のみの回路と等価であることを示している．また，RLC 並列回路が共振するとき，$|X_C|=|X_L|$ より $\left|\dfrac{e}{X_C}\right|=\left|\dfrac{e}{X_L}\right|$ であるから，コンデンサ電流 i_C とコイル電流 i_L の間に $|i_C|=|i_L|$ が成り立つ．また，i_C と i_L は常に逆位相（極性が逆）なので $i_C=-i_L$，$i_C+i_L=0$ となる．したがって，抵抗電流 i_R は常に回路電流 i と等しく，回路電流 i は $\dfrac{e}{v_R}$ となる．これは，共振した RLC 並列回路が抵抗 R のみの回路と等価であることを示している．

直列共振回路の Q 値＝電圧拡大率

- RLC 直列回路が周波数 $f_0=\dfrac{1}{2\pi\sqrt{LC}}$ で共振しているとき，これをリアクタンスの式 $X_L=2\pi f_0 L$，$X_C=\dfrac{1}{2\pi f_0 C}$ に代入すると $|X_C|=|X_L|=\sqrt{\dfrac{L}{C}}$ が得られる．
- コンデンサとコイルの電流 i は同じ大きさとなるので，コンデンサとコイルの両端電圧の大きさは $|i \cdot X_C|=|i \cdot X_L|=i \cdot \sqrt{\dfrac{L}{C}}$ と等しくなる．また，抵抗の両端電圧は $i \cdot R$ である．
- 抵抗の両端電圧に対するコンデンサまたはコイルの両端電圧との比率を電圧拡大率または Q 値という．したがって $Q=\dfrac{i \cdot \sqrt{\dfrac{L}{C}}}{i \cdot R}=\dfrac{1}{R}\sqrt{\dfrac{L}{C}}$ となり，電源電圧の大きさとは無関係に両端電圧比が決まることがわかる．

RLC 並列回路全体のインピーダンスの周波数特性

医用電気工学1　第2版
p.110

➲抵抗とコンデンサ・コイルの並列回路に交流電源から，周波数 f（Hz）で，e（V）の電圧を印加するとき，回路全体で i（A）の電流が流れたとする．このとき抵抗には i_R（A），コンデンサには i_C（A），コイルには i_L（A）の電流が流れたとする．

回路図	e　i　i_R　i_C　i_L		
	R（抵抗）	C（コンデンサ）	L（コイル）
抵抗値 リアクタンス	$R=\dfrac{e}{i_R}$ 周波数に関わらず一定	$X_C=\dfrac{e}{i_C}=\dfrac{1}{\omega C}=\dfrac{1}{2\pi fC}$ 周波数に反比例する	$X_L=\dfrac{e}{i_L}=\omega L=2\pi fL$ 周波数に比例する
回路全体の インピーダンス	$Z=\dfrac{1}{\sqrt{\left(\dfrac{1}{R}\right)^2+\left(\dfrac{1}{X_C}-\dfrac{1}{X_L}\right)^2}}=\dfrac{1}{\sqrt{\left(\dfrac{1}{R}\right)^2+\left(\omega C-\dfrac{1}{\omega L}\right)^2}}=\dfrac{1}{\sqrt{\left(\dfrac{1}{R}\right)^2+\left(2\pi fC-\dfrac{1}{2\pi fL}\right)^2}}$		
周波数	共振周波数 $f_0=\dfrac{1}{2\pi\sqrt{LC}}$ と比較して		
	f_0 よりも低いとき	f_0 と等しいとき	f_0 よりも高いとき
抵抗値	抵抗値 R 抵抗を流れる電流 $i_R=\dfrac{e}{Z_R}=\dfrac{e}{R}$（$R$, i_R ともに周波数に関わらず一定）		
リアクタンス	$X_C>X_L \Rightarrow i_C<i_L$ コイルの影響大＝ 誘導性が高い	$X_C=X_L=\sqrt{\dfrac{L}{C}} \Rightarrow \|i_C\|=\|i_L\|$	$X_C<X_L \Rightarrow i_C>i_L$ コンデンサの影響大＝ 容量性が高い
回路全体の インピーダンス	インピーダンス Z $f \ll f_0$ では X_L に近似する $f \gg f_0$ では X_C に近似する R　X_L　X_C　0　周波数 f　共振周波数 f_0		
	$i_C<i_L$ となるので，印加電圧 e に対して，回路電流 i の位相は遅れる	印加電圧 e と回路電流 i は同位相	$i_C>i_L$ となるので，印加電圧 e に対して，回路電流 i の位相は進む

並列共振回路の Q 値＝電流拡大率

医用電気工学1　第2版
p.124

➲RLC 並列回路が共振しているときも，RLC 直列回路と同様に，$|X_C|=|X_L|=\sqrt{\dfrac{L}{C}}$ が成り立つ．

➲コンデンサとコイルの両端電圧 v は同じ大きさなので，それぞれを流れる電流の大きさは等しく，$\left|\dfrac{v}{X_C}\right|=\left|\dfrac{v}{X_L}\right|=v\cdot\sqrt{\dfrac{C}{L}}$ となる．一方，抵抗を流れる電流は $\dfrac{v}{R}$ である．

➲抵抗を流れる電流に対するコンデンサまたはコイルを流れる電流の比率を性能指数，

電流拡大率またはQ値という．$Q=\dfrac{v\cdot\sqrt{\dfrac{C}{L}}}{\dfrac{v}{R}}=R\sqrt{\dfrac{C}{L}}$となり，電源電圧の大きさとは無関係に電流比が決まることが分かる．

- このQ値は直列共振回路のQ値と逆数の関係にある．ただし，電流拡大率は一般的ではないので国試で出題されることはないだろう．

医用電気工学1 第2版
p.125

○有効電力と皮相電力 【37回】 ★★

- 交流回路でも直流回路と同様に電力を扱うことができる．ただし，電圧や電流には実効値を用いなければならない．
- 抵抗に流れる電流の実効値i_Rと両端電圧の実効値v_Rを用いて，$P=v_R\cdot i_R=i_R{}^2\cdot R=\dfrac{v_R{}^2}{R}$で抵抗$R$の消費電力$P$(W)を求めることができる．
- 一定の電力P(W)がt秒間継続したときに生じるエネルギーW(J)は$W=P\cdot t$で与えられる．
- 一定の電力P(W)がh時間継続したときに生じる電力量（Wh）も電力量$=P\cdot h$で与えられる．

- 電力を求める式で抵抗値RをリアクタンスXやインピーダンスZに置き換えることもできる．抵抗値Rを用いて求められる電力を有効電力，リアクタンスXを用いて求められる電力を無効電力，インピーダンスZを用いて求められる電力を皮相電力という．
- 右図に示すCR直列回路に正弦波交流電圧v（実効値）が印加され，回路電流i（実効値）が流れているとする．回路のインピーダンスは$Z=\sqrt{R^2+(X_L-X_C)^2}=\sqrt{R^2+(0-X_C)^2}=\sqrt{R^2+X_C{}^2}$となり，$v=i\cdot Z$が成り立つ．回路全体で電力を考えると，$v\cdot i=i^2\cdot Z=\dfrac{v^2}{Z}$となり，これを皮相電力と呼ぶ．皮相電力の量記号は$S$，単位はVA（ボルトアンペア）．

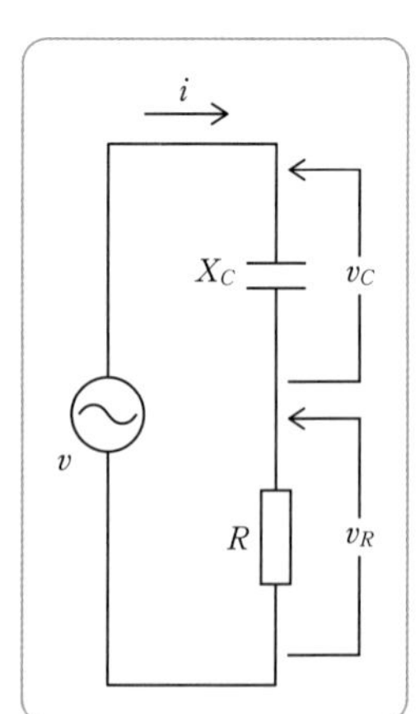

- コンデンサに注目すると，$v_C=i\cdot X_C$が成り立つ．コンデンサ単体で電力を考えると，$v_C\cdot i=i^2\cdot X_C=\dfrac{v^2}{X_C}$となり，これを無効電力と呼ぶ．無効電力の量記号は$Q$，単位はvar（バール）．
- 抵抗に注目すると，$v_R=i\cdot R$が成り立つ．抵抗単体で電力を考えると，$P=v_R\cdot i=i^2\cdot R=\dfrac{v^2}{R}$となり，これを有効電力と呼ぶ．有効電力の量記号は$P$，単位はW（ワット）．
- 実際に回路で消費される（熱エネルギーなどに変換される）のは有効電力だけである．コンデンサ単体で求めた無効電力は消費される電力ではない．両端電圧v_Cが増加する過程では電気エネルギーを静電エネルギーとして蓄え（充電），v_Cが減少する過程では蓄えた静電エネルギーを電気エネルギーとして放出（放電）する．

・コンデンサ自体の電力消費はない（コイルの場合は電気エネルギーが磁気エネルギーと相互変換されるだけでコイル自体の電力消費もない）．したがって，消費される電力は有効電力だけであり，消費電力＝有効電力と考えてよい．

➲皮相電力との間には，皮相電力^2＝有効電力^2＋無効電力^{2}が成り立つ．

➲皮相電力Sに対する有効電力Pの割合$\frac{P}{S}$を力率と呼ぶ．力率$=\frac{P}{S}=\cos\theta$と表すことがある．このときのθは回路電圧vと回路電流iの位相差に等しい．

➲皮相電力Sと力率$\cos\theta$を用いて，有効電力（消費電力）Pを$P=S\cos\theta=vi\cos\theta$と表すこともある（式中の電圧$v$と電流$i$には実効値を用いること）．皮相電力$S$に対する無効電力$Q$の割合$\frac{Q}{S}$は無効率と呼ばれ，その値は$\sin\theta$に等しい．

問題 1 □□□ 33A51

表は，正弦波交流波形Aとその整流波形B，Cについて，それぞれの平均値［V］および実効値［V］を示している．表中の空白箇所（ア）および（イ）に記入する値として，正しい組合せはどれか．

（ア）　（イ）

1. 31.8 —— 60.4
2. 31.8 —— 70.7
3. 45.0 —— 50.0
4. 45.0 —— 60.4
5. 45.0 —— 70.7

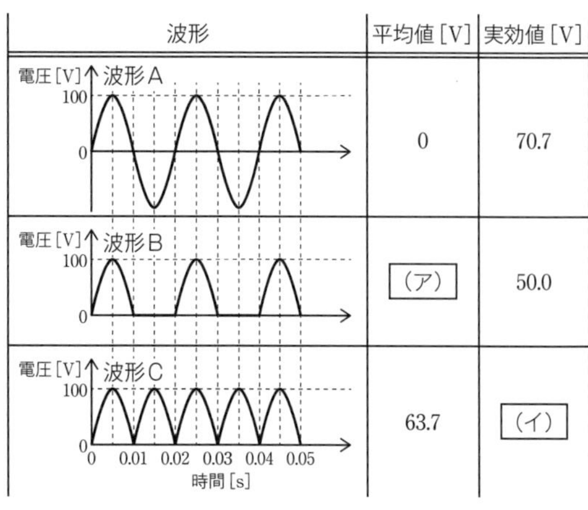

波形	平均値［V］	実効値［V］
波形A	0	70.7
波形B	（ア）	50.0
波形C	63.7	（イ）

問題 2 □□□ 28A51

図の正弦波交流電圧波形について正しいのはどれか．

a．周波数は 50 Hz である．
b．角周波数は 50 π rad/s である．
c．周期は 10 ms である．
d．電圧の平均値は 110 V である．
e．電圧の実効値は 100 V である．

1. a, b　2. a, e　3. b, c　4. c, d　5. d, e

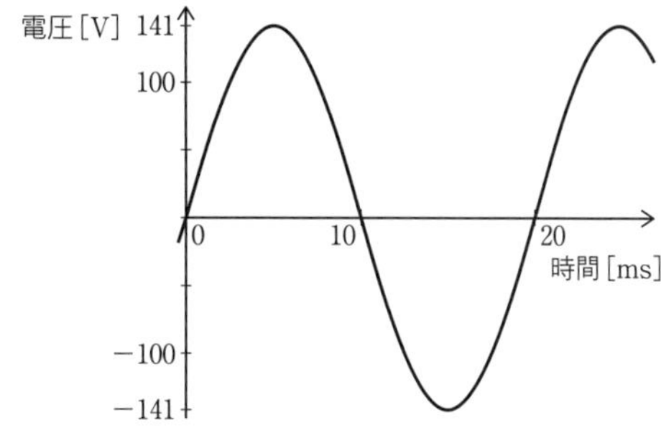

問題 3 □□□ 22A49

商用交流 100 V 電源の電圧波形を記録すると正弦波に近い波形が得られた．この波形の最大値-最小値（peak to peak）の電位差に最も近いのはどれか．

1. 100 V
2. 140 V
3. 200 V
4. 280 V
5. 400 V

問題 4 □□□ 37A50

100 Ω の抵抗に周波数 60 Hz，実効値 $\sqrt{2}\,\mathrm{A}$ の正弦波電流を流した．正しいのはどれか．

1. 141 W の電力が消費される．
2. 正弦波電流の振幅は 1 A である．
3. 正弦波電流の周期は 20 ms である．
4. 抵抗両端の電圧の最大値は 200 V である．
5. 正弦波電流と抵抗両端電圧の位相は $\frac{\pi}{2}$rad ずれる．

問題 5 □□□ 33P62

$(1-j)^4$ と等しいのはどれか．ただし，j は虚数単位である．

1. -4
2. -2
3. 0
4. 2
5. 4

問題 6 □□□ 32P62

$Z(\sqrt{3}+j)$ の偏角が $\frac{\pi}{2}$ となる Z はどれか．ただし，j は虚数単位である．

1. 1
2. j
3. $1+j$
4. $1+j\sqrt{3}$
5. $\sqrt{3}+j$

問題 7 □□□ 31P62

$(1+j)(\sqrt{3}-j)$ の絶対値はどれか．ただし，j は虚数単位である．

1. 2
2. $2\sqrt{2}$
3. $2\sqrt{3}$
4. $2\sqrt{3}-2$
5. 8

問題 8 □□□ 30P63

絶対値が最も小さいのはどれか．ただし，j は虚数単位である．

1. $\frac{1}{j}$
2. $\frac{1}{1+j}$
3. $\frac{1}{2-j}$
4. $\frac{1-j}{2+j}$
5. $\frac{1-j}{1+j}$

問題 9 □□□ 29A63

$\frac{-\sqrt{3}+j}{1+j\sqrt{3}}$ の偏角はどれか．ただし，j は虚数単位である．

1. $-\frac{\pi}{2}$
2. $-\frac{\pi}{6}$
3. 0
4. $\frac{\pi}{6}$
5. $\frac{\pi}{2}$

問題 10 □□□ 37A63

$\frac{-\sqrt{3}-j}{2j}$ の偏角はどれか．ただし，j は虚数単位である．

1. $-\pi$
2. $-\frac{2}{3}\pi$
3. $-\frac{1}{3}\pi$
4. $\frac{1}{3}\pi$
5. $\frac{2}{3}\pi$

問題 11 □□□ 34P50

複素数の偏角が $-\frac{\pi}{4}$rad となるのはどれか．ただし，j は虚数単位である．

1. $1+j$
2. $1-j$
3. $1+2j$
4. $1-2j$
5. $2+\sqrt{3}j$

問題 12 □□□ 31P49

キャパシタに正弦波電圧を印加した場合，キャパシタの両端にかかる電圧と流れる電流との位相について正しいのはどれか．

1. 電圧は電流より $\frac{\pi}{2}$ 位相が遅れている．
2. 電圧は電流より $\frac{\pi}{4}$ 位相が遅れている．
3. 電圧は電流と同位相である．
4. 電圧は電流より $\frac{\pi}{4}$ 位相が進んでいる．
5. 電圧は電流より $\frac{\pi}{2}$ 位相が進んでいる．

問題 13 □□□ 27A50

インダクタンス 10 mH に正弦波交流電流 $2\sqrt{2}\sin(120\,\pi t)$ [A] が流れている．正しいのはどれか．

a．電流の実効値は 2A である．
b．電流の周波数は 60 Hz である．
c．インダクタンスの両端に発生する電圧の実効値は 20 mVである．
d．インダクタンスの両端に発生する電圧は電流より位相が $\frac{\pi}{2}$ [rad] 遅れる．
e．インダクタンスの消費電力は 0 W である．

1. a，b，c　2. a，b，e　3. a，d，e
4. b，c，d　5. c，d，e

問題 14 □□□ 30P50

図の正弦波交流回路で抵抗 R の両端の電圧が 60 V のとき，コイル L の両端の電圧 [V] はどれか．

1. 0
2. 20
3. 40
4. 60
5. 80

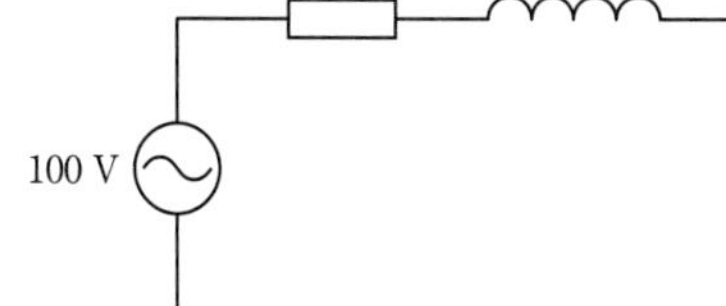

問題 15 □□□

22P49

図のような抵抗とコンデンサの直列回路に，実効値 100 V，50 Hz の交流電源を接続した．抵抗とコンデンサのインピーダンスがそれぞれ 100 Ω の場合，回路に流れる電流の実効値に最も近いのはどれか．

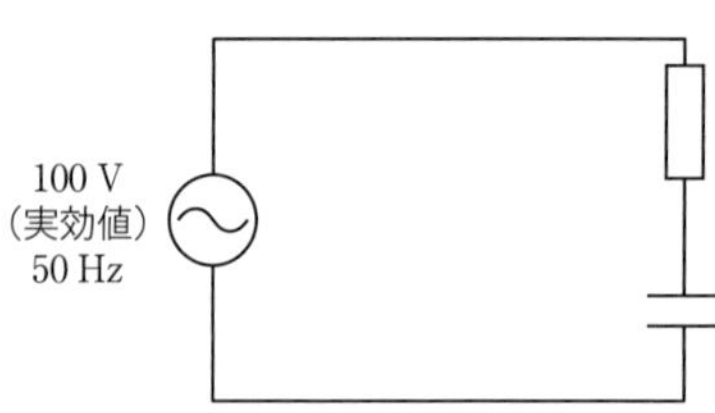

1. 0.5 A
2. 0.7 A
3. 1.0 A
4. 1.4 A
5. 2.0 A

問題 16 □□□

29A49

図 1 の交流回路が共振状態にあるとき，抵抗の両端にかかる電圧を V_R とする．図 2 の交流回路における電圧を V とするとき，V_R/V はどれか．

1. 1/2
2. $1/\sqrt{2}$
3. 1
4. $\sqrt{2}$
5. 2

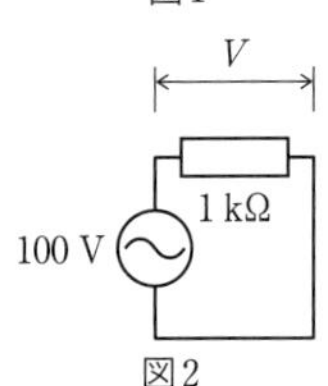

図 1（100 V 交流電源，1 kΩ（V_R），10 mH（V_L），100 μF（V_C）の直列回路）

図 2（100 V 交流電源，1 kΩ（V））

問題 17 □□□

27P51

図の正弦波交流回路（f=50 Hz）で静電容量が 10 μF のとき電流が最大になった．L の値［H］に最も近いのはどれか．ただし，π^2 はおよそ 10 である．

1. 0.01
2. 0.1
3. 1
4. 10
5. 100

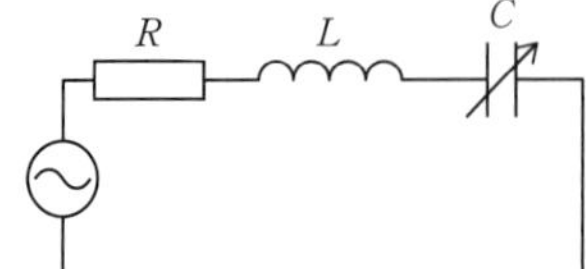

問題 18 □□□

36A50

図の回路が共振状態にあるとき正しいのはどれか．

1. R の抵抗値を 2 倍にすると，回路の全インピーダンスは 4 倍になる．
2. C の静電容量を 2 倍にすると，回路の全インピーダンスは $\frac{1}{2}$ 倍になる．
3. L のインダクタンスを 2 倍にすると，回路の全アドミタンスは $\frac{1}{4}$ 倍になる．
4. C の静電容量を 4 倍にすると，共振周波数は $\frac{1}{2}$ 倍になる．
5. R の抵抗値を 4 倍にすると，共振周波数は 2 倍になる．

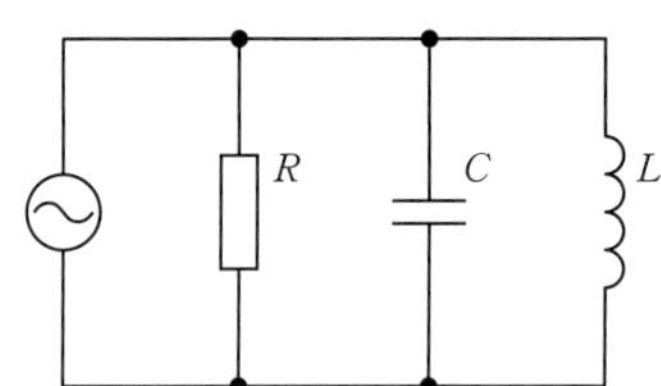

問題 19 □□□

36P50

共振周波数が f である RLC 直列回路がある．C を求める式はどれか．

1. $\dfrac{1}{2\pi fL}$
2. $\dfrac{1}{4\pi fL}$
3. $\dfrac{L}{2\pi f}$
4. $\dfrac{L}{4\pi f^2}$
5. $\dfrac{1}{4\pi^2 f^2 L}$

問題 20 □□□ 25P51

図の直列共振回路の Q（電圧拡大率）に最も近いのはどれか．

1. 0.7
2. 1.0
3. 1.4
4. 2.0
5. 2.8

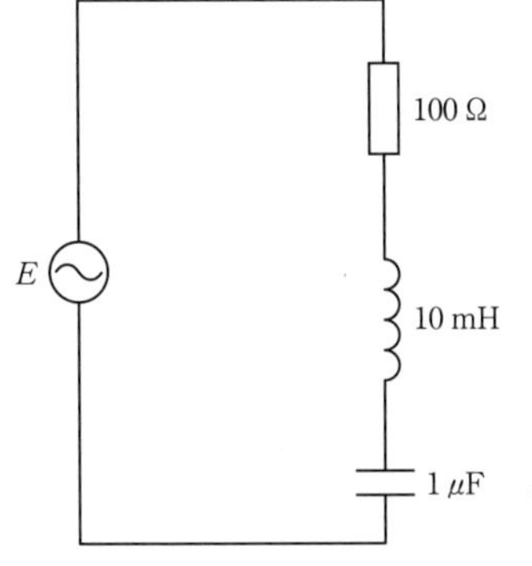

問題 22 □□□ 37P48

RL 直列回路がある．この回路に実効値 100 V の正弦波交流電圧を加えたとき，R の抵抗値は 80 Ω，L のリアクタンスは 60 Ω であった．回路の皮相電力［VA］はどれか．

1. 20
2. 40
3. 60
4. 80
5. 100

問題 21 □□□ 29P51

電源電圧 100 V の正弦波交流電源に医療機器を接続したところ，2 A の電流が流れ，140 W の電力が消費された．この医療機器の力率はどれか．

1. 0.3
2. 0.5
3. 0.7
4. 1.0
5. 1.4

問題 23 □□□ 35P50

図の回路で ab 間の正弦波交流電力（有効電力）を求める式として正しいのはどれか．

1. （電圧の振幅値）×（電流の振幅値）
2. （電圧の実効値）×（電流の実効値）
3. （電圧の振幅値）×（電流の振幅値）×（力率）
4. （電圧の実効値）×（電流の実効値）×（力率）
5. （電圧の実効値）×（電流の実効値）×（無効率）

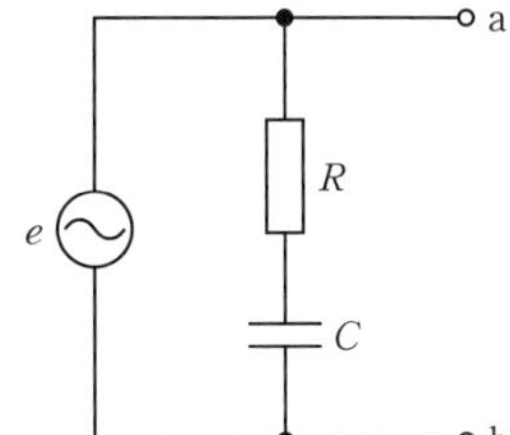

問題 24 □□□ 34A50

図の正弦波交流波形において，電圧波形（実線）と電流波形（点線）の位相差（角度）は $\frac{\pi}{3}$［rad］である．有効電力［W］はどれか．

1. 5
2. 10
3. 12.5
4. 25
5. 50

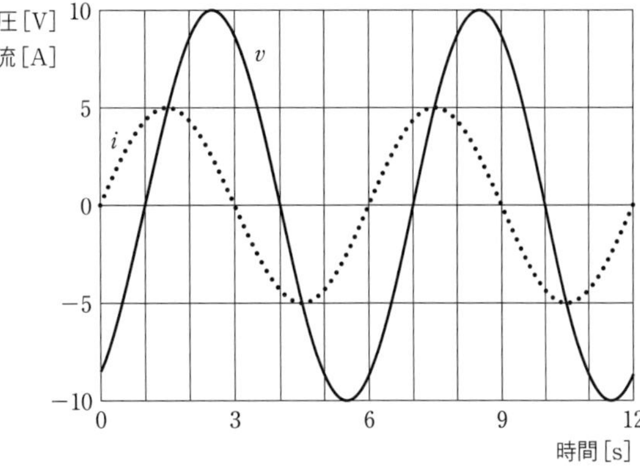

〈解答〉問題 1-2，問題 2-2，問題 3-4，問題 4-4，問題 5-1，問題 6-4，問題 7-2，問題 8-3，問題 9-5，問題 10-5，問題 11-2，問題 12-4，問題 13-2，問題 14-5，問題 15-2，問題 16-3，問題 17-3，問題 18-4，問題 19-5，問題 20-2，問題 21-3，問題 22-5，問題 23-4，問題 24-3

医用電気工学2 第2版
p.141

(5) 過渡現象

○時定数と遮断周波数 【37回】 ★★

- 時定数とは，状態変化（電流変化や電圧変化）が安定状態に達するのに要する時間の尺度となる値である．
- 自然対数の底・ネイピア数を $e \cong 2.718$ を用いて表すとき，時間とともに減衰する過程では，初期値の $e^{-1} \cong 0.367 \cong 37\%$ までの減衰に要する時間，時間とともに増加する過程では，最終値の $1-e^{-1} \cong 0.632 \cong 63\%$ までの増加に要する時間と考えればよい．
- コンデンサと抵抗器からなる CR 回路で時定数 $\tau_{(s)}$ は，抵抗値 $R(\Omega)$ と静電容量 $C(\mathrm{F})$ から，$\tau = CR$ で求められる．
- コイルと抵抗器からなる LR 回路では，抵抗値 $R(\Omega)$ とインダクタンス $L(\mathrm{H})$ から，$\tau = \dfrac{L}{R}$ で求められる．

周波数特性

- 信号の周波数と，回路または素子が示す物理量の関係を示したものを周波数特性という．
- コンデンサやコイルは周波数によってリアクタンスが変化し，CR 回路，LR 回路，RLC 回路では，周波数に対して回路電流，インピーダンスがどのように変化するかがよく出題される．
- フィルタ回路では周波数と入出力比の関係を問うものが多く，まれに入出力間の位相差が問われる．

ステップ応答 【33回】 ★★

- 下図のように，階段状の時間変化を示す信号をステップ信号という．ステップ信号が入力されたとき，どのような出力が得られるかをステップ応答という．
- 類似の応答にはパルス信号が入力されたときのパルス応答などがある．

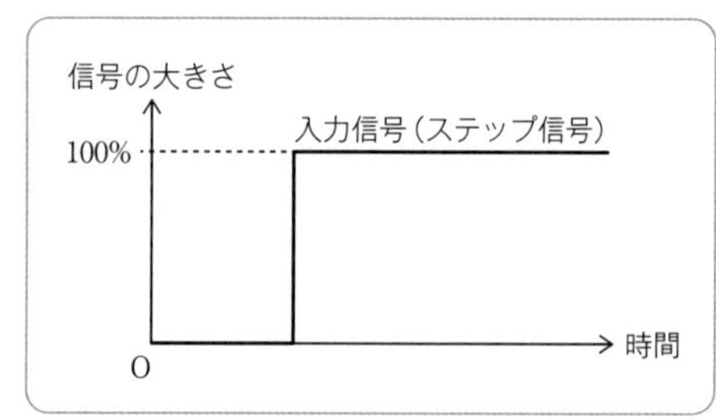

➋以下に示すような時間に対して単調に変化する応答は，一次応答または一次遅れともいう．

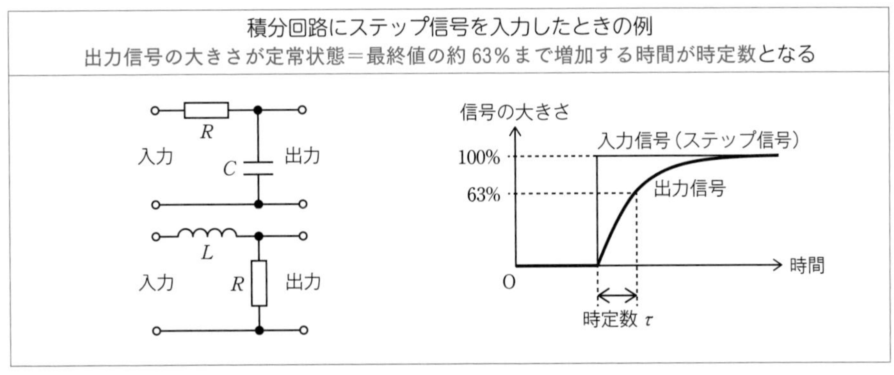

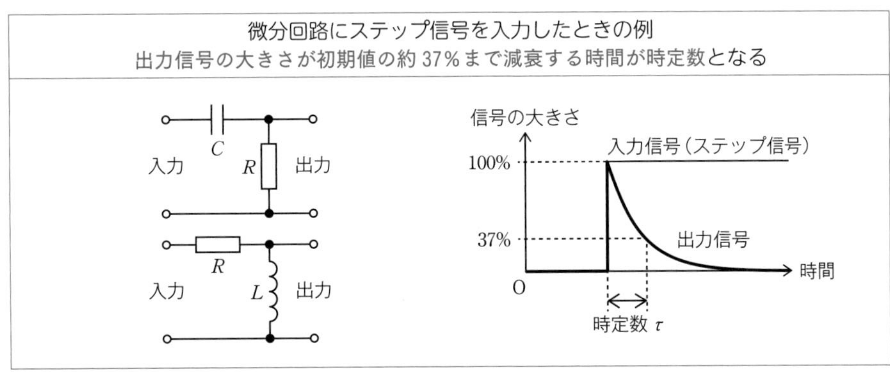

CR 直列回路の過渡現象 【37 回】 ★★

➋次ページ左図の回路に示す抵抗とコンデンサの直列回路では，時間 $t=0$ で SW を閉じると，回路電流 $i_{(t)}$ が流れ，抵抗の両端には V_R（V），コンデンサの両端には V_C（V）の電位差が生じる．このときの回路電流 $i_{(t)}$ の変化は，次ページ右図のグラフのようになる．

➋この電流変化における抵抗は，電流の流れやすさ（抵抗値）が一定だが，コンデンサの電流の流れやすさが時間とともに変化したためだと考えてよい．このような変化を考慮すると，回路を簡単な等価回路に置き換えることができる．

➋SW を閉じた直後の回路電流や SW を閉じて長時間経過したとき（定常状態）の電流や電圧が必要となる問題が国試で散見されるが，等価回路を利用すると容易になる．

➋等価回路への置き換えのポイントをまとめると以下のようになる．解説は省略するが，コイルについても併記した．

直流回路での置き換え	SW を閉じた直後 $t=0$ のとき	SW を閉じて長時間経過後 定常状態または $t=\infty$ のとき
コンデンサの電流の流れにくさ　Z_C	短絡状態⇒ $Z_C=0$ ↓ 等価回路では導線と置き換え可	絶縁状態⇒ $Z_C=\infty$ ↓ 等価回路では断線と置き換え可
コイルの電流の流れにくさ Z_L	絶縁状態⇒ $Z_L=\infty$ ↓ 等価回路では断線と置き換え可	短絡状態⇒ $Z_L=0$ ↓ 等価回路では導線と置き換え可
	逆起電力によって電流を妨げるので断線と同等となる	定常状態では流入電流の変化はなく逆起電力が生じず，両端電位差は 0 V で単なる導線と同等になる

※経過時間によらず抵抗器の抵抗値 R が変化することはないので，置き換えの必要がない．

❷先に示した CR 直列回路では，SW を閉じた直後と長時間経過したときの等価回路が次のようになる．

SWを閉じた直後（$t=0$）

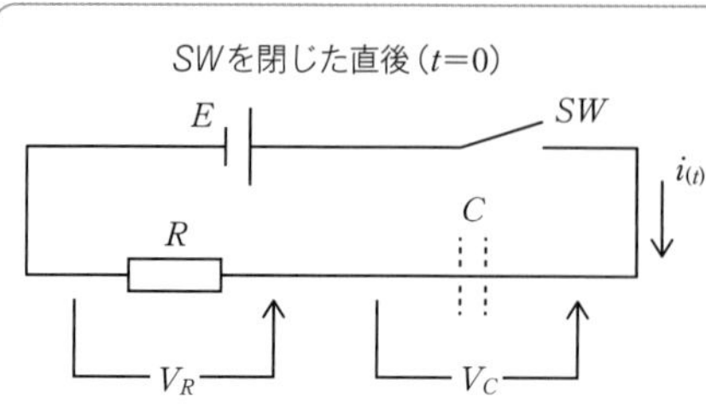

コンデンサは導線と置き換えられ，電池と抵抗だけの閉回路と等価になる．
オームの法則から回路電流 $i_{(t)}=\dfrac{E}{R}$ である．
その結果，$V_R=i_{(t)}\cdot R=E$，$V_C=E-V_R=0$ となる．

SWを閉じて長時間経過したとき（$t=\infty$）

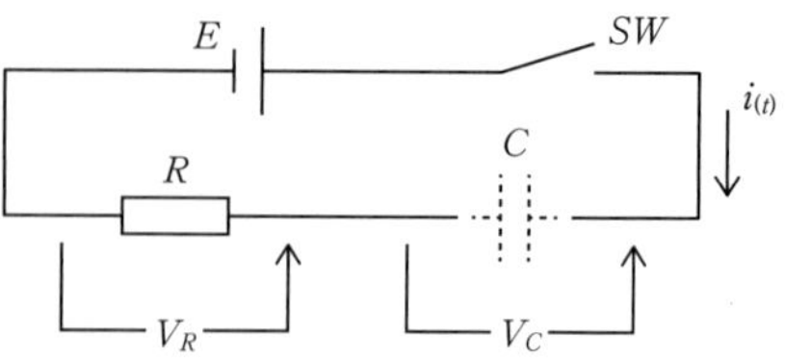

コンデンサは断線と置き換えられ，途切れた閉回路と等価になる．
回路が途切れており回路電流 $i_{(t)}=0$ である．
その結果，$V_R=i_{(t)}\cdot R=0$，$V_C=E-V_R=E$ となる．

❷この結果から，CR 直列回路で SW を閉じた後，時間の経過とともに回路電流 $i_{(t)}$ は減少していく．そのとき抵抗の両端電圧 V_R，コンデンサの両端電圧 V_C はどのように変化していくであろうか．

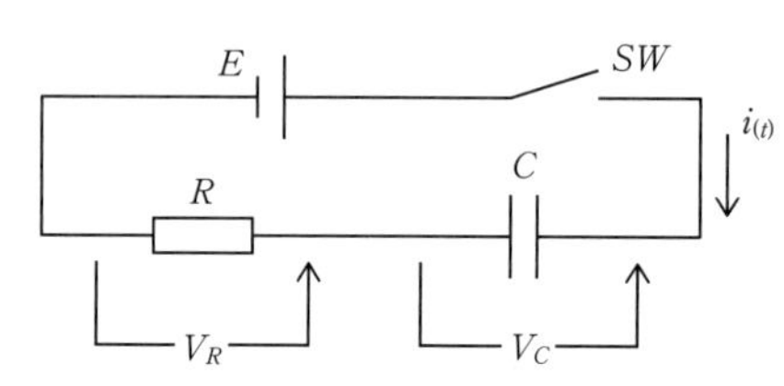 CR 直列回路では SW を閉じた後，時間の経過とともに回路電流 $i_{(t)}$ は減少していく．その時間変化は，$i_{(t)}=\dfrac{E}{R}\cdot e^{-\frac{t}{\tau}}$ で示される．	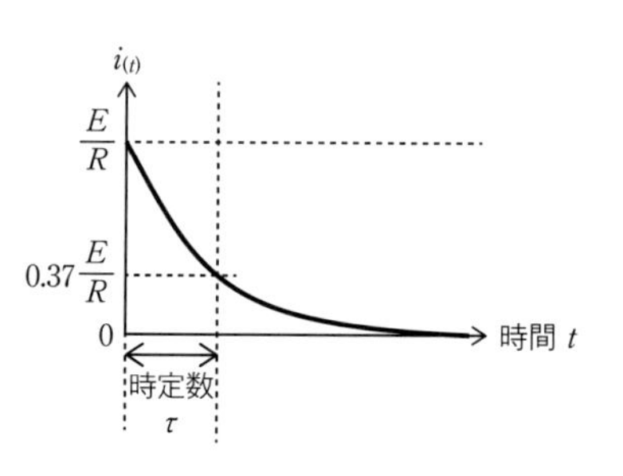
また，抵抗の両端電圧 V_R は電流 $i_{(t)}$ に比例するので，$V_R=R\cdot i_{(t)}=R\cdot\dfrac{E}{R}\cdot e^{-\frac{t}{\tau}}=E\cdot e^{-\frac{t}{\tau}}$ となり，時間とともに減少していく．	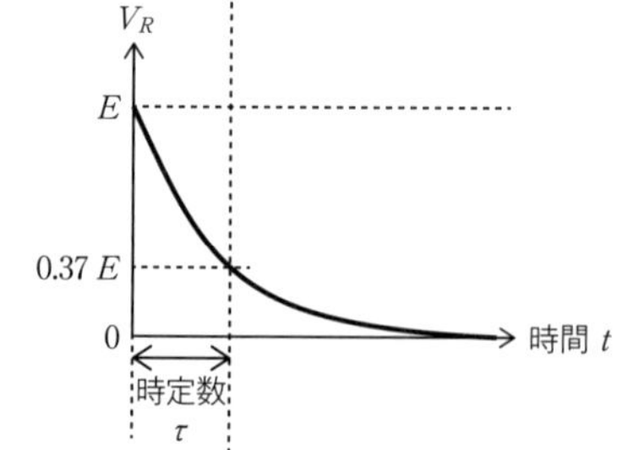
一方，コンデンサの両端電圧 V_C は，抵抗の両端電圧 V_R との間に，$V_C+V_R=E$ の関係が成り立つので，$V_C=E-V_R=E-E\cdot e^{-\frac{t}{\tau}}=E\cdot\left(1-e^{-\frac{t}{\tau}}\right)$ となり，時間とともに増加していく．	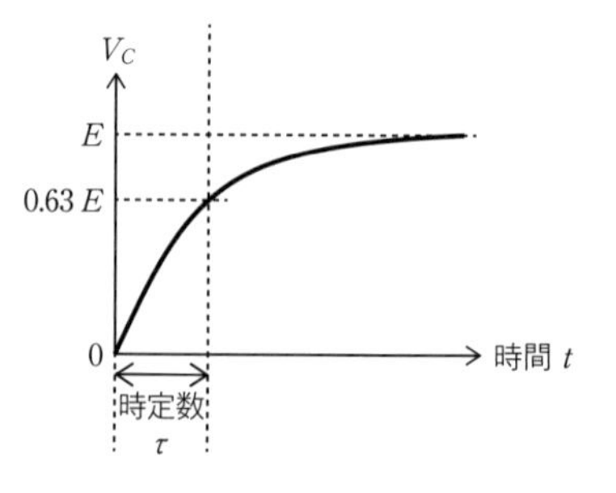

➲LR 直列回路では，SW を閉じた直後と長時間経過したときの等価回路が次のようになる．

SWを閉じた直後（$t=0$）

コイルは断線と置き換えられ，途切れた閉回路と等価になる．
回路が途切れており回路電流 $i_{(t)}=0$ である．
その結果，$V_R=i_{(t)}\cdot R=0$，$V_L=E-V_R=E$ となる．

SWを閉じて長時間経過したとき（$t=\infty$）

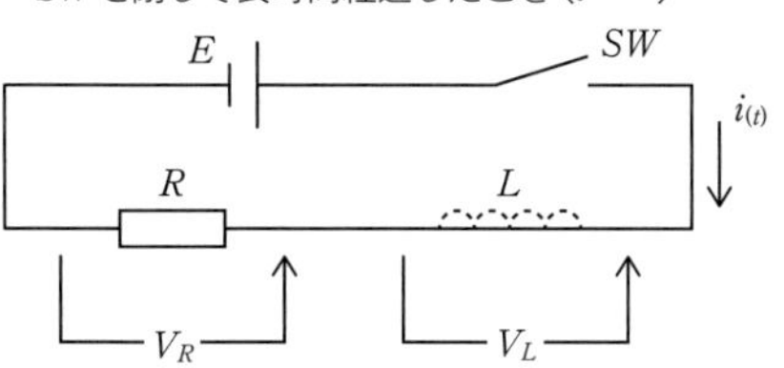

コイルは導線と置き換えられ，電池と抵抗だけの閉回路と等価になる．
オームの法則から回路電流 $i_{(t)}=\dfrac{E}{R}$ である．
その結果，$V_R=i_{(t)}\cdot R=E$，$V_L=E-V_R=0$ となる．

➲この結果から，LR 直列回路で SW を閉じた後，時間の経過とともに回路電流 $i_{(t)}$ は増加していく．そのとき抵抗の両端電圧 V_R，コイルの両端電圧 V_L はどのように変化していくであろうか．

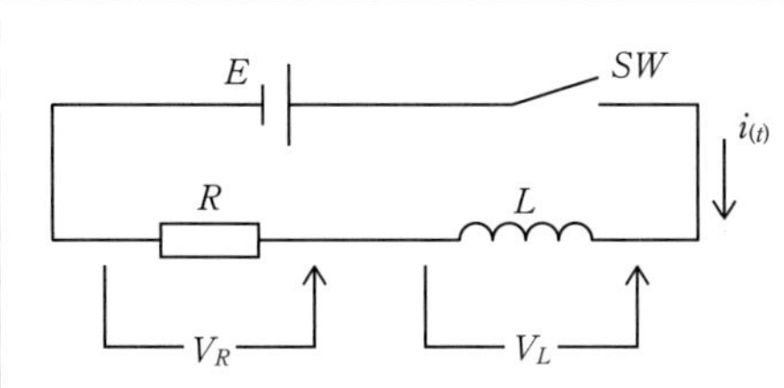 LR 直列回路では SW を閉じた後，時間の経過とともに回路電流 $i_{(t)}$ は増加していく．その時間変化は，$i_{(t)}=\dfrac{E}{R}\cdot\left(1-e^{-\frac{t}{\tau}}\right)$ で示される．	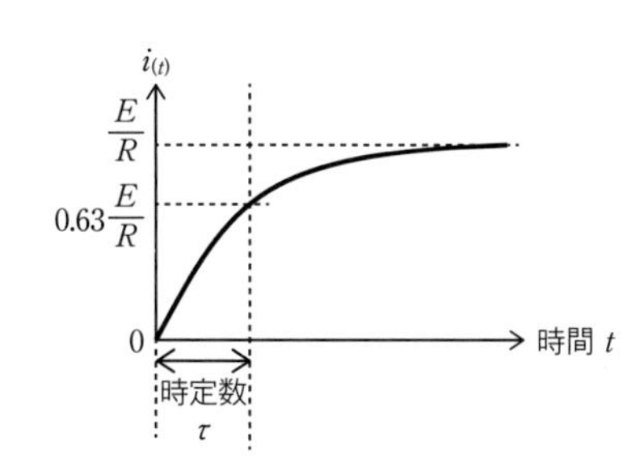
また，抵抗の両端電圧 V_R は電流 $i_{(t)}$ に比例するので，$V_R=R\cdot i_{(t)}=R\cdot\dfrac{E}{R}\cdot\left(1-e^{-\frac{t}{\tau}}\right)=E\cdot\left(1-e^{-\frac{t}{\tau}}\right)$ となり，時間とともに増加していく．	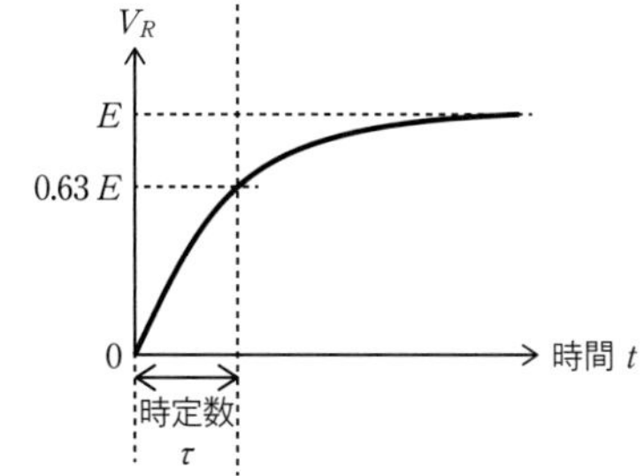
一方，コイルの両端電圧 V_L は，抵抗の両端電圧 V_R との間に，$V_L+V_R=E$ の関係が成り立つので，$V_L=E-V_R=E-E\cdot\left(1-e^{-\frac{t}{\tau}}\right)=E\cdot e^{-\frac{t}{\tau}}$ となり，時間とともに減少していく．	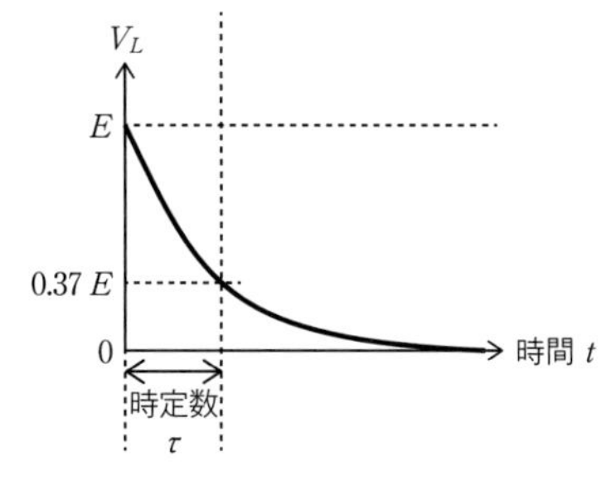

○CR 直列回路にパルス状電圧を印加する

パルス応答

<table>
<tr><th></th><th colspan="2">電圧の時間変化
（電圧 E を印加する時間 T は時定数 $\tau=CR$ より長いとする．$T\gg\tau$）</th></tr>
<tr><td>下の回路で抵抗の両端電圧を V_R，コンデンサの両端電圧を V_C とする．</td><td>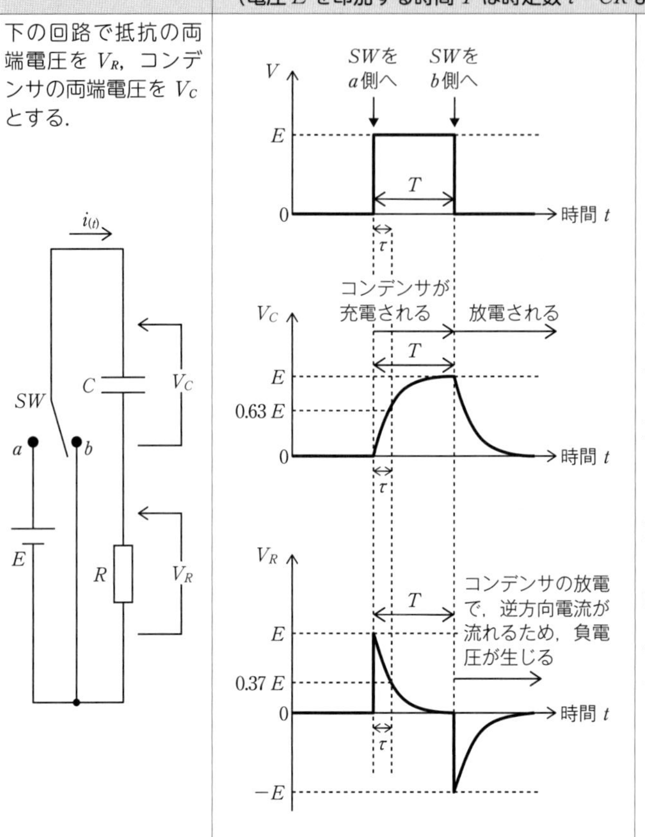
</td><td>回路の SW を操作するとCR 直列部全体にはパルス状の電圧が印加される．このとき電圧 E が印加されている時間 T をパルス幅という．

コンデンサの両端電圧 V_C は，充電によってコンデンサに蓄えられた電気量に比例し，時間とともに増加する．SW を b 側にする瞬間は，$0.63E\leq V_C\leq E$ となる．その後放電により 0 へ近づく．

$V_R+V_C=E$ が常に成り立つように，抵抗の両端電圧を V_R も時間とともに変化する．SW が開く瞬間は $0\leq V_R\leq0.37E$ となる．SW を b 側にした直後は，瞬間的に負電圧が生じ，その後 0 へ近づく．</td></tr>
</table>

このとき，CR 回路を流れる電流 $i_{(t)}$ の時間変化は，V_R の変化と一致する．

➋パルス幅 T が時定数 $\tau=CR$ と等しい（$T=\tau$）場合や，パルス幅 T が時定数 $\tau=CR$ より短い（$T\ll\tau$）場合の電圧の時間変化は次のようになる．

	パルス幅 T が時定数 $\tau=CR$ と等しい場合 $T=\tau$	パルス幅 T が時定数 $\tau=CR$ より短い場合 $T\ll\tau$
CR 回路に印加される電圧 V	V, SWを a側へ, SWを b側へ, E, T, 0, 時間 t, τ	V, SWを a側へ, SWを b側へ, E, T, 0, 時間 t, τ
コンデンサの両端電圧 V_C（積分出力）	V_C, T, E, 0.63 E, 0, 時間 t, τ	V_C, T, E, 0.63 E, 0, 時間 t, τ
抵抗の両端電圧 V_R（微分出力）	V_R, T, E, 0.37 E, 0, 時間 t, τ, −0.63 E, $-E$	V_R, T, E, 0.37 E, 0, 時間 t, −0.63 E, τ, $-E$
	SW が操作された瞬間に変化する抵抗の両端電圧の大きさは印加される電圧 E と一致する	

減衰振動

➋LCR 直列回路に直流電源を接続し SW を閉じた後，どのような変化が起きるだろうか．回路電圧を V とし，コンデンサの両端電圧 V_C の時間変化をグラフに示す．

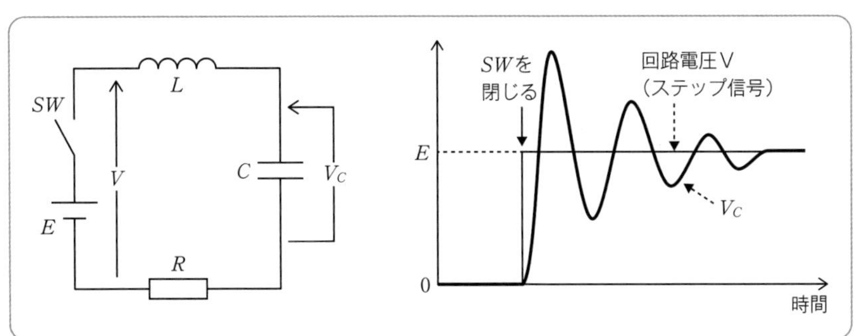

➋CR 直列回路では，コンデンサの両端電圧 V_C は徐々に増加し最終値に近づくが，LCR 直列回路ではコンデンサの両端電圧 V_C に振動が起こり，その振幅を減衰させながら最終値へと近づいていく．

- このような時間変化を減衰振動と言い，振動を伴った応答は二次応答または二次遅れと呼ばれる．
- ただし，電気回路での減衰振動に関わる国試問題の出題はない．

医用電気工学1 第2版
p.137

フィルタ 【37回】 ★★

- CR 直列回路や LR 直列回路の両端を入力，一方の素子の両端を出力とすると，入出力比は周波数によって変化する．そのような周波数特性を利用したものをフィルタという．
- フィルタは，高い周波数帯域を通過（低い周波数帯域は遮断）するものと，低い周波数帯域を通過（高い周波数帯域は遮断）するものに大別される．微分回路は高域通過特性をもち，微分回路は低域通過特性をもつ．それらを組み合わせて特定の周波数帯域のみを通過または遮断するものもある．
- ハムフィルタは電源周波数帯域のみを遮断するフィルタである．
- 同じ特性を持ったフィルタは，コンデンサやコイルを用いても作ることができる．コンデンサを用いたフィルタは生体信号のような低周波信号に向いており，コイルを用いたフィルタは通信機器で使用される高周波信号に向いている．

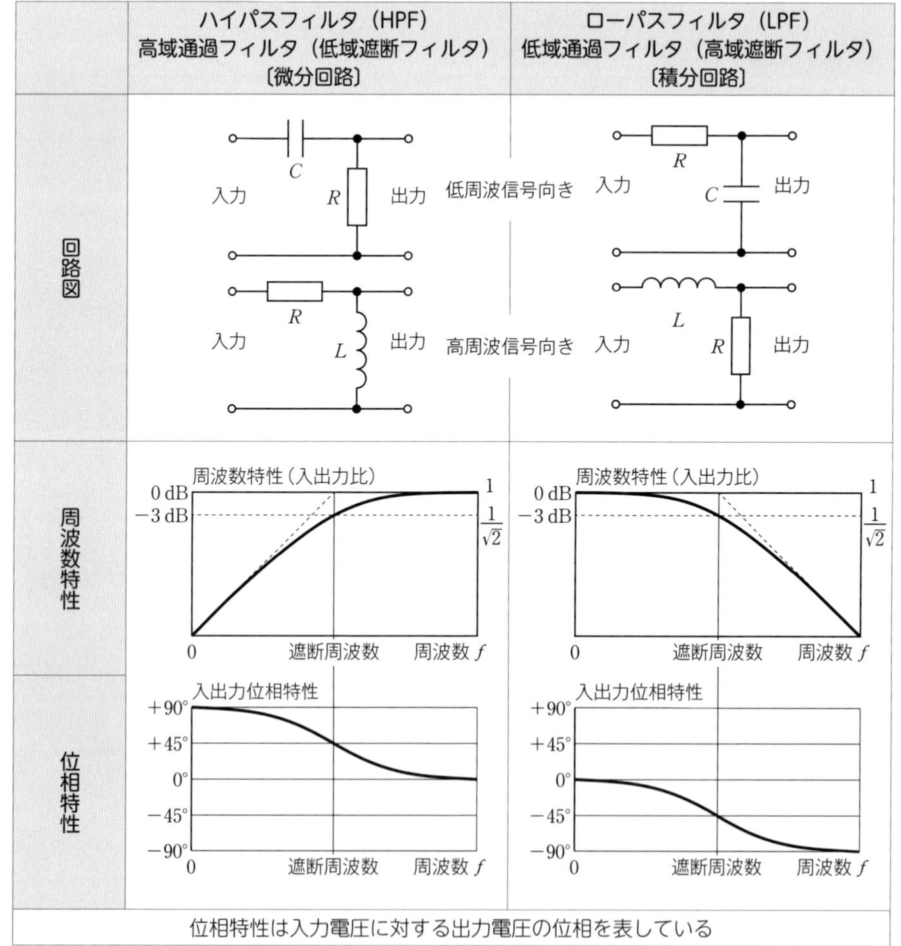

入出力比が $\frac{1}{\sqrt{2}}$ となる周波数を遮断周波数 f_C と呼び，$f_C=\frac{1}{2\pi\tau}$（τ は時定数）で求められ，CR フィルタ回路では $f_C=\frac{1}{2\pi CR}$，LR フィルタ回路では $f_C=\frac{1}{2\pi\frac{L}{R}}=\frac{R}{2\pi L}$ となる．

- 遮断周波数 f_C を求める近似式として時定数 $\tau_{(s)}$ を用いた，$f_{C(Hz)}\cong\frac{0.16}{\tau_{(s)}}=\frac{160}{\tau_{(ms)}}$ が便利である．

高域通過フィルタは微分回路，低域通過フィルタは積分回路しても動作するが，入出力位相特性の大きさが0°に近い領域（通過域）で微分・積分特性を示さない．入出力位相特性の大きさが90°に近い領域（遮断域）ほど強い微分・積分特性を示すことなどが問題に取り上げられる．

臨床工学技士国家試験問題 Check UP!

問題 1 □□□ 37P49

図に示す回路の時定数［s］はどれか．

1. 2.5
2. 5.0
3. 7.0
4. 10
5. 15

2 Ω　5 H

問題 2 □□□ 30A49

図の回路でコンデンサが1000 Vで充電された状態でスイッチを閉じる．スイッチを閉じてから1秒後の電流値［mA］に最も近いのはどれか．ただし，自然対数の底 e は2.7とする．

1. 10
2. 6.3
3. 5.0
4. 3.7
5. 1.0

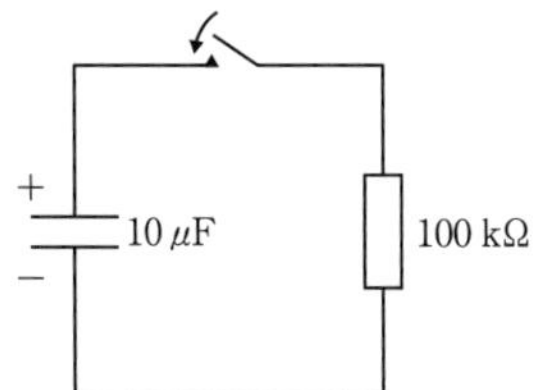

問題 3 □□□ 31A51

図の回路でスイッチを閉じてから1 ms後にインダクタの両端にかかる電圧［V］に最も近いのはどれか．ただし，自然対数の底 e は2.7とする．

1. 1.5
2. 1.2
3. 0.9
4. 0.6
5. 0.3

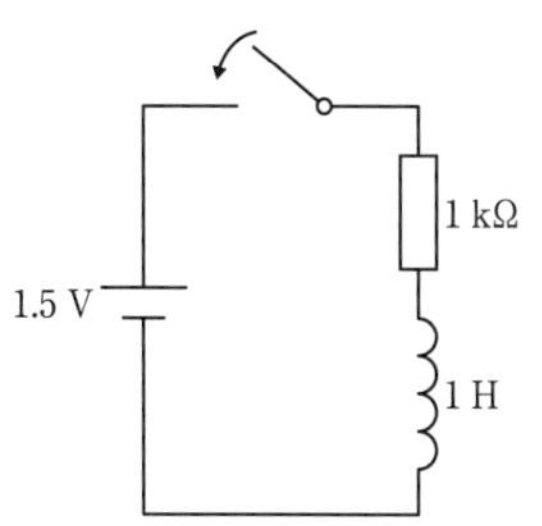

問題 4 □□□ 32P48

図1の片対数グラフは，図2の回路においてスイッチSを①にしてコンデンサ C を10 Vに充電後，スイッチを②にして抵抗 R で放電したときのコンデンサ C にかかる電圧の経時変化である．およその時定数［秒］はどれか．ただし，自然対数の底は e=2.7とする．

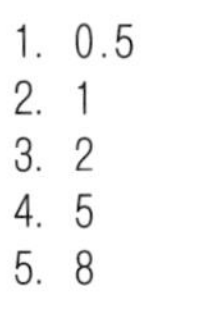

1. 0.5
2. 1
3. 2
4. 5
5. 8

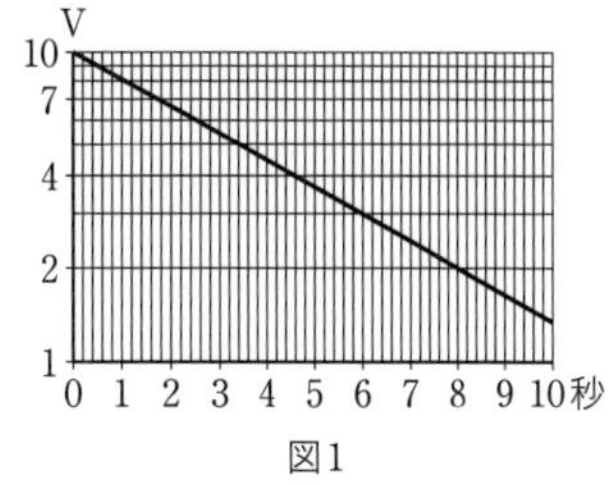

図1

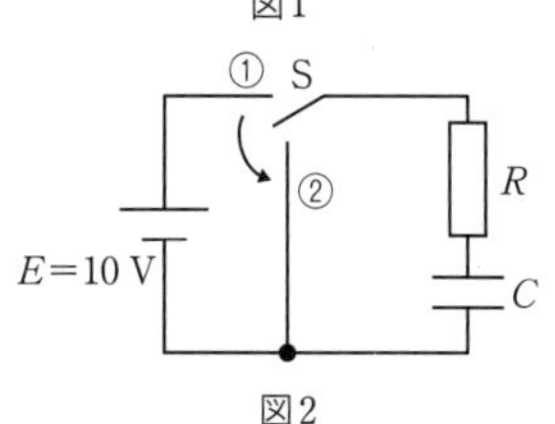

図2

問題 5 □□□ 27P49

図の回路において，$t=0$ でスイッチを入れた．正しいのはどれか．

1. 時定数は LR である．
2. 直後に抵抗にかかる電圧は E となる．
3. 直後に流れる電流は E/R となる．
4. 時間が十分に経過すると抵抗にかかる電圧は $E/2$ となる．
5. 時間が十分に経過すると抵抗で消費される電力は E^2/R となる．

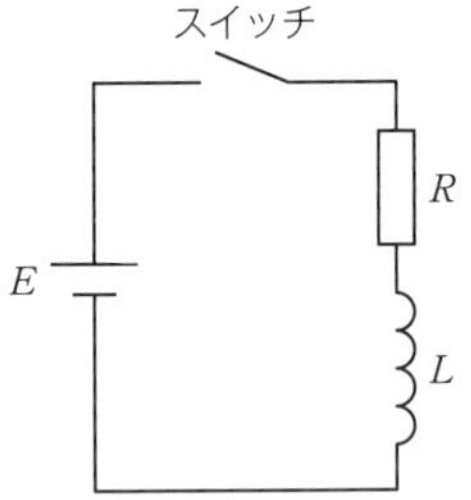

問題 6 □□□ 29A48

図の回路において，スイッチを a 側にして十分時間が経過した後，b 側に切り替えた．正しいのはどれか．

a．抵抗の最大電流値は 100 mA である．
b．回路の時定数は 0.1 s である．
c．コンデンサの両端電圧の最大値は 5 V である．
d．コンデンサの両端電圧は指数関数的に増加する．
e．抵抗に流れる電流は指数関数的に減少する．

1. a，b　2. a，e　3. b，c　4. c，d　5. d，e

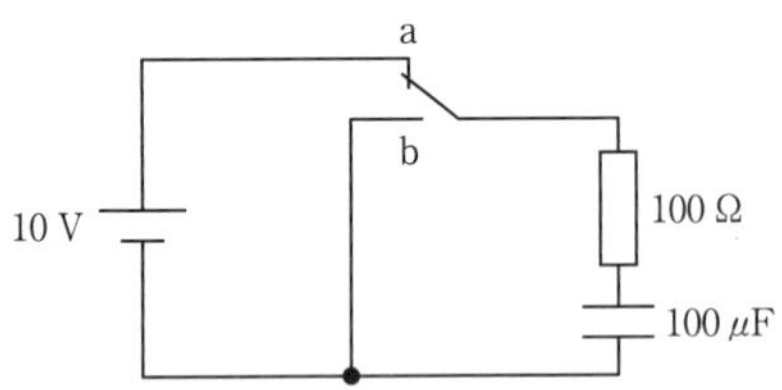

問題 7 □□□ 36P48

図の回路で，スイッチが①の状態で十分な時間が経過した後に，SW を②に入れた．正しいのはどれか．

a．回路の時定数は 5 μs である．
b．SW を②に入れた瞬間の V_C の値は 10 V である．
c．SW を②に入れた瞬間の回路に流れる電流は 100 mA である．
d．SW を②に入れてから 5 ms 後の V_R の値は約 3.7 V である．
e．SW を②に入れてから十分時間が経過した後の回路に流れる電流は 0 mA である．

1. a，b，c　2. a，b，e　3. a，d，e
4. b，c，d　5. c，d，e

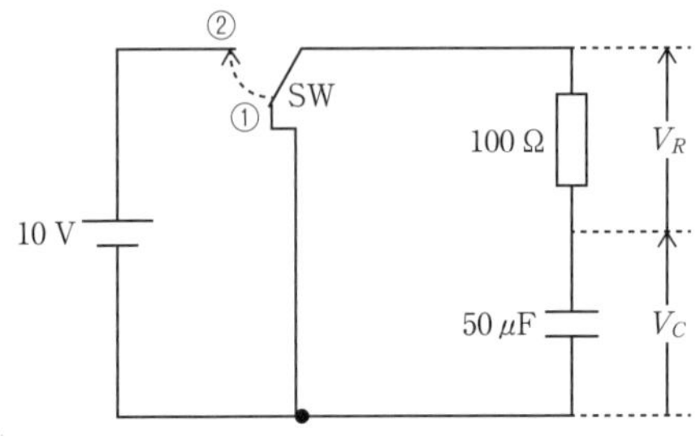

問題 8 □□□ 22P48

図の回路のスイッチを入れてから十分に時間が経過したとき，コンデンサの両端の電圧に最も近いものはどれか．

1. 0.2 V
2. 0.33 V
3. 0.5 V
4. 0.67 V
5. 1.0 V

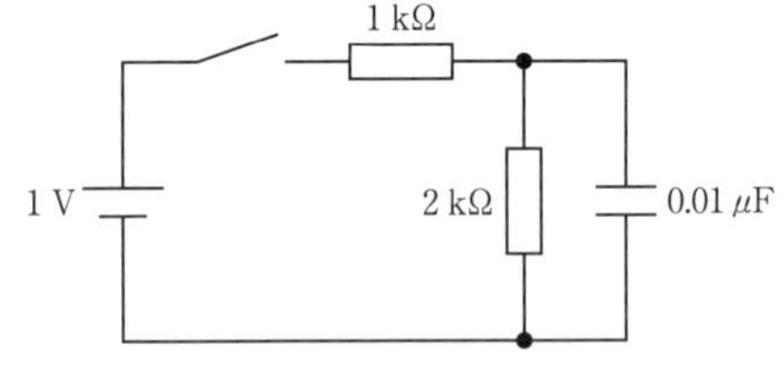

問題 9 □□□

37A49

図の回路で，スイッチ SW を閉じて十分な時間が経過した後の電流 I [A] はどれか．

1. 0
2. 0.3
3. 0.6
4. 0.9
5. 1.2

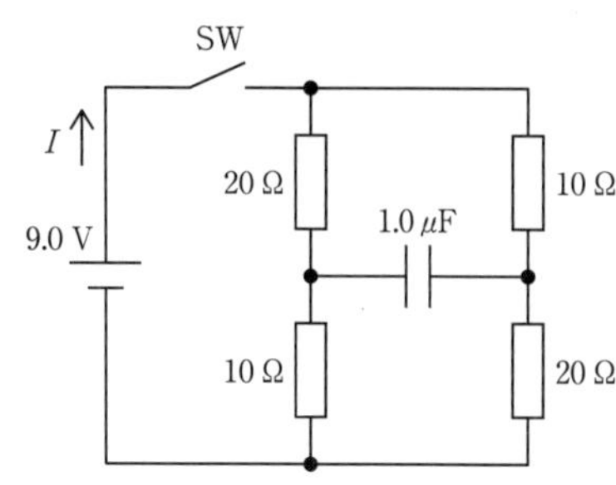

問題 10 □□□

34P49

コンデンサを 10 V に充電した後，100 Ωの抵抗で放電した場合のコンデンサにかかる電圧の経時変化を図の片対数グラフに示す．コンデンサの静電容量［F］はどれか．

1. 0.02
2. 0.04
3. 0.1
4. 0.2
5. 0.4

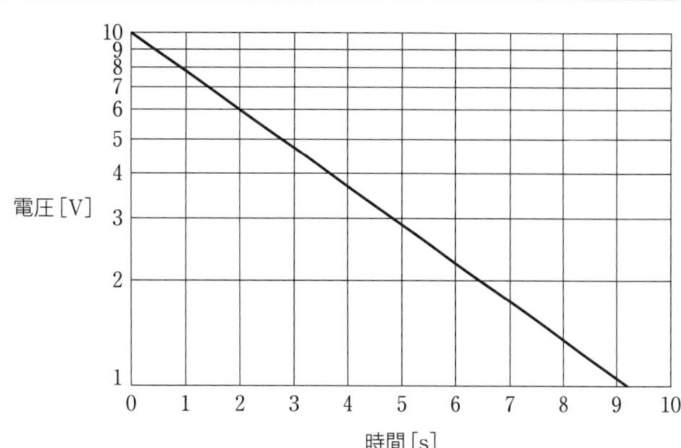

問題 11 □□□

35A50

図の回路について誤っているのはどれか．

a．時定数は 1 ms である．
b．遮断周波数は約 160 Hz である．
c．遮断周波数より十分に高い周波数では積分回路として動作する．
d．遮断周波数で出力電圧は入力電圧の 1/2 に減衰する．
e．入出力電圧の位相差は周波数によらず一定である．

1. a，b　2. a，e　3. b，c　4. c，d　5. d，e

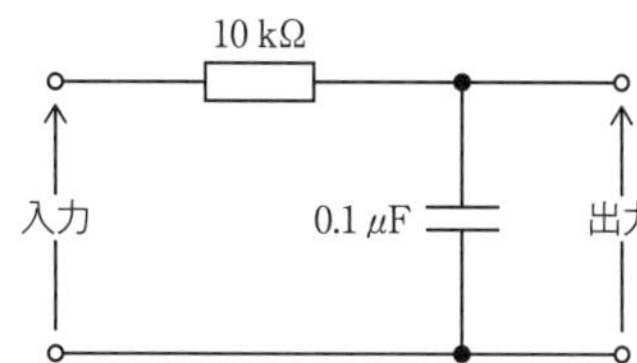

問題 12 □□□

25P50

図の回路について正しいのはどれか.

a．低域通過特性を示す.
b．微分回路に用いられる.
c．時定数は 10 ms である.
d．出力波形の位相は入力波形より進む.
e．遮断周波数は約 50 Hz である.

1. a, b, c　2. a, b, e　3. a, d, e
4. b, c, d　5. c, d, e

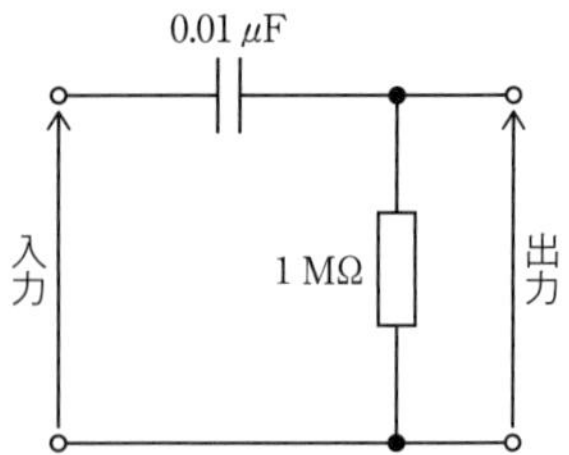

問題 13 □□□

37P50

図の回路の周波数特性をグラフに示す．遮断周波数を示すのはどれか.

1. ア
2. イ
3. ウ
4. エ
5. オ

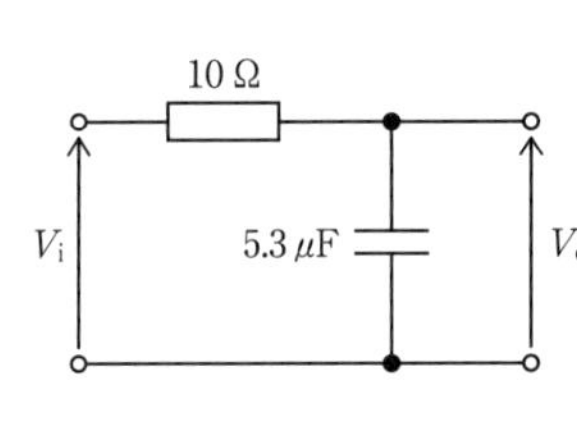

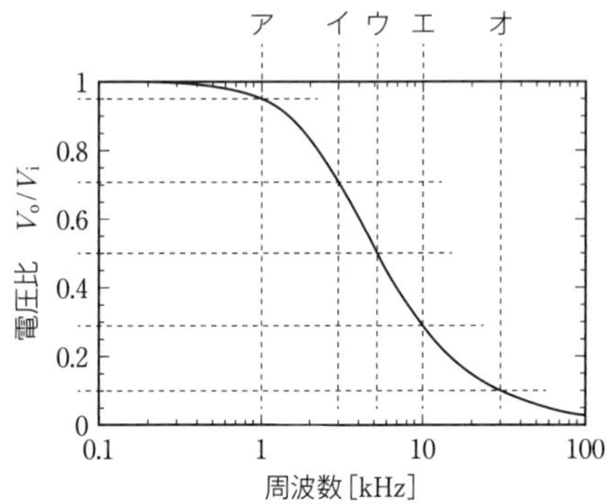

〈解答〉問題 1-1, **問題 2**-4, **問題 3**-4, **問題 4**-4, **問題 5**-5, **問題 6**-2, **問題 7**-5, **問題 8**-4, **問題 9**-3, **問題 10**-2, **問題 11**-5, **問題 12**-4, **問題 13**-2

3. 電力装置

(1) 変換器

医用電気工学2 第2版 p.143

○相互誘導

➤右図のように2つのコイルを並べ，一方に交流電圧を印加し交流電流を流すと，もう一方のコイルにも交流電流が生じる．これは一方で生じた磁界変化が他方のコイルに電磁誘導を起こした結果である．これを相互誘導といい，この現象は交流のみで起きる．

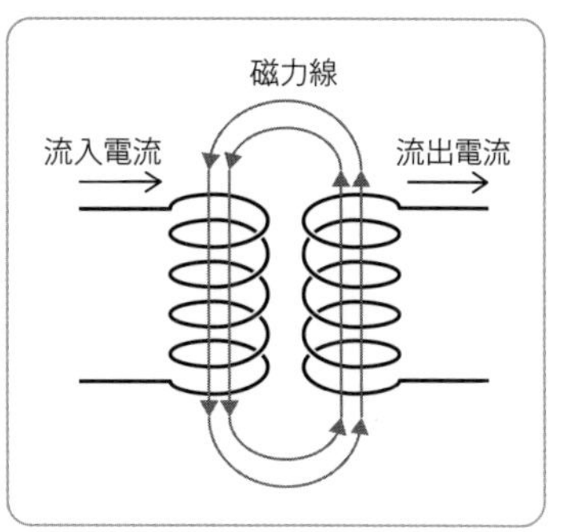

○変圧器（トランス） ★

➤相互誘導を利用すると，交流電圧の変換，絶縁されている回路や装置間で信号伝送などが可能になる．その効率を上げるため，透磁率の大きな物質（主に鉄）を芯材として2つのコイル（導線）を巻きつける．このような仕組みを持ったものを変圧器またはトランスと呼ぶ．

➤2つのコイルは，一般に信号の入力側を一次側，出力側を二次側と呼んで区別する．注：変圧器に直流電圧を印加すると大電流が流れて発生する熱のために導線が焼き切れ，変圧器を破損する．

➤右図に示すように，鉄心に2つのコイルを巻きつけた．このとき，一次側の巻数を N_1，二次側の巻数を N_2 とする．この巻数の比を巻数比または変成比という．

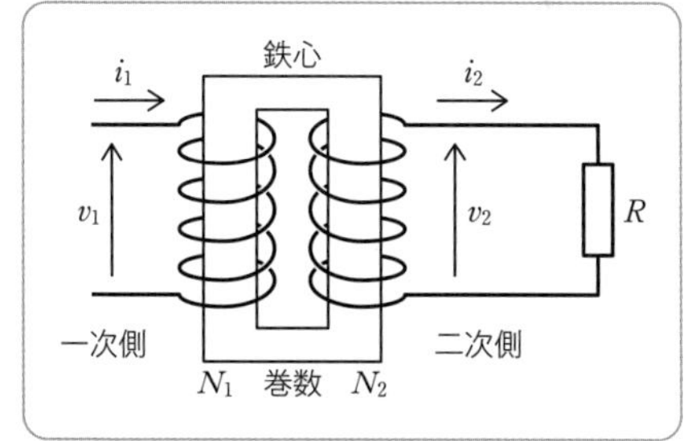

➤一次側に交流電圧 v_1 を印加して電流 i_1 が流れたとき，二次側には交流電圧 v_2 が生じ電流 i_2 が流れたとする．

・理想的な変圧器では，一次側と二次側の電圧の比が巻数比と等しいので，$v_1 : v_2 = N_1 : N_2$ が成り立つ．これは交流電圧の大きさの変換が可能であることを示している．

➤理想的な変圧器では，一次側と二次側の電流の比がコイル巻数の逆数の比（変流比）と等しいので，$i_1 : i_2 = \dfrac{1}{N_1} : \dfrac{1}{N_2}$ が成り立つ．これを変形して，$i_1 \times N_1 = i_2 \times N_2$ としてもよい．これは，交流電流の大きさも変換が可能であることを示している．このように電流の変換を目的としたものは主に計測器に用いられ，特に変流器と呼ぶ．

➤ここで，一次側と二次側の電力の比 $P_1 : P_2$ を考える．

・$P_1 : P_2 = v_1 \cdot i_1 : v_2 \cdot i_2 = N_1 \times \dfrac{1}{N_1} : N_2 \times \dfrac{1}{N_2} = 1 : 1$ となり，$P_1 = P_2$ であることが分かる．これは，変圧器を用いても電力の変換や増幅ができないことを示している．

➲一次側と二次側の電圧と電流から，インピーダンスの比 Z_1：Z_2 を考える.

・$Z_1 : Z_2 = \frac{v_1}{i_1} : \frac{v_2}{i_2} = N_1 \times N_1 : N_2 \times N_2 = N_1{}^2 : N_2{}^2$ と巻数の 2 乗比に一致し，インピーダンスの変換（インピーダンス整合）が可能なことを示している.

➲図の回路のように二次側に抵抗値 $R(\Omega)$ の抵抗が接続されているとき，

$Z_1 : Z_2 = Z_1 : R = N_1{}^2 : N_2{}^2$ であるから，$Z_1 \times N_2{}^2 = N_1{}^2 \times R \quad \therefore Z_1 = \frac{N_1{}^2}{N_2{}^2} R$ となり，

一次側から見ると，抵抗値 $\frac{N_1{}^2}{N_2{}^2} R(\Omega)$ の抵抗が接続されているように見える.

医用電気工学2 第2版
p.147

○直流と交流の変換

コンバータ（直流電源装置）【33 回】【37 回】 ★★

➲コンバータは，交流から直流へ変換する装置や回路を指す.

・極性が交互に変化する交流をダイオードに通して極性を揃える整流回路と，コンデンサの充放電で出力波形の変動（リプル）を小さくする平滑回路を組み合わせた回路が出題される.

➲入力された直流を交流に変換し，変圧器を利用して電圧を変化させた後，再び交流から直流へ変換し，入力とは異なった大きさの直流電圧を得る装置がある.

・見かけ上は直流から直流への変換になるが，この装置を DC-DC コンバータと呼ぶ．DC-DC コンバータでは，入力電圧よりも出力電圧を大きくすることも可能である.

インバータ（交流電源装置）

➲インバータは，直流から交流へ変換する装置や回路を指す．国試ではインバータの機能が問われている．インバータでは，パワー FET などのスイッチング素子でオンとオフの比率（デューティー比）を変化させるパルス幅変調（PWM）が利用されていることは知っておきたい.

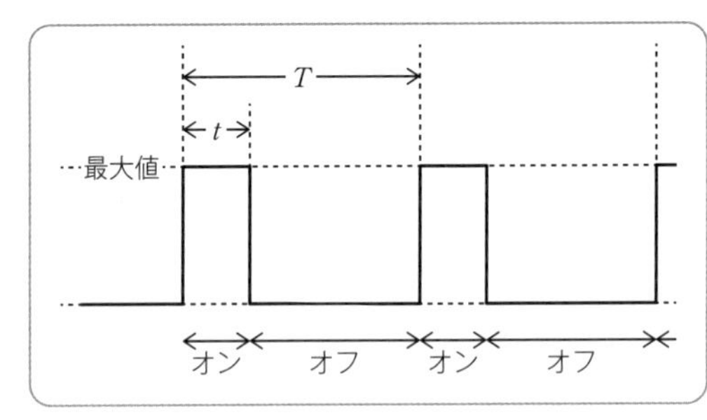

➲右図で t はオンの継続時間（パルス幅）で，T はオンとオフの繰り返し時間（パルス周期）である．このとき，デューティー比＝$\frac{\text{パルス幅}}{\text{パルス周期}} = \frac{t}{T}$ で求められる．インバータから出力される 1 周期あたりの電圧の実効値は，最大値×$\sqrt{\text{デューティー比}}$ となる．十分に短いパルス周期でデューティー比を細かく変化させて，疑似的な正弦波（交流）を出力することができる.

○交流無停電電源装置（UPS）

➲常時インバータ給電方式では，通常時は交流入力を整流器，蓄電池（二次電池），インバータを経由し，停電時は蓄電池に蓄電した電力をインバータにより交流出力する.

・インバータとは，直流から任意の周波数の交流に変換する電気回路または装置であ

る．逆に交流から直流に変換するものをコンバータという．整流回路はコンバータの代表例である．

- 常時商用給電方式では，通常時はトランスを経由し商用電源を直接出力しており，同時に蓄電池の充電を行っている．停電が発生すると，蓄電されていたバッテリ電力がインバータにより直流から交流に変換され，出力が商用電源側からインバータ側に切り換えられて接続機器へ電源を供給する．

（2）電動機

医用電気工学2　第2版
p.147

○直流電動機　【37回】　★★

- 直流を入力して駆動する電動機で，DC モータとも呼ばれる．
- ブラシ（整流器）付き DC モータとブラシレス DC モータに大別される．
- ブラシ付き DC モータは，固定された磁石の内側でコイルを巻いた鉄心が回転する（回転する部分を回転子と呼ぶ）．ブラシの摩耗などあり耐久性に劣り，電気的ノイズや振動も発生する．高回転には向かないが，電源の極性を切り替えて回転方向を反転することができる．
- ブラシレス DC モータは，コイルを巻いた鉄心を固定し，その内側で磁石が回転する．ノイズや振動の発生も少なく，長寿命で高速回転も可能である．回転制御には回転位置の検出ができる制御回路が必要となる．
- 回転軸の負荷（トルク）が増大すると，回転数が低下する．そのとき回転数を増大させようとモータ電流が増加する．

○交流電動機

- 交流を入力して駆動する電動機で，AC モータとも呼ばれる．
- 一般に交流周波数に比例して単位時間あたりの回転数が増加する．回転数は回転ロータの極数に反比例するが，極数が多いほど回転トルクは増大する．交流電動機の 1 分あたりの回転数 (rpm)＝ 同期速度は，$\frac{120}{\text{極数}} \times \text{電源周波数}$で求めることができる．
- 実際に交流電動機を使用したときの回転速度は，同期速度よりもわずかに小さくなる．
- このときの速度差（滑り速度）と同期速度の比を，滑りという．
滑りは $\frac{\text{同期速度}-\text{実際の回転速度}}{\text{同期速度}}$ で求められる．

○サーボモータ

- 位置，速度などを制御する用途で使用されるモータを指すが，特定のモータ形式を示すものではない．
- 自動制御などに使用される検出器付の電動機では，フィードバック制御するものが一般的である．

○ステッピングモータ

- パルス信号に同期して回転するモータで，パルスモータとも呼ばれる．
- 制御回路を必要とし回転角度，回転速度，回転方向が正確に制御でき，フィードバック制御が不要である．

医用電気工学2 第2版
p.156

(3) 発電機

- 運動エネルギー（仕事）から電気エネルギー（電力）を得る装置で，電磁誘導の法則が利用されている．
- 電動機と同じように，直流発電機と交流発電機がある．

臨床工学技士国家試験問題 Check UP!

問題 1 □□□ 30P51

変圧器の1次側に1Aの正弦波電流を流すと，2次側抵抗10Ωの両端に5Vの電圧が生じた．1次側コイルの巻数が100回であるとき，2次側コイルの巻数は何回か．ただし，変圧器は理想変圧器とする．

1. 20
2. 100
3. 200
4. 1000
5. 2000

問題 2 □□□ 27P52

1次巻線数 n_1，2次巻線数 n_2 の理想変圧器について正しいのはどれか．

a．交流電圧の変換に用いられる．
b．コイルに発生する誘導起電力を利用している．
c．1次と2次のインピーダンス比は巻数の2乗に反比例する．
d．一次電圧を V_1，2次電圧を V_2 としたとき $\frac{V_1}{V_2}=\frac{n_2}{n_1}$ が成立する．
e．一次電流を i_1，2次電流を i_2 としたとき $\frac{i_2}{i_1}=\frac{n_1}{n_2}$ が成立する．

1. a, b, c　2. a, b, e　3. a, d, e
4. b, c, d　5. c, d, e

問題 3 □□□ 25P52

図の変圧器の一次側電流 I が2Aのとき，電圧 E [V] はどれか．
ただし，変圧器の巻数比は2：1とする．

1. 10
2. 20
3. 40
4. 80
5. 160

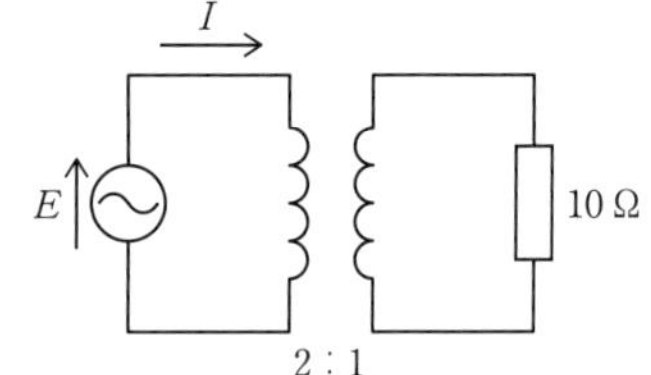

問題 4 □□□ 22A51

図の回路の一次側巻線に流れる電流はどれか．ただし，変圧器は理想的であり，巻数比は1：10とする．

1. 1 A
2. 5 A
3. 10 A
4. 50 A
5. 100 A

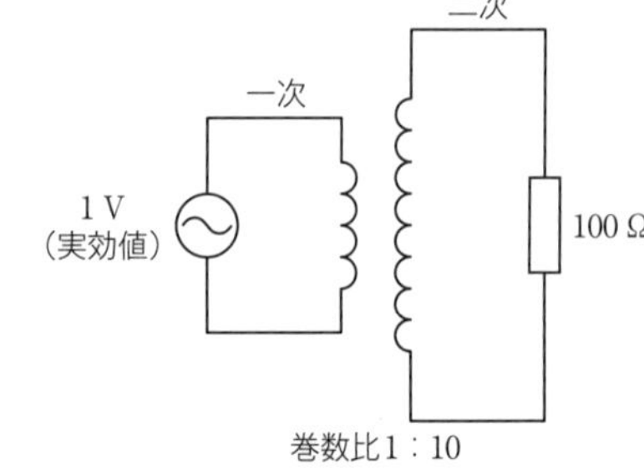

問題 5 □□□

24A51

受電端に 1 kW の電力を送るとき，受電端での電圧が 100 V，1 kV の場合に送電線で消費される電力をそれぞれ，Pa，Pb とする．Pa は Pb の何倍か．

1. 100
2. 10
3. 1
4. 1/10
5. 1/100

問題 6 □□□

33P50

図は電源として用いられる DC-DC コンバータの構成例を示したものである．
ア，イ，ウ，エに入れる要素として正しい組合せはどれか．

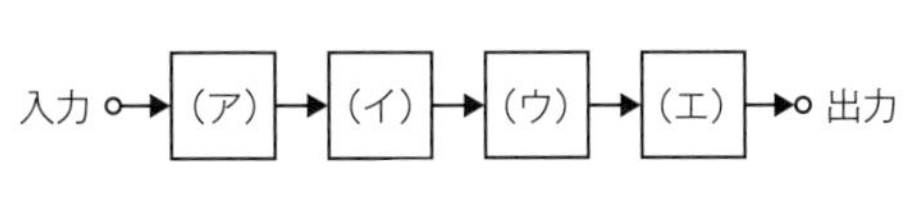

	(ア)	(イ)	(ウ)	(エ)
1.	インバータ	変圧器	整流回路	平滑回路
2.	充電回路	平滑回路	インバータ	整流回路
3.	定電圧回路	平滑回路	整流回路	インバータ
4.	定電圧回路	変圧器	平滑回路	整流回路
5.	定電圧回路	定電流回路	整流回路	平滑回路

問題 7 □□□

26P52

直流直巻電動機の負荷電流が増加すると，逆に減少するのはどれか．

1. 出力
2. 磁束数
3. トルク
4. 回転数
5. 励磁電流

問題 8 □□□

32P50

直流電動機（モータ）に直流電圧 20 V を加えたところ，100 mA の電流が流れ定常回転した．このモータを 10 分間回した時の消費エネルギー［J］はどれか．

1. 240
2. 1200
3. 2400
4. 12000
5. 24000

問題 9 □□□

35A51

図の単相変圧器の 2 次側端子間に 2 Ωの抵抗を接続して 1 次側端子に交流電圧 450 V を印加したところ，1 次電流は 1 A となった．I_2/I_1 の値はどれか．

1. 1
2. 3
3. 5
4. 15
5. 30

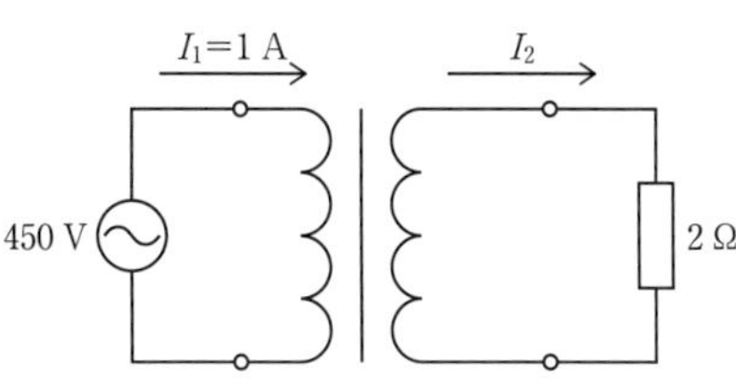

問題 10 □□□

36A51

図の回路の一次側巻線に流れる電流 I [A]（実効値）はどれか．ただし，変圧器は理想的であり，巻数比は 1：10 とする．

1. 0.1
2. 0.5
3. 1.0
4. 5.0
5. 10

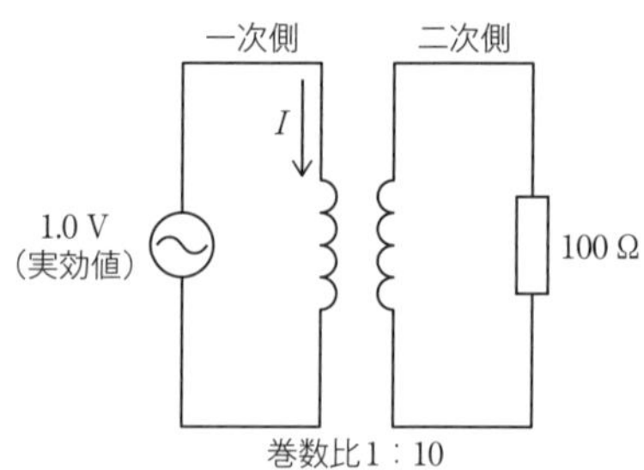

問題 11 □□□

35A49

鉄心に 1 次コイルと 2 次コイルが巻かれている．1 次コイルと 2 次コイルの巻き数の比は 1：2 である．1 次コイルに周波数 50 Hz，電圧 10 V の交流電圧をかけるとき，2 次コイルに生じる周波数と交流電圧で正しいのはどれか．

1. 周波数 50 Hz，電圧 5 V
2. 周波数 50 Hz，電圧 10 V
3. 周波数 50 Hz，電圧 20 V
4. 周波数 100 Hz，電圧 10 V
5. 周波数 100 Hz，電圧 20 V

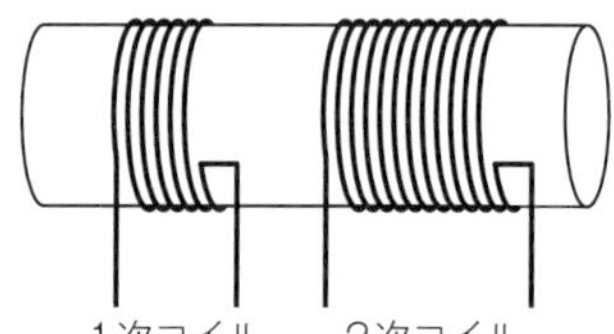

問題 12 □□□

34A51

図は，電源として用いられる AC-DC コンバータの構成例を示したものである．（ア），（イ），（ウ），（エ），（オ），（カ）内に入れるべき語句の正しい順番はどれか．

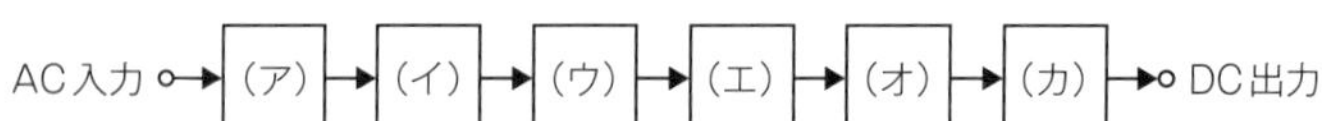

1. 変圧器→平滑回路→整流回路→インバータ→平滑回路→整流回路
2. インバータ→整流回路→平滑回路→変圧器→整流回路→平滑回路
3. インバータ→平滑回路→整流回路→変圧器→平滑回路→整流回路
4. 整流回路→平滑回路→インバータ→変圧器→整流回路→平滑回路
5. 平滑回路→整流回路→インバータ→変圧器→平滑回路→整流回路

問題 13 □□□ 29A50

交流無停電電源装置（UPS）に利用されているのはどれか.

a．インバータ
b．検流計
c．ステッピングモータ
d．蓄電池
e．トランス

1. a, b, c　2. a, b, e　3. a, d, e
4. b, c, d　5. c, d, e

問題 14 □□□ 37A51

ブラシ付き DC モータに比べたブラシレス DC モータの特徴で誤っているのはどれか.

1. 耐久性に優れている.
2. 静音性に優れている.
3. 回転子にコイルを用いる.
4. 専用の駆動回路が必要である.
5. 回転子の位置検出が必要である.

問題 15 □□□ 37A54

正しいのはどれか.

1. マンガン乾電池は二次電池である.
2. 電池は電圧のリプルが大きい.
3. 電池の放電容量の単位は F である.
4. インバータ回路は交流電圧を直流電圧に変換する
5. 安定化電源は負荷抵抗が変動しても一定電圧を出力する.

〈解答〉問題 1-3, **問題 2**-2, **問題 3**-4, **問題 4**-1, **問題 5**-1, **問題 6**-1, **問題 7**-4, **問題 8**-2, **問題 9**-4, **問題 10**-3, **問題 11**-3, **問題 12**-4, **問題 13**-3, **問題 14**-3, **問題 15**-5

II．電子工学

1. 電子回路

医用電子工学 第2版
p.5

(1) 回路素子

○半導体 【36回】【37回】 ★★

導体・半導体・絶縁体

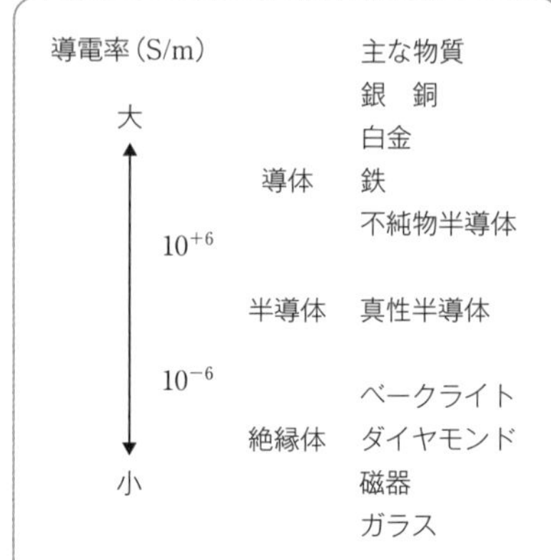

➲狭い意味では，電流が流れる物質を導体，電流が流れない物質を絶縁体と呼ぶ．一般には，導電率または抵抗率の大きさで区別される．導体と絶縁体の中間の性質を持つ物質を半導体と呼ぶ．

医用電子工学 第2版
p.10

半導体材料

➲シリコン＝ケイ素（Si）が主流で，他にゲルマニウム（Ge）があるが，どちらも4価（価電子数4）の元素である．

➲不純物が含まれない高純度な半導体材料だけの状態を真性半導体という．真性半導体のままでは導電率が小さく，電流が流れづらい．真性半導体にわずかな不純物を加えると導電率が著しく大きくなり，半導体素子（ダイオードやトランジスタなど）の材料となる．このとき加える不純物はドーパントと呼ばれ，不純物を加えることをドーピングという．不純物を加える割合（ドーピング濃度）は真性半導体の $1/10^8$～$1/10^6$ 程度である．不純物を加えられた半導体は不純物半導体と呼ばれる．

・半導体素子の材料となる不純物半導体には以下の2つがある．

n形半導体：真性半導体に5価（価電子数5）の元素（ヒ素（As）やリン（P）など）を不純物として加えたもの．真性半導体と共有結合できない不純物の電子が1つ余る．これを自由電子という．真性半導体に自由電子を供給する不純物をドナーと呼ぶ．

p形半導体：真性半導体に3価（価電子数3）の元素（ガリウム（Ga）やホウ素（B）など）を不純物として加えたもの．不純物が真正半導体と共有結合するための電子が1つ足りない部分が生じる．これを正孔（ホール）という．真性半導体に正孔を供給する不純物をアクセプタと呼ぶ．

➲導電率は，真性半導体より不純物半導体であるn形半導体やp形半導体の方が大きく，温度が上昇すると導電率が大きくなる．この温度特性は一般の金属と異なる（一般の金属では温度が上昇すると導電率が小さくなる）．

医用電子工学 第2版
p.8

キャリア

➲半導体の導電性を担う電荷．

➲n形半導体では自由電子，p形半導体では正孔（ホール）が多く存在し，これらは多数キャリアと呼ばれる．しかし，n形半導体にも正孔（ホール）が，p形半導体にも自由電子がわずかに含まれており，これらは少数キャリアと呼ばれる．

・真性半導体の原子は共有結合しているが，共有電子の一部は電子軌道を離れて自由電子となる．その電子があった場所は正孔となるので，真性半導体もわずかだがキャリアを持つ．

pn 接合

➲n 形半導体と p 形半導体が接している部分を指す（互いに共有結合しており，別の物質などを挟んでいない）.

➲接合部にはキャリア（自由電子や正孔）が存在しない空乏層が発生する.

➲接合部では，整流作用（p 形半導体側から n 形半導体側にだけ電流が流れる）や光起電力効果（光が当たったとき電流が生じる）などが現れる.

○ダイオード 【33 回】 ★★

医用電子工学 第 2 版 p.13

➲整流作用（電流を一定方向にしか流さない作用）を持つ半導体素子を指す.

〈構造〉

➲p 形半導体と n 形半導体の 1 組が pn 接合された半導体素子.

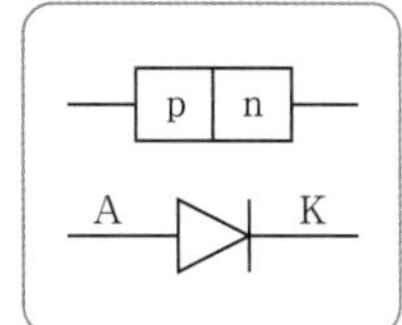

〈端子名（電極名）〉

➲p 形半導体側をアノード（A），n 形半導体側をカソード（K）と呼ぶ.

〈順方向〉

➲アノード側の電位がカソード側の電位より高い状態．このとき多数キャリアが pn 接合面を超えて相互に移動する.

➲導電性が高くなり電流が流れる（順方向電流）：導線と等価

〈順方向電圧降下〉

➲順方向電流が流れるために必要なカソードに対するアノードの電位差.

➲シリコンダイオードでは＋0.6〜0.7 V 以上，ゲルマニウムダイオードでは＋0.2〜0.3 V 以上.

〈逆方向〉

➲アノード側の電位がカソード側の電位より低い状態．このとき多数キャリアは pn 接合面から離れ電極側に移動するため，空乏層が大きくなる.

➲導電性が低くなり電流が流れない（逆方向電流）：断線と等価

〈降伏電圧〉

➲逆方向電圧を次第に大きくしたとき，逆方向電流が流れ始める電圧値.

〈ツェナーダイオード〉

医用電子工学 第 2 版 p.19

➲逆方向で使用したとき，電流値に関わらずアノードとカソードの電位差が一定（降伏電圧が一定）となるもので，定電圧ダイオードともいう.

➲ツェナーダイオードの降伏電圧はツェナー電圧という.

〈フォトダイオード〉

医用電子工学 第 2 版 p.129

➲光起電力効果によって光の強さに応じて逆方向（カソードからアノード方向）に電流が生じるもの.

➲光センサに用いられる.

〈発光ダイオード〉

医用電子工学 第 2 版 p.127

➲順方向電流を流すと光を放つもの．LED ともいう．発光ダイオードの輝度は，順方向電流に比例する.

電圧電流特性（次ページの図はシリコンを材料としたダイオードの例）

医用電子工学 第 2 版 p.14

➲順方向電圧降下が順方向電圧を超えると，順方向電流が流れるようになる.

➲順方向電流が増加しても，順方向電圧降下の変化は小さい.

➲降伏電圧を超えない範囲では，逆方向電圧を印加しても電流が流れないが，降伏電圧を超えると逆方向電流が増加していく．降伏電圧は小さなダイオードでも −30 V 以上になる．

- ツェナーダイオードに逆方向電圧を印加した場合，降伏電圧に達すると，逆方向電流の大きさに関わらず，両端に一定の電圧降下が生じる（アノードとカソード間の電位差が一定になる）．この電圧降下をツェナー電圧という．ツェナー電圧は製造段階で調整されており，1.2〜200 V 程度のものが市販されている．

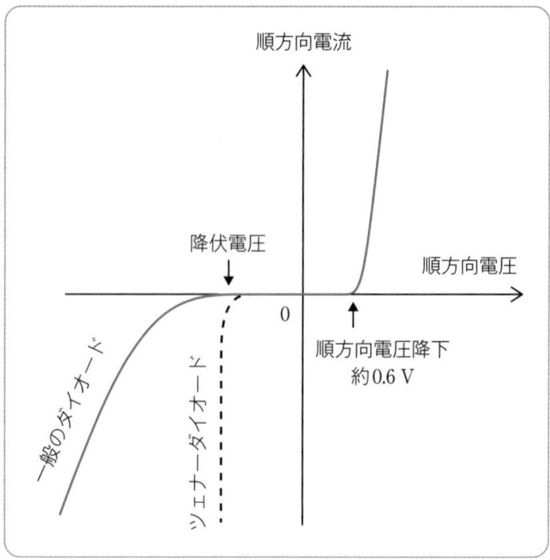

医用電子工学　第2版
p.21

整流回路

- ダイオードの整流作用を利用して，交流信号を直流信号（正しくは脈流）に変換する回路を整流回路といい，半波整流回路と全波整流回路がある．

半波整流回路

〈入力波形から正または負の部分を取り出す回路〉

入力波形	半波整流回路	出力波形
0, t	D, V_i, V_o	0, t

全波整流回路

〈入力波形の絶対値を取り出す回路〉

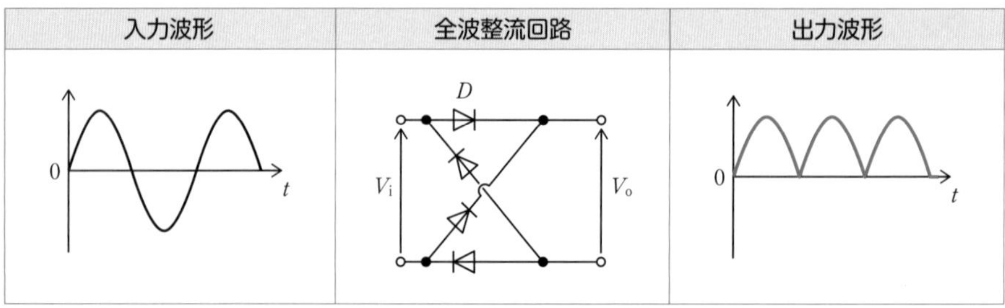

- 整流された出力波形の変動をリプルと呼ぶ．出力側にコンデンサを挿入するとリプルの大きさ（リプル幅）を小さくできる．次ページの図の回路ではコンデンサの静電容量を大きくするほどリプル幅が小さくなる．リプル幅を小さくする働きをする部分を平滑回路という．また，接続される負荷の抵抗値が大きいときほどリプル幅は小さくなる．

〈全波整流回路にコンデンサを挿入した場合〉

入力波形	全波整流回路＋平滑回路	出力波形
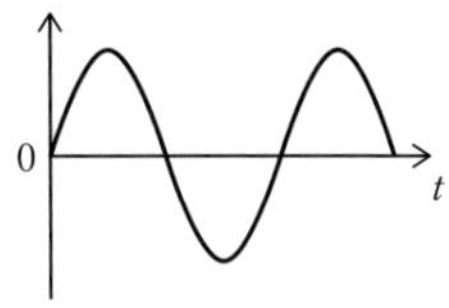 0　t	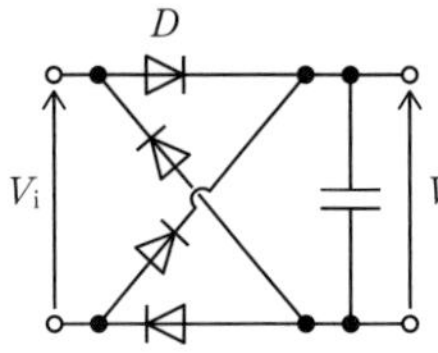 D　V_i　V_o	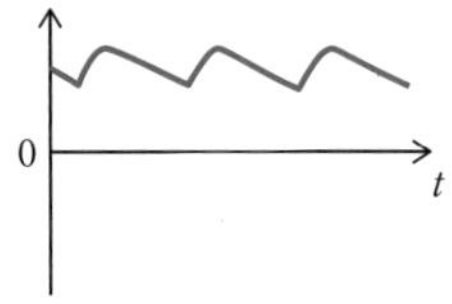 0　t

○トランジスタ

医用電子工学 第2版
p.51

バイポーラトランジスタ ★

- 一般にトランジスタとは，2つのpn接合をもつ半導体素子であるPNP形トランジスタと，NPN形トランジスタを指す．国試でPNP形トランジスタが取り上げられることは少ない．
- p形とn形の2種類の半導体を用いており，2つの多数キャリア（自由電子と正孔）が存在することが名称の由来（バイ（bi）はラテン語で2の意味）．

〈構造〉

- 半導体の並び順によって，PNP形トランジスタとNPN形トランジスタに区別する．

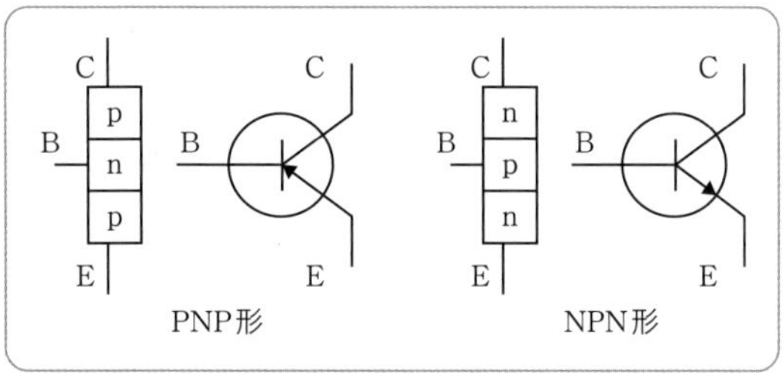

C
B
p
n
p
E
PNP形
NPN形
n
p
n

〈端子名〉

- 中央の半導体の端子をベース（B）という．
- 両側の半導体の端子をコレクタ（C），エミッタ（E）という．

〈電流制御（電流増幅）〉

- PNP形トランジスタ，NPN形トランジスタは，ベース電流（I_B）を変化させてコレクタ電流（I_C）を制御する性質を用いて増幅作用を行う．
- ベース電流に対するコレクタ電流の比率（I_C/I_B）を電流増幅率（h_{FE}）と呼ぶ．
- ベース電流を流すためには，ベースとエミッタの電位差を順方向電圧降下（シリコントランジスタでは約0.6 V）より大きくする必要がある．

〈入力インピーダンス〉

- 後述する電界効果トランジスタ（FET，ユニポーラトランジスタ）に比べて，入力インピーダンスは低い．

バイポーラトランジスタを用いた増幅回路

医用電子工学 第2版
p.55

❷トランジスタを用いた増幅回路の出題はほぼ見られない.

NPN形トランジスタを用いた基本的な増幅回路の構成

エミッタ接地回路 (エミッタ共通回路)	コレクタ接地回路 (コレクタ共通回路)	ベース接地回路 (ベース共通回路)
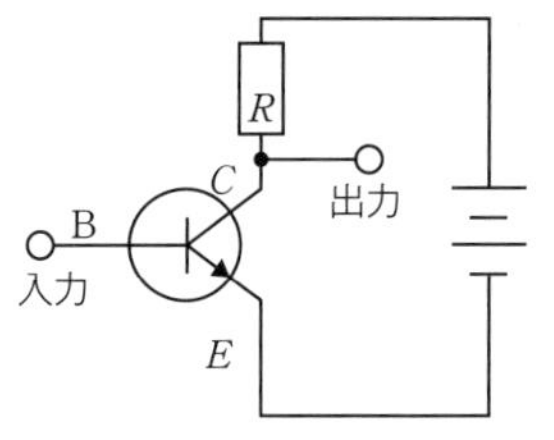 R, C, B, 入力, 出力, E	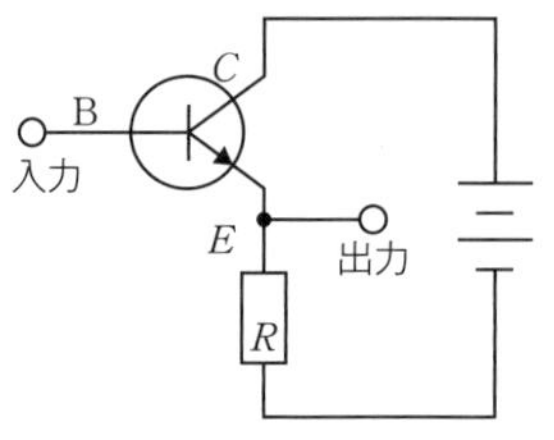 C, B, 入力, E, 出力, R	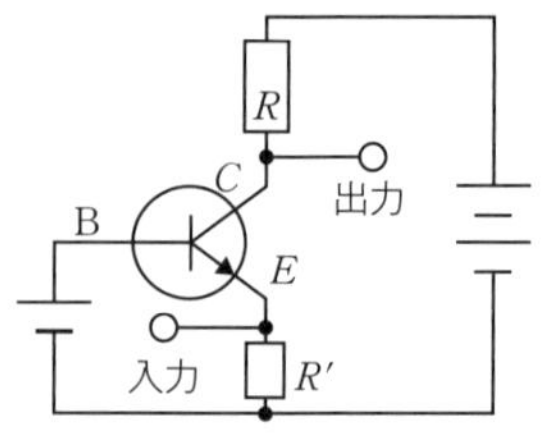 R, C, B, 出力, E, 入力, R′

❷ベース接地回路の基本回路が国試で出題されることはまずなく，出題されるのは，エミッタ接地回路またはコレクタ接地回路のどちらかである.

- 出力側の電池の＋極または－極が直接接続されている電極を見て，エミッタ接地回路かコレクタ接地回路かを判断する.

❷後述するバイアス回路では上記の通りではないが，出題されるとすればバイアス回路は基本的にエミッタ接地回路である．コレクタから出力を得ているものがエミッタ接地回路，エミッタから出力を得ているものがコレクタ接地回路と考えてよい.

各回路の特徴

	エミッタ接地回路	コレクタ接地回路	ベース接地回路
電圧増幅率	大きい	1より小さい（ほぼ1）	大きいとはいえない
電流増幅率	大きい	大きい	1より小さい（ほぼ1）
電力増幅率	大きい	小さい	中程度
周波数特性	よくない	よい	よい
入出力の位相	逆相	同相	同相
入力インピーダンス	高いとはいえない	高い	低い
出力インピーダンス	低いとはいえない	低い	高い
その他	増幅回路として最も一般的に用いられる．そのままでは周波数特性はよくないので負帰還を利用して改善する（下表の自己バイアス回路または電流帰還バイアス回路を使用）.	エミッタフォロアとも呼ばれ，インピーダンス変換に利用される.	電圧電流変換，電圧レベル変換等に利用されることがある．高周波特性がよいので，かつてはラジオの高周波増幅回路に用いられた.

※実際にトランジスタを動作させるには，ベースとエミッタの電位差を順方向電圧降下だけ大きくしなければならず，あらかじめベース電流が流れるように電位差を与える必要がある．その電位差をバイアス電圧という（NPN形のシリコントランジスタでは，ベース電位をエミッタ電位より0.6V以上高くする）.

医用電子工学 第2版
p.70

❷近年の国試では上記の特徴が詳しく問われることは少ない.

- ただし，エミッタ接地回路の入出力の位相が逆相になる（反転する）こと，コレクタ接地回路がインピーダンス変換に利用されることは押さえておきたい.

バイアス回路について問われる可能性は低いが，以下のような方法がある．

医用電子工学　第 2 版
p.59

固定バイアス回路	自己バイアス回路	電流帰還バイアス回路
・最もシンプルな構成． ・温度変化の影響が大きく，安定度は低い． ・低電圧動作が可能．	・温度の影響が小さく安定度も高いが，入力インピーダンスが小さくなる． ・バイアス抵抗 R_Bはベース電流を生じさせると同時に出力の一部をベースへ負帰還させることになり，動作特性が改善される．	・複雑だが最も一般的な構成（R_{B2}を省略する場合もある）． ・コレクタ電流が増加するとR_Eによってエミッタ電圧が上昇してベース電流を抑制するため，負帰還が働いており，電流帰還バイアス回路と呼ぶ． ・利得は抑えられるが，安定度は高く，良好な特性が得られる． ・通常，R_Eと並列にバイパスコンデンサを接続する．

〈バイパスコンデンサ〉

- 入力信号に応じてコレクタ電流が変動するとき，エミッタ電圧の変動を小さくするために使用する．一般に静電容量の大きなコンデンサを用いる．

〈カップリングコンデンサ〉

- 入力端子とベースの間や出力端子とコレクタまたはエミッタの間に挿入し，バイアス電流（直流成分）が端子側へ流出しないようにする．

電界効果トランジスタ（FET）【33 回】 ★★

医用電子工学　第 2 版
p.81

- 電界効果トランジスタ（FET）は，接合型 FET と MOS-FET に大別される．

〈接合型 FET〉

- ジャンクション型 FET または J-FET とも呼ばれ，電極と半導体を直接接合したもの．
- 構造：半導体の両側を電極で挟んだ構造が基本形．p 形半導体を用いたものを P チャネル FET，n 形半導体を用いたものを N チャネル FET と呼ぶ．
- 端子名：電極端子をゲート（G），半導体の両側の端子をドレイン（D），ソース（S）という（電流はドレインからソースへ流れるものとする）．

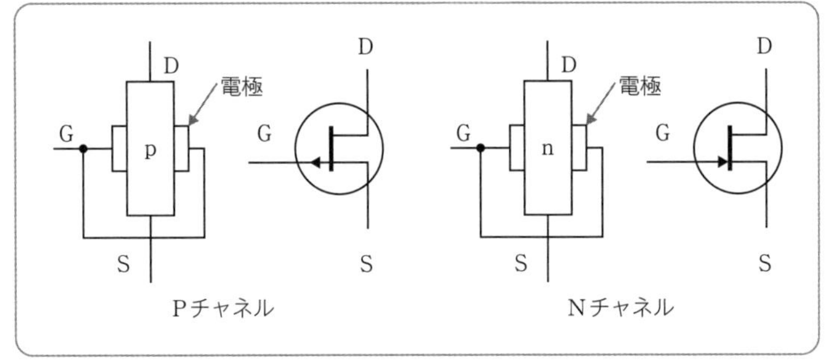

➋ユニポーラトランジスタ

・FETは，p形またはn形どちらかの半導体を用いており，1つの多数キャリア（自由電子または正孔）を持つ．このため，FETをユニポーラトランジスタまたはモノポーラトランジスタと呼ぶ（ユニ（uni）はラテン語，モノ（mono）はギリシャ語で1の意味）．

・実際には電極の材料として半導体を使用する（PチャネルFETではn形，NチャネルFETではp形）．そのため2種類の半導体が用いられることになるが，制御された電流が流れるのはドレインとソース間の半導体だけなので，電極側に半導体が使われていることは考慮しない．

➋ゲート電圧（Nチャネルでは－電位，Pチャネルでは＋電位）によってゲート電極付近に生じる空乏層の大きさを変化させて，ドレインとソース間を流れる電流の大きさを制御できる電圧制御特性をもつ．

➋入力インピーダンス：ゲートと他の端子間に流れる電流は極めて小さく，ゲートを流れる電流は0に近い．ゲートの入力インピーダンスはバイポーラトランジスタよりも高い．

医用電子工学 第2版
p.87

〈MOS-FET〉【33回】 ★★

➋ゲート電極と半導体の間に金属酸化膜（MOS）で絶縁層を設けたFET．MOS型FETともいう．ゲートと他の端子間の絶縁性が高くなるため，入力インピーダンスが接合型FETに比べて一層大きくなる．

➋MOS-FETも接合型FETと同じくユニポーラトランジスタであり，端子名もゲート（G），ドレイン（D），ソース（S）である．接合型FETと同様にゲート電圧によってドレイン電流が変化する電圧制御特性をもつ．

➋NチャネルとPチャネルのMOS-FETを相補的に用いて構成された回路をCMOS回路という．定常電流が低いので，消費電力や発熱量は低くなる．

➋構造の違いにより電圧制御特性が異なり，MOS-FETは2つ（デプレッション型とエンハンスメント型）に分けられる．本来それらは動作モードの名称で，デプレッション（ディプリーションと呼ぶ方が正しい）モードとエンハンスメントモードである．

➋その中間の動作モードとしてデプレッション＋エンハンスメントモードがあるが，動作モードについては国試での出題はない．

・デプレッションモード：ゲート電圧を掛けない（V_{GS}＝0 V）ときにもドレイン電流が流れる（ノーマリーオン）．

・エンハンスメントモード：ゲート電圧を掛けない（V_{GS}＝0 V）ときにはドレイン電流が流れない（ノーマリーオフ）．

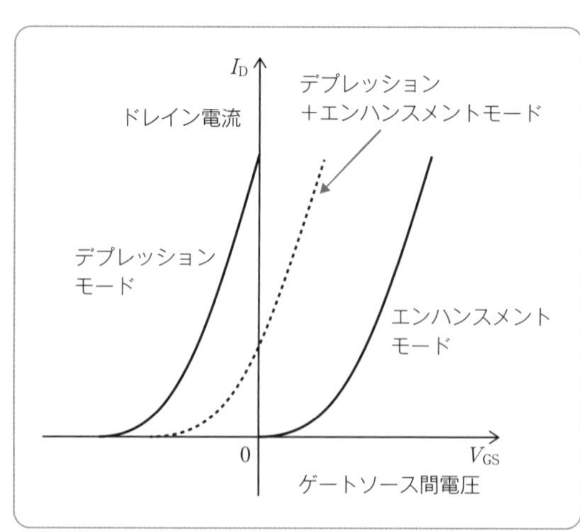

➋構造

・ここではNチャネルのみ示す．国試では1度出題されたことがあるが，接合型FETと比較して絶縁層があることに注意すればよい．

・エンハンスメント型はソースとドレインが独立した半導体に接続されているが，デプレッション型は単一の半導体で接続されている．

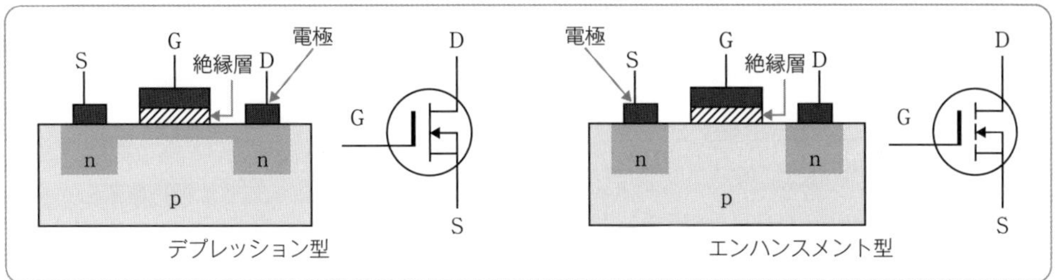

○集積回路（IC，LSI）

- 半導体の表面に微細で複雑な電子回路を形成したうえでパッケージ化した電子部品である．
- 集積した素子が比較的小規模なものを IC，比較的大規模なものを LSI と呼んでいたが，現在では IC と LSI を区別しない．さらに集積規模を拡大したものを VLSI，ULSI と呼ぶ．
- 現在では MOS-FET で構成されたものが主流で，CMOS-IC，CMOS-LSI と呼ぶこともある．
- 半導体表面上に半導体素子や抵抗を作成し，回路を形成した集積回路はモノリシック集積回路という．個別に作られた半導体素子や抵抗などの素子を用いて電子回路を基板上に構築したものは，ハイブリッド集積回路と呼ばれる．

○光デバイス

受光素子（フォトダイオード，フォトトランジスタ，光導電素子，光電子増倍管，太陽電池，CCD）【33 回】【36 回】★★

医用電子工学　第 2 版
p.127

- 光の明暗や強度を電気信号に変換する素子を指す．主な素子と出力形態を示す．

素子名	応用例	動作原理	出力
フォトダイオード	カプノメータ，光度計，パルスオキシメータ	光起電力効果	起電力・電流変化
フォトトランジスタ			
CCD	イメージセンサ		
太陽電池	太陽光発電		
CdS（光導電素子）	光度計	光導電効果	抵抗値の変化
光電子増倍管	ガンマカメラ，分光光度計	光電効果	起電力・電流変化

発光素子（発光ダイオード（LED），半導体レーザ（レーザダイオード）★

- 電気エネルギーを光エネルギーに変換する電子部品の総称で，発光ダイオードや半導体レーザなどがある．
- 発光ダイオードは，特定の波長に偏った光を発する．白熱灯などに比べて発する光の波長域が狭いが，消費電力や発熱量は小さい．
- 発光ダイオードの光の強さは順方向電流にほぼ比例する．
- レーザ発振ができる発光ダイオードが半導体レーザである．

○センサデバイス

温度センサ 【35回】 ★★

医用電子工学 第2版
p.135

❷温度変化を電気信号に変換する素子を指す．主な素子と出力形態を示す．

素子名	出力	備考
サーミスタ	電気抵抗	小型・高感度だが測温範囲が狭く直線性が悪い
測温抵抗体	電気抵抗	感度は低いが測温範囲が広く直線性が良い 白金測温抵抗体は耐腐食性が高く，温度に対する抵抗値変化（温度係数）が大きい
熱電対	起電力	測温範囲が広く直線性が良い．ゼーベック効果を利用している
サーモパイル	起電力	内部で複数の熱電対が直列あるいは並列に接続されている 非接触測定が可能で，計測にはプランクの放射則，ウィーンの変位則，シュテファン・ボルツマンの法則が応用されている

❷サーミスタは電子体温計や液温測定，サーモパイルは放射温度計や耳式体温計に用いられる．

磁気センサ【33回】 ★★

医用電気工学2 第2版
p.109

❷磁界の強さや方向を電気信号に変換する素子を指す．主な素子と出力形態を示す．

素子名	出力	備考
ホール素子	起電力	ホール効果を利用した半導体素子
MR センサ	電気抵抗	磁気抵抗効果を利用した素子
SQUID	電圧変化	ジョセフソン効果を利用した超伝導量子干渉計

❷医療分野での利用は少ないが，コイル（インダクタ）も磁気センサとして利用できる．

圧力センサ 【第33回】 ★★

医用電子工学 第2版
p.133

❷力や圧力の強さや方向を電気信号に変換する素子を指す．主な素子と出力形態を示す．

素子名	出力	備考
圧電センサ	起電力	圧力を加えると起電力を生じる半導体素子．ピアゾ素子ともいう
ストレインゲージ	電気抵抗	圧力を加えると電極間の抵抗値が変化する

❷圧力センサは，観血式血圧計や体重計などに応用される．

❷この他に，溶液や気体の濃度などを検出する化学センサ，位置や回転角を検出する差動トランスやポテンショメータがある．また，タッチパネルには，静電容量センサ，抵抗膜センサ，表面弾性波センサなどが利用されている．

臨床工学技士国家試験問題

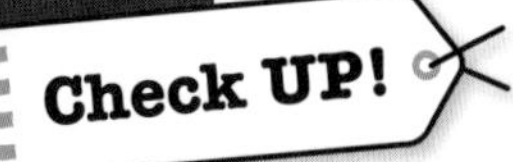

問題 1　□□□　31A52

図の pn 接合で正しいのはどれか．

a．多数キャリア A には右方向に力が作用する．
b．多数キャリア B は電子である．
c．電圧 E を高くしていくと降伏現象が生じる．
d．電圧 E を高くすると空乏層が小さくなる．
e．電圧 E を高くすると拡散電位が高くなる．

1. a, b　2. a, e　3. b, c　4. c, d　5. d, e

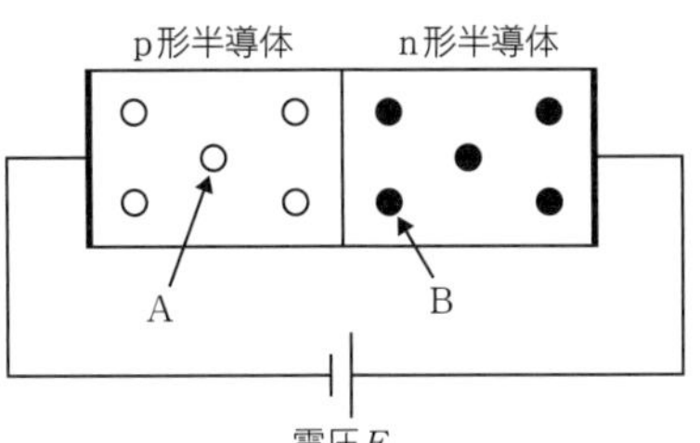

問題 2　□□□　36A52

半導体の性質として正しいのはどれか．

1. n 型半導体の自由電子と正孔の数は等しい．
2. p 型半導体の多数キャリアは自由電子である．
3. 真性半導体ではどんな温度でも自由電子が存在しない．
4. 真性半導体に自由電子を供給する不純物をアクセプタという．
5. 共有結合から自由電子が移動して空になった部分を正孔という．

問題 3　□□□　37A52

誤っているのはどれか．

1. p 型半導体は不純物半導体である．
2. n 型半導体の多数キャリアは正孔である．
3. 高純度のシリコン結晶は真性半導体である．
4. 空乏層は pn 接合部に生じる．
5. 理想ダイオードに順方向電流を印加すると電流が流れる．

問題 4　□□□　33P53

ダイオードの順方向における電流電圧特性を図 1 に示す．このダイオードを図 2 のような等価回路（$V_F \geqq 0.6V$）に置き換えたときの V_d と r_d との組合せで正しいのはどれか．

1. $V_d = 1.0\ V$　$r_d = 250\ \Omega$
2. $V_d = 1.0\ V$　$r_d = 100\ \Omega$
3. $V_d = 0.6\ V$　$r_d = 250\ \Omega$
4. $V_d = 0.6\ V$　$r_d = 100\ \Omega$
5. $V_d = 0.6\ V$　$r_d = 0\ \Omega$

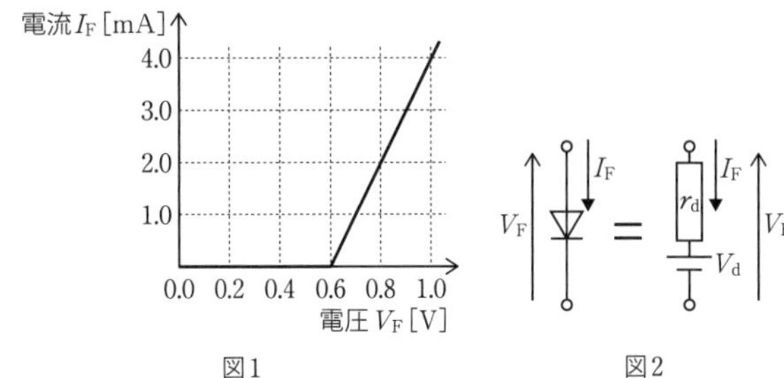

図1　　図2

問題 5　□□□　31P52

図 1 に示した特性のダイオードを 2 つ用いた図 2 の回路の出力電圧 V_o の最大値 V_{omax} [V] と最小値 V_{omin} [V] はどれか．ただし，順方向の電圧降下は 0.6 V とする．

1. $V_{omax} = 0.6$　$V_{omin} = -0.6$
2. $V_{omax} = 0.6$　$V_{omin} = -0.3$
3. $V_{omax} = 0.3$　$V_{omin} = -0.3$
4. $V_{omax} = 3.6$　$V_{omin} = -3.6$
5. $V_{omax} = 6.0$　$V_{omin} = -0.6$

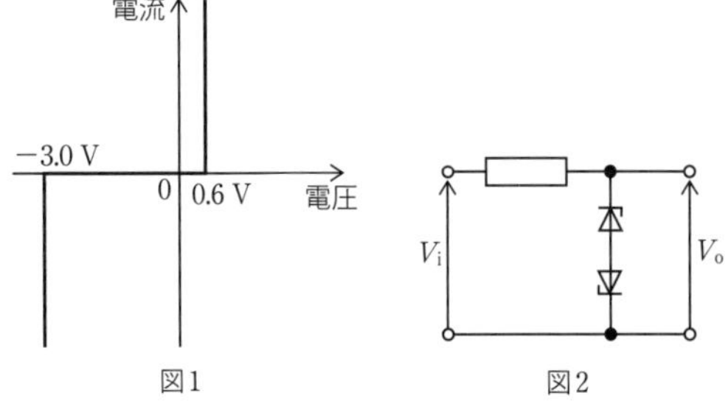

図1　　図2

問題 6 □□□

29P52

図 1 の回路の LED の電圧電流特性を図 2 に示す．この回路に流れる電流 I [mA] はどれか．

1. 5
2. 10
3. 15
4. 20
5. 30

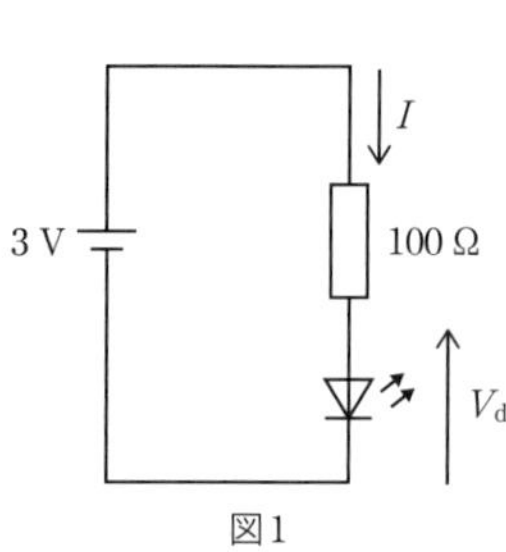

図1

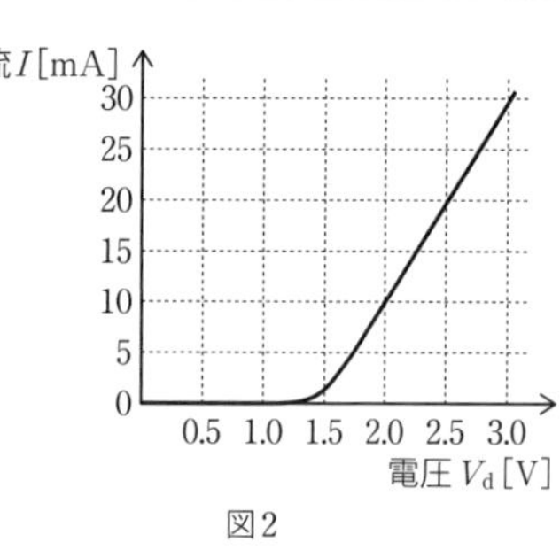

図2

問題 7 □□□

29P53

ツェナー電圧 2 V のツェナーダイオードを含む図の回路の電流電圧特性で正しいのはどれか．

1.
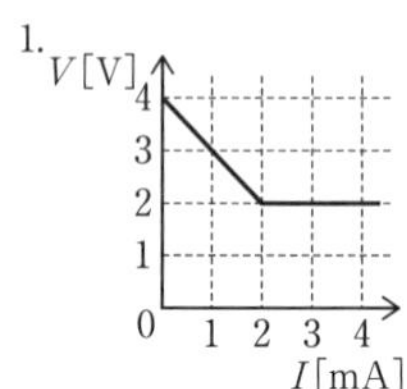

2.
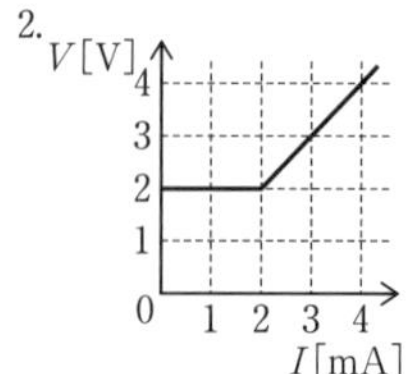

3.
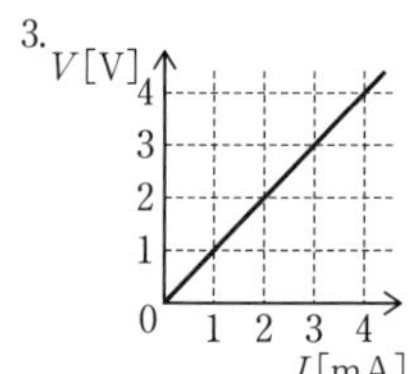

4.
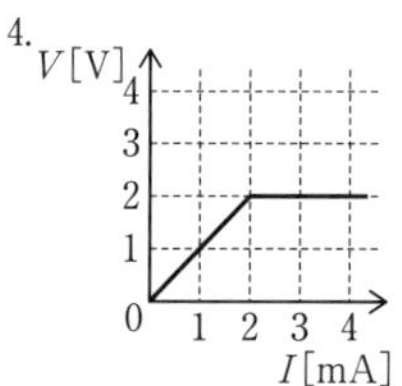

5.
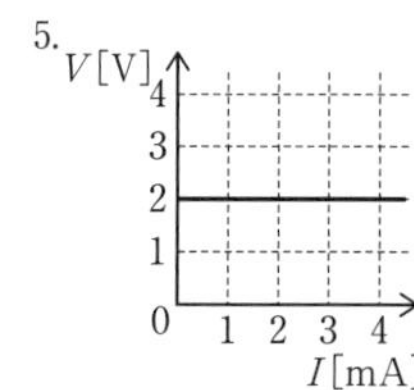

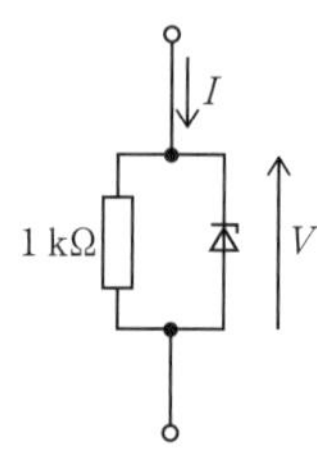

問題 8 □□□

30P53

図のツェナーダイオード（ツェナー電圧 3 V）を用いた回路で 20 Ωの抵抗に流れる電流 [mA] はどれか．

1. 0
2. 100
3. 150
4. 250
5. 400

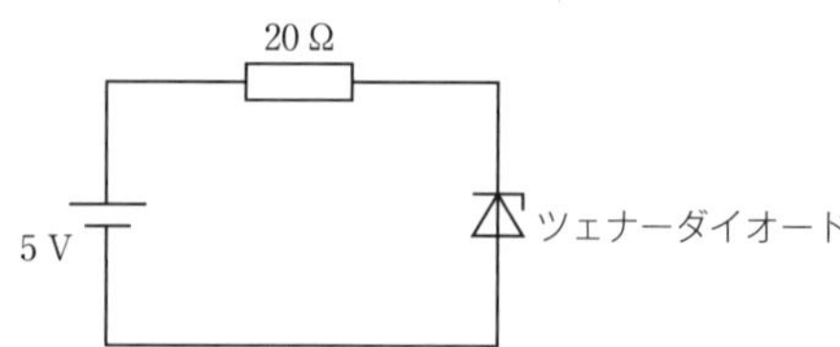

問題 9 □□□

25P53

図の回路の出力電圧 V [V] はどれか．ただし，ダイオードは理想ダイオードとする．

1. 1
2. 2
3. 3
4. 5
5. 6

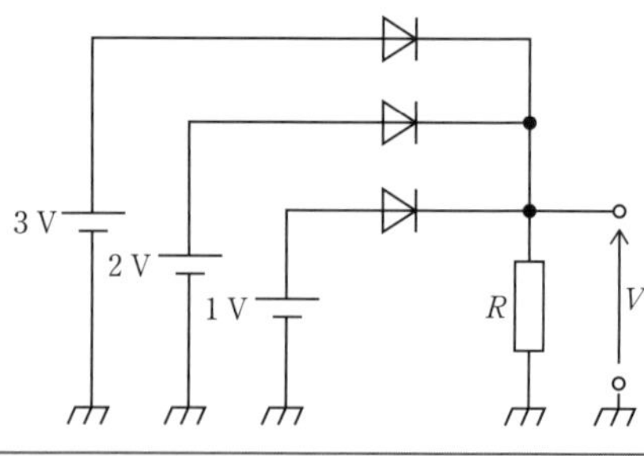

問題 10 □□□

34P51

ダイオードの電流 I，電圧 E の方向を図 1 のように定めたとき，このダイオードの特性グラフは図 2 のようになった．このとき，このダイオードの順方向電圧 V_F と逆方向降伏電圧 V_R はどれか．

1. $V_F=0.6\,V$　　$V_R=-3.0\,V$
2. $V_F=-0.6V$　　$V_R=-3.0\,V$
3. $V_F=-0.6V$　　$V_R=3.0\,V$
4. $V_F=-3.0V$　　$V_R=0.6\,V$
5. $V_F=3.0V$　　$V_R=0.6\,V$

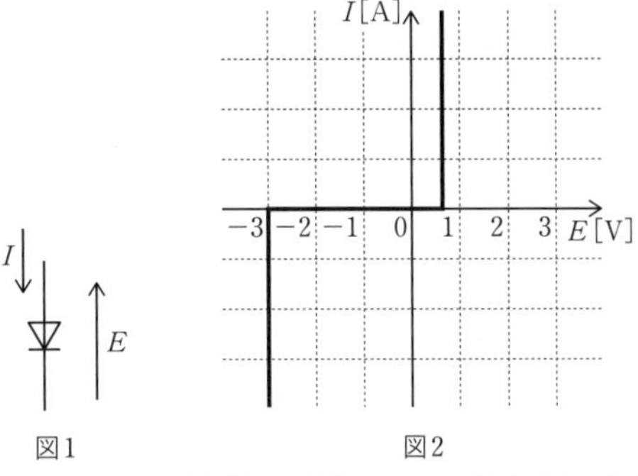

図1　図2

問題 11 □□□

33P55

図の回路に電圧 $V_i=100\sin(10\pi t)$ [V] を入力した．出力電圧 V_o の実効値 [V] はどれか．ただし，ダイオードは理想ダイオードとし，時間 t の単位は秒とする．

1. $10\sqrt{2}$
2. $\frac{100}{\sqrt{2}}$
3. 100
4. $100\sqrt{2}$
5. 200

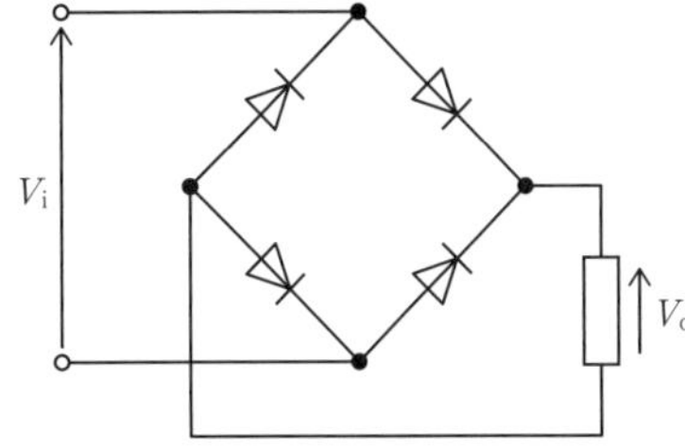

問題 12 □□□

36P52

全波整流回路として正しく動作するのはどれか．

1.
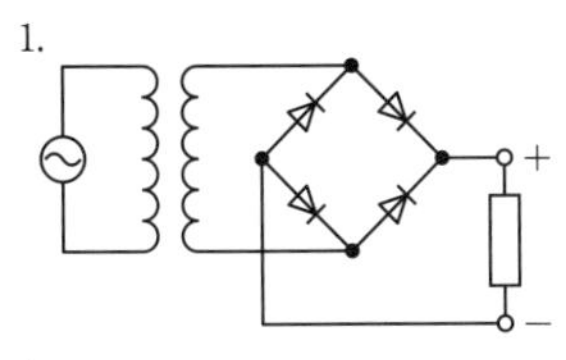

2.
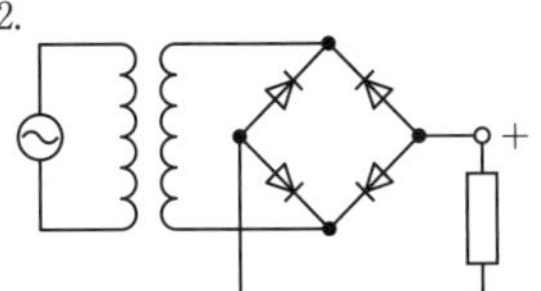

3.
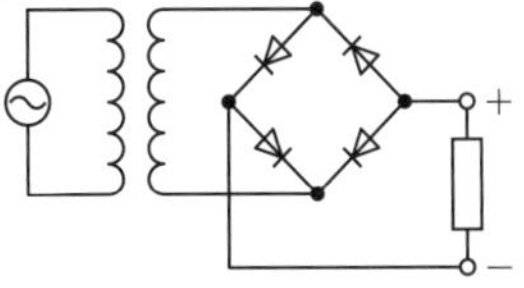

4.
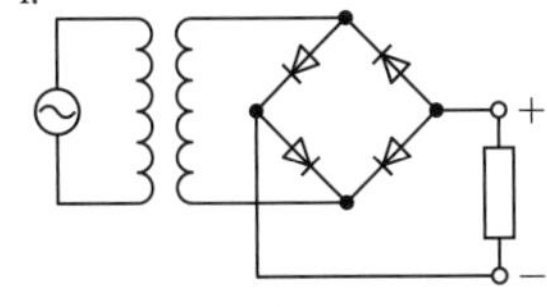

5.
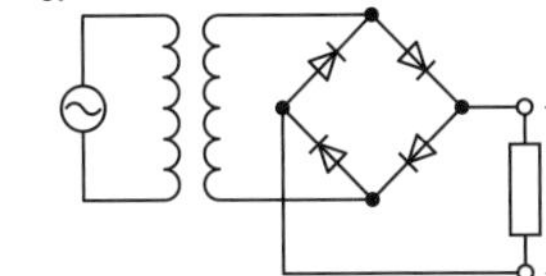

問題 13 □□□

23A53

図の回路について正しいのはどれか．ただし，トランジスタは理想トランジスタとする．

1. コレクタ電流が増加するとコレクタ電圧も増加する．
2. ベース電流が流れないときコレクタ電圧はゼロである．
3. V_i が負のときベース電流が流れる．
4. ベース電流によってコレクタ電流を制御できる．
5. ベース電流はエミッタ電流より大きい．

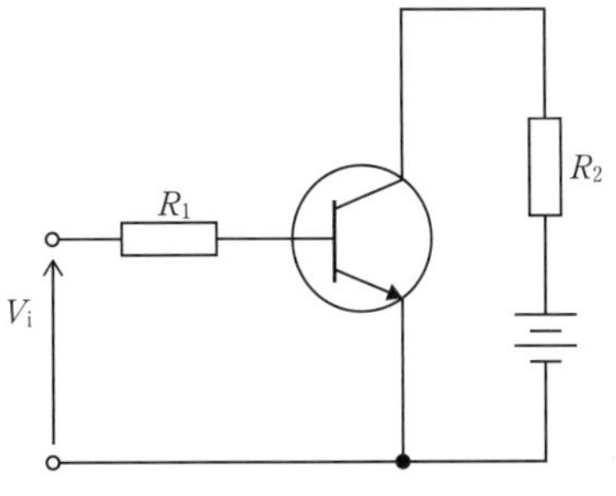

問題 14 □□□ 35P51

正しいのはどれか．

a．理想ダイオードの順方向抵抗は無限大である．
b．バイポーラトランジスタは電圧制御素子である．
c．ピエゾ効果が大きい半導体は磁気センサに利用される．
d．FET の n チャネルの多数キャリアは電子である．
e．CMOS 回路はバイポーラトランジスタ回路よりも消費電力が少ない．

1．a，b　2．a，e　3．b，c　4．c，d　5．d，e

問題 15 □□□ 34A53

LED について正しいのはどれか．

a．発光強度は流した電流に比例する．
b．2つの端子に極性はない．
c．発光効率は白熱電球と同等である．
d．発光波長は使用する半導体材料により異なる．
e．電流と電圧の関係は指数関数にしたがう．

1．a，b，c　2．a，b，e　3．a，d，e
4．b，c，d　5．c，d，e

問題 16 □□□ 35A52

抵抗変化を利用した温度センサとして用いられるのはどれか．

a．CdS
b．サーモパイル
c．サーミスタ
d．白金
e．熱電対

1．a，b　2．a，e　3．b，c　4．c，d　5．d，e

問題 17 □□□ 34A52

正しいのはどれか．

a．ホール効果が大きい半導体は磁気センサに利用される．
b．ダイオードのアノードにカソードよりも高い電圧を加えると電流は順方向に流れる．
c．p 形半導体の多数キャリアは電子である．
d．MOSFET の入力インピーダンスはバイポーラトランジスタに比べて小さい．
e．金属の導電率は温度が高くなると増加する．

1．a，b　2．a，e　3．b，c　4．c，d　5．d，e

問題 18 □□□ 36P51

電子部品について正しいのはどれか．

a．ピエゾ素子は磁束密度を検出する．
b．CdS は光を受けると起電力が発生する．
c．フォトダイオードは受光量に関係なく一定電流が流れる．
d．オペアンプは多数のトランジスタで構成されている．
e．ツェナーダイオードは一定の電圧を得るために用いる．

1．a，b　2．a，e　3．b，c　4．c，d　5．d，e

〈解答〉問題 1-3，**問題 2**-5，**問題 3**-2，**問題 4**-4，**問題 5**-4，**問題 6**-2，**問題 7**-4，**問題 8**-2，**問題 9**-3，**問題 10**-1，**問題 11**-2，**問題 12**-1，**問題 13**-4，**問題 14**-5，**問題 15**-3，**問題 16**-4，**問題 17**-1，**問題 18**-5

(2) 電子回路要素

○表示器

液晶ディスプレイ，プラズマディスプレイ，CRT ディスプレイ 【33 回】 ★★

➋医療機器やコンピュータなどが出力する静止画または動画などの映像信号を表示する機器には以下のようなものがある.

・ブラウン管（CRT）

・液晶ディスプレイ（LCD）：光を発光するのではなく，バックライト光を液晶の角度によって透過，遮断することで明暗の表示を行う.

・プラズマディスプレイ（PDP）：プラズマ放電によって蛍光体を発光させる.

・有機 EL ディスプレイ（OEL，OLED）：特定の有機化合物に注入された正孔と電子の再結合によって発光する.

・LED ディスプレイ：順方向電流によって運ばれる正孔と電子の再結合によって発光する.

・ビデオプロジェクタ

○電源装置 【37 回】 ★★

➋電気回路を動作させるために必要な電力を供給する装置.

➋交流電力を供給する電源を交流電源（AC 電源）と呼び，国試では正弦波交流電源が想定される.

➋直流電力を供給する電源を直流電源（DC 電源）と呼び，国試では定電圧直流電源として電池に関する出題があるが，まれに定電流直流電源が問われる.

➋接続された負荷が変化しても，一定の電圧または電流が供給できる電源装置を安定化電源という.

○電池 【37 回】 ★★

一次電池，二次電池

医用電気工学1 第2版 p.51

➋電池は，光・熱・化学反応などのエネルギーを起電力に変換する装置と考えればよい.

➋化学反応のエネルギーを起電力に変換する化学電池と，熱や光といった物理エネルギーを起電力に変換する物理電池の 2 種類に大別される.

・一般に用いる乾電池や蓄電池は化学電池である．燃料電池や生物電池（バイオ電池）も化学電池に含まれる.

・物理電池には，太陽電池，熱電池（熱電対と同じくゼーベック効果を利用）や原子力電池がある.

➋化学電池のうち，一度だけ使用可能なものを一次電池，放電後に充電によって再利用できるものを二次電池という．放電できる電荷量を放電容量と呼び，単位には $A \cdot h$ が用いられる．主な一次電池と二次電池を示す.

一次電池	二次電池
マンガン乾電池 アルカリ乾電池 酸化銀電池 ヨウ素リチウム電池 空気亜鉛電池	鉛蓄電池 ニッケル・カドミウム電池 ニッケル・水素電池 リチウムイオン電池

（3）アナログ回路

医用電子工学 第2版
p.95

○演算増幅器（オペアンプ）

理想演算増幅器 【33回】 ★★

➲演算増幅器とは，＋入力端子（非反転入力端子）と－入力端子（反転入力端子）と，1つの出力端子を持つ増幅器の電子回路をモジュール化したもので，多数のバイポーラトランジスタやFETを集積したモノシリックICが主流である．オペアンプ，OPアンプなどともいう．

➲増幅回路，微分積分回路，発振回路など様々な用途に応用できる．

理想的な演算増幅器の特性と理想値

特性	理想値	補足
差動増幅度	無限大	フィードバック抵抗（帰還抵抗）を接続しないときの増幅度
同相増幅度	0	同相信号は出力されない
同相除去比（CMRR）	無限大	
入力インピーダンス	無限大	接続されるセンサの出力インピーダンスや接触抵抗が無視できる
出力インピーダンス	0	負荷抵抗に関わらず一定の増幅度で動作できる
周波数帯域	無限大	すべての周波数に対して一定の増幅度が得られる
内部雑音	0	回路内部から生じる雑音がない
スルーレート	無限大	入力に対する出力の応答速度（時間変化率）を表す．値が大きいほど忠実性が高い

➲演算増幅器（オペアンプ）は，次頁以降に示す基本的な回路形式で出題されることが多い．出題された回路がどの形式に該当するか判断できないときは，次の点に注目するとオームの法則を利用して様々な情報を導き出すことができる．

①＋入力端子と－入力端子の電位は常に等しい：仮想接地，仮想短絡と表現されることもある

②入力端子を出入りする電流は0A(電流は流れない)：入力インピーダンスが無限大

③出力端子には，いくらでも大きな電流が出入りできる：出力インピーダンスが0

増幅度

➲入力の大きさに対する出力の大きさの倍率（比率）を増幅度という．

医用電子工学 第2版
p.49

➲増幅度（倍）$=\dfrac{出力の大きさ}{入力の大きさ}$ と表すことができる．電圧で比較した場合は電圧増幅度，電流で比較した場合は電流増幅度，電力で比較した場合は電力増幅度という．国試では，電圧増幅度を問う問題が多い．

電圧利得 ★

医用電子工学 第2版 p.49

- 増幅度と同じく，入力の大きさに対する出力の大きさの倍率（比率）を表すもので，ゲインとも呼ばれる．
- 電圧で比較した場合は電圧利得，電流で比較した場合は電流利得，電力で比較した場合は電力利得という．
- 電気工学や電子工学ではデシベル（dB）表記することが多く，次式で求められる．

・電圧利得（dB）$=20\log_{10}\dfrac{\text{出力電圧}}{\text{入力電圧}}$

・電流利得（dB）$=20\log_{10}\dfrac{\text{出力電流}}{\text{入力電流}}$

・電力利得（dB）$=10\log_{10}\dfrac{\text{出力電力}}{\text{入力電力}}$

- 電圧増幅率［倍］と電圧利得［dB］の関係
  - ・1倍→ $20\log_{10}(1)=20\times\log_{10}(1)=20\times0=0$［dB］
  - ・2倍→ $20\log_{10}(2)=20\times\log_{10}(2)=20\times0.3=6$［dB］
  - ・5倍→ $20\log_{10}(5)=20\times\log_{10}(5)=20\times0.7=14$［dB］
  - ・10倍→ $20\log_{10}(10)=20\times\log_{10}(10)=20\times1=20$［dB］

インピーダンス整合

- 装置間で信号伝送を行うとき，信号を送り出す側の出力インピーダンスと信号を受け入れる側の入力インピーダンスを基準の下に合わせることである（単に入力インピーダンスと出力インピーダンスの値を等しくすることではない）．
- 高周波信号を伝送する場合には，インピーダンスが整合していないと十分な出力が得られないばかりでなく，伝送路上に反射波や定在波が生じるなどにより伝送障害が起きる．
- 国試では出題される低周波信号の伝送では，出力インピーダンスを低く，入力インピーダンスを高くすることが一般的である．
- 図で Z_o は出力装置の出力インピーダンス，Z_i は入力装置の入力インピーダンス，R は伝送路の抵抗である．このとき，$Z_i \gg Z_o+R$ となることが望ましい．

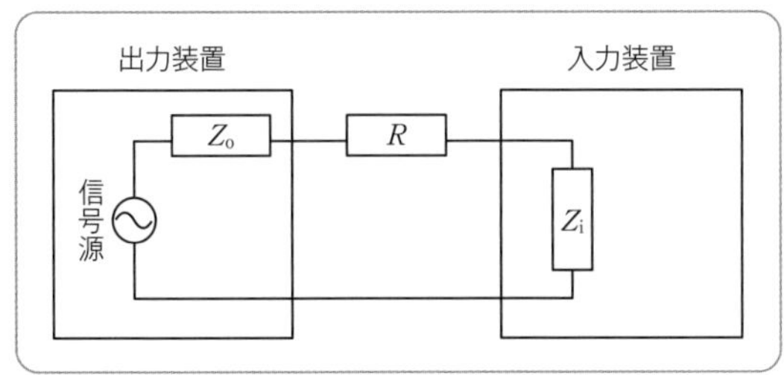

- テレメータではアンテナと送受信器を接続するが，この接続でもインピーダンス整合を考慮する必要がある．この場合には，アンテナとアンテナを接続するための給電線の特性インピーダンス（多くの場合50 Ωまたは75 Ω）を一致させ，接続部でエネルギーの反射をおさえることを目的としている．
- 長距離でデータ通信を信号線で行う場合には，信号線の両端に抵抗器（終端抵抗：ターミネータ）を接続する．これもインピーダンスの整合性を高めて，信号線両端で

信号の反射をおさえ，信号が反射波と干渉を起こさないことを目的としている．

○演算増幅器回路

医用電子工学　第2版
p.104

反転増幅回路 ★

❯入力信号に対し出力信号の位相が逆相となる増幅回路．入力信号と出力信号の極性が常に反転し，入力と出力は逆位相となる．

❯電圧増幅率 $Av=-\dfrac{R2}{R1}$

・入力電圧 v_i に対する出力電圧 v_o の関係は，$v_o=Av\cdot v_i=-\dfrac{R2}{R1}\cdot v_i$

❯入力インピーダンスはほぼ $R1$ と等しい．また，非反転増幅回路よりも特性が安定しているので，加算回路，微積分回路の基本回路とされる．

❯出力インピーダンスはほぼ 0 Ωとなる．

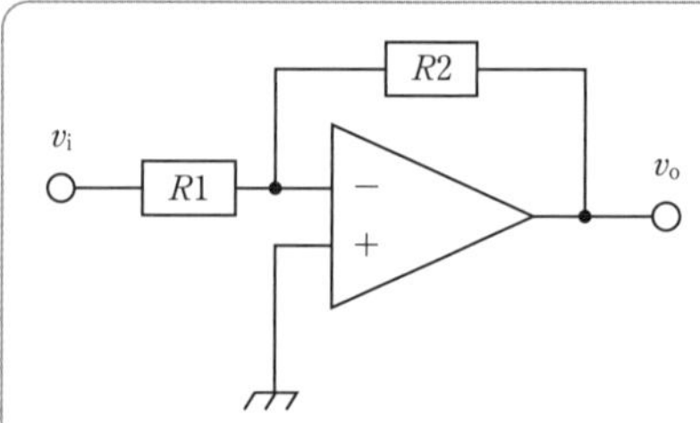

＋入力端子（非反転入力端子）が接地され，入力 v_i が $R1$ の一端に接続されている．
出力端子と－入力端子（反転入力端子）を接続する抵抗を $R2$，－入力端子に接続されたもう1つの抵抗を $R1$ と考えよう．
なお，$R2$ はフィードバック抵抗と呼ばれる．

医用電子工学　第2版
p.108

非反転増幅回路 【33回】 ★★

❯入力信号と出力信号の位相が同相となる増幅回路．入力信号と出力信号の極性は常に一致する（反転しない＝非反転）．入力と出力は同位相となる．

❯電圧増幅率 $Av=1+\dfrac{R2}{R1}$

・入力電圧 v_i に対する出力電圧 v_o の関係は，$v_o=Av\cdot v_i=\left(1+\dfrac{R2}{R1}\right)\cdot v_i$

❯入力インピーダンスはほぼ無限大となる．

❯出力インピーダンスはほぼ 0 Ωとなる．

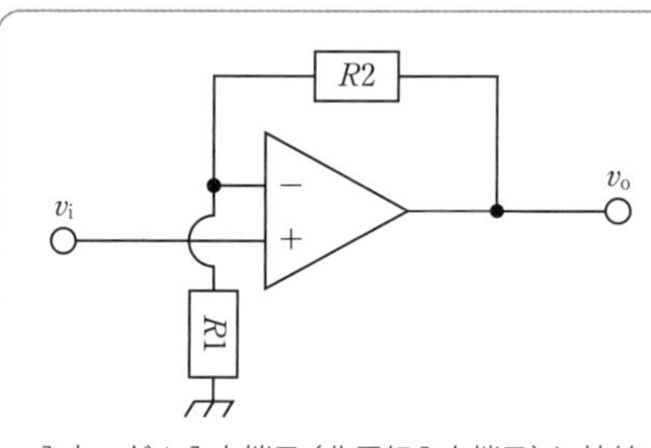

入力 v_i が＋入力端子（非反転入力端子）に接続され，$R1$ の一端が接地されている．
出力端子と－入力端子（反転入力端子）を接続する抵抗を $R2$，－入力端子に接続されたもう1つの抵抗を $R1$ と考えよう．
なお，$R2$ はフィードバック抵抗と呼ばれる．

医用電子工学　第2版
p.110

電圧フォロア（ボルテージフォロア）

❯$R1=\infty\Omega$（$R1$ を断線），$R2=0\,\Omega$（$R2$ を短絡）とした非反転増幅回路を，電圧フォロア（ボルテージ・フォロア）と呼ぶ．電圧フォロアは増幅率１倍の非反転増幅回路となるので，入力と出力の振幅は等しく，同相波形となる．また入力インピーダンスはほぼ無限大で，出力インピーダンスはほぼ 0 Ωである．半導体を用いたセンサは出力インピーダンスが極めて高いので，増幅器の入力インピーダンスはさらに高くないとインピーダンスが整合しない．そのような場合，センサと増幅器を電圧フォロア回路で接続すると，センサの高い出力インピーダンスが非反転増幅回路の出力インピーダンス（ほぼ 0 Ω）に置き換えられて増幅器と接続される．このように，電圧フォロアはインピーダンス変換回路として利用される．

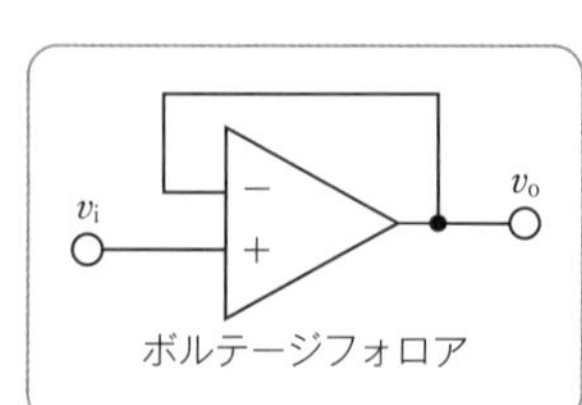

ボルテージフォロア

加算回路 【37 回】 ★★

医用電子工学 第 2 版
p.120

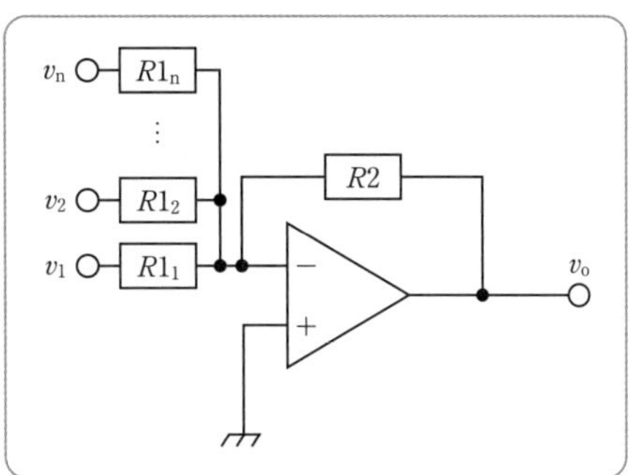

- 複数の入力信号を加算した値を出力する回路．
- 入力電圧に対する出力電圧 v_o の関係は，

$$v_o=-\left(\frac{v_1}{R1_1}+\frac{v_2}{R1_2}+\cdots+\frac{v_n}{R1_n}\right)\cdot R2$$

あるいは，入力ごとに出力電圧を考え，後から合計する．

$$v_o=-\left(\frac{R2}{R1_1}\cdot v_1+\frac{R2}{R1_2}\cdot v_2+\cdots+\frac{R2}{R1_n}\cdot v_n\right)$$

- 各入力端子の入力インピーダンスは，それぞれの端子に接続されている $R1_i$ とほぼ等しい．

差動増幅回路 【33 回】 ★★

医用電子工学 第 2 版
p.118

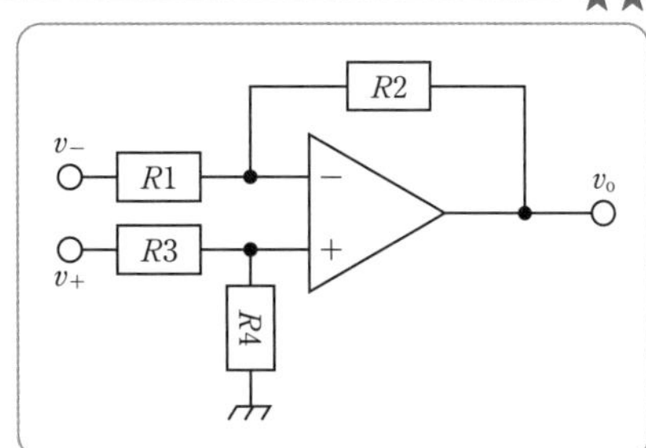

- v_+ と v_- の 2 つの入力端子を持ち，v_+ と v_- の差分を増幅する回路．
- 差動増幅回路は高い同相除去比（CMRR）を持っており，入力信号に混入した同相雑音の低減が期待できる．一般に $R3=R1$，$R4=R2$ とする．それによって CMRR を最大にできる．
- 電圧増幅率 $Av=\dfrac{R2}{R1}$
  - 入力電圧（v_+ と v_-）に対する出力電圧 v_o の関係は，

$$v_o=Av\cdot(v_+-v_-)=\frac{R2}{R1}\cdot(v_+-v_-)$$

差動増幅回路の電圧増幅率は，差動増幅度とも呼ばれる．

同相除去比（CMRR） 【37 回】 ★★

医用電子工学 第 2 版
p.101

- 差動増幅回路の 2 つの入力端子 v_+ と v_- の電圧差（差動入力）と出力電圧の倍率（比率）を差動増幅度という．
- 接地に対して，v_+ と v_- に同じ入力電圧（同相入力）を与えた（v_+ と v_- が同電位になる）とき，入力電圧と出力電圧の倍率（比率）を同相増幅度という．
- 差動増幅度と同相増幅度の比を同相除去比または同相弁別比（CMRR）と呼び，次式で示される．

$$\text{CMRR(倍)}=\frac{\text{差動増幅度}}{\text{同相増幅度}}=\frac{\dfrac{\text{差動出力}}{\text{差動入力}}}{\dfrac{\text{同相出力}}{\text{同相入力}}}$$

- CMRR はデシベル（dB）で表すことが多く，次式で求められる．

$$\text{CMRR(dB)}=20\log_{10}\frac{\text{差動増幅度}}{\text{同相増幅度}}=20\log_{10}\frac{\dfrac{\text{差動出力}}{\text{差動入力}}}{\dfrac{\text{同相出力}}{\text{同相入力}}}=20\log_{10}\frac{\text{差動出力}}{\text{差動入力}}-20\log_{10}\frac{\text{同相出力}}{\text{同相入力}}$$

$$=\text{差動利得(dB)}-\text{同相利得(dB)}$$

- 差動増幅度と同相増幅度が利得（dB）として表されていれば，CMRR（dB）＝差動利得（dB）－同相利得（dB）となる（同相出力は同相入力よりも小さくなるので，dB 表記された同相利得は負の値であることに注意）．
- CMRR の値が大きいほど同相雑音（コモンモードノイズ）を抑制する能力が高く，微小信号の増幅に適している．生体計測では 60 dB 以上の CMRR が求められる．
- 特に CMRR が大きくなるよう設計された増幅回路を，計装アンプ（インスツルメンテーション・アンプ）という．生体計測機器には計装アンプが用いられる．

増幅度（倍）と利得（dB）の換算

- 本来，電圧増幅度 A_v から利得への換算は，対数式 $\mathrm{dB}=20\log_{10}A_v$ と $\log_{10}2=0.3$ を用いる．
- しかし，国試で取り上げられる増幅度または dB 値に限れば，対数式を使わなくても換算が可能である．
  - そのために，電圧増幅度と dB 値の関係を次の 3 つだけ利用する．
    2 倍 ⇔ 6 dB　　5 倍 ⇔ 14 dB　　10 倍 ⇔ 20 dB
- 電圧増幅度は掛け算で組み合わせることができ，dB 値は足し算で組み合わせることができる．
  - 例えば，400 倍が何 dB に相当するか考えてみよう．はじめに，400 倍を上に示した倍数の積に分解してみる．
    400 倍 ＝ 2 倍 × 2 倍 × 10 倍 × 10 倍となるので，各倍数を dB 値に置き換えると，
    6 dB ＋ 6 dB ＋20 dB＋20 dB＝52 dB　となる．
  - 逆に，48 dB が何倍に相当するかを考える．はじめに，48 dB を上に示した dB 値の和に分解してみる．
    48 dB＝20 dB＋14 dB＋14 dB　となるので，各 dB 値を倍数に置き換えると，
    10 倍 × 5 倍 × 5 倍 ＝ 250 倍となる．
  - 電力増幅度の場合には，dB 値を半分にした次の 3 つだけ利用すればよい．
    2 倍 ⇔ 3 dB　　5 倍 ⇔ 7 dB　　10 倍 ⇔ 10 dB

国試　【30P54】

図の増幅回路全体の増幅度は 54 dB である．抵抗 R[kΩ] はどれか．ただし，A は理想演算増幅器とし，log 2 を 0.3 とする．

1.　5　　2.　10　　3.　50
4.　100　　5.　500

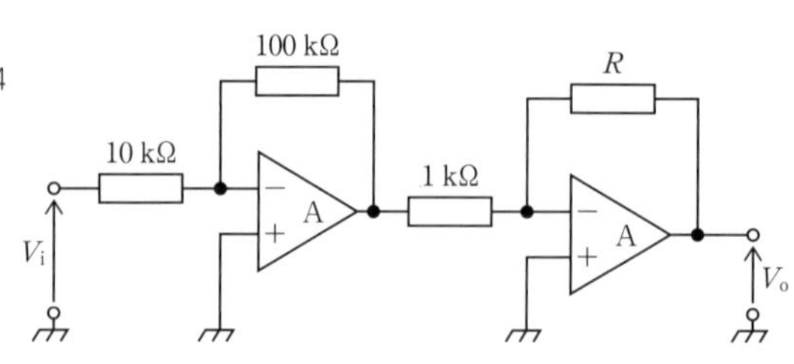

解答

まず，54 dB が何倍の電圧増幅度に相当するか調べる．

54 dB ＝ 20 dB ＋ 20 dB ＋ 14 dB となるので，倍数に置き換えると，

10 倍 × 10 倍 × 5 倍 ＝ 500 倍となる．

図の回路は前段・後段ともに反転増幅回路で，前段の電圧増幅度は 10 倍になる（符号は省略）．回路全体で電圧増幅度が 500 倍になればよいので，後段の電圧増幅度は 50 倍でよい．したがって，抵抗 R は 50 kΩ となる．

国試 【32P54】

図のように接続された 2 つの増幅器において，A2 の増幅度が 34 dB であるとき，V_1 [mV] はどれか．

ただし，log 2＝0.3 とする．

V_i＝0.1 mV → A1 → V_1 → A2 → V_o＝1 V

1．2　2．5　3．20
4．50　5．200

まず，A2 の増幅度 34 dB が何倍の電圧増幅度に相当するか調べる．

34 dB ＝ 20 dB ＋ 14 dB　となるので，倍数に置き換えると，

10 倍 × 5 倍 ＝ 50 倍　となる．

図から，V_1 を 50 倍した結果が 1 V になっているのだから，V_1＝1[V]÷50＝0.02V＝20 mV となる．

国試 【31P55】

差動増幅器の入力端子に振幅 0.5 mV の逆相信号と振幅 1 V の同相信号が入力された．出力では逆相信号が 1 V に増幅され，同相信号が 10 mV に減衰した．

この差動増幅器の同相除去比（CMRR）[dB] はどれか．ただし，log 2 は 0.3 とする．

1．66　2．86　3．92　4．96　5．106

解答

与えられた情報を図にまとめてみる．中央の四角形は増幅器を表しており，左が入力，右が出力である．

上段には逆相（差動）入出力，下段には同相入出力の値を示し，入出力で何倍の違いがあるかを求める．同相出力は必ず小さくなるが，1/100 倍，0.01 倍とする必要はない．

求めた倍率をそれぞれ dB 値（利得）に換算する．逆相（差動）出力は大きくなるので＋，同相出力は小さくなるのでーの符号を付けて書き写す．

このとき，逆相（差動）利得と同相利得の差が同相除去比（CMRR）になるので，答は 106 dB

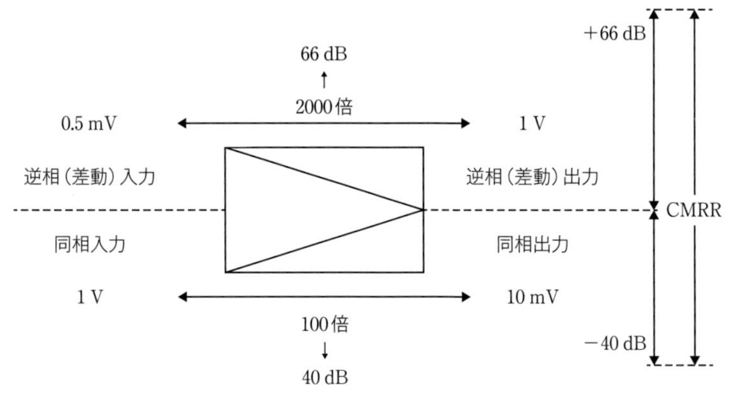

医用電子工学 第2版
p.112

○応用電子回路

積分回路 ★

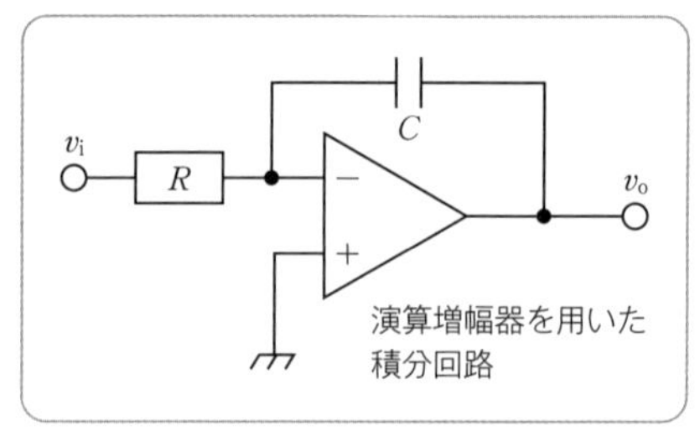

- 入力信号の積分値を出力する回路.
- 入力電圧 v_i に対する出力電圧 v_o の関係は,
  $v_o=-\frac{1}{CR}\int v_i dt$ となる.
  反転入力なので，入力電圧が負のとき出力電圧は増加し，入力電圧が正のとき出力電圧は減少する．また，入力電圧が一定であるときには，出力電圧は時間に比例し，直線的に増減する.
- すべての周波数域で積分特性を示す.
- 下の回路のように，C に抵抗 R_2 を並列に接続すると CR 積分回路と同等の周波数特性や位相特性を持ち，低域通過フィルタとして利用できる.
- 遮断周波数 f_c は $f_c=\frac{1}{2\pi CR_2}$ となる.

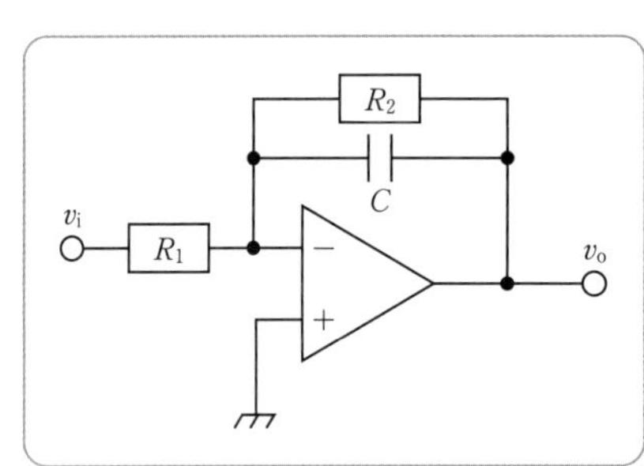

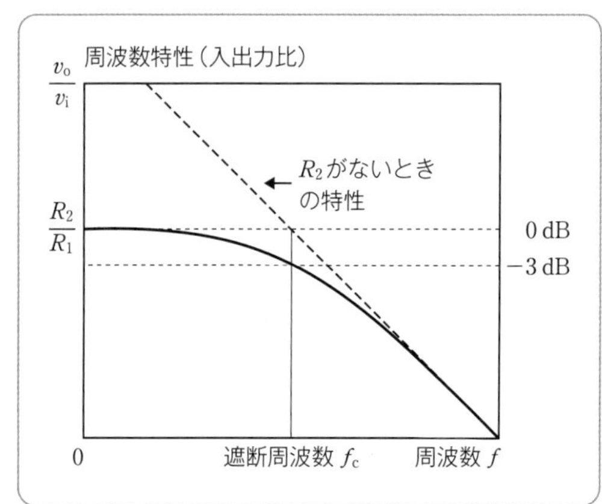

- 入力インピーダンスは R_1 とほぼ等しく，周波数に依存しない（CR 積分回路では周波数によって入力インピーダンスが変化する）.
- C に抵抗 R_2 が並列に接続された積分回路では，遮断周波数よりも十分に高い周波数領域（遮断域）で強い積分特性を示す.
- パルス応答も CR 積分回路と同等となる．このときの時定数 τ は $\tau=CR_2$ である.

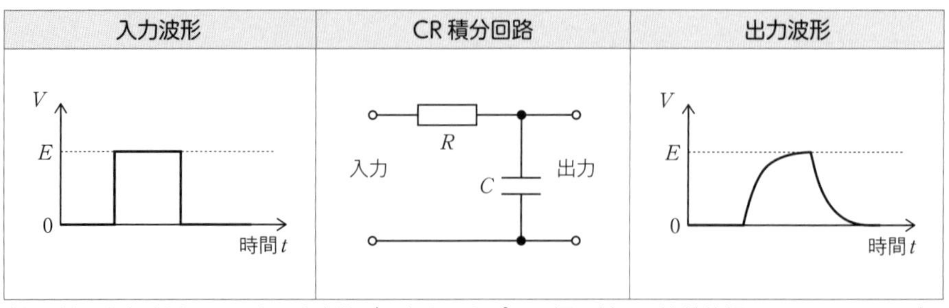

（上の例の出力波形は，回路の時定数が入力されたパルス幅に対して比較的短いものとしている）

微分回路 【33 回】【37 回】 ★★

医用電子工学 第 2 版
p.115

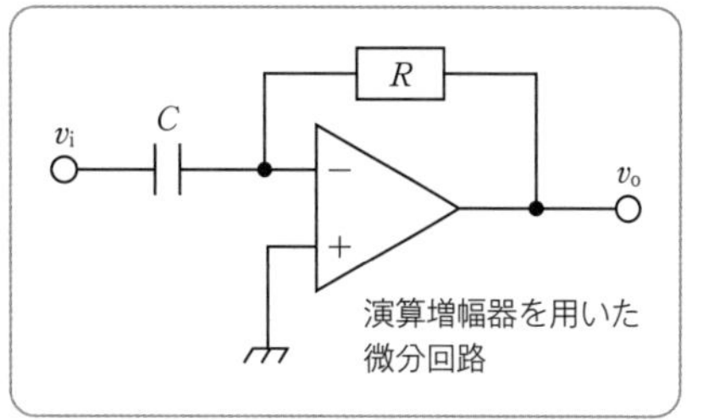

- 入力信号の微分値を出力する回路.
- 入力電圧 v_i に対する出力電圧 v_o の関係は,
  $v_o=-CR\dfrac{dv_i}{dt}$ となる.
  $\dfrac{dv_i}{dt}$ は入力電圧の時間変化率である.
  反転入力なので,時間変化率が負のとき(入力電圧が減少するとき)出力電圧は正の値,時間変化率が正のとき(入力電圧が増加するとき)出力電圧は負の値となる.
  また,時間変化率が一定であれば,出力電圧が一定の値となる.
- すべての周波数域で微分特性を示す.
- 下の回路のように,C に抵抗 R_1 を直列に接続すると,CR 微分回路と同等の周波数特性や位相特性を持ち,高域通過フィルタとして利用できる.

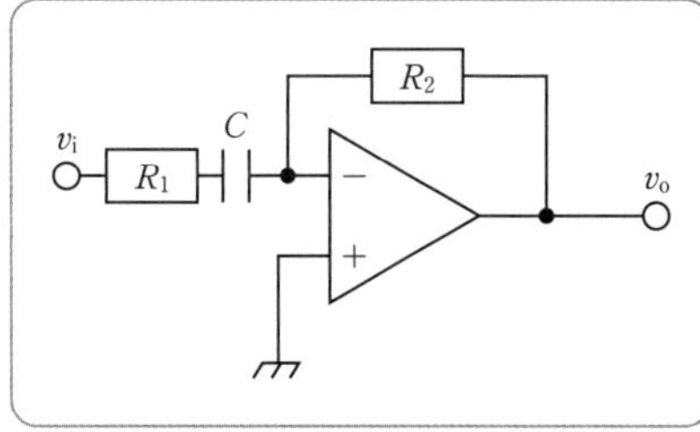

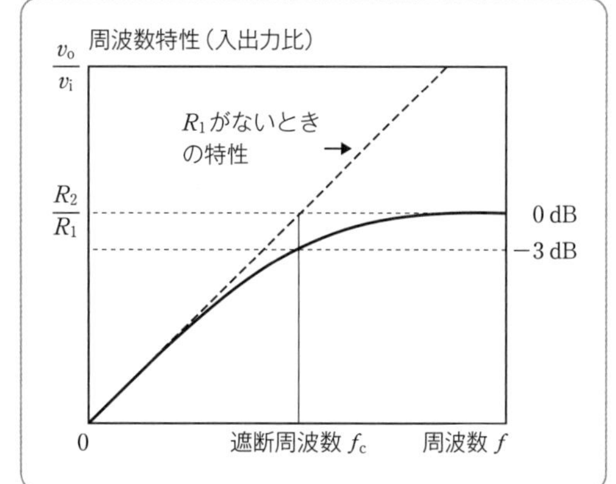

- 遮断周波数 f_c は $f_c=\dfrac{1}{2\pi CR_1}$ となる.
- 入力インピーダンスは,CR 微分回路と同様に R_1 と C のリアクタンスで決まる.
  虚数単位 j を用いて $R_1+\dfrac{1}{\omega Cj}=R_1+\dfrac{1}{2\pi fCj}$
  絶対値(大きさ)を求めるならば,$\sqrt{R_1{}^2+X_C{}^2}=\sqrt{R_1{}^2+\left(\dfrac{1}{\omega C}\right)^2}=\sqrt{R_1{}^2+\left(\dfrac{1}{2\pi fC}\right)^2}$ となり,入力インピーダンスが周波数によって変化することが示される.周波数が遮断周波数よりも高くなると入力インピーダンスは R_1 に近づき,周波数が低いほど入力インピーダンスは大きくなる.
- C と抵抗 R_1 が直列に接続された微分回路では,遮断周波数よりも十分に低い周波数領域(遮断域)で強い微分特性を示す.
- またパルス応答も CR 微分回路と同等となる.このときの時定数 τ は $\tau=CR_1$ である.

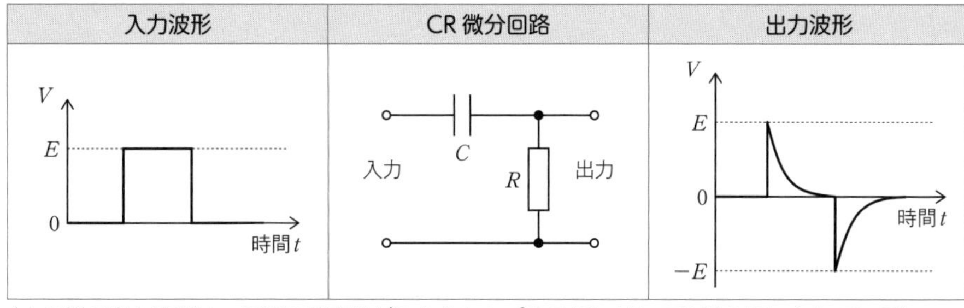

(上の例の出力波形は,回路の時定数が入力されたパルス幅に対して比較的短いとしている)

波形整形回路　【33 回】 ★★

医用電子工学　第 2 版
p.36

〈クリッパ回路〉

➲順方向ダイオードクリッパ回路：入力波形から基準値（E）以上の部分を取り出す回路

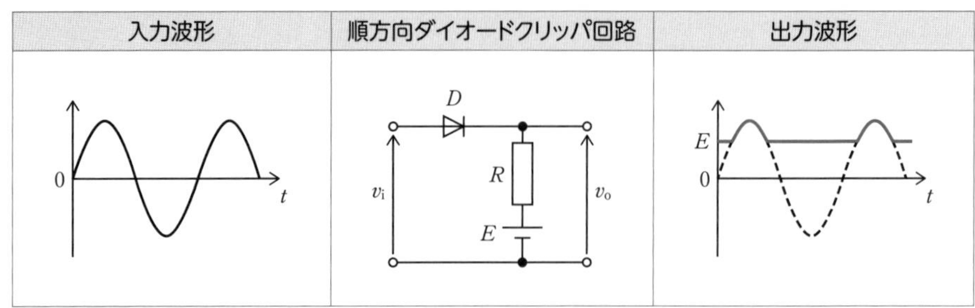

➲逆方向ダイオードクリッパ回路：入力波形から基準値（E）以下の部分を取り出す回路

入力波形	逆方向ダイオードクリッパ回路	出力波形
0, t	D, R, E, v_i, v_o	E, 0, t

医用電子工学　第 2 版
p.34

〈リミッタ回路〉

➲入力波形から基準範囲（$-E_2 \sim +E_1$）以外部分を除去する回路

入力波形	リミッタ回路	出力波形
0, t	R, D_1, D_2, E_1, E_2, v_i, v_o	E_1, 0, $-E_2$, t

〈スライサ回路〉

➲2 つの電池の向きを同じにしたリミッタ回路はスライサ回路と呼ばれる．入力波形から狭い範囲内（$E_1 \sim E_2$）以外の部分を除去する回路

入力波形	スライサ回路	出力波形
0, t	R, D_1, D_2, E_1, E_2, v_i, v_o	E_2, E_1, 0, t

発振回路

医用電子工学　第2版
p.192

➲持続的に交流信号を発生させるための回路.
- 正帰還を利用した帰還型と電流の ON・OFF を制御する弛張型に大別されるが，国試では帰還型について問われる.

➲帰還型発振回路には次のようなものがある.
- CR 発振回路：CR 回路を用いた帰還を行う回路で正弦波を発生する．低周波発振に向いている.
- LC 反結合発振回路（LC 発振回路）：LC 回路を用いた帰還を行う回路で正弦波を発生する．高周波発振に向いている.
- 非安定マルチバイブレータ：パルス波を発生する．コンデンサと抵抗器を外部に接続し，その時定数で発振周波数が決まる.
- 水晶発振回路：NOT 論理回路と水晶発振子で閉回路を作ると，水晶発振子の共振周波数で強く発振し，パルス波を発生する．水晶発振子の代わりに圧電素子（ピエゾ素子）やセラミック発振子を使用することもできる.

コンパレータ

医用電子工学　第2版
p.122

➲2 つの電圧または電流を比較し，どちらが大きいかで出力が切り替わる素子である.

➲通常コンパレータにも演算増幅器を使用する．コンパレータがどのような目的で利用されるかを知っておけばよい.

○計測回路

計装増幅回路

➲差動増幅回路を発展させたもので，計装アンプとも呼ばれる.

➲差動増幅回路よりも入力インピーダンスが高いなど，様々な特性に優れている.

➲実際の医療機器では，圧力センサやストレインゲージの微小な信号変化の増幅に使われている.

電流電圧変換回路

➲起電力を生じるセンサもあるが，フォトダイオードのように電流出力するものも少なくない．演算増幅器は電圧の増幅を目的としているので，フォトダイオードのように電流変化を電圧変化に置き換える必要がある．そのために使用されるのが電流電圧変換回路である.

➲最も簡単な例を右図に示す．フォトダイオード（PD）は，受光すると，カソードからアノードに向かって逆方向電流 i を流出する．このとき抵抗 R の両端には $i \cdot R$ の電位差が生じて，出力電圧 $v_o = i \cdot R$ が得られる.

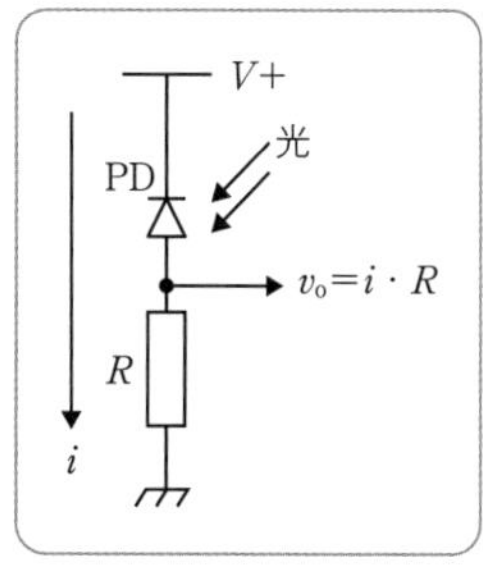

臨床工学技士国家試験問題

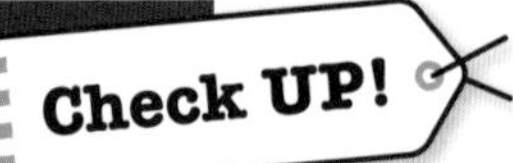

問題 1 □□□

27P56

図のような 2 段構成の増幅器の入力に v_iに振幅 1 mV の信号を入力したところ出力 v_0の振幅は 1 V であった．増幅器 1 の増幅度が 26 dB であるとき，増幅器 2 の増幅度［dB］はどれか．

1. 14
2. 20
3. 34
4. 46
5. 50

問題 2 □□□

32P54

図のように接続された 2 つの増幅器において，A2 の増幅度が 34 dB であるとき，V_1［mV］はどれか．ただし，$\log_{10} 2=0.3$ とする．

1. 2
2. 5
3. 20
4. 50
5. 200

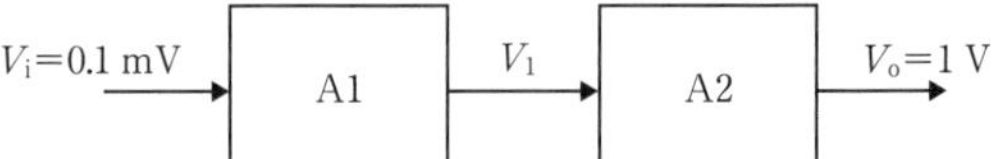

問題 3 □□□

32A54

信号源の電圧 V_bを図の増幅回路（増幅度 K）で計測する．出力 $V_0 \fallingdotseq K \cdot V_b$となる条件はどれか．ただし，増幅回路の入力抵抗を R_{in}，信号源の内部抵抗を R_b，リード線の抵抗を R_eとする．

1. $R_{in} \ll (R_b + R_e)$
2. $R_{in} = (R_b + R_e)$
3. $R_{in} \gg (R_b + R_e)$
4. $R_b \gg (R_{in} + R_e)$
5. $R_e \gg (R_{in} + R_b)$

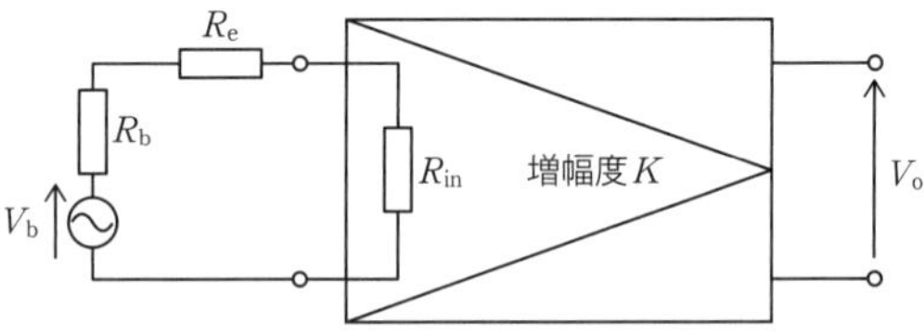

問題 4 □□□

33A52

理想演算増幅器について正しいのはどれか．

a．周波数帯域幅は無限大である．
b．出力インピーダンスは無限大である．
c．同相除去比（CMRR）はゼロである．
d．入力端子に流れ込む電流はゼロである．
e．スルーレートは無限大である．

1. a, b, c　2. a, b, e　3. a, d, e　4. b, c, d　5. c, d, e

問題 5 □□□ 31A54

図の回路の電圧増幅度を 20 dB とするとき，抵抗 R に流れる電流 I［mA］はどれか．ただし，A は理想演算増幅器とする．

1. 0.01
2. 0.1
3. 1
4. 10
5. 100

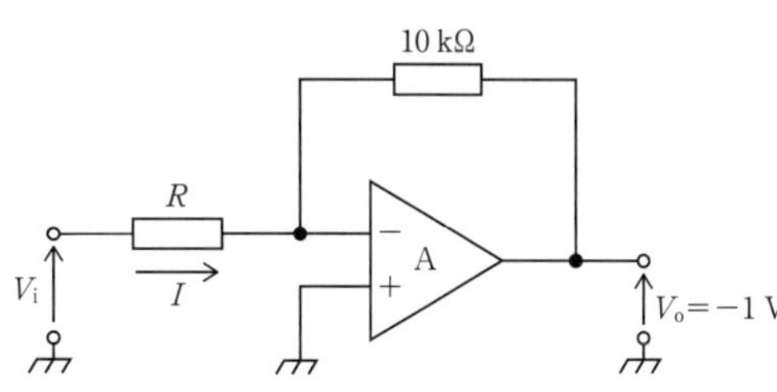

問題 6 □□□ 36A53

図の回路全体の増幅値は 26 dB である．抵抗値 R［kΩ］はどれか．ただし，A は理想演算増幅器とし，$\log_{10} 2=0.3$ とする．

1. 5
2. 16
3. 20
4. 30
5. 100

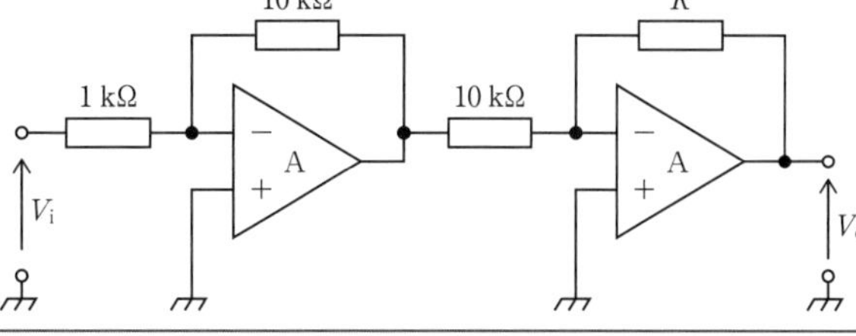

問題 7 □□□ 35P53

図の回路について誤っているのはどれか．ただし，A は理想演算増幅器とする．

1. R_i と R_f が等しいとき，増幅度の絶対値は 1 である．
2. R_i に流れる電流と R_f に流れる電流の大きさは等しい．
3. V_i と V_o の極性は反対である．
4. p 点の電は 0 V である．
5. 入力インピーダンスは無限大である．

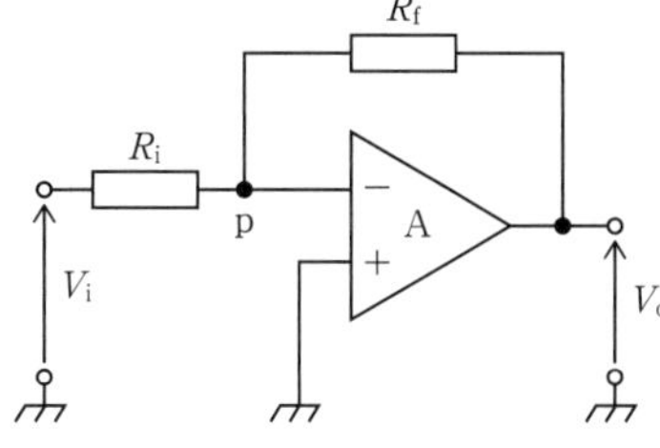

問題 8 □□□ 30A54

図の回路について，正しいのはどれか．ただし，A は理想演算増幅器とする．

a．反転増幅回路である．
b．入力抵抗は R_S である．
c．二つの抵抗に流れる電流は等しい．
d．V_S は V_i に等しい．
e．R_S を無限大にすると $|V_i|=|V_o|$ になる．

1. a, b, c　2. a, b, e　3. a, d, e
4. b, c, d　5. c, d, e

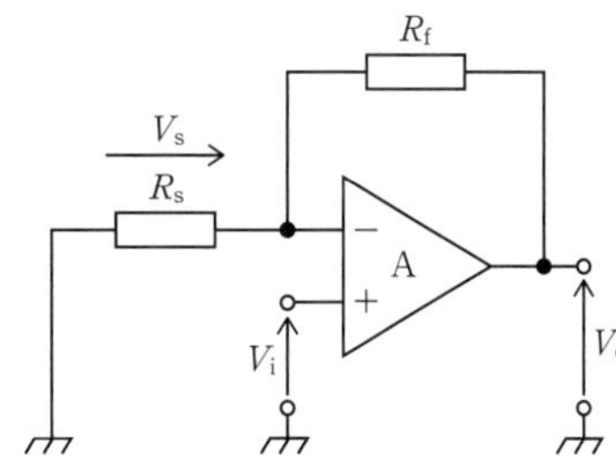

問題 9 □□□

29A52

図の回路で 20 kΩの抵抗にかかる電圧が 2 V のとき，V_iと V_oの値で正しいのはどれか．ただし，A は理想演算増幅器とする．

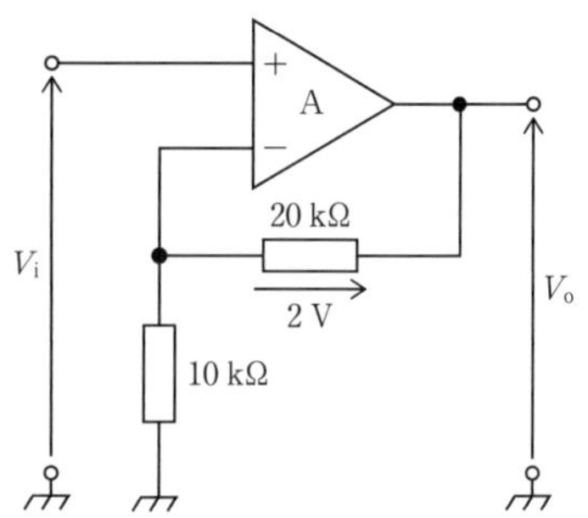

1. $V_i=1$ V，$V_0=2$ V
2. $V_i=1$ V，$V_0=3$ V
3. $V_i=2$ V，$V_0=3$ V
4. $V_i=2$ V，$V_0=6$ V
5. $V_i=3$ V，$V_0=1$ V

問題 10 □□□

33A54

図の増幅回路全体の増幅度は 52 dB である．抵抗 R_2 [kΩ] はどれか．ただし，A は理想演算増幅器とし，抵抗 $R_1=1$ kΩ，$\log_{10}2$ を 0.3 とする．

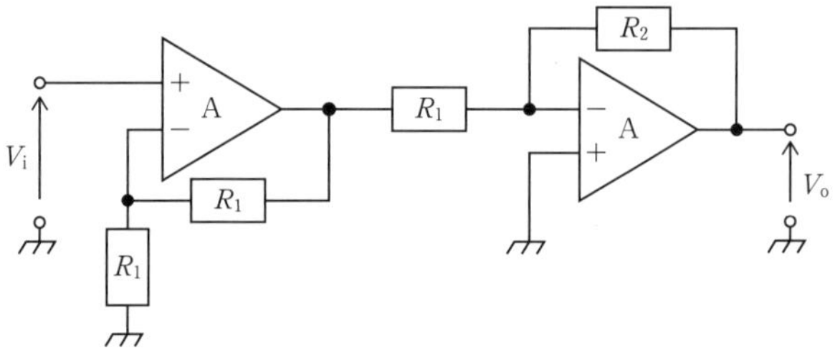

1. 20
2. 40
3. 100
4. 200
5. 400

問題 11 □□□

35A53

図の回路において，$V_i=1.0$ V のとき，抵抗 R に流れる電流は 10 μA であった．この回路の利得 [dB] はどれか．ただし，A は理想演算増幅器とし，$\log_{10}2=0.3$ とする．

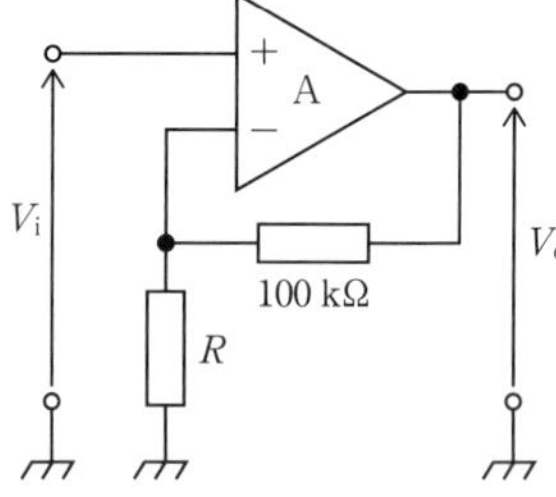

1. 0
2. 6
3. 12
4. 26
5. 40

問題 12 □□□

36P53

図の回路で V_i が 1 V のとき，I [mA] はどれか．
ただし，A は理想演算増幅器とする．

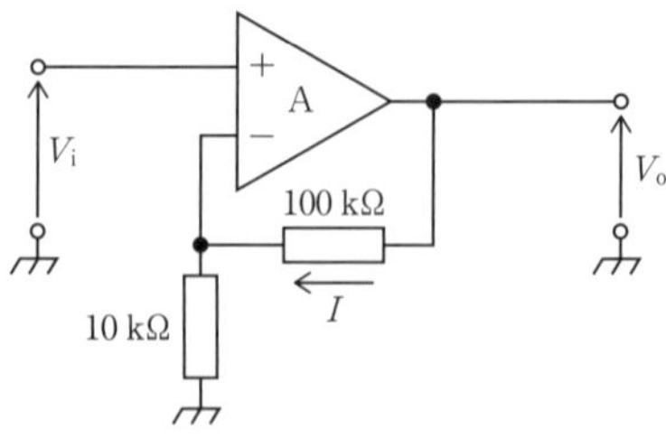

1. 0.01
2. 0.1
3. 1
4. 10
5. 100

問題 13 □□□

37P51

図の回路について V_0 [V] はどれか．
ただし，A は理想演算増幅器とする．

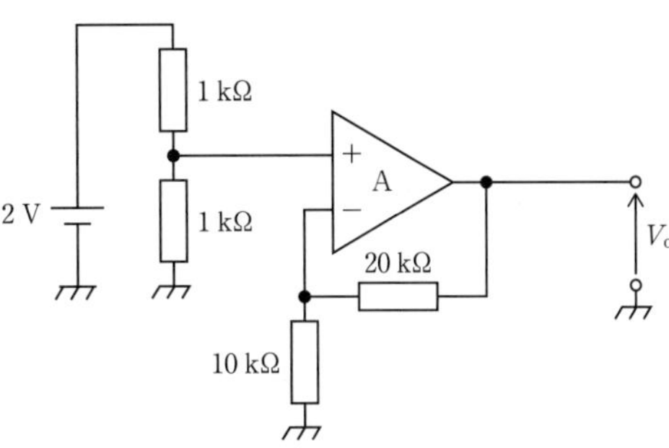

1. 1
2. 2
3. 3
4. 4
5. 5

問題 14 □□□

34A54

図の回路の電圧利得が 20 dB であるとき，R [kΩ] はどれか．ただし，A は理想演算増幅器とする．

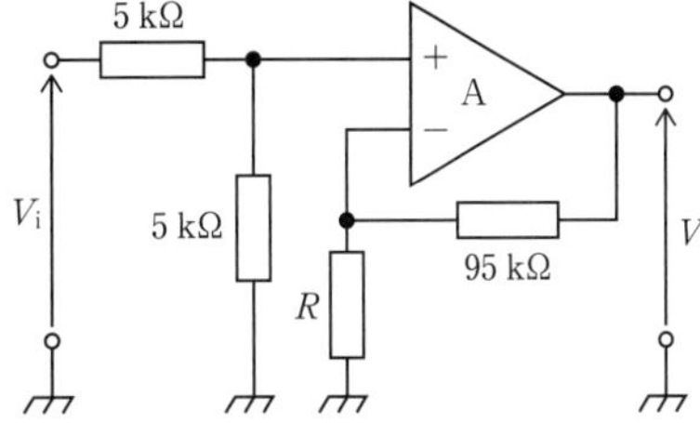

1. 1
2. 2
3. 5
4. 7
5. 10

問題 15 □□□

34P53

図の回路において V_i に 3 V を入力したときの V_o [V] はどれか．ただし，A は理想演算増幅器とする．

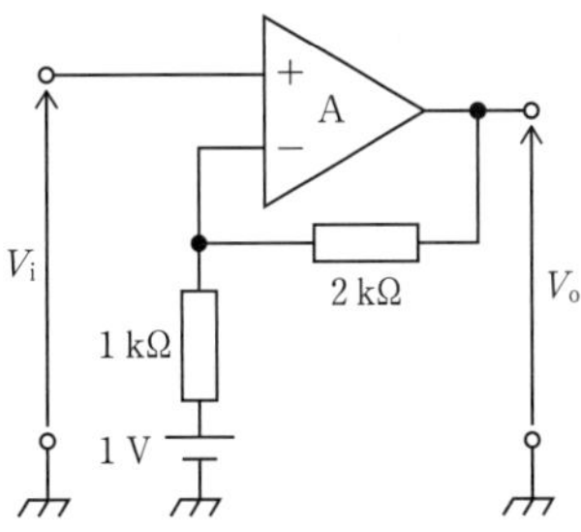

1. 1
2. 3
3. 5
4. 7
5. 9

問題 16 □□□

35A54

図のボルテージフォロワ回路の特徴で正しいのはどれか．ただし，A は理想演算増幅器とする．

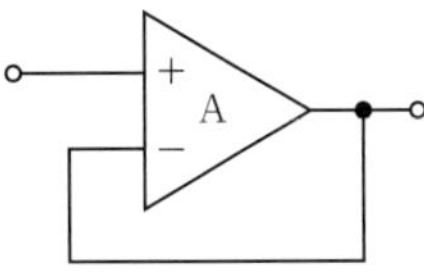

a．入力抵抗は無限大である．
b．出力抵抗はゼロである．
c．バーチャルショートが成立する．
d．利得は無限大である．
e．反転増幅回路の一種である．

1. a，b，c　2. a，b，e　3. a，d，e
4. b，c，d　5. c，d，e

問題 17 □□□

37A55

図の回路で入力波形と出力波形の組合せで正しいのはどれか.
ただし，A は理想演算増幅器で，入出力波形の図は同一スケールとする.

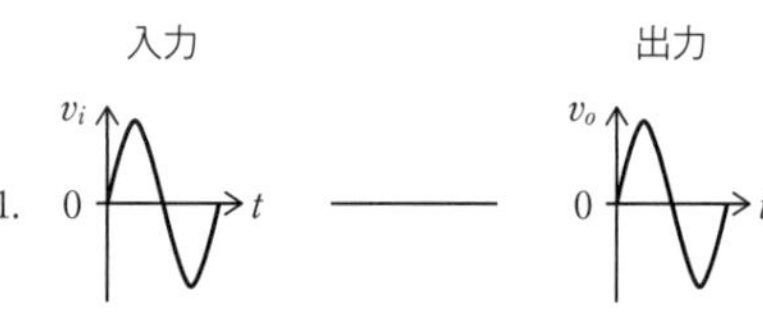

5.

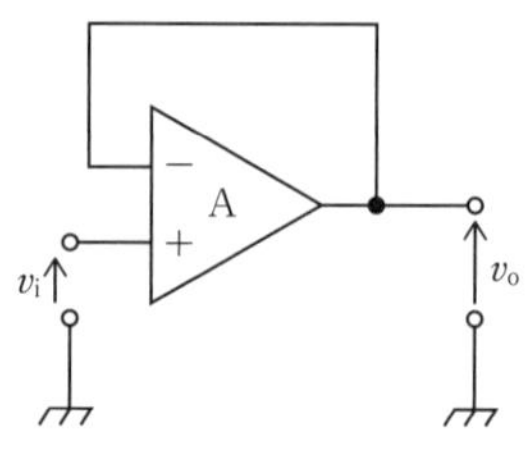

問題 18 □□□

37P53

図の回路で $V_0=-12V$ のとき，R［kΩ］はどれか.
ただし，A は理想演算増幅器とする.

1. 2
2. 4
3. 6
4. 8
5. 12

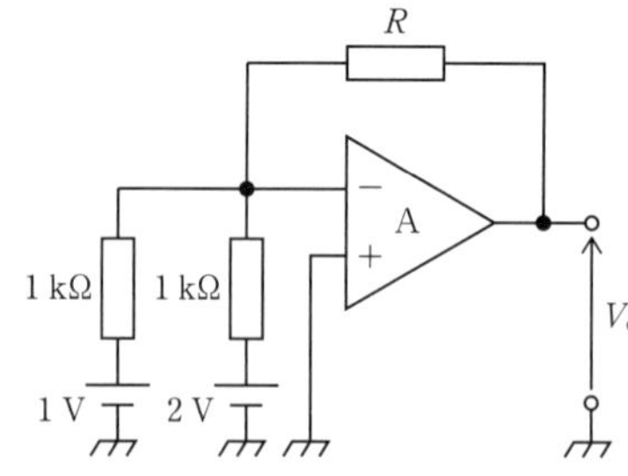

問題 19 □□□

35A55

図の回路の V_i に 5 V を入力したとき，V_o［V］はどれか．ただし，A は理想演算増幅器とする.

1. −14
2. −7
3. 0
4. 7
5. 14

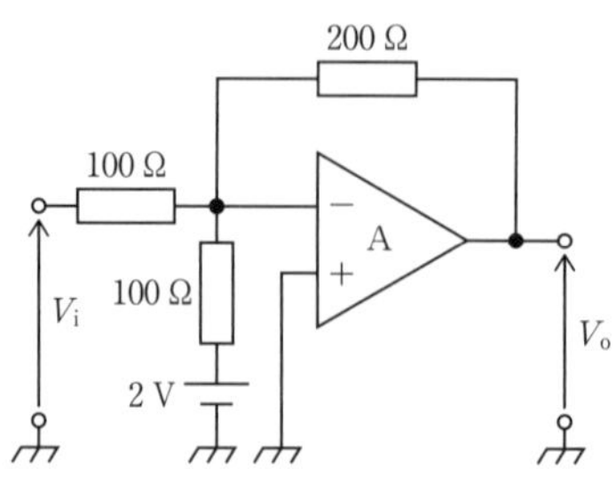

問題 20 □□□

32P55

図の回路の V_i［V］はどれか．ただし，A は理想演算増幅器とする．

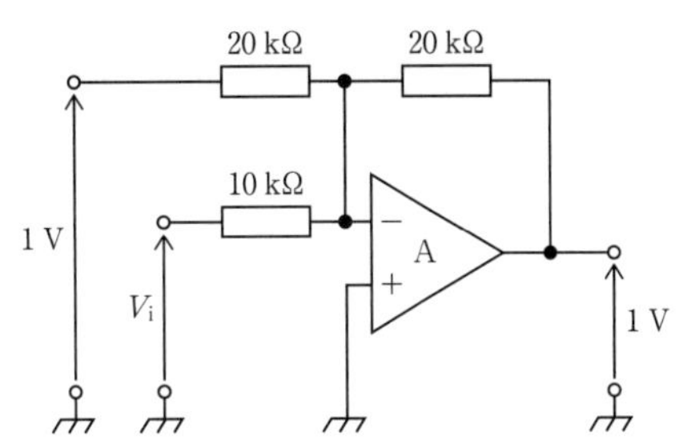

1. −2
2. −1
3. 0
4. 1
5. 2

問題 21 □□□

31P54

図の回路のスイッチが，$b_0=1$，$b_1=1$ のときの V_o はどれか．ただし，A は理想演算増幅器とする．

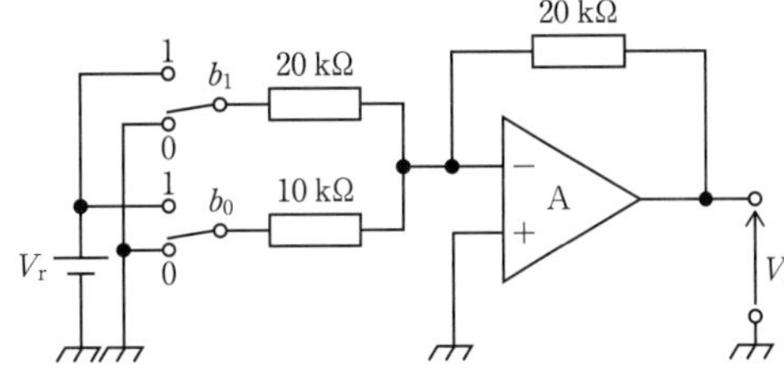

1. 0
2. $-V_r$
3. $-2\,V_r$
4. $-3\,V_r$
5. $-4\,V_r$

問題 22 □□□

34P52

図の回路の V_o が，$V_1=2$ V，$V_2=3$ V のときの V_o と同じになるのはどれか．ただし，A は理想演算増幅器とする．

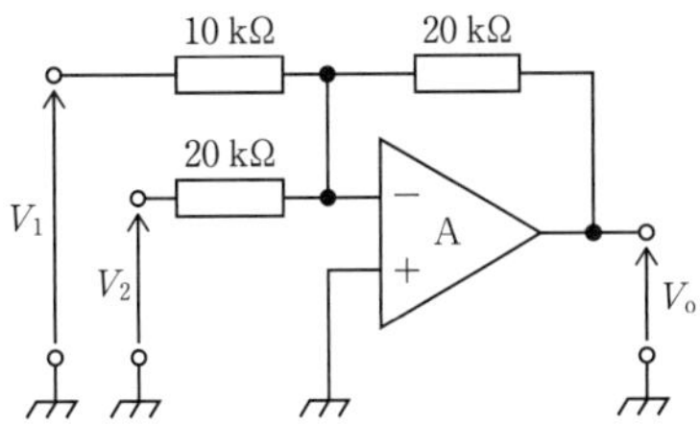

a．$V_1=5$ V　　$V_2=6$ V
b．$V_1=4$ V　　$V_2=-1$ V
c．$V_1=3$ V　　$V_2=1$ V
d．$V_1=-1$ V　　$V_2=0$ V
e．$V_1=1$ V　　$V_2=2$ V

1. a, b　2. a, e　3. b, c　4. c, d　5. d, e

問題 23 □□□

28P53

図の回路において出力電圧 v_o［V］はどれか．ただし，入力電圧 $v_1=20$ mV，$v_2=10$ mV，A は理想演算増幅器とする．

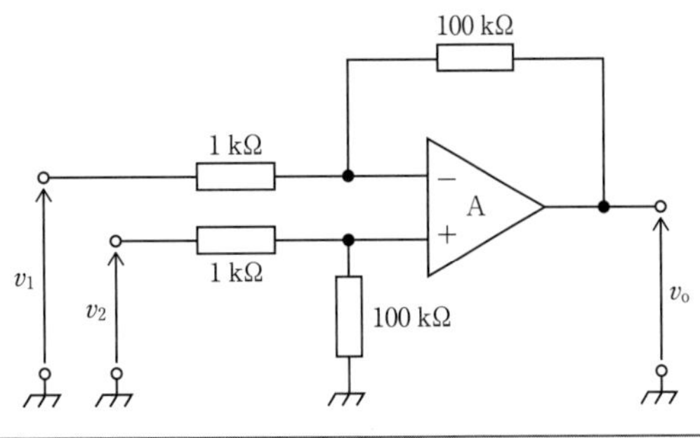

1. −10
2. −1
3. 1
4. 10
5. 100

問題 24 □□□

33A55

図の回路に電圧 $V_1 = -V_m \cdot \sin \omega t + 0.5$ [V] と $V_2 = V_m \cdot \sin \omega t + 0.5$ [V] を入力した．出力電圧 V_o [V] はどれか．ただし，A は理想演算増幅器とし，角周波数を ω，時間 t の単位を秒とする．

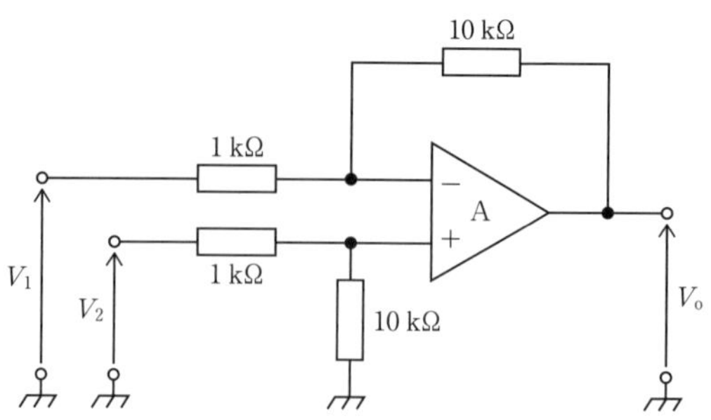

1. -10
2. 10
3. $-20\, V_m \cdot \sin \omega t$
4. $20\, V_m \cdot \sin \omega t$
5. $10\, V_m \cdot \sin \omega t$

問題 25 □□□

32A55

図 1 の回路において図 2 に示す電圧 V_1 と V_2 を入力した場合，出力電圧 V_o の波形で正しいのはどれか．ただし，A は理想演算増幅器とする．

1.
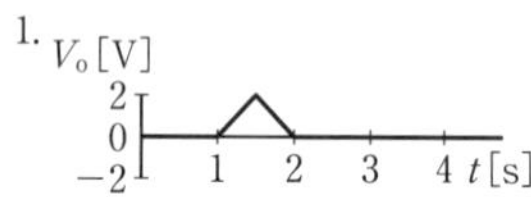

2.
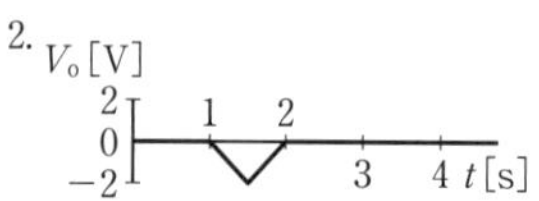

3.
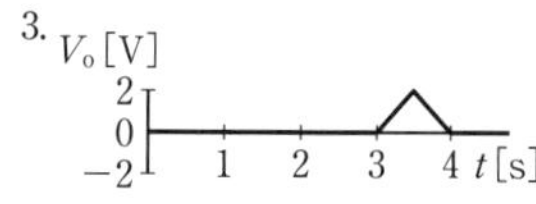

4.
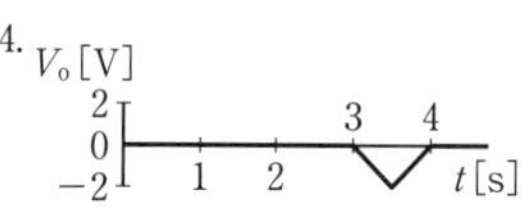

5.
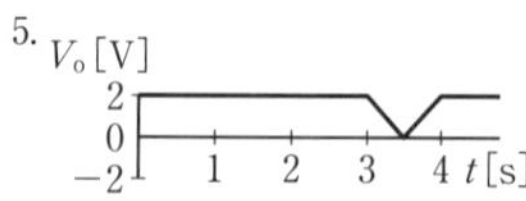

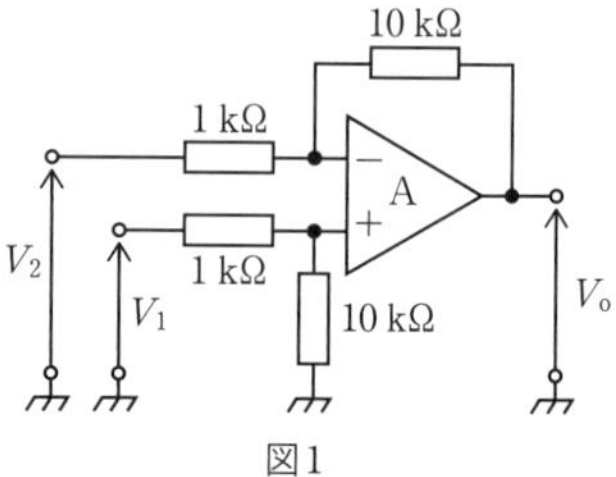

図1

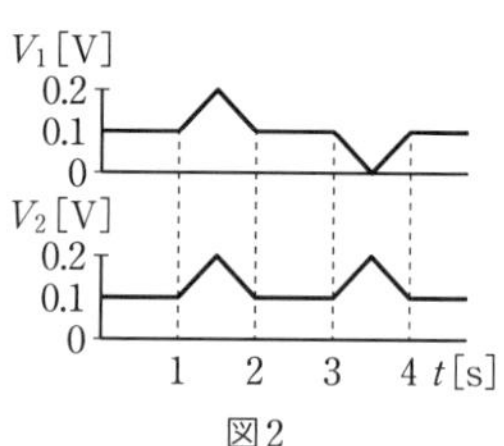

図2

問題 26 □□□

31P55

差動増幅器の入力端子に振幅 0.5 mV の逆相信号と振幅 1 V の同相信号が入力された．出力では逆相信号が 1 V に増幅され，同相信号が 10 mV に減衰した．この差動増幅器の同相除去比（CMRR）[dB] はどれか．ただし，$\log_{10}2$ は 0.3 とする．

1. 66
2. 86
3. 92
4. 96
5. 106

問題 27 □□□

37P54

差動増幅器の入力端子間に 2 mV を入力したとき，4 V の出力が得られた．この入力端子を短絡して，アースとの間に 1 V を入力したとき，200 mV の出力が得られた．この差動増幅器の同相除去比（CMRR）[dB] はどれか．

1. 20
2. 40
3. 60
4. 80
5. 100

問題 28 □□□ 30A55

同相除去比（CMRR）が 80 dB の差動増幅器の入力に，振幅 1 mV の逆相信号を入力したところ，出力において逆相信号の振幅は 1 V に増幅された．このとき，この増幅器の同相信号に対する利得［dB］はどれか．

1. −40
2. −20
3. 0
4. 20
5. 40

問題 29 □□□ 35P54

同相利得が −20 dB，同相除去比（CMRR）が 100 dB の差動増幅器の差動利得［dB］はどれか．

1. 60
2. 70
3. 80
4. 90
5. 100

問題 30 □□□ 36A54

v_i が微分されて v_o に出力される回路はどれか．

1.

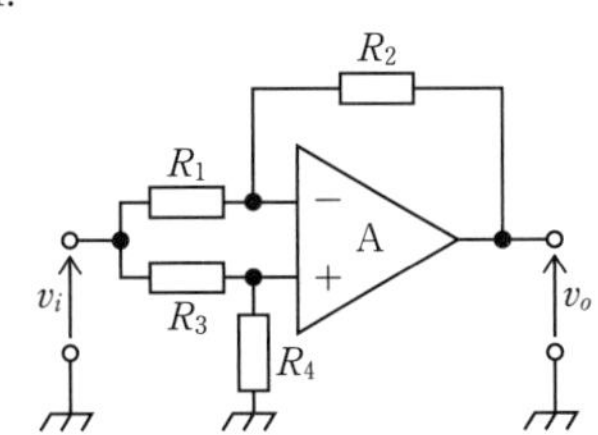

2.

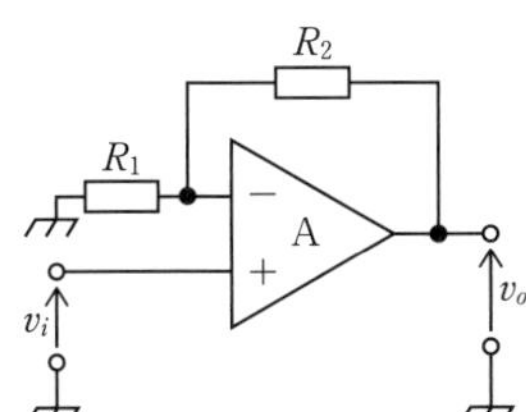

3.

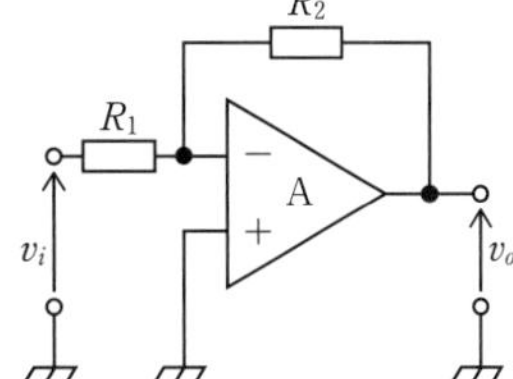

4.

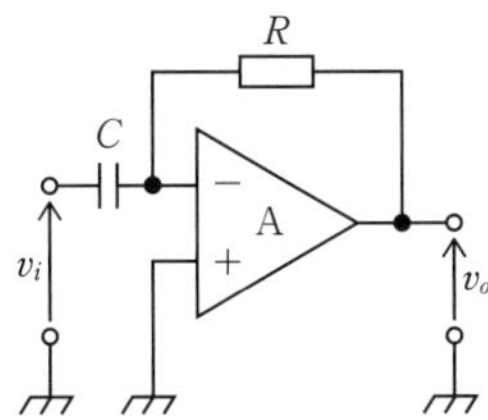

5.

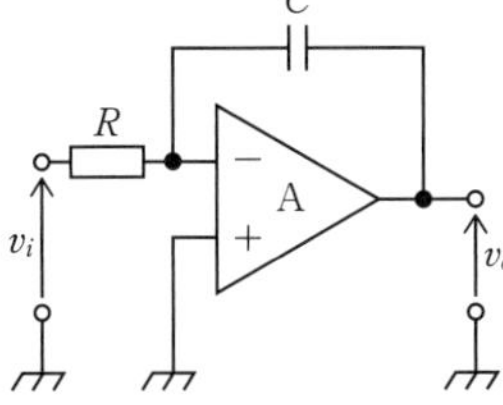

問題 31 □□□ 29A53

図の回路で入力電圧 V_i と出力電圧 V_o の関係を表す式はどれか．
ただし，A は理想演算増幅器とする．

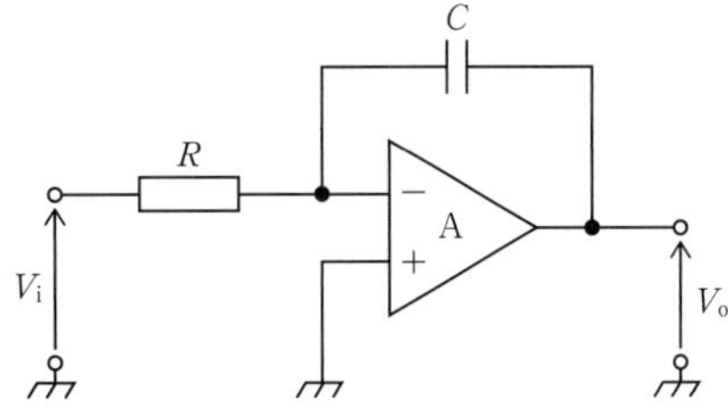

1. $V_o = -\frac{1}{CR}\int V_i dt$
2. $V_o = -CR\int V_i dt$
3. $V_o = -\frac{R}{C}\int V_i dt$
4. $V_o = -\frac{1}{CR}\frac{dV_i}{dt}$
5. $V_o = -CR\frac{dV_i}{dt}$

問題 32 □□□

26A52

図の回路において時刻 $t=0$ 秒でスイッチを閉じた．出力電圧 V_o の経過を表す式はどれか．ただし，コンデンサの初期電荷はゼロとし，A は理想演算増幅器とする．

1. $V_o=2t$
2. $V_o=-2t$
3. $V_o=0$
4. $V_o=\frac{1}{2}t$
5. $V_o=-\frac{1}{2}t$

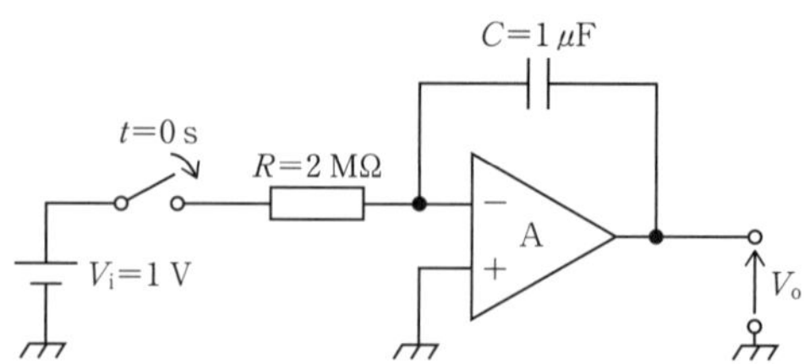

問題 33 □□□

30P55

図の回路について正しいのはどれか．ただし，A は理想演算増幅器とする．

a．遮断周波数は 5 Hz である．
b．通過域の増幅度は 20 dB である．
c．遮断周波数では V_i と V_o の位相差はゼロである．
d．入力インピーダンスは 10 kΩである．
e．直流は通過域に含まれる．

1. a, b　2. a, e　3. b, c　4. c, d　5. d, e

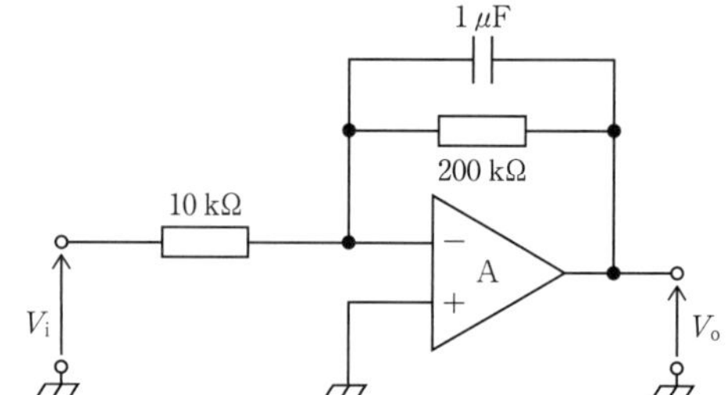

問題 34 □□□

28A56

図 1 の電圧 v_1 を図 2 の回路に入力したときの出力電圧 v_o の波形はどれか．ただし，A は理想演算増幅器とし，v_o の初期値は 0 V，$CR=1$ s とする．

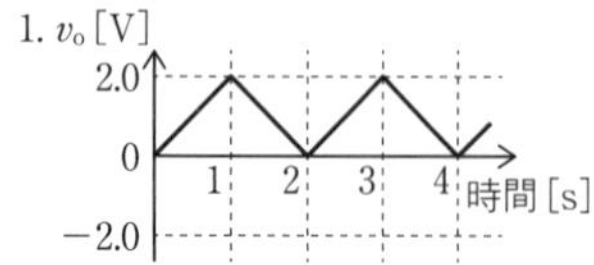

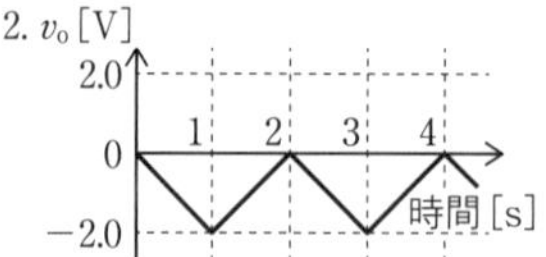

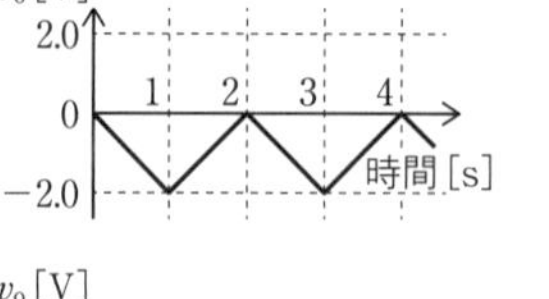

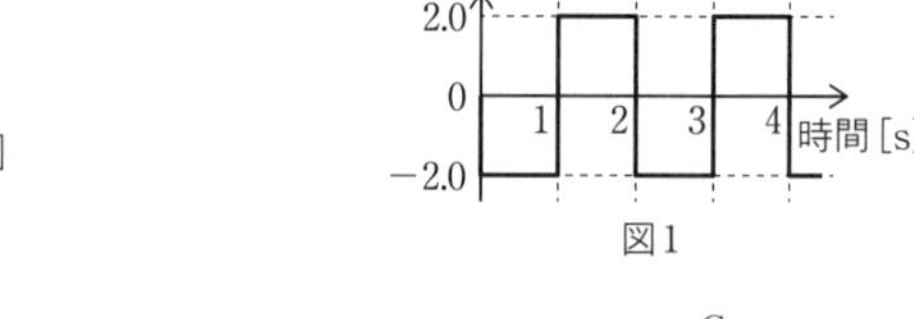

図1

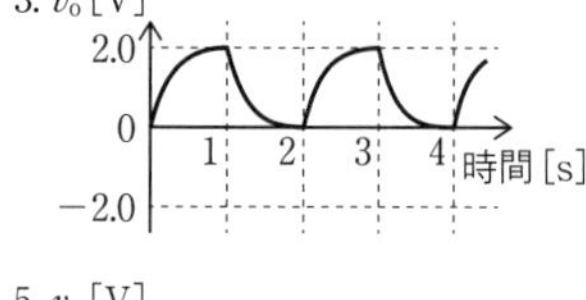

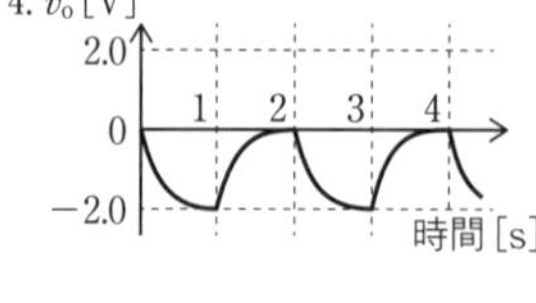

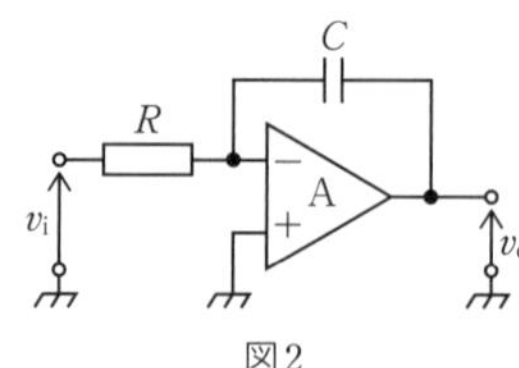

図2

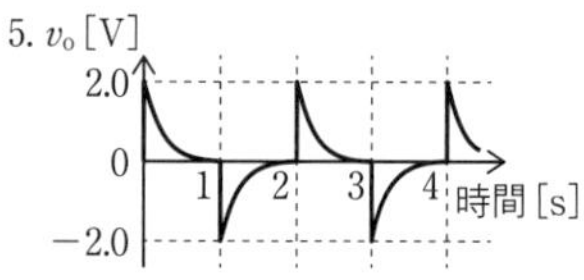

問題 35 □□□

35P52

図1の波形を図2の回路の v_i に加えたときの v_o はどれか.

1.
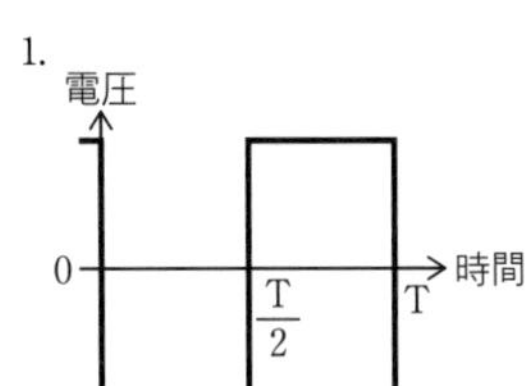

2.
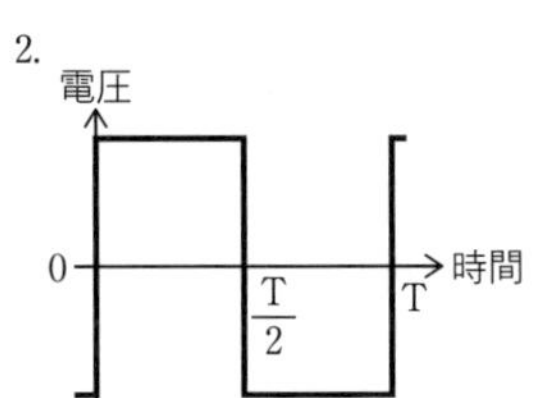

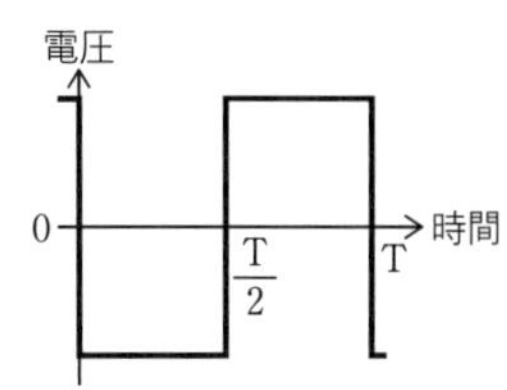

図1

3.
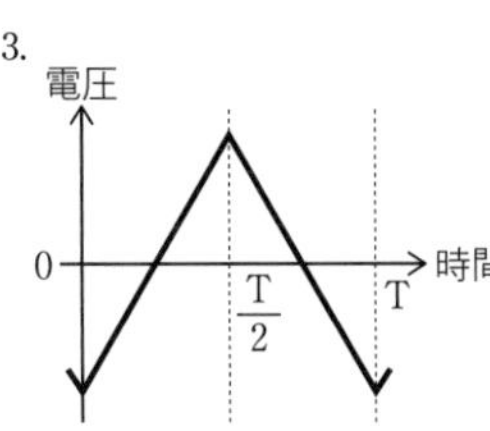

4.
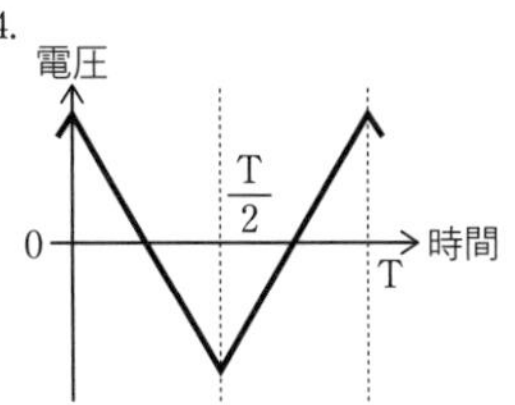

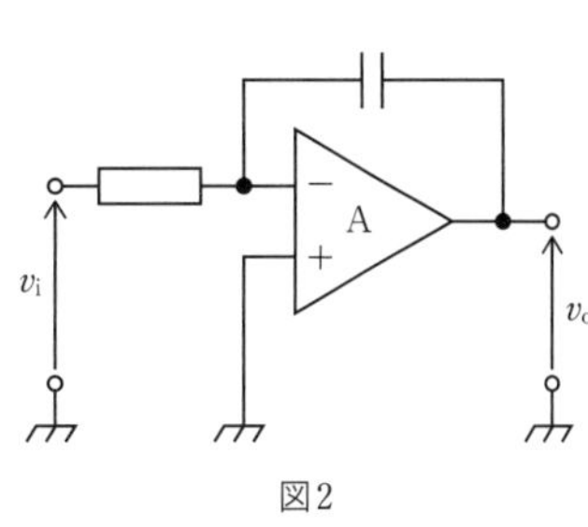

図2

5.
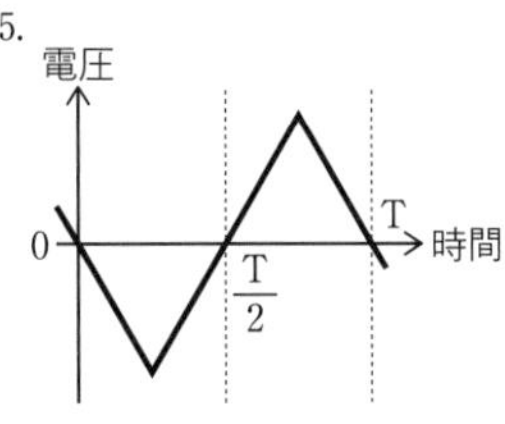

問題 36 □□□

34A55

図の回路について正しいのはどれか. ただし, A は理想演算増幅器とする.

1. 遮断周波数より十分に低い帯域では $V_o = -\frac{R_f}{R_i} V_i$ である.
2. 遮断周波数より十分に高い帯域では微分特性を有する.
3. 遮断周波数は $\frac{1}{2\pi \times R_i \times C_f}$ である.
4. 入力インピーダンスは無限大である.
5. 出力インピーダンスは無限大である.

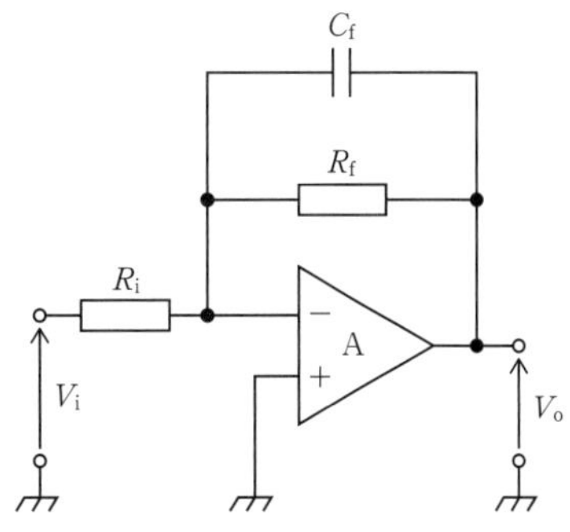

問題 37 □□□

33P52

図の回路の入力インピーダンスはどれか. ただし, A は理想演算増幅器とし, 角周波数を ω, 虚数単位を j とする.

1. R_1
2. $R_1 + R_2$
3. $\frac{1}{j\omega C}$
4. $R_1 + \frac{1}{j\omega C}$
5. $R_1 + R_2 + \frac{1}{j\omega C}$

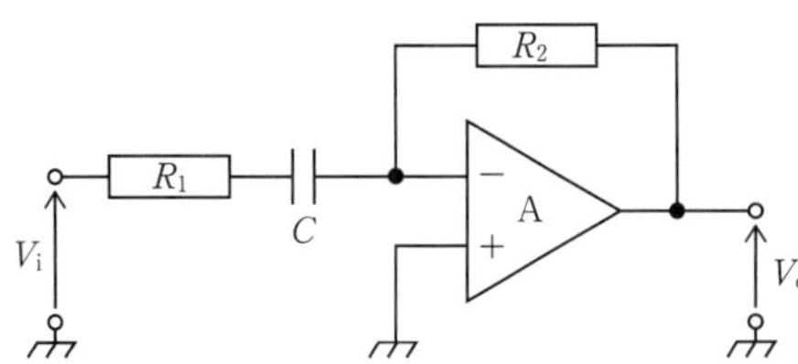

問題 38 □□□

21P16

図の回路において入力電圧 v_i と出力電圧 v_o の関係を表す式はどれか．ただし，A は理想演算増幅器とする．

1. $v_o = -\frac{1}{CR}\frac{dv_i}{dt}$
2. $v_o = -CR\frac{dv_i}{dt}$
3. $v_o = -\frac{1}{CR}\int v_i dt$
4. $v_o = -CR\int v_i dt$
5. $v_o = -\frac{R}{C}\int v_i dt$

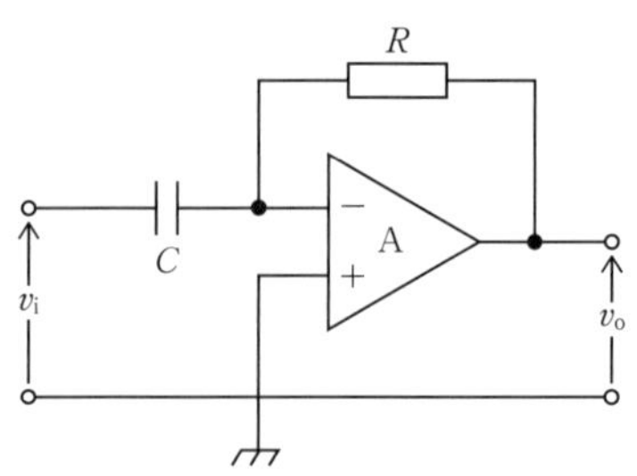

問題 39 □□□

31A55

図の回路について，正しいのはどれか．ただし，A は理想演算増幅器とする．

a．遮断周波数より十分に低い帯域で微分特性を有する．
b．コンデンサ C_1 と抵抗 R_2 に流れる電流は等しい．
c．遮断周波数は 314 Hz である．
d．直流成分は通過する．
e．入力インピーダンスは抵抗 R_1 と R_2 で決まる．

1. a, b　2. a, e　3. b, c　4. c, d　5. d, e

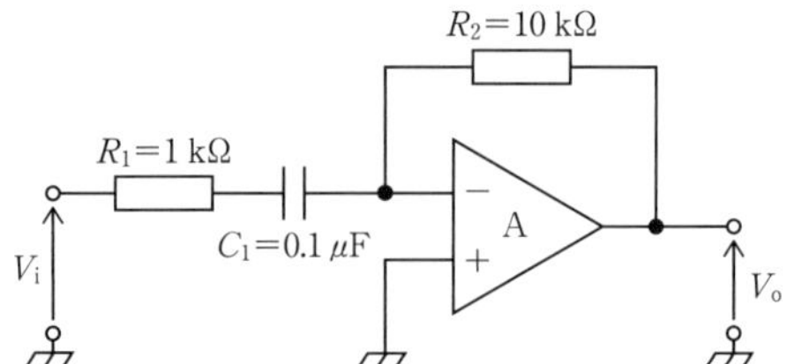

問題 40 □□□

37P52

図の回路について正しいのはどれか．
ただし，A は理想演算増幅器とする．

1. 遮断周波数より十分低い帯域では微分特性を有する．
2. 遮断周波数より十分高い帯域では積分特性を有する．
3. 入力インピーダンスは無限大である．
4. 出力インピーダンスは無限大である
5. 直流の入力信号を増幅できる．

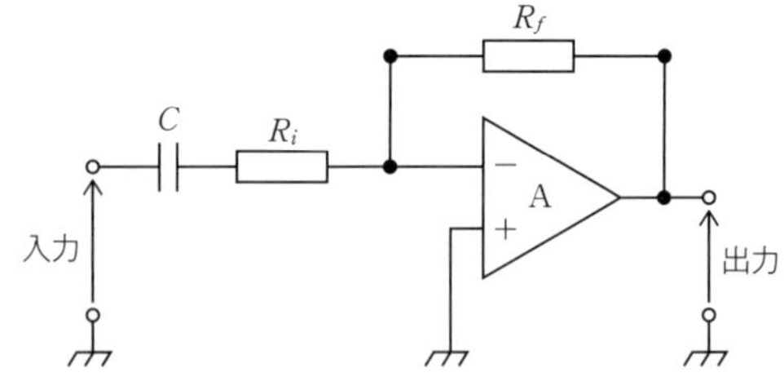

問題 41 □□□

32A53

図 1 の電圧 V_i を入力したとき，図 2 の電圧 V_o を出力する回路はどれか．ただし，ダイオードは理想ダイオードとする．

1.

2.

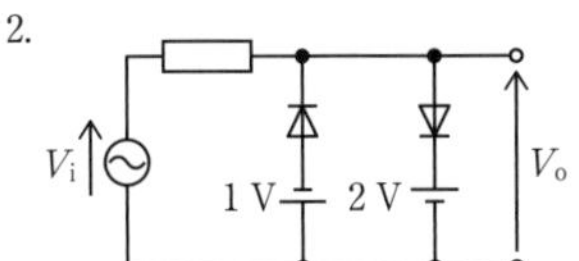

3.

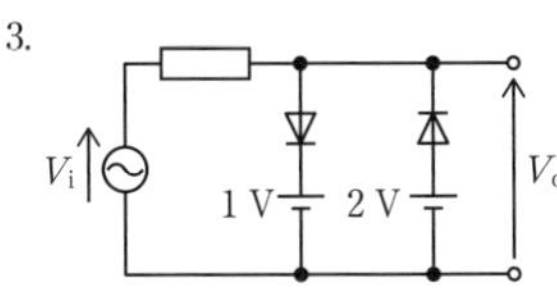

4.

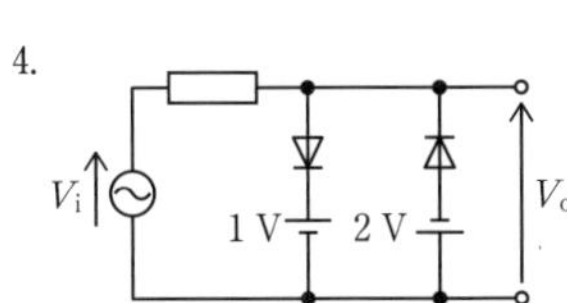

5.

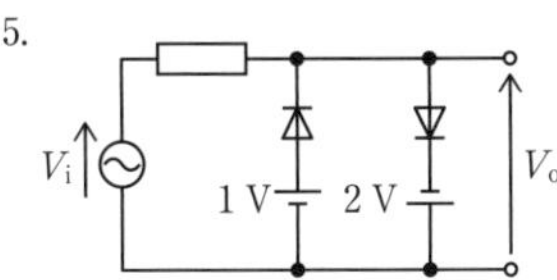

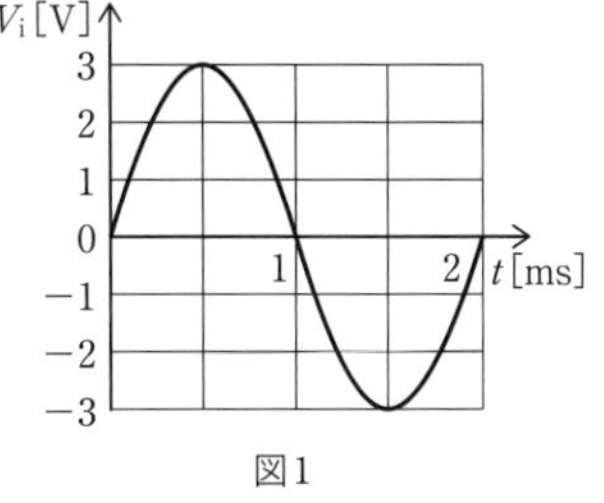

図1

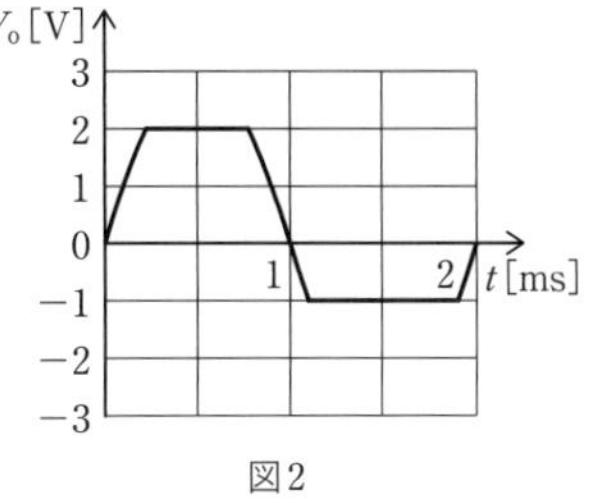

図2

問題 42 □□□

30A52

図 1 の回路に図 2 に示す電圧 E を入力したとき，ダイオード D_1 に電流が流れる区間はどれか．ただし，ダイオードは理想ダイオードとする．

1. A
2. B
3. C
4. D
5. E

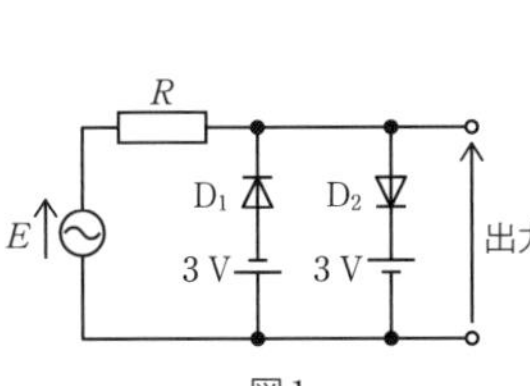

図1

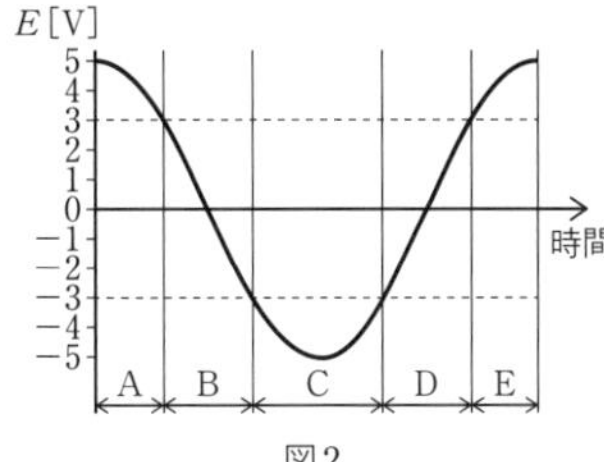

図2

問題 43 □□□

36P54

図 1 の回路に図 2 の電圧を入力に加えたとき，出力されるのはどれか．
ただし，ダイオードは理想ダイオードとする．

1.

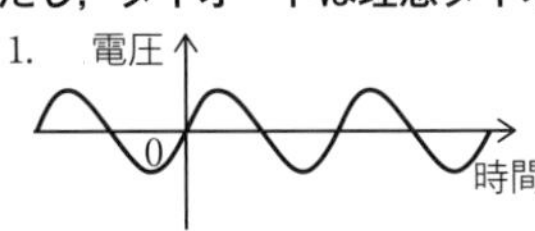

2.

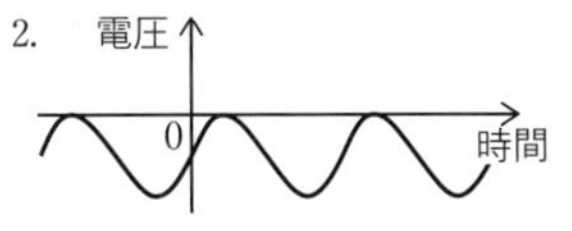

3.

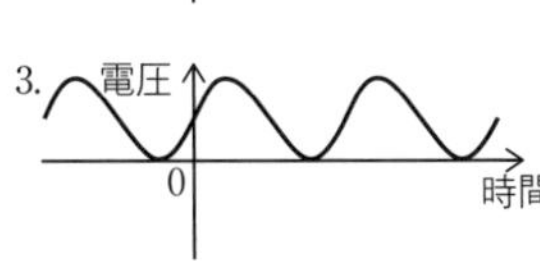

4.

5.

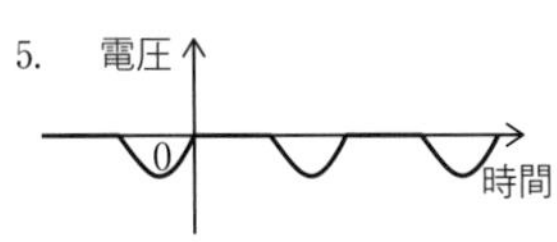

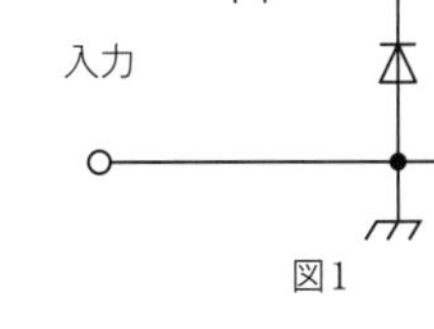

図1

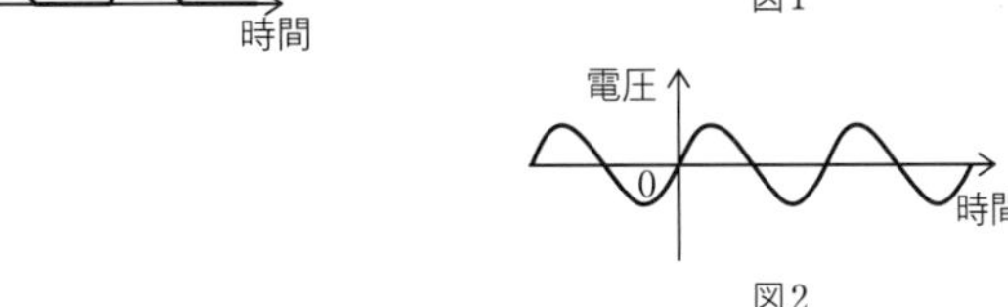

図2

〈解答〉問題 1-3，問題 2-3，問題 3-3，問題 4-3，問題 5-2，問題 6-3，問題 7-5，問題 8-5，問題 9-2，問題 10-4，問題 11-2，問題 12-2，問題 13-3，問題 14-3，問題 15-4，問題 16-1，問題 17-1，問題 18-2，問題 19-1，問題 20-2，問題 21-4，問題 22-3，問題 23-2，問題 24-4，問題 25-4，問題 26-5，問題 27-4，問題 28-2，問題 29-3，問題 30-4，問題 31-1，問題 32-5，問題 33-5，問題 34-1，問題 35-3，問題 36-1，問題 37-4，問題 38-2，問題 39-1，問題 40-1，問題 41-2，問題 42-3，問題 43-3

（4）ディジタル回路

○組合せ論理回路

医用電子工学 第2版
p.146

基本論理回路 【34回】【36回】 ★★

主な論理演算と回路記号				入力と出力の対応表
論理	論理回路記号 MIL記号	論理回路記号 新JIS記号	論理演算式	真理値表
否定 (反転) NOT	入力 出力 A → Y	入力 出力 A [1]○ Y	$Y=\overline{A}$	A Y 1 0 0 1
論理積 AND	A, B → Y	A, B [&] Y	$Y=A\cdot B$	A B Y 1 1 1 1 0 0 0 1 0 0 0 0
論理和 OR	A, B → Y	A, B [≥1] Y	$Y=A+B$	A B Y 1 1 1 1 0 1 0 1 1 0 0 0
排他的 論理和 XOR (EX-OR)	A, B → Y	A, B [=1] Y	$Y=A\oplus B$ $(Y=A\cdot\overline{B}+\overline{A}\cdot B)$	A B Y 1 1 0 1 0 1 0 1 1 0 0 0
否定 論理積 NAND	A, B → Y	A, B [&]○ Y	$Y=\overline{A\cdot B}$	A B Y 1 1 0 1 0 1 0 1 1 0 0 1
否定 論理和 NOR	A, B → Y	A, B [≥1]○ Y	$Y=\overline{A+B}$	A B Y 1 1 0 1 0 0 0 1 0 0 0 1

論理回路記号には，国試で用いられるMIL記号とJIS C 0617で標準化された新JIS記号を併記しているが，国試ではMIL記号で出題されている．

表に示した基本の論理回路を組み合わせて作成された論理回路には，組合せ回路と順序回路がある．

ダイオードの整流作用を利用して，疑似的な OR 回路や AND 回路を構成できる．

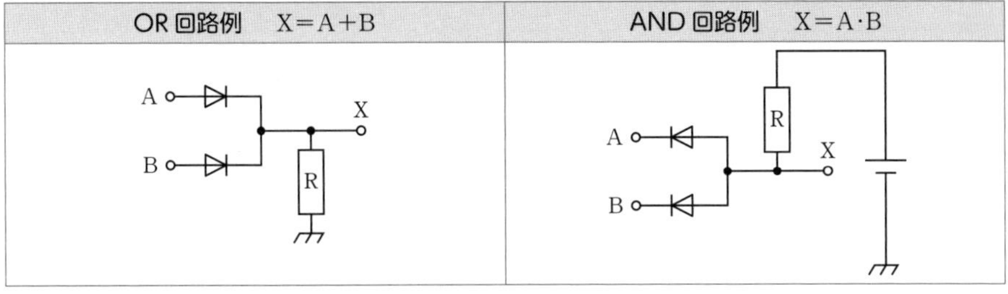

トランジスタを組み合わせると出力を反転でき，疑似的な NOR 回路や NAND 回路を構成できる．

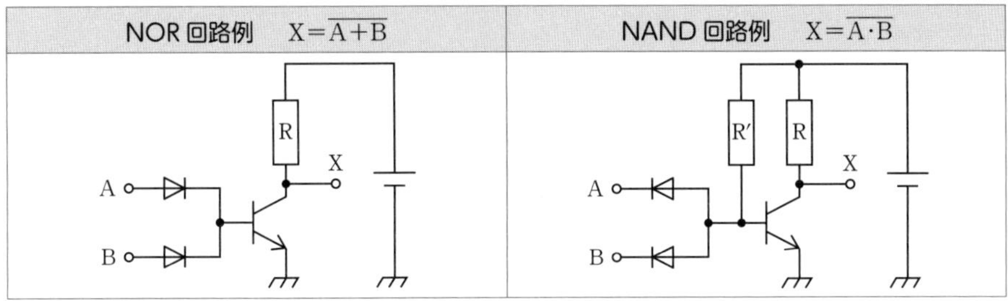

組合せ回路

- 直前の入出力状態に関わらず，新たな入力の値だけで出力の値が決まる回路である．
- 代表的なものに，エンコーダ，デコーダ，全加算器，半加算器，符号発生器などがある．

順序回路

- 新たな入力の値だけでなく，直前の内部状態との組み合わせによって新たな出力の値が決まる（出力を反転または保持する）回路である．
  - 新たな入力の値が同じであっても，出力の値が異なる場合がある．
- 代表的なものに，フリップフロップ，カウンタ，レジスタ，ラッチなどがある．

○フリップフロップ，カウンタ回路

フリップフロップ

- “0” または “1” の状態（1 ビットの情報）として保持することができる論理回路．
- 順序回路の基本要素であり，双安定マルチバイブレータとも呼ばれる．
- コンピュータの主記憶装置やキャッシュメモリに使用される SRAM の記憶素子は，フリップフロップである．

医用電子工学　第 2 版
p.163

例：RS フリップフロップ

回路	真理値表
	(下表)

入力		出力		
S	R	Q	$\overline{Q}$	
0	0	保持	保持	直前の値が保たれる
1	0	1	0	
0	1	0	1	
1	1	禁止	禁止	値が不定になるので設定禁止

医用電子工学　第2版
p.169

カウンタ回路

- カウンタとは，入力されたクロックパルスを数えることにより数値の処理を行うための論理回路である．
- パルス数の加算だけでなく減算が可能なものや，カウント値をリセットする機能を持ったものもある．

医用電子工学　第2版
p.178

医用情報処理工学 第2版
p.46

AD 変換回路

- アナログ信号をディジタル信号に変換する電子回路で，計測や通信システムに用いられる．AD コンバータ（ADC）とも呼ばれる．
- 代表的な変換方式に，フラッシュ型，逐次変換型，デルタシグマ型などがある．複数の信号を同時変換する場合には，標本化保持（サンプルホールド）回路を併用する．

医用電子工学　第2版
p.185

DA 変換回路

- AD 変換されたディジタル信号をアナログ信号に復元する電子回路で，DA コンバータ（DAC）とも呼ばれる．

問題 1 □□□

34A56

図の回路に対応する表はどれか．ただし，表中のLは回路内で0V，Hは5Vの電圧に対応するものとする．

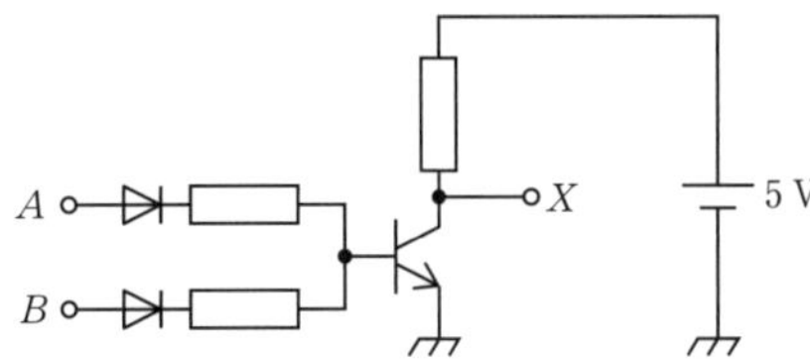

1.

A	*B*	*X*
L	L	L
L	H	L
H	L	L
H	H	H

2.

A	*B*	*X*
L	L	H
L	H	H
H	L	H
H	H	L

3.

A	*B*	*X*
L	L	L
L	H	H
H	L	H
H	H	H

4.

A	*B*	*X*
L	L	H
L	H	L
H	L	L
H	H	L

5.

A	*B*	*X*
L	L	H
L	H	L
H	L	L
H	H	H

問題 2 □□□

32P59

図の回路に等価なのはどれか．

1. OR
2. AND
3. NOR
4. NOT
5. NAND

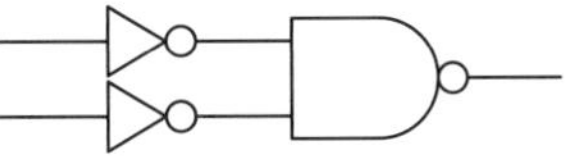

問題 3 □□□

28P59

真理値を満たす論理演算回路はどれか．

A	B	C
0	0	1
0	1	1
1	0	1
1	1	0

a.

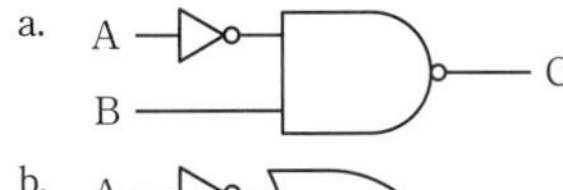

b. A B C

c. A B C

d.

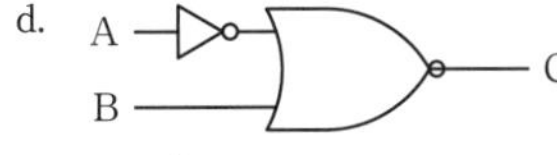

e.

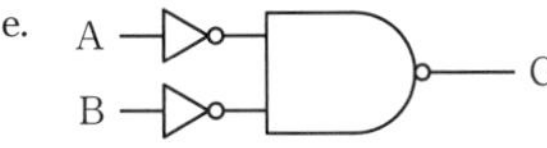

1. a, b　2. a, e　3. b, c　4. c, d　5. d, e

問題 4 □□□

36A55

図の論理回路と真理値表が対応するとき，F に入る論理演算はどれか．

1. AND
2. OR
3. NAND
4. NOR
5. XOR

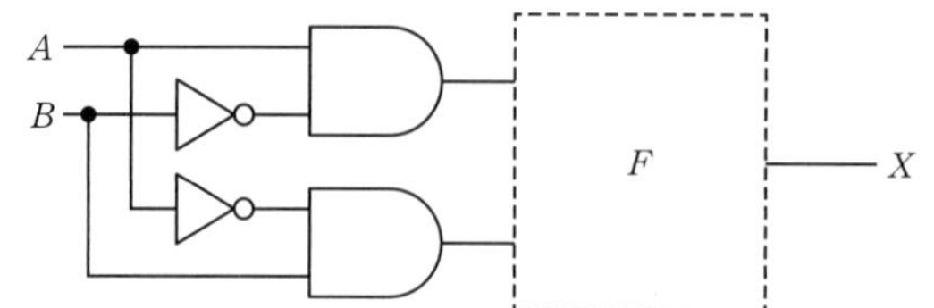

入力		出力
A	B	X
0	0	1
0	1	0
1	0	0
1	1	1

〈解答〉問題 1-4，**問題 2**-1，**問題 3**-3，**問題 4**-4

2. 通信工学

(1) 通信理論

○情報量

- ある事象が起きる確率が P であるとき，その事象が起きたことを知らせる情報量 I は，$I=-\log_2 P$ と定義される．これは，確率 P が大きくなるほど，情報量 I は小さくなることを示している．
- 情報の中に「ある部分」が数多く含まれていれば，「ある部分」が出現する確率は大きくなるので，「ある部分」の情報量は小さくできる．そのため，大きな確率で出現する部分が多いほど，情報全体の情報量も小さくすることが可能になる．これがデータ圧縮の理論的裏付けとなっている．それらについてまとめると，
  ①情報源符号化定理：データ圧縮の技術
  ②通信路符号化定理：誤り訂正符号の理論的根拠
  ③通信路容量定理：携帯電話などの通信技術の基礎理論　　などがある．
- ディジタル通信などのシステムでは不可欠な部分ではあるが，国試での出題は少ないだろう．

通信速度

- データ転送レートまたは伝送速度とも呼ばれる．
- 国試では 1 秒あたりに何ビット分のデータ伝送ができるかを通信速度と考えるので，通信速度の単位はビット毎秒＝bit/s＝bps となり，一般に bps が用いられる．
- 通信速度が決まれば，1 秒あたりに伝送可能なデータ量は $\dfrac{\text{通信速度(bps)}}{8}$ バイト となる．この単位にはバイト毎秒 ＝Byte/s＝Bps＝B/s が用いられる．
- データ圧縮をしたうえでデータ転送を行えば，伝送速度を変えることなく伝送可能なデータ量を増すことができる．

○符号化

医用電子工学　第 2 版
p.181

- 一般に情報（文字・音声・映像など）をディジタルデータ（一般には 2 進数）に変換することを符号化という．
- 情報工学分野で扱う AD 変換の 1 手順である．
- 符号化は，その目的（保存，伝送など）に適するように多数の形式がある．
- 通信における符号化は次の 2 つに大別できる．
  ①情報源符号化：文字・音声・映像などを元情報とした符号化を指す．データ圧縮はこの符号化に含まれる．
  ②伝送路符号化：伝送路または通信路の特性に合わせて，情報源符号化されたデータをさらにもう一度符号化することをいう．誤り訂正符号（パリティ符号など）の付加などはこの符号化に含まれる．
- ディジタルデータから元の情報に戻すことを復号化という．

（2）通信方式

医用電子工学　第2版
p.208

○アナログ通信，ディジタル通信 ★

- アナログ通信：アナログ信号（連続的に変化する信号）を用いる情報のやり取り．
- ディジタル通信：ディジタル信号（離散的に変化する信号：0または1）を用いる情報のやり取り．ディジタル通信の方が複雑なシステムが必要になるが，ノイズの影響を受けにくい．

医用電子工学　第2版
p.206

○変調方式，復調方式

- 変調とは，文字・画像・音声などの情報を記録・伝送するために，記録媒体または伝送路の性質に応じて最適な電気信号や符号に変換することを指し，その逆変換を復調という．
- 無線通信では，搬送波（キャリア）と呼ぶ一定周波数の電波を発生し，搬送波信号を変調することにより情報を伝送する．このとき変調によって生じた結果（出力波）を被変調波という．
- 有線通信や光通信でも，伝送路が異なるだけで無線通信と同じようなことが行われる．
- 搬送波を用いない伝送をベースバンド伝送という．

医用電子工学　第2版
p.209

医用情報処理工学 第2版
p.154

アナログ変調 【33回】 ★★

- アナログ信号に連続的に行われる変調（被変調波が連続的に送られる）．
- 主にラジオ放送や無線通話など音声の伝送に利用．

AM変調 (Amplitude Modulation) 振幅変調	・アナログ信号に応じて，搬送波の振幅を変化させる変調 ・ダイオードによる整流回路と低域通過フィルタだけで復調ができる．この回路を検波回路という
FM変調 (Frequency Modulation) 周波数変調	・アナログ信号に応じて，搬送波の周波数を変化させる変調（信号振幅が大きくなるほど，被変調波の周波数変化が大きくなる） ・復調回路の代表例にPLL回路がある
PM変調 (Phase Modulation) 位相変調	・アナログ信号に応じて，搬送波の位相を変化させる変調（信号振幅の変化が大きいほど被変調波の位相変化が大きくなる）

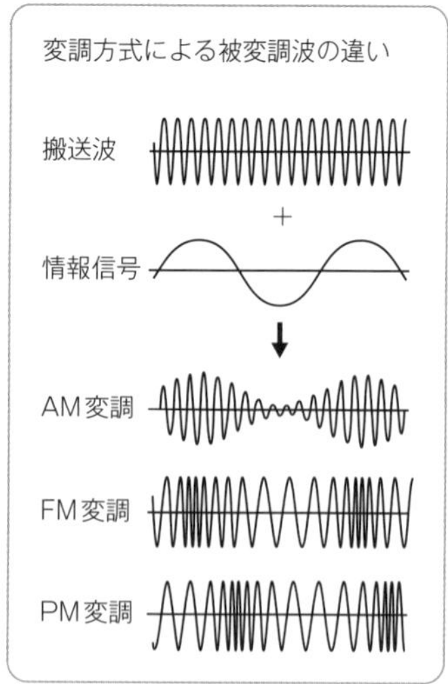

- 搬送波とは，信号を送受信するために使用する電波や光などの基本的な波のことで，キャリアとも呼ばれる．
- 搬送波には，信号周波数よりも十分に高い周波数の正弦波が用いられ，搬送波に信号を変調した後の波は被変調波または変調波という．

振幅変調と周波数変調の比較

- 周波数変調では，被変調波の振幅が変化しても復調で得られる信号振幅に影響せず，振幅変調（AM変調）よりも雑音が混入しにくい．

❯周波数変調は，振幅変調よりも信号の周波数範囲を広くすることができる（ただし，被変調波の占有周波数帯域は広くなる）．

変調率

医用電子工学　第2版
p.210

❯搬送波に対する信号波の比率を変調率という．振幅変調では信号波と搬送波の振幅の比率が変調率となり，

$$変調率=\frac{信号波の振幅}{搬送波の振幅}\times 100\,(\%)$$

で表すことができる．右図の例では，変調率$=\frac{A-B}{A+B}\times 100\,(\%)$ となる．変調率が100%を超えるような場合を過変調という．

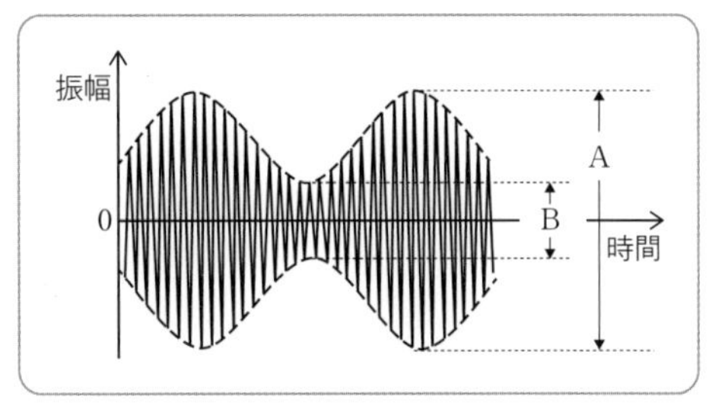

側波帯 ★

医用電子工学　第2版
p.212

国試での出題が時々見られる．

❯信号を振幅変調（AM変調）した変調波をスペクトル解析すると，搬送波周波数を中心として高域側と低域側に現れる周波数成分が見られる．この周波数成分を側波帯という．側波帯の周波数は，搬送波の周波数と信号の周波数から求められる．

- 高域側の側波帯（上側波帯）の周波数＝搬送波の周波数＋信号の周波数
- 低域側の側波帯（下側波帯）の周波数＝搬送波の周波数－信号の周波数

❯信号の周波数に幅がある（周波数帯域をもつ）場合には，側波帯にも幅ができ，側波帯の周波数に上限と下限が生じる．このとき，上側波帯の周波数の上限から下側波帯の周波数の下限までを占有周波数帯域といい，その大きさを占有周波数帯域幅という．

国試　【23P54】

振幅変調において，変調波が5～20 kHzの周波数帯域をもつ信号で，搬送波の周波数が700 kHzであるとき，被変調波の周波数スペクトルについて正しいのはどれか．

a. 上側波帯の最高周波数は740 kHzである．
b. 上側波帯の最低周波数は695 kHzである．
c. 下側波帯の最高周波数は705 kHzである．
d. 下側波帯の最低周波数は680 kHzである．
e. 占有周波数帯域幅は40 kHzである．

解答

周波数スペクトルをグラフに示すと右図のようになり，下側波帯は680（＝700－20)～695（＝700－5）kHz，上側波帯は705（＝700＋5）～720（＝700＋20）kHzの周波数範囲に広がることになる．占有周波数帯域（使用される周波数帯域）は

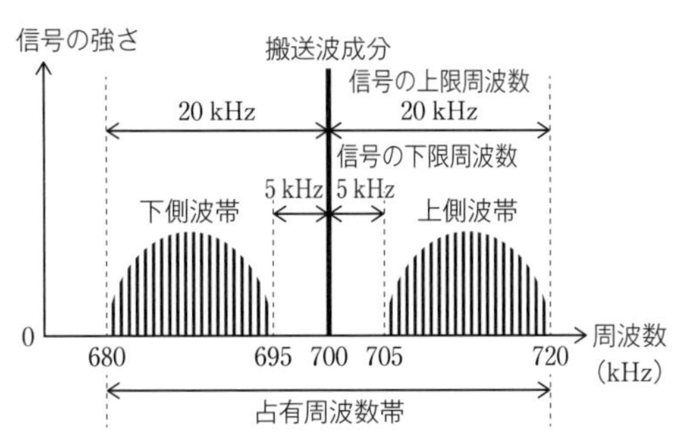

680～720 kHz の周波数範囲である．図を見る限り 695～705 kHz の周波数範囲が利用されていないが，この範囲も占有周波数帯域に含めるので，占有周波数帯域幅は，720－680＝40 kHz となる．したがって，d．e．が正しい．

医用電子工学　第 2 版
p.223

医用情報処理工学　第 2 版
p.155

ディジタル変調 ★

- ディジタル信号に不連続的に行われる変調（被変調波は一定の周期ごとに送られる）．
- ディジタル信号の無線伝送やモデムを使用した通信に利用される．

振幅偏移変調 （ASK：Amplitude Shift Keying）	・搬送波の振幅を，送信ビットの値（1 または 0）に応じて変化させる変調
周波数偏移変調 （FSK：Frequency Shift Keying）	・搬送波の周波数を，送信ビットの値に応じて変化させる変調
位相偏移変調 （PSK：Phase Shift Keying）	・一定周波数の搬送波の位相を，送信ビットの値に応じて変化させる変調 ・1 回の変調で伝送できるビット数によって BPSK，QPSK，8PSK などに区別される ・1 つの被変調波で BPSK では 1 ビット，QPSK では 2 ビット，8PSK では 3 ビットが同時送信できる
直角位相振幅変調 （QAM：Quadrature Amplitude Modulation）	・互いに独立な 2 つの搬送波の振幅および位相を変更・調整する変調．総務省などでは直交振幅変調という ・1 回の変調で伝送ビット数が異なる 16 QAM，64 QAM，128 QAM，256 QAM などがある（例：64 QAM を利用すると，$64=2^6$ であるから，1 つの被変調波で 6 ビット送信できる）

主なディジタル変調の波形

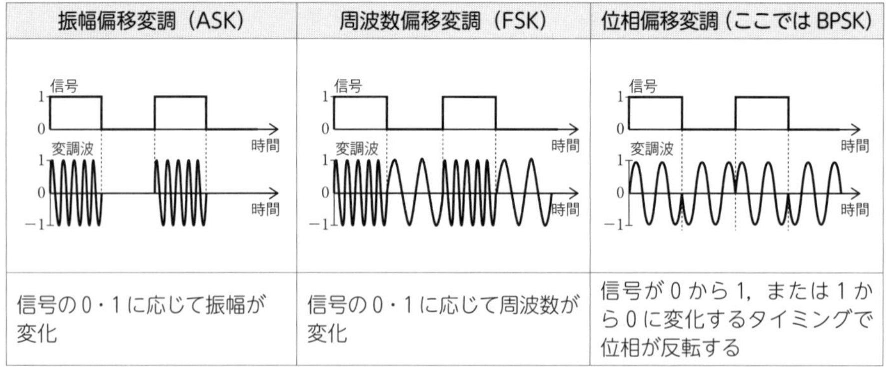

振幅偏移変調（ASK）	周波数偏移変調（FSK）	位相偏移変調（ここでは BPSK）
信号の 0・1 に応じて振幅が変化	信号の 0・1 に応じて周波数が変化	信号が 0 から 1，または 1 から 0 に変化するタイミングで位相が反転する

直角位相振幅変調は波形が複雑なため省略しているが，国試では名称と略称を知っておけばよい．

パルス変調 【33回】 ★★

❯情報信号に応じて一定周期のパルスを変調する．

❯アナログ信号もディジタル信号も変調可能である．

医用電子工学 第2版 p.224

パルス符号変調（PCM：Pulse-Code Modulation）	・信号を符号化し，その2進値をパルスとして伝送する変調 ・他のパルス変調方法に比べ，計算機による処理を行いやすい ・CDやDATなどで利用される
パルス幅変調（PWM：Pulse-Width Modulation）	・情報信号の振幅に応じてパルスの幅を変化させる変調（正しくはデューティー比［パルスの1と0の時間比率］を変化させる変調） ・直流モータの回転数やLEDの輝度，インバータ（直流電力を交流電力に変換する電源回路）などの制御で利用される
パルス振幅変調（PAM：Pulse-Amplitude Modulation）	・情報信号の振幅に応じてパルスの振幅を変化させる変調 ・LANネットワークの100BASE-Tなどベースバンド伝送で利用される
パルス位置変調（PPM：Pulse-Position Modulation）	・情報信号の振幅に応じてパルスの位置を変化させる変調
パルス密度変調（PDM：Pulse-Density Modulation）	・情報信号の振幅に応じてパルスの密度（パルス間隔）を変化させる変調
パルス数変調（PNM：Pulse-Number Modulation）	・情報信号の振幅に応じて1周期間のパルス数を変化させる変調
パルス周波数変調（PFM：Pulse-Frequency Modulation）	・情報信号の振幅に応じて1周期間のパルス周波数を変化させる変調

○伝送誤り，誤り検出

医用情報処理工学 第2版 p.27

医用情報処理工学 第2版 p.172

❯ディジタル信号を伝送するとき，伝送路のノイズ混入などが原因となり，ビット値が変化することがある．これを伝送誤りという．

- そのため送信したデータと受信したデータが一致せず，誤ったデータが伝送されてしまうことが起きる．
- これを防ぐために，送信したデータと受信したデータに差異がないことを調べることを誤り検出という．

❯一般に送信データに誤り検出用のデータを付加し，受信時にはその誤り検出用のデータを用いて受信データをチェックする方法が用いられる．

- 受信データに誤りがあった場合には，送信側に同じデータを送ってもらうため再送要求を行う．

❯誤り検出には，パリティチェック（パリティ符号），チェックサム方式，CRC検査，ECC訂正符号などがある（ECC訂正符号では再送要求を行わなくても1ビットの訂正が可能）．

❯国試では，パリティチェック（パリティ符号）が出題される．

❯パリティとは奇偶性（奇数か偶数か）のことで，伝送されたデータの奇偶性が保たれていることを調べ，データの正しさを確かめる方式がパリティチェックである．

❯パリティチェックを使用するときは，あらかじめパリティを奇数（odd）にするか偶数（even）にするかを決めておく必要がある．

- パリティチェックでは，送りたいデータ（データビット列）に 1 ビットのパリティビットを付加して伝送を行う（パリティビットの位置はデータのビット列の先頭か末尾にする）．
- 例えばパリティを奇数とした場合，伝送データ（データビット列にパリティビットを付加した状態）の各ビットの値が 1 であるビット数が奇数になるようにパリティビットの値を決める．
- データビット列の各ビットの値が 1 であるビット数が奇数であればパリティビットの値を 0，データビット列の各ビットの値が 1 であるビット数が偶数であればパリティビットの値を 1 として，相手先へ伝送されるデータの中で，各ビットの値が 1 であるビット数が奇数になるようにする．
- 受信側では，受信データの各ビットの値が 1 であるビット数を調べ，それが偶数ならば伝送誤りとして再送要求を行う．各ビットの値が 1 であるビット数が奇数ならば正しく伝送できたと判断し，パリティビットを削除しデータビット列を取り出して処理する．

パリティを偶数として，7 ビットデータの伝送を行ったときの例を示す．

送りたい7ビットデータ（データビット列）（　）は値が1のビット数	先頭に偶数パリティビットが付加された伝送データ（　）は値が1のビット数	実際に伝送された受信データ（　）は値が1のビット数	受信結果
0000000　(0)	00000000　(0)	00000001　(1)	伝送誤りあり
1000101　(3)	11000101　(4)	11000101　(4)	伝送誤りなし
1011001　(4)	01011001　(4)	01011000　(3)	伝送誤りあり
1111111　(7)	11111111　(8)	11111111　(8)	伝送誤りなし

医用情報処理工学 第2版
p.158

○多重化方式 ★

- 1 つの伝送路上で複数の通信を同時に行う技術．
- CDM（符号分割多重化），TDM（時分割多重化），FDM（周波数分割多重化），WDM（波長分割多重化），ATDM（非同期時分割多重化，統計多重化）などの方式がある．
- 多重化を発展させたものが多元接続（複数の機器が同じ電波帯域を共有して情報を送受信すること）である．例えば，CDM を用いた多元接続は CDMA と呼ばれ，その他に TDMA，FDMA などがある．

TDM（時分割多重化）

- 複数の異なる信号を 1 本の伝送路を用いて順番に伝送する．
- 伝送速度が 64 kbps である伝送路を用いて 4 つの信号を伝送する場合，各信号の伝送速度は 64 kbps÷4＝16 kbps＝2 kbyte/s となる．

FDM（周波数分割多重化）

- 異なる周波数の信号が 1 本の伝送路を共有し，同時に伝送を行う．

○伝送方式

- 伝送の方向が，送信側から受信側の 1 方向に限られているものを単方向伝送という．通常のテレビ放送やラジオ放送がこれにあたる．
- 送信側と受信側に限らずどちらからの伝送も可能なものを双方向伝送という．双方向伝送には，同時に双方から送信が可能な全二重方式と，送信を交互に行う半二重方式がある．電話通話は全二重方式の双方向伝送にあたる．有線 LAN 上の伝送は全二重方式と半二重方式のどちらも利用可能だが，無線 LAN では半二重方式で伝送される．

(3) 通信システム

医用電子工学 第2版 p.231

医用情報処理工学 第2版 p.201

- 複数の端末や機器を通信回線で接続し，データや情報のやり取りを行うシステム．
- 1 つの建屋内でのやり取りだけでなく，インターネット回線や移動通信網を利用し遠隔地とのやり取りも行われる．インターネットを利用して情報をやり取りする技術は ICT（Information and Communication Technology）と呼ばれる．
- 医療分野においては，医用テレメータも通信システムの 1 つと考えてよい．十分に高速な通信速度が確保されれば，テレビ電話を利用した遠隔診療，CT や MRI などの撮影画像を共有した遠隔診断，手術ロボットを遠隔地から操作する遠隔手術などに応用される．
- 遠隔地から情報を取得したり，機器を制御する技術は IoT（Internet of Things）と呼ばれる．

○移動通信システム

- 携帯電話などの移動通信網を利用した通信システム．通信拠点を固定することなく通信が可能となる．過疎地医療や救急医療などの業務改善が期待できる．
- 移動通信では，複数のアンテナで受信するタイバーシティ方式を用いてフェージング対策を行っている．医用テレメータ通信にもタイバーシティ方式が利用されている．

臨床工学技士国家試験問題 Check UP!

問題 1 □□□ 27P59

通信速度 10 Mbps の通信路で 10 Gbit のデータを転送するのに要する時間［s］はどれか．

1. 0.1
2. 1
3. 10
4. 100
5. 1000

問題 2 □□□ 25P57

図の回路は被変調波が入力されると信号波を出力する復調回路として働く．この回路を利用する変調方式はどれか．ただし，ダイオードは理想ダイオードとする．

1. 振幅変調（AM）
2. 周波数変調（FM）
3. 位相変調（PM）
4. パルス符号変調（PCM）
5. パルス位置変調（PPM）

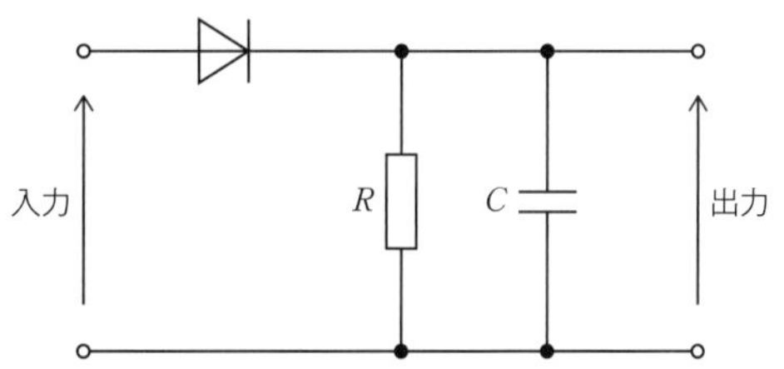

問題 3 □□□ 21P20

振幅変調において，搬送波の振幅が 10 V，信号波の振幅が 2 V である．変調率はどれか．

1. 10%
2. 20%
3. 30%
4. 40%
5. 50%

問題 4 □□□ 34A57

振幅変調について誤っているのはどれか．

1. 搬送波に正弦波が用いられる．
2. 占有帯域幅は変調波の周波数成分で決まる．
3. 半波整流回路で復調できる．
4. 変調度は 1 以下に設定する．
5. 周波数変調に比べ雑音に強い．

問題 5 □□□ 21P19

振幅変調において搬送波の周波数を 900 kHz としたとき，被変調波の側波帯周波数が 895 kHz と 905 kHz であった．信号波の周波数はどれか．

1. 5 kHz
2. 10 kHz
3. 895 kHz
4. 905 kHz
5. 1800 kHz

問題 6 □□□ 33A56

信号 $v(t) = 10\sin(4000\pi t)$ で 1000 kHz の搬送波を AM 変調するとき，被変調波の上側波の周波数［kHz］はどれか．ただし，時間 t の単位は秒とし，過変調は生じないものとする．

1. 1001
2. 1002
3. 1004
4. 1008
5. 1010

問題 7 □□□ 29P56

振幅変調において信号 $v(t) = 3\sin(2000\pi t)$ で 1000 kHz の搬送波を変調するとき，被変調波の上下側波の周波数［kHz］はどれか．ただし，時間 t の単位は秒とし，過変調は生じないものとする．

1. 980 と 1020
2. 990 と 1010
3. 997 と 1003
4. 998 と 1002
5. 999 と 1001

問題 8 □□□ 26A55

1 kHz までの周波数成分を持つ信号を AM 変調し，周波数分割多重によって多チャネル同時通信する．通信に使用できる周波数帯域幅が 100 kHz のとき，同時に伝送可能な最大チャネル数はどれか．ただし，AM 変調では両側波帯の信号成分を送るものとする．

1. 10
2. 50
3. 100
4. 500
5. 1000

問題 9 □□□

32P56

周波数 f_C の搬送波（正弦波）を周波数 f_S の正弦波によりAM変調し，DSB（両側波帯）で送信するときの周波数スペクトルはどれか．

1. 振幅 / 0 / f_c-f_s f_c f_c+f_s 周波数

2. 振幅 / 0 / f_c f_c+f_s 周波数

3.

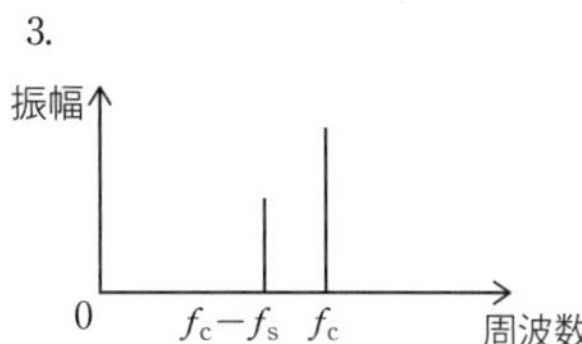

4. 振幅 / 0 / f_c-2f_s f_c f_c+2f_s 周波数

5. 振幅 / 0 / f_c-2f_s f_c-f_s f_c f_c+f_s f_c+2f_s 周波数

問題 10 □□□

31P56

図の変調方式はどれか．

1. ASK
2. FSK
3. PSK
4. PPM
5. PWM

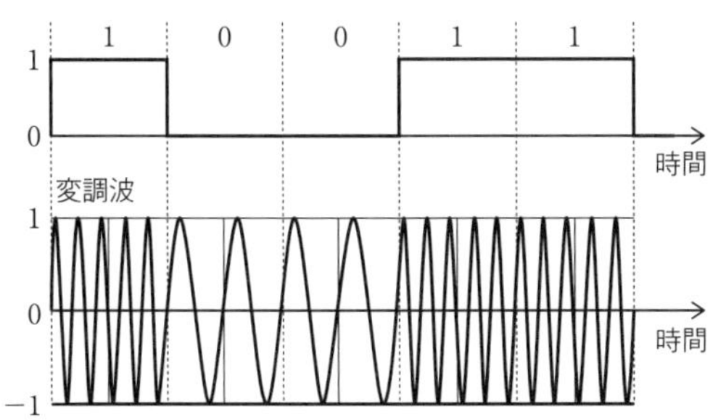

問題 11 □□□

30A56

図の変調方式はどれか．

1. ASK
2. FSK
3. PSK
4. PWM
5. PPM

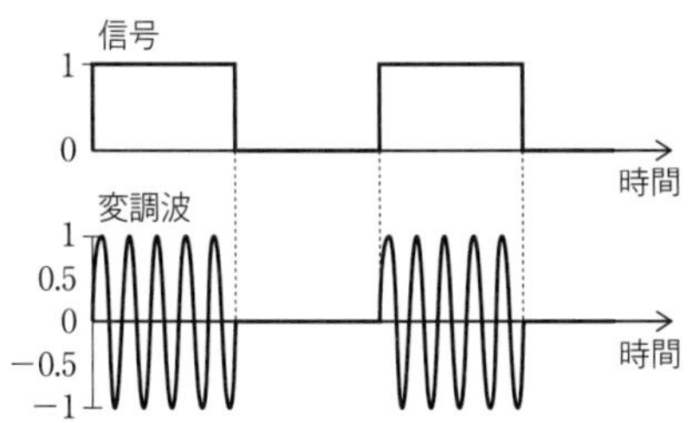

問題 12 □□□

31A56

時分割多重方式（TDM）において，19200 bpsの伝送路で4チャネルの信号を通信したい．各チャネルの伝送速度の最大値［byte/s］はどれか．ただし，各チャネルの伝送速度は同一とする．

1. 300
2. 600
3. 2400
4. 4800
5. 19200

問題 13 □□□

30P56

2 kHzまでの周波数成分をもつ信号をAM変調し，周波数分割多重によって多チャネル同時通信する．同時に20チャネルの信号を伝送するとき，通信で占有する周波数帯域の合計帯域幅［kHz］はどれか．ただし，AM変調では両側波帯の信号成分を送るものとする．

1. 20
2. 40
3. 80
4. 160
5. 320

問題 14 □□□ 27P57

通信方式について正しいのはどれか．

a．信号の振幅に応じて搬送波の位相を変調する方式を PWM という．
b．信号の振幅に応じて搬送波の振幅を変調する方式を FM という．
c．信号の振幅をパルス符号に対応させて変調する方式を PCM という．
d．0，1 の 2 値信号を周波数の高低に対応させて変調する方式を FSK という．
e．周波数帯域を分割して多チャンネル信号を多重化する方式を TDM という．

1. a，b　2. a，e　3. b，c　4. c，d　5. d，e

問題 15 □□□ 33P56

信号に対応して搬送波の振幅が変化するパルス変調はどれか．

1. PAM
2. PFM
3. PNM
4. PPM
5. PWM

問題 16 □□□ 35P56

信号波の振幅に応じてパルス波の幅（デューティー比）を変化させる変調方式はどれか．

1. PAM
2. PWM
3. PPM
4. PCM
5. PFM

問題 17 □□□ 29A56

正しい組合せはどれか．

a．FSK ―――――― 振幅偏移変調
b．PWM ―――――― パルス幅変調
c．CDMA ―――――― 符号分割多重
d．TDM ―――――― 周波数分割多重
e．FDM ―――――― 波長分割多重

1. a，b　2. a，e　3. b，c　4. c，d　5. d，e

問題 18 □□□ 32A56

正しい組合せはどれか．

a．PSK ―――――― 位相偏移変調
b．FSK ―――――― 周波数分割多重
c．PWM ―――――― パルス振幅変調
d．PPM ―――――― パルス幅変調
e．PCM ―――――― パルス符号変調

1. a，b　2. a，e　3. b，c　4. c，d　5. d，e

〈解答〉問題 1-5，**問題 2**-1，**問題 3**-2，**問題 4**-5，**問題 5**-1，**問題 6**-2，**問題 7**-5，**問題 8**-2，**問題 9**-1，**問題 10**-2，**問題 11**-1，**問題 12**-2，**問題 13**-3，**問題 14**-4，**問題 15**-1，**問題 16**-2，**問題 17**-3，**問題 18**-2

III. 情報処理工学

1. コンピュータ

(1) 情報の表現

医用情報処理工学 第2版
p.15

○2 進数，16 進数 【34 回】【35 回】【36 回】 ★★★

N 進数から 10 進数への変換

- N を基数とした桁ごとの重みと各桁の数値の積を総和した値が変換値となる．
- 小数点のすぐ上の桁では基数のべき数（指数）が 0 になるので，桁ごとの重みは N^0 となる．
- 基数のべき数は桁が 1 桁上がるごとに 1 増え，1 桁下がるごとに 1 減る．

N 進数	a		b		c		d	.	e		f	
桁ごとの重み	N^3		N^2		N^1		N^0	小数点	N^{-1}		N^{-2}	
	$N^3\times a$	+	$N^2\times b$	+	$N^1\times c$	+	$N^0\times d$	+	$N^{-1}\times e$	+	$N^{-2}\times f$	10 進数変換値

例 1：2 進数 110.11 を，10 進数に変換する．

2 進数	1		1		0	.	1		1		
桁ごとの重み	2^2 = 4		2^1 = 2		2^0 = 1	小数点	2^{-1} = 0.5		2^{-2} = 0.25		
	4×1	+	2×1	+	1×0	+	0.5×1	+	0.25×1	=6.75	10 進数変換値

例 2：16 進数 3BE を，10 進数に変換する．

桁の値が A〜F であるときは，置き換えた数値を桁ごとの重みに掛ける（A ⇒ 10，B ⇒ 11，C ⇒ 12，D ⇒ 13，E ⇒ 14，F ⇒ 15）．

16 進数	3		B		E	小数点の位置	
桁ごとの重み	16^2 = 256		16^1 = 16		16^0 = 1		
	256×3	+	16×11	+	1×14	=958	10 進数変換値
			(B⇒11)		(E⇒14)		

10 進数から n 進数への変換

- 10 進数から n 進数に変換するときは，除算法を利用するのが一般的である．
- 除算法では 10 進数の値を，商（割り算の答え）が 0 になるまで，n で割り続け，余りを順番に並べる手法である（通常の筆算と異なり，商を下方に記述していく）．

例1：10進数の57を2進数に変換する.

			余り
2	57		
2	28	…	1
2	14	…	0
2	7	…	0
2	3	…	1
2	1	…	1
	0	…	1

↑

得られた余りを下方から上方に向かって並び替えた結果が変換値

変換値：111001

例2：10進数の711を16進数に変換する.

			余り
16	711		
16	44	…	7
16	2	…	12 ⇒ C
	0	…	2

↑

余りが10以上になる場合は，A～Fに変換しておく.

10 ⇒ A，11 ⇒ B，12 ⇒ C

13 ⇒ D，14 ⇒ E，15 ⇒ F

得られた余りを下方から上方に向かって並び替えた結果が変換値

変換値：2C7

2進数の演算

- 繰り上がりや繰り下がりが2ごとに行われることを除けば，10進数の演算と同じである.
- 国試でも2進数，16進数の演算の問題があるが，10進数に変換してから演算を行う方がよい.

○データ量

医用情報処理工学 第2版 p.19

ビット，バイト ★

- ビット（bit）は2進数の1桁のことで，コンピュータ，ディジタル通信における情報の最小単位である.
- バイト（byte）は，「複数のビット」を意味するデータ量あるいは情報の基本単位である．一般に，8ビット分の情報量が1バイトに換算される.

○文字表現【37回】 ★★

医用情報処理工学 第2版 p.21

- コンピュータなどで文字を扱う場合，文字自体ではなく文字を数値（バイトデータ）に置き換えて処理する．文字と数値（バイトデータ）の対応関係を体系化したものを文字コードと呼ぶ.

  主な文字コードには以下のものがある.

ASCIIコード（アスキーコード）	・1バイト系文字コード ・元々は7ビットで128種の文字に対応していた ・JISでは8ビットに拡張されカタカナも扱えるようになった
JIS漢字コード Shift-JISコード	・2バイト系文字コード（16ビット）で，漢字に対応している
Unicode	・世界で使われる全ての文字に対応できるようにしようと策定が進められており，文字符号化形式としてUTF-8，UTF-16，UTF-32などが定められている（数値は符号単位のビット長を表す）

○AD 変換，DA 変換

➲AD 変換（アナログ-ディジタル変換）とは，アナログ信号をディジタル信号に変換することをいう．通常，AD 変換は専用の電気回路で連続的に行われる．この回路をアナログ-ディジタル変換回路，AD 変換回路または AD コンバータ（ADC）とも呼ぶ．

➲AD 変換とは逆に，ディジタル信号をアナログ信号に変換することを DA 変換（ディジタル-アナログ変換）というが，国試での出題は少なく，名称と機能を知っておけばよい．

医用情報処理工学 第2版
p.46

AD 変換の手順 【33 回】【36 回】【37 回】 ★★★

➲基本的な手順は，標本化→量子化→符号化となる．

〈標本化〉

➲AD 変換の対象となるアナログ信号を一定の時間間隔で計測し，計測値を得る作業をサンプリングといい，サンプリングによって得られた値を標本値という．

➲サンプリングの時間間隔をサンプリング周期という．その逆数をサンプリング周波数という．つまり，サンプリング周波数＝1/サンプリング周期　の関係がある．サンプリング周波数は 1 秒あたりのサンプリング回数を表している（AD 変換の計算問題では重要なポイント）．

➲標本化では，アナログ信号が時間的に不連続な（飛び飛びの）信号に変換されるため離散信号となる．サンプリングと次のサンプリングの間に生じた細かい変化は捉えられないため，元の信号の情報の一部が失われることになる．これを標本化誤差という．

➲サンプリング周期が短いほど，サンプリング周波数が高いほど高精度な標本化ができる（標本化誤差が小さい）．

➲サンプリング周波数の 1/2 の周波数をナイキスト周波数という．ナイキスト周波数は，正しく AD 変換可能な信号周波数の上限を表している．

➲標本化の対象となるアナログ信号に交流成分が含まれる場合，ナイキスト周波数より高い周波数の交流成分は，折り返し（エイリアシング）という現象のために正しい標本化ができない．

例題

サンプリング周波数が 100 Hz である AD 変換回路を使用し，交流アナログ信号を標本化するとき，80 Hz の信号が入力された場合を考える．

考え方

ナイキスト周波数が 50 Hz であるから周波数が 50 Hz 以下の信号が入力されても標本化には問題ないが，この回路に 80 Hz の信号が入力されると，20 Hz の信号が入力されたかのような偽の標本値が得られてしまう．この現象が折り返し（エイリアシング）であり，その現象によって生じた偽の信号（この例では 20 Hz の信号）をエイリアス信号という．

このとき，エイリアス信号の周波数＝サンプリング周波数－入力信号の周波数　が成り立つ．この現象を避けるため，ナイキスト周波数はアナログ信号に含まれる交流成分の最大周波数よりも高くなければならない．

言い換えれば，サンプリング周波数はアナログ信号の最大周波数の 2 倍よりも大きな周波数とする必要がある．

〈量子化〉

- AD 変換の対象となるアナログ信号の最大値と最小値をあらかじめ設定しておき，その範囲＝（最大値－最小値）を何段階かに分割しておく．
  - 範囲を分割する数は，通常ビット数で示される．このときのビット数を量子化ビット数という．「N ビットで AD 変換する」とあれば，分割数（段階数）は 2^N となる．
  - 量子化ビット数が，8 ビットのときの分割数は $2^8=256$，10 ビットのときの分割数は $2^{10}=1024$ となる．また，量子化ビット数は 1 回サンプリングされるごとに生成されるデータ量に等しい．
  - このとき，アナログ信号の範囲（最大値－最小値）を分割数で割った値，つまり 1 分割あたりの範囲幅を「分解能」または「1 ビットあたりの量子化幅」，「量子化ステップ」などと呼ぶ．
- 標本化によって得られた標本値が，あらかじめ分割された何番目にあたるかを特定する作業が量子化である．
  - このとき微小な差異がある標本値であっても同じ分割段階（1 つの量子幅）にまとめられてしまうので，連続的に変化する標本値を量子化した結果は大きさが不連続な（飛び飛びの）値となる．
  - そのため標本値と量子化された値には差が生じる．これを量子化誤差という．量子化誤差の最大値は，$\pm\frac{1}{2}\times$分解能 となる．また，量子化誤差が原因となって生じる雑音を量子化雑音という．
  - AD 変換の対象となるアナログ信号の範囲を分割する分割数が多いほど分解能は高くなり，量子化ビット数が大きいほど高精度な量子化ができることになる．

〈符号化〉

- 標本値が分割された計測範囲の何段階目にあたるか，つまり量子化された値を 2 進数に変換する．この作業を符号化または 2 進符号化という．

〈補足〉

- 実際の AD 変換回路で考えると符号化を独立した手順とする必要はなく，符号化は量子化の一部とすることも多い．国試では，量子化と符号化をまとめて量子化と考えた方がよい．
- 結果として，AD 変換とは元情報であるアナログ信号をビット単位の 2 進数データに変換する作業になるので，AD 変換の手順全体を符号化とする考えもある．

雑音

医用情報処理工学 第2版 p.49

- 処理対象となる信号（情報）以外の不要な信号（情報）を，雑音またはノイズという．
- 国試では，雑音の低減についての出題がよく見られる．

SN 比 【37 回】 ★★

医用情報処理工学 第2版 p.50

- 信号のエネルギーの大きさを雑音のエネルギーの大きさで割った値（つまり電力比）を指す．
- SN 比が高ければノイズ成分が少なく，データ伝送に対するノイズの影響は小さい．SN 比が低ければノイズ成分が多く，データ伝送に対して影響が大きくなり通信効率を劣化させる．
- 本来は，SN 比（倍）$=\frac{信号電力}{雑音電力}=\left(\frac{信号電圧}{雑音電圧}\right)^2$ で求められる．一般に dB 表記することも多く，その場合は $\text{SN 比}_{(\text{dB})} = 10\log_{10}(\text{SN 比}_{(\text{倍})}) = 10\log_{10}\left(\dfrac{\text{信号電力}}{\text{雑音電力}}\right)$

$= 10\log_{10}\left(\dfrac{\text{信号電圧}}{\text{雑音電圧}}\right)^2 = 20\log_{10}\left(\dfrac{\text{信号電圧}}{\text{雑音電圧}}\right)$ となる．

測定機器の雑音と低減

〈ハム（Hum：ハム音またはハムノイズともいう）〉

- 電源周波数（50 または 60 Hz）に準じた低いブーンという雑音．
- 対策
  - シールド線やツイスト線などのノイズ対策が施されたケーブルの使用
  - ハムフィルタの使用
  - 差動入力（平衡入力）回路の使用 = 同相除去比（CMRR）が高いほど同相雑音が低減できる

〈量子化雑音〉

- AD 変換回路では量子化の際に生じる量子化誤差のため，変換前の信号とは異なった信号を得ることになる．この信号の差は，変換前の信号に加わった雑音と考えることができ，それを量子化雑音と考えればよい．
- 対策
  - 量子化雑音の低減：量子化 bit 数を大きくする
  - 標本化雑音の低減：サンプリング周波数を高くする

数値処理による雑音の低減 ★

- 一般的に処理対象となる信号（生体信号など）は近似した波形が周期的に繰り返されるが，おおよそ雑音は波形も周期も不規則になる．この性質を利用し，数値処理によって不要となる雑音成分を低減することができる．その手法として，同期加算平均と移動平均がある．

医用情報処理工学 第2版 p.51

〈同期加算平均 （同期加算または加算平均ともいう）〉

- 処理対象となる信号を同期させ，信号の大きさを加算平均する手法．
  - SN 比が $\sqrt{\text{加算回数}}$（倍）改善される．

例題

10000 回の同期加算平均を行った場合，どの程度 SN 比が改善するか．

考え方

上式より，SN 比が $\sqrt{10000} = 100$ 倍改善する．

SN 比は dB 値で表すことも多く，この場合は $20\log_{10}100 = 40\ \text{dB}$ 改善されたことになる．

ただし，雑音だけが $\dfrac{1}{100} = -40\ \text{dB}$ に小さくなったのであって，処理対象となった信号の大きさは変わらない．

医用情報処理工学 第2版 p.50

〈移動平均〉

- 処理対象となる信号よりも高い周波数（短い周期）成分の不規則雑音の軽減に効果がある．
- 低域通過フィルタと同等の効果がある．

ディジタルフィルタ

- 信号を AD 変換したデータをディジタル信号処理することにより働くフィルタ回路.
- 例えば，999 Hz 以下の信号と 1001 Hz 以上の信号を完全に遮断し，1000 Hz の信号だけ通過させるような帯域通過フィルタを作ることも可能で，必要な周波数帯域の信号のみを取り出すことができる.
- 多くのディジタルフィルタでは，高速フーリエ変換が利用されている.

○自己相関関数 ★

医用情報処理工学 第2版
p.54

- 元の信号波形とそれを一定時間ずらした信号波形との相関から計算される尺度である.
- 信号の自己相関関数をフーリエ変換することによって，強さの周波数分布＝パワースペクトルが求められる.
- 不規則雑音に埋もれた信号の周波数成分を抽出することができる.
- 脳波の解析などに用いられる.

スペクトル解析，高速フーリエ変換（FFT） ★

医用情報処理工学 第2版
p.52

- 光や音，電磁波信号は様々な周波数の成分から構成されている．周波数ごとにその成分の強さをグラフに表したものを周波数スペクトルという（右図).

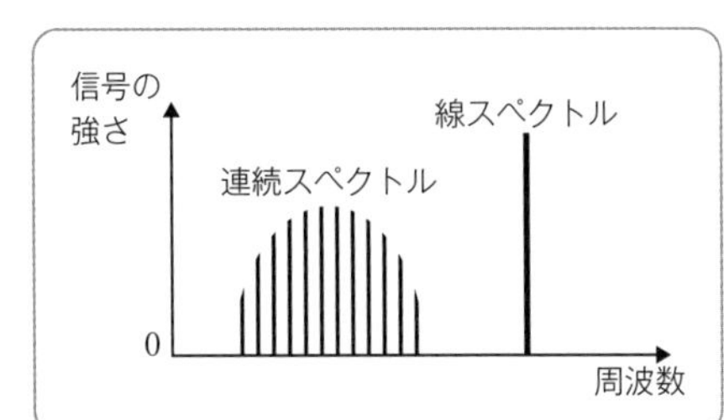

- 周波数スペクトル上で周波数方向に広がりのある成分を連続スペクトルと呼び，周波数方向の広がりがなく線状に現れる成分を線スペクトルと呼ぶ.
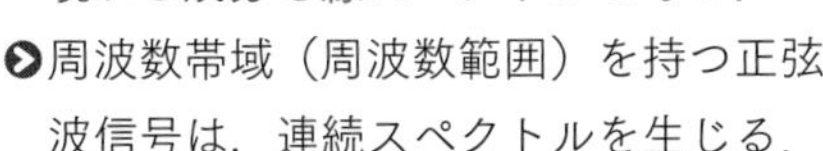
- 周波数帯域（周波数範囲）を持つ正弦波信号は，連続スペクトルを生じる.
- 単一周波数の正弦波信号は，線スペクトルを生じる.
- 方形波またはパルス波は，単一周波数であっても複数の線スペクトルが生じる（次頁の表を参照).
- 様々な周波数の成分から構成された信号から周波数ごとの強さを定量的に求める処理を周波数分析またはフーリエ変換といい，その結果から周波数スペクトルを得ることをスペクトル解析と呼ぶ.
- スペクトル解析の有効な手法として，高速フーリエ変換（FFT：fast Fourier transform）があり，時系列信号（時間とともに変化する信号）を統計的手法（自己相関関数）で解析する．国試には FFT が出題される.
  - その目的（周波数スペクトル成分の解析）と手法（自己相関関数）の名称を知っておくとよい.
- 周波数スペクトル成分を先に設定し，その成分を持った信号を生成することを逆フーリエ変換という．フーリエ変換した結果から不要な周波数成分を除去し，再び逆フーリエ変換を行うと必要な周波数成分だけを持つ信号を取り出すことができる．ノイズ除去などに利用される.

主な信号波形（単一周波数 f）と周波数スペクトル

正弦波	周波数 f の位置だけに線スペクトルが現れる
方形波	周波数 f の位置と f の奇数倍（$3f, 5f, 7f, \cdots$）の位置に線スペクトルが現れる
三角波	周波数 f の位置と f の奇数倍（$3f, 5f, 7f, \cdots$）の位置に線スペクトルが現れる（方形波と線スペクトルが現れる位置は同じだが，高い周波数成分ほど弱くなる）
のこぎり波	周波数 f の位置と f の整数倍（$2f, 3f, 4f, \cdots$）の位置に線スペクトルが現れる

医用情報処理工学 第2版
p.21

○画像表現

➋コンピュータなどで，画像を格子状の細密な点（画素，ピクセル）に分割する表現法をラスターグラフィックスまたはラスターイメージと呼ぶ.

➋画像を構成する画素の色または濃度の情報は，数値に置き換えて処理される．1つの画素にNビット分のデータを割り当てた場合，カラー画像では 2^N 色，モノクロ（白黒）画像では 2^N 段階の濃淡を表現できる.

➋線の起点・終点の座標，曲線の場合はその曲がり方，太さ，色，それらの線に囲まれた面の色，それらの変化のしかたなどを数値で表現するものをベクターグラフィックスまたはベクターイメージと呼び，CADデータで使用されるが国試での出題はない.

データ伝送速度 【33回】 ★★

➋装置間で単位時間（1秒）あたりに伝送されるデータ量を表し，国試ではbpsが出題されることが多い.

➋bps（bit per second）＝bit/s，b/s，ビット毎秒，ビット速度
- データ転送レートの単位.
- 1秒間に伝送可能なビット数と定義される.

➋Bps（byte per second）＝byte/s，B/s，バイト毎秒，バイト速度
- データ転送レートの単位.
- 1秒間に伝送可能なバイト数と定義される.
- 大文字のBを用いてbitと区別するが，国試ではbyte/sと表記される.
- 通常8 bit＝1 byteなので，8 bps＝1 byte/sとなる.

医用情報処理工学 第2版
p.26

○データの圧縮法 ★

➋音声や画像ではデータ量が大きくなるので，保存や伝送を効率よく行うため，データを圧縮する技術が重要となる．国試では，可逆圧縮と不可逆圧縮の違いと，主な圧縮形式の名称（ZIPなど）が問われる.

➋統計的手法を用いる技術の代表として，データ列の圧縮で出現頻度の高いデータにビット数の短い符号を割り当てるハフマン符号がある.

➋統計的手法を用いない技術の代表として，繰り返し出現するデータ列を辞書化し，その辞書を参照して符号化するLZW符号がある.

➋ZIP，CAB，RARなどの圧縮形式では，ハフマン符号やLZW符号の変形やそれらの組み合わせが用いられている.

可逆圧縮と非可逆圧縮の違い

可逆圧縮	非可逆圧縮
・圧縮前のデータと，圧縮・展開（復元）の処理を経たデータが完全に等しくなる圧縮方法 ・ZIP，CAB，RAR など	・圧縮前のデータと，圧縮・展開の処理を経たデータが完全には一致しない圧縮方法．不可逆圧縮ともいう．圧縮率が高く，圧縮後のファイルサイズを小さくできる ・画像ファイルや音声ファイルの圧縮では非可逆圧縮が用いられることが多い ・MP3，JPEG，MPEG など

○論理演算

医用情報処理工学 第2版 p.29

➲1 と 0，真と偽などの 2 つの元（真理値と呼ばれる）だけに限られた演算（元とは，演算の対象と演算の結果）．

	2 つの元の表記	
2 進値	1	0
フローチャート	真（True）：T Yes：Y	偽（Fault）：F No：N
論理回路（電子工学）	電圧が 0 でない 例：5 V，10 V など	電圧が 0 0 V
	電圧が高い High：H	電圧が低い（本来は 0 V） Low：L

論理式（集合）【33 回】【36 回】 ★★

主な論理演算		値によって演算結果がどうなるか	演算値と結果の対応表
論理	論理式	演算	真理値表
否定（反転）NOT	$\overline{A}$	A が 0 のとき，演算結果は 1 A が 1 のとき，演算結果は 0	A / $\overline{A}$: 1 0; 0 1
論理積 AND	A·B	A と B の積で評価 A×B が 0 でないとき，演算結果は 1 A×B が 0 のとき，演算結果は 0	A B A·B: 1 1 1; 1 0 0; 0 1 0; 0 0 0
論理和 OR	A+B	A と B の和で評価 A+B が 0 でないとき，演算結果は 1 A+B が 0 のとき，演算結果は 0	A B A+B: 1 1 1; 1 0 1; 0 1 1; 0 0 0
排他的論理和 XOR（EX-OR）	A⊕B	A と B の和で評価 A+B が 1 のときだけ，演算結果は 1 A+B が 1 以外のとき，演算結果は 0 （A+B が 0 または 2 のとき）	A B A⊕B: 1 1 0; 1 0 1; 0 1 1; 0 0 0

論理式の変換法則（ブール代数）

➲ A と B は 2 つの元（1 または 0）に限られる

A の否定 $\overline{A}$，A と B の論理和 $A+B$，A と B の論理積 $A\cdot B$		
交換の法則	$A+B=B+A$，$A\cdot B=B\cdot A$	通常の式の演算と同じ
分配の法則	$A\cdot(B+C)=A\cdot B+A\cdot C$	
結合の法則	$A+(B+C)=(A+B)+C$，$A\cdot(B\cdot C)=(A\cdot B)\cdot C$	
恒等の法則	$A+1=1$，$A+0=A$，$A\cdot 1=A$，$A\cdot 0=0$	
同一の法則	$A+A=A$，$A\cdot A=A$	同じもの同士の演算
補元の法則	$A+\overline{A}=1$，$A\cdot\overline{A}=0$	
復元の法則	$\overline{\overline{A}}=A$	二重否定（否定の否定）
吸収の法則	$A+A\cdot B=A\cdot(1+B)=A$ $A\cdot(A+B)=A\cdot A+A\cdot B=A+A\cdot B=A$	
ド・モルガンの法則	$\overline{A+B}=\overline{A}\cdot\overline{B}$，$\overline{A\cdot B}=\overline{A}+\overline{B}$	全体否定と個別否定の変換

ド・モルガンの法則を利用する設問は比較的多い．

例題

次の論理関数 X を，ブール代数の公式などを利用して変形し，簡単にせよ．

$X=(A+B)\cdot(A+C)+C\cdot(A+\overline{B})$

解答

$X=(A+B)\cdot(A+C)+C\cdot(A+\overline{B})$

$X=A\cdot A+A\cdot C+B\cdot A+B\cdot C+C\cdot A+C\cdot\overline{B}$　まず結合の法則，分配の法則で式を展開する

$X=A\cdot A+B\cdot A+A\cdot C+C\cdot A+B\cdot C+C\cdot\overline{B}$　並べ替える

$X=A\cdot A+A\cdot B+A\cdot C+A\cdot C+B\cdot C+\overline{B}\cdot C$　交換の法則を利用してアルファベット順に

$X=A+A\cdot B+A\cdot C+B\cdot C+\overline{B}\cdot C$　同一の法則を利用

$X=A\cdot(1+B+C)+(B+\overline{B})\cdot C$　分配の法則を利用

$X=A\cdot 1+1\cdot C$　恒等の法則，補元の法則を利用

$X=A+C$　恒等の法則を利用

論理式とベン図　【37 回】　★★

➲論理関係はベン図を使って表すこともできる．A と B の論理関係とベン図の主な関係は次のようになる．

	論理否定	論理積	論理和	排他的論理和	差集合
論理	NOT	AND	OR	XOR	A から B 部分を除く
論理式	$\overline{A}$	A·B	A+B	A⊕B	A·$\overline{B}$
ベン図表現網掛け部分が演算結果					

➲国試に差集合という用語が出ることはないが，この論理関係はよく出題される．上の表では「A から B 部分を除く」としているが，これは減算に相当するもので，「A から B の部分を引く」と考えればよい．

➲たとえば，論理式 A・$\overline{(B+C)}$ は，「A から（B＋C）の部分を引く（取り除く）」と解

釈してよい．

電子工学分野等で扱う論理回路とは 【34回】【35回】 ★★

医用情報処理工学 第2版 p.31

➲「電圧が 0 でない」と「電圧が 0」の 2 つの状態（元）だけを入出力信号とした信号処理回路（論理演算回路）（真理表では「電圧が 0 でない」と「電圧が 0」の 2 つの状態を，「1」と「0」の元に置き換えている）

主な論理演算と回路記号			入力と出力の対応
論理	回路記号	論理演算式	真理値表
否定（反転）NOT	入力 A → 出力 Y	$Y=\overline{A}$	A/Y: 1/0, 0/1
論理積 AND	A, B → Y	$Y=A\cdot B$	A/B/Y: 1/1/1, 1/0/0, 0/1/0, 0/0/0
論理和 OR	A, B → Y	$Y=A+B$	A/B/Y: 1/1/1, 1/0/1, 0/1/1, 0/0/0
排他的論理和 XOR（EX-OR）	A, B → Y	$Y=A\oplus B$	A/B/Y: 1/1/0, 1/0/1, 0/1/1, 0/0/0
否定論理積 NAND	A, B → Y	$Y=\overline{A\cdot B}$	A/B/Y: 1/1/0, 1/0/1, 0/1/1, 0/0/1
否定論理和 NOR	A, B → Y	$Y=\overline{A+B}$	A/B/Y: 1/1/0, 1/0/0, 0/1/0, 0/0/1

- 上記の回路記号は国試で用いられるもの（MIL 規格に準拠）を示した．JIS 規格とは異なる．
- 上記の論理回路を組み合わせた回路について，真理値表を作成する問題は多く出題される．回路から入力についての論理式を作成し，ブール代数によって簡単な論理式に置き換えるのがよい方法である．

臨床工学技士国家試験問題 Check UP!

問題 1 □□□ 32A60

2 つの 16 進数 A8 と 2B の和を 2 進数で表したのはどれか.

1. 11000011
2. 11001001
3. 11001010
4. 11010011
5. 11011001

問題 2 □□□ 30A61

16 進数 B8 と 9C の和を 16 進数で表したのはどれか.

1. DC
2. 144
3. 154
4. 22F
5. 340

問題 3 □□□ 28A61

2 つの 2 進数 10.01 と 111.11 との和を 10 進数で表したのはどれか.

1. 9.50
2. 9.75
3. 10.00
4. 10.25
5. 10.50

問題 4 □□□ 34P59

16 進数の減算 4A－25 の結果を 10 進数で表したのはどれか.

1. 19
2. 25
3. 31
4. 37
5. 49

問題 5 □□□ 36A57

16 進数 B8 と 9C の和を 16 進数で表したのはどれか.

1. 154
2. 1E4
3. 220
4. 244
5. 340

問題 6 □□□ 35A57

2 進数を 16 進数に変換するとき, 最下位桁から何桁ごとに区切って変換すればよいか.

1. 2
2. 3
3. 4
4. 5
5. 6

問題 7 □□□ 34A61

2 進数 01010101 を 3 倍した 2 進数はどれか.

1. 10000000
2. 10101010
3. 10101101
4. 11101110
5. 11111111

問題 8 □□□ 37A57

日本語文字を含み世界中の文字を集めた文字集合に対応する文字コードはどれか.

1. ASCII
2. JIS コード
3. Unicode
4. シフト JIS コード
5. EUC-JP

問題 9 □□□ 31P60

文字 A をアスキーコードで表すと 16 進数で 41 である．文字 J を表すアスキーコードはどれか．

1. 49
2. 4A
3. 4B
4. 50
5. 51

問題 10 □□□ 37P26

1 mV の信号に 50 μV の雑音が重畳しているとき SN 比［dB］はどれか．
ただし，$\log_{10} 2 = 0.3$ とする．

1. 13
2. 23
3. 26
4. 40
5. 46

問題 11 □□□ 32P61

実効値 10 V の信号に実効値 1 V の雑音が重畳しているとき，SN 比［dB］はどれか．

1. −20
2. −10
3. 0
4. 10
5. 20

問題 12 □□□ 25P61

白色雑音を含む周期信号を 100 回同期加算平均した．SN 比は何倍になるか．

1. 1/100
2. 1/10
3. 1
4. 10
5. 100

問題 13 □□□ 32A63

AD 変換について誤っているのはどれか．

1. 標本化した信号を量子化する．
2. 標本化周波数は信号に含まれる最高周波数の 2 倍以上必要である．
3. 標本化周波数が低すぎると折り返し雑音が起こる．
4. 量子化の分解能を上げるには量子化ビット数を増やす．
5. 量子化雑音を低減するには標本化周波数を高くする．

問題 14 □□□ 30P61

10〜70 Hz の周波数成分から構成されるアナログ信号を AD 変換する．サンプリング周波数［Hz］の下限はどれか．

1. 10
2. 20
3. 40
4. 70
5. 140

問題 15 □□□ 34A62

帯域が 1〜100 Hz のアナログ信号をサンプリングするとき，エイリアシングを起こさないサンプリング間隔の最大値［ms］はどれか．

1. 1.25
2. 2.5
3. 5
4. 10
5. 20

問題 16 □□□ 37A58

0〜8 mV の範囲で動作する 12 bit の AD 変換器がある．およその分解能［μV］はどれか．

1. 1
2. 2
3. 4
4. 8
5. 16

問題 17 □□□ 33P60

−1 V から +1 V の電圧を量子化ビット数 10 bit で AD 変換する．電圧の分解能［mV］に最も近いのはどれか．

1. 1.0
2. 2.0
3. 4.0
4. 8.0
5. 16.0

問題 18 □□□ 30A62

画素数が 800×1000 のモノクロ画像を 128 段階の濃度で表示するために必要な最小データ量［Mbyte］に最も近いのはどれか．

1. 0.7
2. 1.2
3. 2.1
4. 2.4
5. 12.8

問題 19 □□□ 35P57

1 ピクセルが赤，緑，青の各色 256 階調で構成されている縦 1024 ピクセル，横 1024 ピクセルのカラー画像 1 枚のデータ量［MByte］はどれか．ただし，画像以外のデータは無視し，圧縮符号化は行わないものとする．

1. 1
2. 3
3. 24
4. 256
5. 768

問題 20 □□□ 34P61

生体時系列信号の解析手法と用途の組合せで正しいのはどれか．

1. ローパスフィルタ ―――― 聴覚誘発電位の検出
2. FFT ―――――――――― 周波数分析
3. 微分法 ――――――――― 基線動揺の除去
4. 加算平均法 ―――――― 平滑化
5. 移動平均法 ―――――― 波形パターンの認識

問題 21 □□□ 36P55

AD 変換について正しいのはどれか．

a．フラッシュ型 AD 変換器は高速変換に不向きである．
b．量子化ビット数を増やすと量子化誤差が小さくなる．
c．10 kHz の信号を 20 kHz より低い周波数で標本化すると，元の信号を復元できない．
d．多チャンネル同時 AD 変換には，標本化保持（サンプルホールド）回路を用いる．
e．LSB に対応した電圧が大きいほど量子化誤差が小さい．

1. a, b, c　2. a, b, e　3. a, d, e
4. b, c, d　5. c, d, e

問題 22 □□□ 33A63

1 枚 1 Mbyte のディジタル画像を 1 秒間に 100 枚伝送したい．最低限必要な伝送速度はどれか．ただし，画像以外のデータは無視し，圧縮符号化は行わないものとする．

1. 1 Mbps
2. 10 Mbps
3. 100 Mbps
4. 1 Gbps
5. 10 Gbps

問題 23 □□□ 32A61

各ピクセルの濃度が 2^{10}＝1024 階調，1 フレームの画像の大きさが 4000×2000 ピクセル，1 秒間に 50 フレームのグレースケール動画像を，伝送速度 40 Mbps の伝送路で滞留なく伝送したい．データ量は少なくとも何分の 1 に圧縮しなければならないか．

1. 1/10
2. 1/50
3. 1/100
4. 1/500
5. 1/1000

問題 24 □□□ 31P61

帯域が 1～100 Hz の信号を量子化ビット数 8 bit で AD 変換する．5 秒間の信号を記録するのに最低限必要な容量［byte］はどれか．ただし，圧縮符号化は行わず，信号以外のデータは無視する．

1. 500
2. 1000
3. 2000
4. 4000
5. 8000

問題 25 □□□ 28A60

1 画面 100 kbit で構成されるデジタル画像を伝送したい．通信回線の伝送速度が 9 Mbps であるとき，1 秒間に伝送できる画像の最大数はいくつか．ただし，伝送時に圧縮符号化などの処理は行わず，画像構成データ以外のデータは無視する．

1. 1
2. 9
3. 10
4. 90
5. 100

問題 26 □□□ 34P55

19200 bps の伝送路で時分割多重通信方式（TDM）により複数チャネルを同時通信する場合，全てのチャネルが 300 byte/s 以上の伝送速度を確保可能なチャネル数の最大値はどれか．

1. 1
2. 2
3. 4
4. 8
5. 16

問題 27 □□□ 36P56

輝度分解能が 8 bit で，画素数 10,000×10,000 で構成された画像がある．この画像 10 枚を 1 Gbps の伝送路で伝送するために必要な最短時間［s］はどれか．ただし，伝送時に圧縮符号化等の処理を行わず，画像構成データ以外のデータは無視する．

1. 0.1
2. 0.8
3. 1
4. 8
5. 10

問題 28 □□□

33A61

論理式 $A \cdot \overline{(B+C)}$ を表すベン図はどれか．ただし，図中の網掛け部分が論理値の 1 を表す．

1. 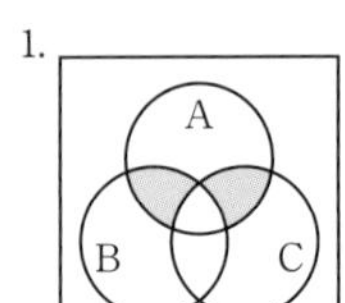

2. 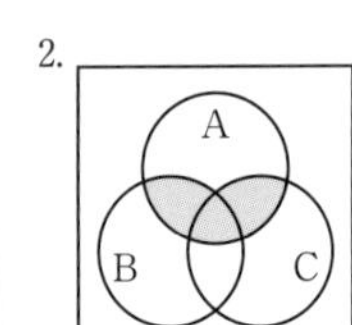

3. 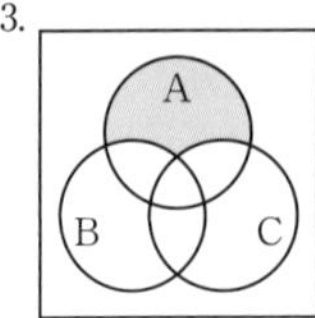

4. 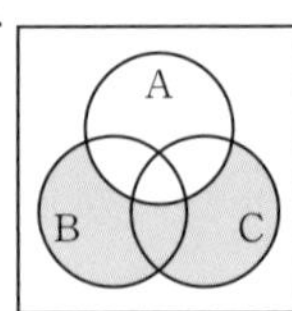

5. 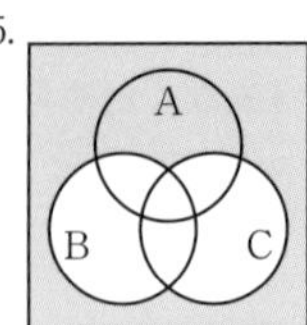

問題 29 □□□

30P60

論理式 $A \cdot B + B \cdot C + C \cdot A$ を表すベン図はどれか．

1. 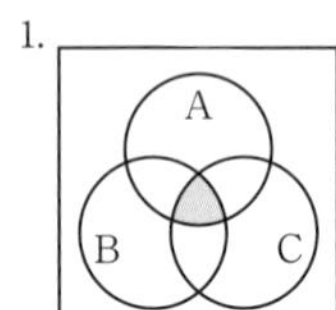

2. 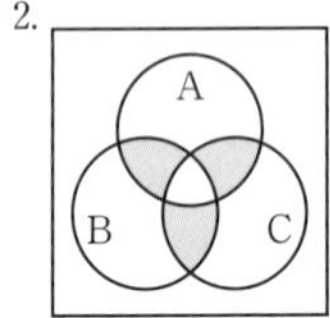

3. 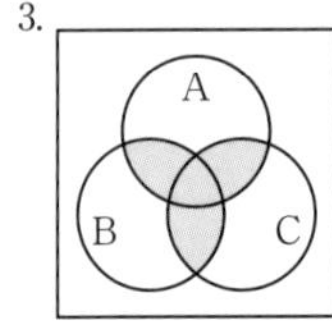

4. 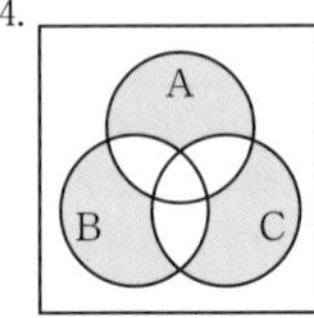

5. 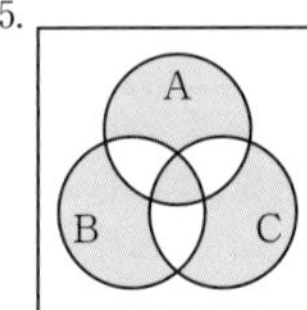

問題 30 □□□

28A62

集合 A，B の論理演算で図の網掛け部分を表すのはどれか．

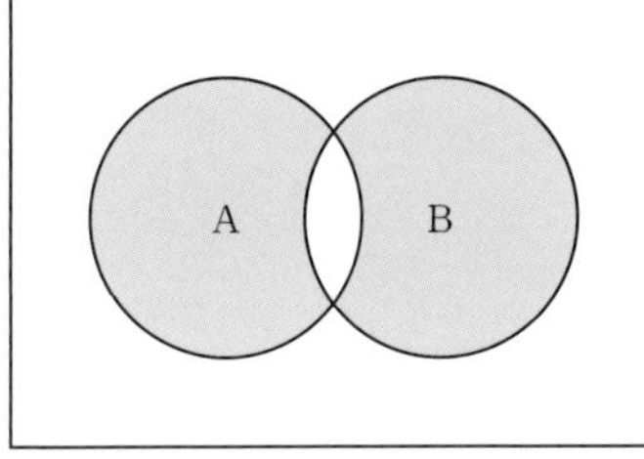

1. AND
2. OR
3. NOT
4. XOR
5. NOR

問題 31 □□□

26A59

図で表される集合 A，B，C がある．図の網掛け部分に対応する論理式はどれか．

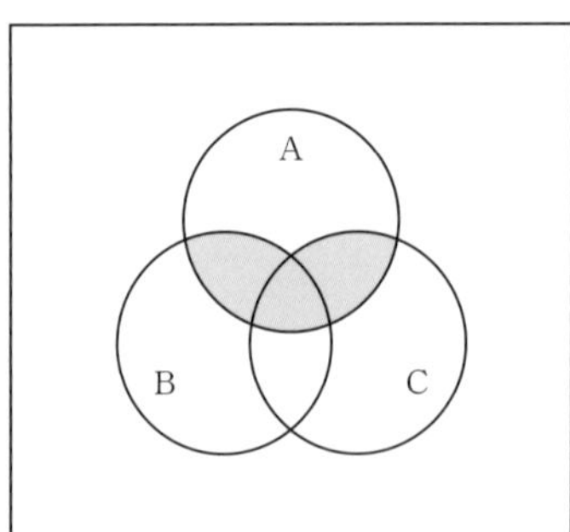

1. $A \cdot (B+C)$
2. $B \cdot (A+C)$
3. $A + B \cdot C$
4. $B + A \cdot C$
5. $C + A \cdot B$

問題 32 □□□

36P57

図の網掛け部分に対応する論理式はどれか．ただし，図中の網掛け部分は論理値の 1 を表す．

1. $\overline{A}\cdot(B+C)$
2. $A\cdot\overline{(B+C)}$
3. $A+\overline{B\cdot C}$
4. $\overline{A}\cdot(\overline{B}+\overline{C})$
5. $A\cdot(B\cdot\overline{C}+\overline{B}\cdot C)$

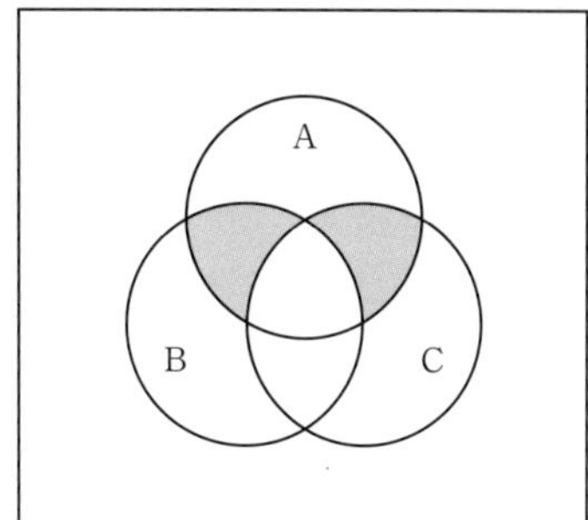

問題 33 □□□

37A59

図の網掛け部分を表す論理式はどれか．

1. $A\cdot\overline{B}\cdot C+\overline{A}\cdot B\cdot C$
2. $(A\cdot B+\overline{A}\cdot\overline{B})\cdot C$
3. $(A\cdot B+\overline{A\cdot B})\cdot\overline{C}$
4. $(A+B)\cdot(\overline{A}\cdot\overline{B})\cdot\overline{C}$
5. $(A+B)\cdot(\overline{A+B})\cdot C$

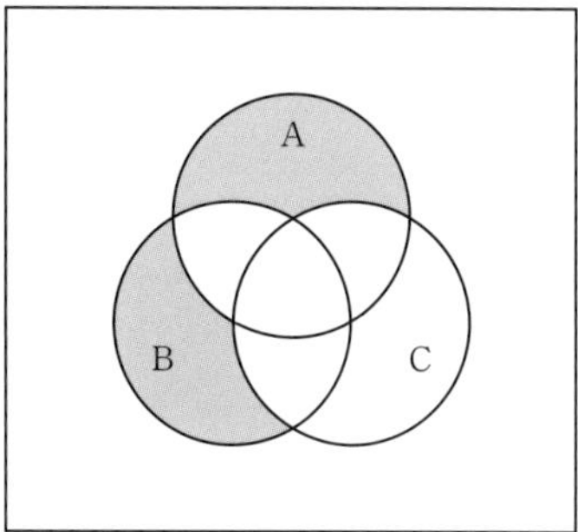

問題 34 □□□

29A61

真理値表に対応する論理演算はどれか．

1. AND 演算
2. NAND 演算
3. NOR 演算
4. NOR 演算
5. EXOR（exclusive OR）演算

A	B	X
0	0	0
0	1	1
1	0	1
1	1	0

問題 35 □□□ 27A61

図の回路の出力 X を表す真理値表で正しいのはどれか.

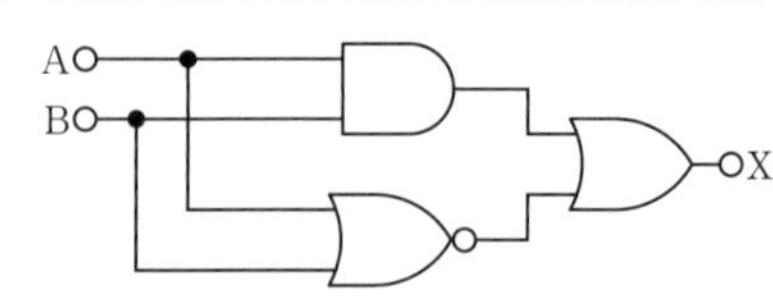

1.

入力		出力
A	B	X
0	0	0
0	1	0
1	0	0
1	1	1

2.

入力		出力
A	B	X
0	0	0
0	1	1
1	0	1
1	1	0

3.

入力		出力
A	B	X
0	0	1
0	1	0
1	0	0
1	1	1

4.

入力		出力
A	B	X
0	0	0
0	1	1
1	0	1
1	1	1

5.

入力		出力
A	B	X
0	0	1
0	1	1
1	0	1
1	1	0

問題 36 □□□ 32P59

図の回路に等価なのはどれか.

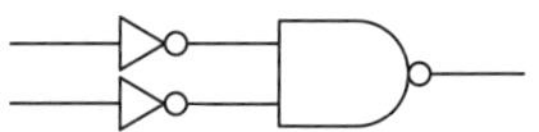

1. OR
2. AND
3. NOR
4. NOT
5. NAND

問題 37 □□□ 35P55

図の論理回路を論理式で表したのはどれか.

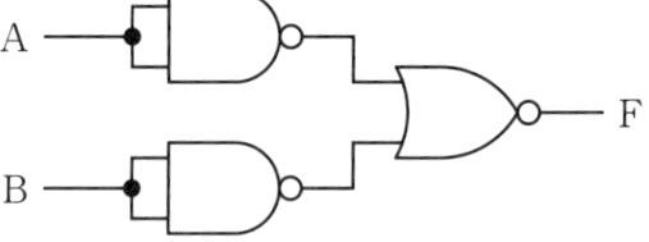

1. $\mathrm{F=A \cdot B}$
2. $\mathrm{F=A+B}$
3. $\mathrm{F=\overline{A} \cdot \overline{B}}$
4. $\mathrm{F=\overline{A}+\overline{B}}$
5. $\mathrm{F=\overline{A+B}}$

問題 38 □□□ 34P54

図の論理回路の X を示す論理式はどれか.

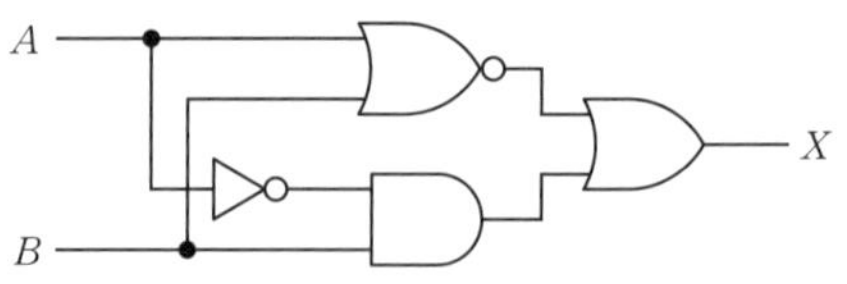

1. $X=\overline{A}$
2. $X=\overline{B}$
3. $X=A+B$
4. $X=\overline{A}+\overline{B}$
5. $X=\overline{A+B}$

問題 39 □□□

37P55

図の回路と等価な論理式はどれか．

1. $X=A \cdot B+C$
2. $X=A \cdot B+\overline{C}$
3. $X=(\overline{A}+\overline{B}) \cdot C$
4. $X=(A+B) \cdot C$
5. $X=(A+B) \cdot \overline{C}$

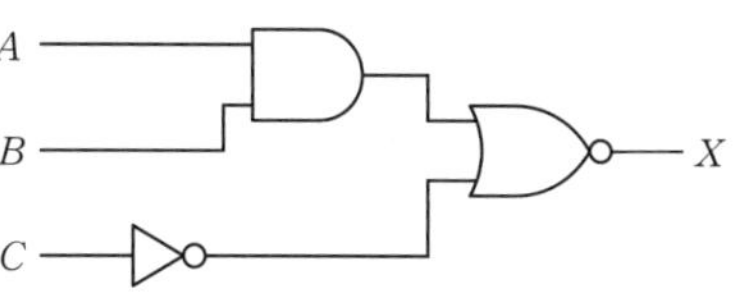

問題 40 □□□

31A62

論理式 X＝A·B＋A·C と等価な論理回路はどれか．

1.
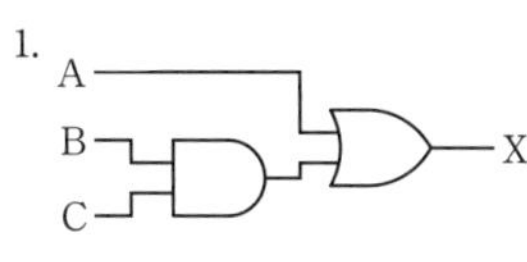

2.
A
B
C
X

3.
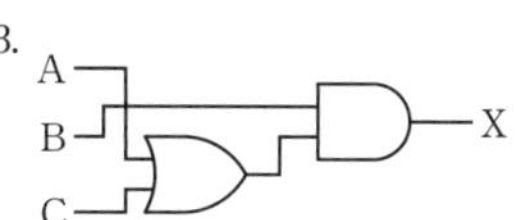

4.
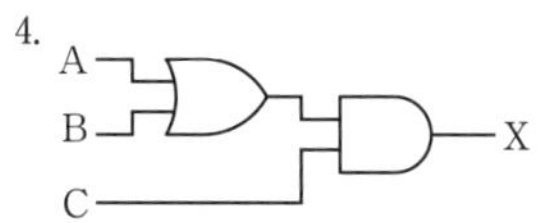

5.
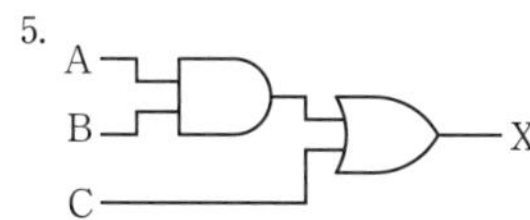

問題 41 □□□

34P60

論理演算 $\overline{X \cdot Y}$ を求める論理回路がある．図のような X，Y を入力した時の出力はどれか．

1. A
2. B
3. C
4. D
5. E

入力

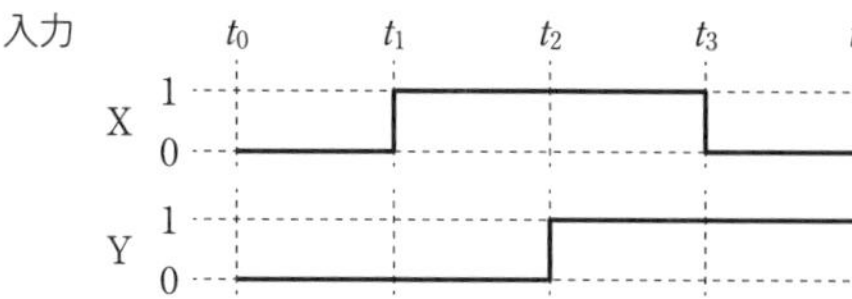

出力

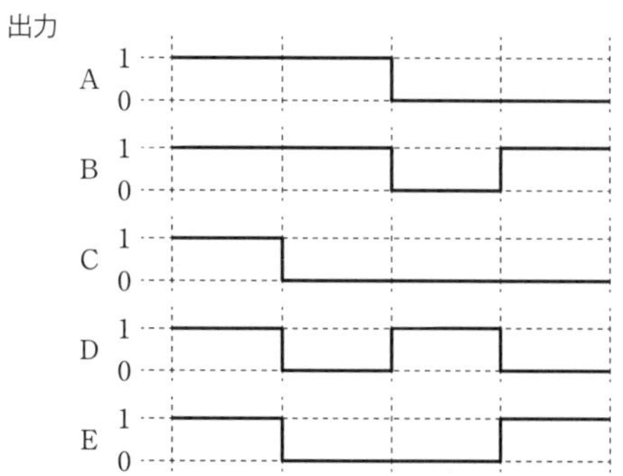

〈解答〉問題 1-4，**問題 2**-3，**問題 3**-3，**問題 4**-4，**問題 5**-1，**問題 6**-3，**問題 7**-5，**問題 8**-3，**問題 9**-2，**問題 10**-3，**問題 11**-5，**問題 12**-4，**問題 13**-5，**問題 14**-5，**問題 15**-3，**問題 16**-2，**問題 17**-2，**問題 18**-1，**問題 19**-2，**問題 20**-2，**問題 21**-4，**問題 22**-4，**問題 23**-3，**問題 24**-2，**問題 25**-4，**問題 26**-4，**問題 27**-4，**問題 28**-3，**問題 29**-3，**問題 30**-4，**問題 31**-1，**問題 32**-5，**問題 33**-4，**問題 34**-5，**問題 35**-3，**問題 36**-1，**問題 37**-1，**問題 38**-1，**問題 39**-3，**問題 40**-2，**問題 41**-2

（2）ハードウェア

医用情報処理工学 第2版
p.61

○CPU 【34回】 ★★

- プロセッサはソフトウェアを動作させるためのハードウェアである．制御装置，演算装置，レジスタ，周辺回路などから構成されており，ある程度の規模の内蔵メモリまでを含めることもある．
- 中央処理装置（CPU）はプロセッサの一部であり，中核部分を指すと考えてよい．なお，CPU＝プロセッサとして扱う場合もある．

○記憶装置 【33回】【35回】 ★★

- 一般に主記憶装置とはメインメモリを指し，中央処理装置（CPU）が直接アクセス（読み書き）できる．
- 主記憶装置は，読み書きが自由に可能なRAM（ラム）と，読み取り専用のROM（ロム）に大別できる．
  - 単にメモリという場合，RAMを指していることが多い．RAMは電源を切ると記憶情報は消えてしまう（揮発性）．一方，ROMは電源を切っても記憶情報が失われることはない（不揮発性）．
- 主記憶装置以外の記憶装置は補助記憶装置と呼ばれ，電源を切っても記憶情報は消えない（不揮発性）．

医用情報処理工学 第2版
p.65

RAM（Random Access Memory） 【33回】【37回】 ★★

- 読み書き可能なメモリで，一般に電源の供給が絶たれると記憶内容が失われる（揮発性メモリ）．
- どの場所（アドレス）に格納されたデータも，自由な順序でアクセスできる（ランダムアクセス可能な）メモリである．
- RAMは記憶素子や記憶方法，構造などから，大きくDRAMとSRAMに分けられる．

	DRAM (Dynamic Random Access Memory)	SRAM (Static Random Access Memory)
記憶素子	コンデンサ（キャパシタ）	フリップフロップ（双安定マルチバイブレータ）
記憶方法	データの各ビットの状態（1・0）をコンデンサに充電した電荷量の大小に対応させる	データの各ビットの状態（1・0）をフリップフロップの出力値に対応させる
アクセス速度	SRAMより遅い	高速アクセスが可能
コスト	・記憶部の構造が単純で低コスト ・高密度化，小型化が可能	・記憶部が複雑になるため高コスト ・小型のまま記憶容量を大きくしにくい
その他	・コンデンサの自然放電による記憶情報の消失を防ぐため，常に記憶情報の書き換え＝リフレッシュ（記憶保持動作）が必要となり，消費電力が大きくなる（リフレッシュの周期は数十ms程度） ・コンピュータの主記憶装置（メインメモリ）に使用される	・リフレッシュ動作が必要ないので消費電力は小さい ・高速性が重要なCPUに内蔵されるキャッシュメモリに使用される

ROM（Read Only Memory）【33 回】 ★★

- 読み取り専用のメモリで，電源の供給が絶たれても記憶内容が失われることがない（不揮発性メモリ）．
- 基本的にデータの書き込みは 1 度しかできず，データの書き換えはできない．ただし ROM にも様々な種類があり，追記が可能なものやデータを全消去（ブランク状態）して書き込みが可能なものもある．

マスク ROM	・製造過程でデータの書き込みを行い，ユーザによるデータの書き込みはできない ・安価に大量生産が可能で，ゲームカートリッジに利用される
PROM (Programmable ROM)	・ユーザがデータを書き込んで使用できる
EEPROM	・電気的にデータの全体または部分消去が可能 ・メモリカード，USB メモリや SSD などに利用されるフラッシュメモリはこの一種

- フラッシュメモリを用いたメモリカード，USB メモリなどは補助記憶装置に分類される．

医用情報処理工学 第2版
p.75

記憶装置 【37 回】 ★★

主記憶装置	RAM (Random Access Memory)	・ランダム・アクセス・メモリ 例）DRAM，SRAM など
	ROM (Read Only Memory)	・リード・オンリー・メモリ 例）EP-ROM など
補助記憶装置	ハードディスク (Hard Disk Drive：HDD)	・情報を固体ディスク（プラッタ）に磁気記録する
	フロッピーディスク (Floppy Disc Drive：FDD)	・情報を樹脂製のディスクに磁気記録する
	光磁気ディスク (Magneto-Optical Disc：MO)	・MO（magneto-optical）装置は光磁気ディスクの読み書きを行う装置 ・再書き込み可能
	磁気テープ（MT）	・他のメディアに比べて容量が大きく，テープの容量あたりの単価が安価で大規模なサーバなどのバックアップに利用される
	NAS (Network Attached Storage)	・ネットワークに接続して使用する補助記憶装置 ・一般的に複数のハードディスクドライブを組み合わせて 1 つの NAS が構成される．このとき組み合わせの仕組みとして RAID が利用される
	SSD (Solid State Drive)	・半導体素子をディスクドライブのように扱えるようにしたもので，ハードディスクよりも静粛性や耐衝撃性に優れる ・ハードディスクよりもデータの読み出し・書き込みは高速である ・データの消去や書き込みを繰り返すと素子が劣化する
	CD-ROM	・CD-R：一度書き込んだ情報が変更できない ・CD-RW：再書き込み可能
	DVD ディスク	・DVD-R：一度書き込んだ情報が変更できない ・DVD-RW：再書き込み可能
	BD ディスク (Blu-Ray Disc)	・1 層あたりの容量は DVD の 5 倍以上
	メモリカード (SD カード，CF カードなど)	メモリカードや USB メモリを総称してフラッシュメモリと呼ぶこともある
	USB メモリ (USB フラッシュメモリ)	

RAID 【33 回】 ★★

- 複数のハードディスクドライブを組み合わせ，仮想的に 1 台のハードディスクとして構成・運用する技術．
- 複数ドライブへ分散書き込みすることによってデータ保存の高速化などが期待でき，データを二重化して保存することで，ドライブに故障が生じてもデータの復旧やアクセスが可能となり，安全性や耐障害性の向上を図ることができる．
- ドライブ構成などによって，RAID1，RAID5，RAID6，RAID10 などの方式がある．近年では SSD を用いて構成されることもある．

医用情報処理工学 第2版
p.68

○入出力装置

- コンピュータの周辺機器としては入力装置，出力装置，記憶装置が取り上げられる．国試では，それぞれどのようなハードウェアがあるかを知っておけばよい（記憶装置は前述）.

入力装置 ★

- キーボード
- OCR（Optical character recognition：光学文字認識）
- ポインティングデバイス（マウス，タッチパネル，ライトペン，デジタイザ，ペンタブレットなど）
- バーコードリーダ
- スキャナ
- カメラやマイク，センサも入力装置と考えてよい

出力装置

- モニタディスプレイ（CRT，LCD，PDP，有機 EL など）
- プリンタ
- スピーカも出力装置と考えてよい

○その他周辺装置

医用情報処理工学 第2版
p.80

インタフェース

- コンピュータ内部の各装置，またはコンピュータ本体と周辺機器（入力装置，出力装置など）を接続し，データの伝送や交換を行う経路を指す．バスと呼ばれることもある．
- データの伝送方法により，シリアルインタフェースとパラレルインタフェースに大別できる．
- 近年ではシリアルインタフェースの高速化が進んでおり，最近の国試でもシリアルインタフェースが多く出題され，パラレルインタフェースの出題は少ない．

〈シリアルインタフェース〉

- データを 1 ビットずつ順番に転送（シリアル転送またはシリアル通信）する方式．
- 接続に必要な伝送線数を少なくできる．
- 伝送タイミングを示すためのクロック信号を，独立した伝送線で送る同期式と，クロック信号をデータ信号に重複させる非同期式がある．現在ではほとんどが非同期式（非同期通信）．
- 伝送速度の高速化が進み，データ伝送の主流になっている．

代表的なシリアルインタフェース

RS-232	電圧の極性（＋・－）によってビットを識別する．伝送距離は 15 m 以下と規定されている
USB (Universal Serial Bus)	現在最も利用される．伝送距離は短いが**高速伝送が可能** 接続機器へ電源供給が可能で，ホットプラグに対応している
IEEE1394	AV 機器の接続に利用される
HDMI，DVI，DisplayPort	いずれも主にディスプレイの接続に利用される
SATA	外部記憶装置（ハードディスクなど）を接続する．エスアタと読む．**シリアル ATA** と表記することもある．eSATA は拡張規格

ネットワーク間の伝送もシリアル通信であるが，一般にネットワーク接続はシリアルインタフェースに含めない．

〈パラレルインタフェース（国試での出題は近年あまりない）〉

- 複数のビットをまとめて同時に転送（パラレル転送またはパラレル通信）する方式．各ビットを伝送する独立した伝送線と制御信号を伝送する伝送線が必要なため，接続線数が多くなる．
- 長距離伝送ができない（せいぜい 20 m 程度）．

〈無線接続インタフェース〉【37 回】 ★★

- 数 m から数十 m 程度の範囲内の情報機器間で，赤外線や電波を使って情報のやりとりを行うのに使用される．
- 赤外線を利用する IrDA や 2.4 GHz 帯の電波を利用する Bluetooth がなどが代表的である．
- 非接触 IC カードや IC タグも RFID と呼ばれる無線接続インタフェースを利用している．RFID の一種として NFC（近距離無線通信）がある．

〈通信ケーブル〉【37 回】 ★★

- データ伝送に利用されるケーブルには，次のようなものがある．

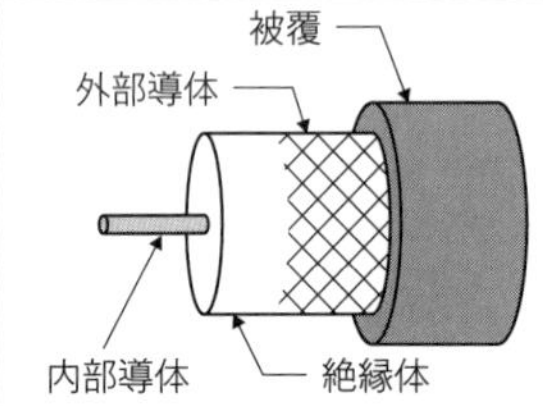	同軸ケーブル 図のような構造になっており，内部導体（芯線）を覆う外部導体が電磁シールドの役割を果たすため，外部から到来する電磁波の影響を受けにくい．主に高周波信号の伝送に用いられる．同軸ケーブルの特性インピーダンスは 50 Ωまたは 75 Ωである．
	ツイストペアケーブル 平行に接続された 2 本の配線をねじり合わせた構造になっており，電源ケーブルからの誘導ノイズや外部から到来する電磁波の影響を受けにくい．
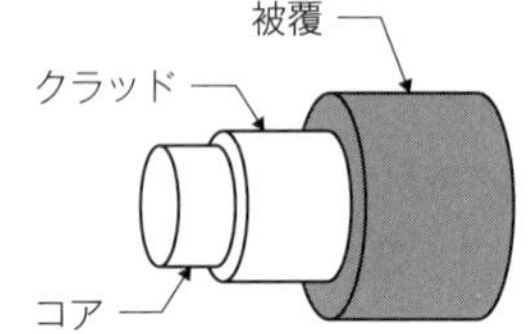	光ファイバー 電磁気の影響を受けずに高速信号が長距離に伝送できる．中心部（コア）に屈折率の大きな材料を用い，その外側を覆う部分（クラッド）に屈折率の小さな物質を用いた構造になっており，全反射を利用し，コアの内側で光を効率よく伝送させる．コア・クラッドともに光透過率が高い材料を用いる．

臨床工学技士国家試験問題

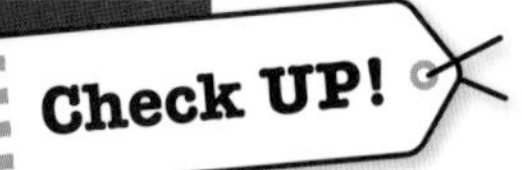

問題 1　□□□　31P57

コンピュータの構成要素で正しい組合せはどれか.

1. OCR ―――――― 入力装置
2. RAM ―――――― 制御装置
3. RAID ―――――― 演算装置
4. タッチパネル ―――― 記憶装置
5. USB フラッシュメモリ ―― 出力装置

問題 2　□□□　37A53

光源としてバックライトを有するのはどれか.

1. 液晶ディスプレイ
2. 有機 EL ディスプレイ
3. LED ディスプレイ
4. プラズマディスプレイ
5. CRT ディスプレイ

問題 3　□□□　33P57

記憶装置について誤っているのはどれか.

1. フラッシュメモリは揮発性メモリの一種である.
2. ハードディスクは情報を磁気的に記録する.
3. RAM は記憶内容を変更することができる.
4. RAM は主記憶装置として使われる.
5. ROM は電源を切っても情報を保持する.

問題 4　□□□　37A62

CPU の計算処理において，データや命令を CPU に高速に取り込むために一時的に使用する記憶装置はどれか.

1. メインメモリ
2. キャッシュメモリ
3. フラッシュメモリ
4. ハードディスクドライブ（HDD）
5. ソリッドステートドライブ（SSD）

問題 5　□□□　31A58

コンピュータの入出力インタフェースについて正しいのはどれか.

1. IEEE1394 は無線 LAN の規格である.
2. USB はパラレルインタフェースである.
3. USB のデータ転送速度は RS-232C よりも速い.
4. シリアル ATA は複数のコンピュータ間の通信に使用される.
5. HDMI はコンピュータとハードディスクの接続に使用される.

問題 6　□□□　37P57

USB について正しいのはどれか.

a. ポートの形状は HDMI と同じである
b. データ転送はパラレル方式である
c. 入出力装置に電力供給ができる
d. ホットプラグインに対応する
e. ハブを用いてポートを増設できる

1. a, b, c　　2. a, b, e　　3. a, d, e
4. b, c, d　　5. c, d, e

問題 7 □□□ 35A58

パーソナルコンピュータの主記憶装置に用いられるのはどれか.

1. HDD
2. SSD
3. CD-ROM
4. DRAM
5. DVD-RAM

問題 8 □□□ 34P56

CPU について誤っているのはどれか.

1. 演算ユニット, 制御ユニット, 一時記憶ユニットから構成される.
2. 主記憶装置から命令を読込んで解読し, 実行する.
3. マルチコア CPU では複数の処理を並列に実行することができる.
4. 64 ビット CPU では一度に処理するデータ長が 64 ビットである.
5. CPU の構造が同じであれば, クロック周波数が低いほど処理速度が速い.

問題 9 □□□ 34A58

画像処理に特化して設計された装置はどれか.

1. GPU（Graphics Processing Unit）
2. VGA（Video Graphics Array）
3. ALU（Arithmetic Logic Unit）
4. MMU（Memory Management Unit）
5. GUI（Graphical User Interface）

問題 10 □□□ 37A56

誤っているのはどれか .

1. 無線通信は主に電波を用いる.
2. アナログ通信は伝送路で信号が減衰する.
3. 光ファイバはコアとクラッドで構成される.
4. ディジタル通信はアナログ通信に比べて雑音に強い.
5. 同軸ケーブルは電線を 2 本体で撚(よ)り合わせたケーブルである.

〈解答〉問題 1-1, **問題 2**-1, **問題 3**-1, **問題 4**-2, **問題 5**-3, **問題 6**-5, **問題 7**-4, **問題 8**-5, **問題 9**-1, **問題 10**-5

(3) ソフトウェア

医用情報処理工学 第2版
p.106

○アルゴリズム

フローチャート 【33回】【34回】【35回】 ★★★

- 1つ1つの処理を「箱」で表し，箱の間を矢印で接続する．矢印で処理の流れや順序を表現する図である．
- 様々な分野の工程の解析，設計，文書化，管理に用いられている．
- 国試で用いられる箱は主に次の5種類で，これらを矢印でつないで処理の流れを示す．

処理	（長方形）	値の代入や演算を行う．単純な四角形で表される
判断	（菱形）	値の比較を行い，その結果で処理の流れを分岐する．通常菱形で表される
端子	（角丸四角形）	処理の始めと終わりを示す．通常，角を丸めた四角形で表される
入出力	（平行四辺形）	値の入力や出力を行う．通常，平行四辺形で表される
準備	（六角形）	値の初期化や判断で使用するしきい値の設定などを行う．通常，六角形で表される（準備で行う作業は処理と大差ないので，四角形で表すこともある）

アルゴリズムはコンピュータで問題を解くための手段のことで，フローチャートなどで表現される．

○プログラミング言語

医用情報処理工学 第2版
p.94

- コンピュータ科学では，「コンピュータに対して一連の動作の指示を記述するために使用する人工言語の総称．記述された一連の指示をプログラムと呼び，プログラムを記述することをプログラミングと呼ぶ」とされる．
  - ・国試では代表的なプログラミング言語の名称を知っていればよい．
- プログラミング言語は様々な分類が可能だが，プログラムに記述された構文が人間にとって分かりやすい（命令を表す単語が日常用語に近い）ものを高級プログラミング言語（高級言語）または高水準言語という．
- その対義語が低級プログラミング言語（低級言語）または低水準言語である．

初期（1950年代）の高級プログラミング言語 ★

- 以下の言語は現在も利用されている．

FORTRAN（フォートラン）	科学技術計算向けプログラミング言語
COBOL（コボル）	事務処理計算（商業計算）向けプログラミング言語
LISP（リスプ）	人工知能向けプログラミング言語

その他の高級プログラミング言語 【33回】【36回】 ★★

BASIC（ベーシック）	FORTRANを元に初心者向けに作成された
C言語（シーげんご）	元々はUNIXの移植用に開発された，汎用プログラミング言語
C++（シープラスプラス）	C言語を拡張したプログラミング言語
C#（シーシャープ）	C言語，C++から派生したプログラミング言語
Java（ジャバ）	組み込み機器用からインターネット上などでも利用される
JavaScript(ジャバ・スクリプト)	Java言語のコマンドなどを組み合わせて実行するスクリプト言語
Perl（パール）	インターネット上などでも利用されるプログラミング言語
PHP(ピー・エイチ・ピー)	動的なウェブページを作成するための機能を多く備えている
Python（パイソン）	文法を極力単純化し作業性と信頼性を高めることを重視した

スクリプト言語はウェブページの記述に広く使われる．Perl, PHP, Pythonはスクリプト言語の1つに数えられる．

低級プログラミング言語

機械語（マシン語）	プロセッサ（中央処理装置（CPU）またはコンピュータ自体）が直接理解し実行できるバイナリコード（2進数の組み合わせと考えてよい）で記述されるプログラミング言語（プログラム自体は2進数または16進数（要は数値）の並びに見える）
アセンブリ言語（アセンブラ言語）	ニーモニックと呼ばれる命令語（2進数のバイナリコードを略号または単語に置き換えたもの）を用いてプログラムを記述するプログラミング言語

プログラミング言語関係の用語

インタプリタ	・高級プログラミング言語で記述されたプログラムを逐次解釈（機械語に翻訳）しながら実行する方式または翻訳プログラムを指す ・一般にBASIC，Java，JavaScript，Perl，PHP，C#，Pythonはインタプリタ言語である ・実行速度は遅いが，開発時の作業性は高い
コンパイラ	・あらかじめ高級プログラミング言語で記述されたプログラムを機械語に一括翻訳した実行ファイルを作成しておき，それを実行する方式または翻訳プログラムを指す ・FORTRAN，COBOL，C言語，C++はコンパイラ言語である ・開発時の作業性は低くなるが，実行速度は速い

OS（オペレーティングシステム） 【37回】 ★★

医用情報処理工学 第2版
p.88

- コンピュータ科学では，「ハードウェアを抽象化し，そのインタフェースをアプリケーションソフトウェアに提供するソフトウェア」とされる．
- アプリケーションソフトウェアからハードウェアの機能を利用する場合，ハードウェアが異なる（例えばプリンタメーカーが異なる）場合に同じ結果にならないことがある．
- これを避けるため，ハードウェアの差異をオペレーティングシステムが吸収し，アプリケーションソフトウェア側から統一されたハードウェアとして扱うことができるようにすることを抽象化といい，それがオペレーティングシステムの存在意義である．
- 国試では，次に示す目的と役割，代表的なオペレーティングシステムの名称を知っていればよい．

オペレーティングシステムの目的と役割

- ハードウェアの抽象化
- リソース（資源）の管理（周辺機器の制御やファイルシステムやメモリの管理など）
- 利用効率の向上（複数のタスクを実行時に資源利用の順番や処理時間の割り当ての工夫）

パソコン用オペレーティングシステム ★

UNIX（ユニックス）	パソコンだけでなく大型コンピュータでも利用されるOS
Linux（リナックス）	UNIXと互換性あるOSで，パソコンで利用されるフリーソフトウェア
Windows	パソコン用OS（マイクロソフト社製）
MacOSX	アップルコンピュータのMacintosh用OS

モバイル用オペレーティングシステム ★

iOS	アップルコンピュータのiPhoneなどに利用されるOS
Android	Google社が開発した携帯機器用OS

オペレーティングシステム関係の用語

シングルタスク	個々のタスクまたはプロセス（単に作業と考えてよい）を逐次実行する方式
マルチタスク	現在のOSの主流で，同時に複数のタスクやプロセスを同時並行して実行する方式

○応用ソフトウェア 【37回】 ★★

医用情報処理工学 第2版 p.99

- いわゆるワープロソフト，表計算ソフト，データベースソフト，メールソフト（メーラー）など，コンピュータユーザが直接使用するソフトウェアのことで，アプリケーションソフトウェアとも呼ばれる．
- その内容について国試で問われることはまずないが，選択肢としてExcel（表計算ソフト），Word（ワープロソフト），Powerpoint（プレゼンテーションソフト），Webサイトを表示するためのブラウザソフトとしてChrome，Edge，Safariなどが列記されることはある．
- 応用ソフトウェアのうち，機器の中にあらかじめ書き込まれ，機器の動作制御を担うものを，組込みソフトウェアという．

ファイル形式

- 文書，音声，画像，動画などのさまざまなファイルを，応用ソフトウェアや情報機器で共通に扱うために決められた形式や規格のことを指す．
- 国試では，扱うデータ種別（文書，画像，映像，音声等）とファイルフォーマットの名称の対応を知っていればよい．圧縮が可能なファイル形式については，可逆圧縮か不可逆圧縮かをチェックしておく．

○ミドルウェア 【37回】 ★★

- オペレーティングシステムの機能拡張，またはアプリケーションソフトウェアの汎用性が高い機能を集めたもので，コンピュータ業務の性能・信頼性・生産性向上などのために使用される．

❯代表的なミドルウェアには，データベース管理システムにおいてデータの操作や定義を行うために他のプログラミング言語と併用されるデータベース言語 MySQL などがある．

文書（テキスト，ドキュメント）データ

❯国試で出題されるのは HTML が多い．

HTML	・ウェブ上でドキュメントを表示するために策定された．画像等の表示も可能 ・プログラミング言語としての機能も持つ．XHTML，MHTML も同様と考えてよい
PDF	・作成したドキュメントを，異なる環境のコンピュータで利用した場合にも，画像等を含め元のレイアウトどおりに表示・印刷できる ・セキュリティ設定，可逆データ圧縮が可能
CSV	・複数の項目をテキストデータで記述し，カンマ（,）で区切ったテキストファイル．古くから多くの表計算ソフトやデータベースソフトでデータ交換用に使われる

静止画データ（画像データ）【33 回】 ★★

❯国試で出題されるのは JPEG が多い．

❯画像データには，ラスターイメージデータとベクターイメージデータがある．

ラスターイメージデータ	・ビットマップ画像ともいう ・画像を格子状の細密な点（ピクセル，画素）に分割し，各点の色や濃度数値として表現する ・拡大表示したとき，ピクセルまたは画素がそのまま大きくなってしまうので粗い画像となる	BMP	・Windows で利用されるビットマップ画像データ ・通常は圧縮せずに保存される
		TIFF	・タグと呼ばれる識別子を使うことによって，様々な形式のビットマップ画像を柔軟に表現することができる ・可逆圧縮も非可逆圧縮も使用可能である
		GIF	・256 色以下の画像を扱うことができる可逆圧縮形式のビットマップ画像データ ・ウェブ上でイラストやボタン用の画像データとしてよく利用される
		JPEG	・静止画データの圧縮方式の名称である ・JPG とも表記される．非可逆圧縮で圧縮率が選択でき，ウェブ上のフルカラー画像データとしてよく利用される ・ディジタルカメラの記録方式としてもよく利用される
ベクターイメージデータ	・国試で出題されることは少ない ・線の起点・終点の座標，曲線の場合はその曲がり方，太さ，色，それらの線に囲まれた面の色，それらの変化の仕方などを数値で表現するデータ ・拡大表示しても画像が粗くならず，画像品質が損なわれない	DXF	・多くの CAD ソフトウェアで利用される図面ファイル形式
		EPS	・画像編集ソフトウェアで扱うことができるベクターイメージデータ

動画データ（ムービーデータ）

➡国試で出題されるのは MPEG が多い．

AVI	・Windows 標準の動画・音声データファイル
MOV	・アップルコンピュータの QuickTime で使用される動画・音声データファイル
MPEG	・動画・音声データファイルの標準規格の名称である．MPG とも表記される ・主な MPEG 規格には，次の圧縮形式および付随的な基準が標準化されている MPEG-1：最初のビデオ・オーディオ圧縮基準（音声部分だけを独立させたものが MP3） MPEG-2：テレビジョン放送向けの伝送に使用するビデオおよびオーディオ基準．ディジタルテレビ放送や DVD ビデオディスクにも使用されている MPEG-4：MPEG-1 を拡張し，動画・音声全般をディジタルデータとして扱うための規格．なお MP4 は，MPEG-4 から派生した動画・音声データ形式である

音声データ（オーディオデータ）

➡国試で出題されるのは MP3 が多い．

WMA	・Windows 標準の音声データファイル ・可逆圧縮
WAV	・リニア PCM のサンプリングデータ用の形式として扱われる ・可逆圧縮
MP3	・MPEG-1 から派生した音声データファイル ・非可逆圧縮
AAC	・MPEG-2 および MPEG-4 の仕様の一部として標準化された音声データファイル ・非可逆圧縮で，MP3 の後継にあたる
ALAC	・アップルコンピュータの可逆圧縮の音声データファイル．iTunes 等で使用されている
FLAC	・可逆圧縮の音声データファイル ・圧縮率は低いが，高速で処理できる

圧縮データ（ファイルアーカイブ）

ZIP	・複数のファイルを一つのファイルとしてまとめて可逆圧縮することができる ・パソコン用としてもっとも一般的なアーカイブファイル
RAR	・ZIP より圧縮率が高い

実行可能ファイル

EXE	Windows 上で使用される実行ファイル
Mach-O	Mac OS X で標準のオブジェクトファイルおよび実行ファイル

医用情報処理工学 第2版
p.90

○ユーザインタフェース ★

❯コンピュータとその利用者（通常は人間）の間での情報をやり取り（対話）するため，情報交換の方法や技術の総称を指す．代表的なユーザインタフェースとして以下のものがある．

キャラクタユーザインタフェース（CUI）	・キーボードを用いて入力を行い，文字によるコンピュータ操作を提供する ・UNIX や Linux それ自体は CUI で使用される
グラフィカルユーザインタフェース（GUI）	・コンピュータグラフィックスによる図形要素とポインティングデバイスを用いる ・直感的なコンピュータ操作を提供する

GUI は現在主流のインタフェースで，MacOS，iOS，Windows，Android で実現されている．CUI で使用する UNIX 系オペレーティングシステムでも，X Window System（ソフトウェア）を利用して GUI を実現している．

問題 1 □□□ 33A59

図のフローチャートで出力される p の値はいくつか．

1. 20
2. 100
3. 512
4. 1024
5. 2048

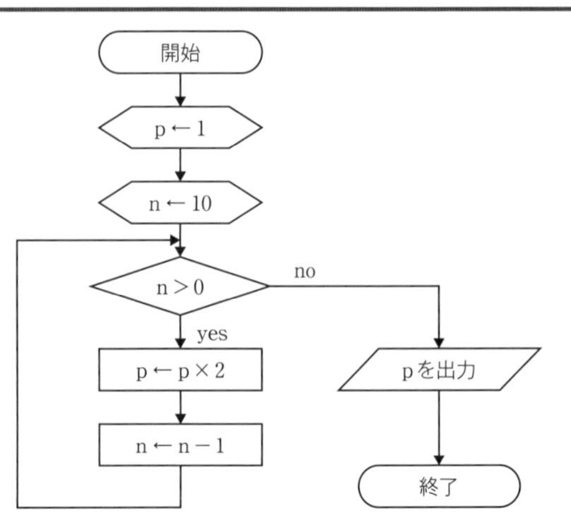

問題 2 □□□ 31P58

図のフローチャートで a に 6 を入力したとき，出力 c はいくつか．ただし，(a mod i) は a を i で割った余りを表す．

1. 2
2. 3
3. 4
4. 6
5. 8

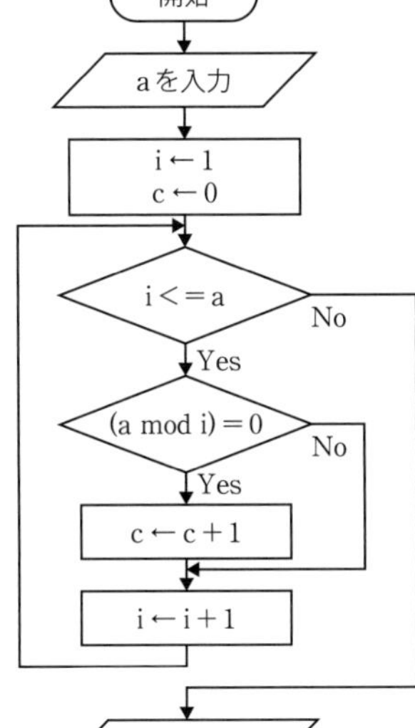

問題 3 □□□ 29A58

図のフローチャートに基づいて作成されたプログラムを実行した結果，出力される Z はいくつか．

1. 1
2. 2
3. 3
4. 5
5. 8

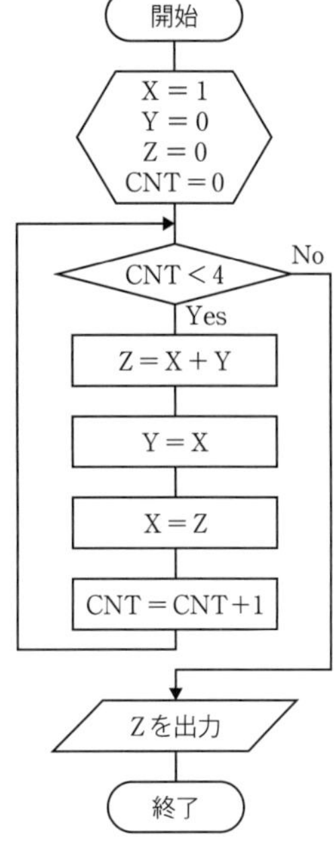

問題 4 □□□ 34P57

図のフローチャートで，n に 5 を入力したとき出力される f の値はどれか．

1. 14
2. 15
3. 24
4. 40
5. 120

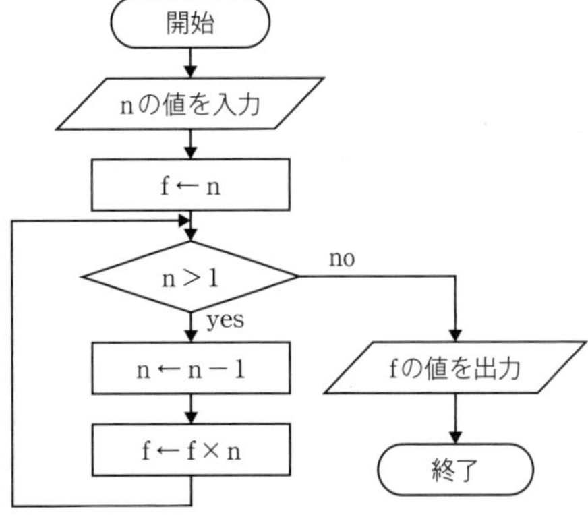

問題 5 □□□

36P58

配列 a の初期値が

a[0]	a[1]	a[2]	a[3]	a[4]
49	17	38	55	26

であるとき，図のフローチャートの手順を適用した後の配列 a の値はどれか．

	a[0]	a[1]	a[2]	a[3]	a[4]
1.	17	26	38	49	55
2.	55	49	38	26	17
3.	26	17	38	55	49
4.	17	38	49	26	55
5.	49	38	55	26	17

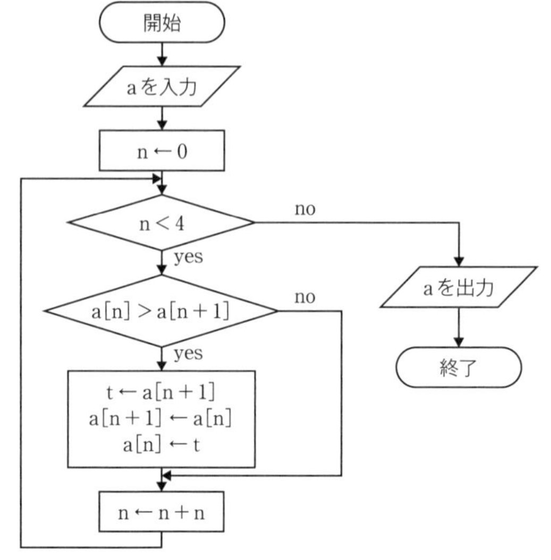

問題 6 □□□

35P58

図は入力値の平均を求めるフローチャートである．(a)，(b) に入る組合せはどれか．

1. (a) n ← n+x　(b) s ← s+1
2. (a) n ← n+n　(b) s ← s+n
3. (a) n ← n+1　(b) s ← s+x
4. (a) n ← n+s　(b) s ← x+1
5. (a) n ← n+x　(b) s ← s+s

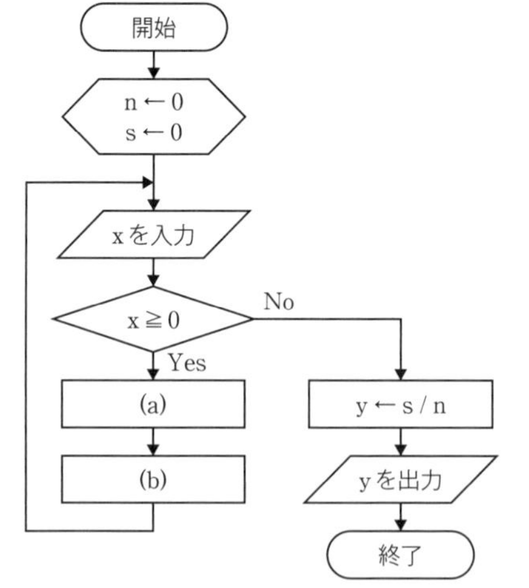

問題 7 □□□ 31A59

OS（オペレーティングシステム）の役割でないのはどれか.

1. メールの管理
2. プロセスの制御
3. メモリの管理
4. ユーザインタフェースの提供
5. ファイルシステムの管理

問題 8 □□□ 32P57

プログラミング言語はどれか.

1. Android
2. DICOM
3. Java
4. GUI
5. Linux

問題 9 □□□ 32A59

コンピュータで問題を解くための手順を表す用語はどれか.

1. モデリング
2. アルゴリズム
3. コンパイル
4. コーディング
5. デバッグ

問題 10 □□□ 34A60

非可逆圧縮が使用されるのはどれか.

a．音声データ
b．静止画データ
c．動画データ
d．機械語コード
e．テキストデータ

1. a, b, c　2. a, b, e　3. a, d, e
4. b, c, d　5. c, d, e

問題 11 □□□ 33A62

静止画像に使われるフォーマットはどれか.

a．ASCII
b．JPEG
c．PNG
d．MPEG
e．Unicode

1. a, b　2. a, e　3. b, c　4. c, d　5. d, e

問題 12 □□□ 36A59

正しい組合せはどれか.

1. オペレーティングシステム ―― Safari
2. アプリケーションソフトウェア ―― Android
3. プログラミング言語 ―― Python
4. データベース管理システム ―― JavaScript
5. Web ブラウザ ―― mySQL

問題 13 □□□ 37P58

ソフトウェアについて正しいのはどれか.

1. 組込みソフトウェアは電気機器に内蔵される.
2. ミドルウェアはハードウェアを管理・制御する.
3. 応用ソフトウェアは OS とアプリケーションを仲介する.
4. DBMS（Data Base Management System）は入出力機器を制御する.
5. OS はデータベースを管理する.

〈解答〉問題 1-4, **問題 2**-3, **問題 3**-4, **問題 4**-5, **問題 5**-4, **問題 6**-3, **問題 7**-1, **問題 8**-3, **問題 9**-2, **問題 10**-1, **問題 11**-3, **問題 12**-3, **問題 13**-1

2. ネットワークと情報セキュリティ

医用情報処理工学 第2版 p.160

(1) ネットワーク

○ネットワークの基礎

- コンピュータネットワークとは，複数のコンピュータを接続する技術，または接続されたシステム全体を指す．
- 通信インフラということもある．

医用情報処理工学 第2版 p.162

規模による分類

- コンピュータネットワークは，その規模（広がりの範囲）によって分類することができる．国試では以下のネットワークについて出題される．

LAN（Local Area Network）	構内ネットワーク：個人の家，オフィス，ビルなど，狭い範囲をカバーするネットワーク
WAN（Wide Area Network）	広域ネットワーク：広い範囲をカバーするネットワークで，一般に通信業者の提供するインフラを利用する

医用情報処理工学 第2版 p.163

インターネットワーク

- 機器（ルータなど）でネットワークを相互接続すること，または相互接続されたネットワークを指す．
- 企業や団体や政府などのネットワーク間の相互接続を指す場合もある．

イントラネット	・単一の管理主体によって管理されているインターネットワーク ・一般に外部に対して閉じており（外部と接続されていない），特定のユーザしかアクセスできない ・企業内で利用されるネットワークはこれにあたる
インターネット	・多数の政府，学界，公共，企業，個人などのネットワークを相互接続したインターネットワーク

医用情報処理工学 第2版 p.164

○インターネット（TCP/IP など）【33 回】【35 回】【37 回】 ★★★

- ネットワーク上での通信に関する規約を定めたものをプロトコルと呼ぶ．通信規約や通信手順という場合もある．コンピュータネットワークで利用されている多数のプロトコルについて役割の分類と明確化のため，7 つの階層に分かれた OSI 参照モデルが策定されている．国試では，主要なプロトコルの名称と役割を知っておけばよい．

イーサネット	・企業や家庭で一般的に使用されている LAN で使用されている技術規格
100BASE-TX など	・イーサネット上の装置接続で使用されている規格（IEEE802.11）（無線 LAN（WiFi）の仕様もこの規格の中で規定されている）． ・BASE は変調を行わないベースバンド転送を使用することを示す（他に BROAD があるが無視してよい） ・BASE の前の数値は転送速度を Mbps 単位で表し，10，100，1000 がある．10 G の場合は 10 Gbps ・BASE の後は通信路（ケーブル）の種別を表す．2，5 は同軸ケーブル，-T または-TX はツイステッド・ペア・ケーブル，-FX は光ケーブルである
ISDN	・総合サービスディジタル網．ディジタル電話回線を使用したネットワーク接続の規格と考えてよい
ADSL	・一般のアナログ電話回線を用いた高速ディジタル通信

FTTH（Fiber To The Home）	・光ファイバを利用した家庭向けのデータ通信サービス
PPP (Point-to-Point Protocol)	・2点間を接続してデータ通信を行うための通信プロトコル ・インターネット接続に使用されるプロトコルは，PPPoE
TCP/IP	・インターネットや大多数の商用ネットワークで稼動する伝送制御のためのプロトコル ・TCP（Transmission Control Protocol）とIP（Internet Protocol）はそれぞれ独立したプロトコルだが，共にインターネットワーク接続の中核的なプロトコルであり，同時に利用するのが一般的なため，まとめてTCP/IPと表記される ・TCPはデータが正しく伝送できたかを確認・訂正するプロトコル ・IPはデータの伝送経路を確立するためのプロトコル
HTTP (HyperText Transfer Protocol)	・WebブラウザとWebサーバの間でHTML文書などの送受信に用いられる通信プロトコル
HTTPS (HyperText Transfer Protocol Secure)	・HTTPでは，メッセージが平文（暗号化をしない）のままで送受信されるが，SSL/TLSプロトコル（セキュリティを要求される通信を行うためのプロトコル）を利用してサーバの認証・通信内容の暗号化などを行うプロトコル．これによって，なりすまし，中間者攻撃，盗聴などの攻撃を防ぐことができる ・セキュリティ性が高められたHTTPという理解でよい
POP3 (Post Office Protocol Version 3)	・インターネット上の電子メール受信用プロトコル．単にPOPとされる場合もある ・ユーザがメールサーバから自分のメールを取り出す時に使用するメール受信用プロトコル ・ユーザの認証が求められる
SMTP (Simple Mail Transfer Protocol)	・インターネット上の電子メール送信用プロトコル ・元々このSMTPプロトコルではユーザの認証をする必要がなかったが，認証機能を備えたプロトコルがSMTP-AUTHとして標準化されている
FTP (File Transfer Protocol)	・ネットワーク上でファイルの転送を行うための通信プロトコル
Telnet (Telecommunication network)	・サーバとコンピュータ端末間等で双方向8ビット通信を提供する通信プロトコル．コンピュータ端末の遠隔操作を可能にする
DNS (Domain Name System)	・インターネットドメイン名（単にドメイン名ともいう）からIPアドレスを検索する仕組み（インターネットドメイン名については後述する）

IPアドレス 【33回】 ★★

- インターネット上で，通信の相手先を識別するための番号と考えればよい．
- IPv4では8ビット値を4つ使用し（全体で32ビット長），192.168.100.1のように通常10進数で表記する．
- ネットワークアドレス部とホストアドレス部で構成される．
- 企業内LANなどのネットワーク内で使用されるIPアドレスをプライベートIPアドレスという．
- インターネットに接続する際に割り当てられるIPアドレスをグローバルIPアドレスといい，世界中で重複することがないように非営利法人（ICANN）によって調整され，日本ではAPNICやJPNICが管理・割り当てを行っている（政府による管理ではない）．

➋IP アドレスの枯渇に対応して 128 ビット長（16 バイト）の IPv6 への移行が進められている．
表記例：2001：0db8：bd05：01d2：278a：1fc0：0011：10fe
アドレス値を 16 ビット単位でコロン（：）で区切り，8 個の 16 進数で表記する．

MAC アドレス

➋インターネット上の機器ごとに与えられた固有の識別番号と考えればよい．

➋MAC アドレスは，一般的に 12 桁の 16 進数（6 バイト）で 85-12-AD-03-8C-F5 のように表される．

- 前半 3 バイトがメーカー固有のアドレス，後半 3 バイトが機器 1 台ごとのアドレスであり，機器の製造時に設定される．

➋IP アドレスと同様に，通信の相手先を識別するために用いられる．

インターネットドメイン名

➋インターネット上で，個々のコンピュータや通信の相手先を識別するために使用される名称と考えればよい．

➋IP アドレスが数値で構成されるのに対して，ドメイン名は sample. co. jp のように名前（ラベル）を「.（ドット）」で連結した文字列で表記されており，人にも識別が容易となる．ドメイン名も重複することがないよう非営利法人（ICANN）で管理されている．

➋通常，ホームページの URL 名やメールアドレスにはドメイン名が使用される．ホームページの閲覧やメールの送受信の際，ドメイン名と IP アドレスを相互変換するのが DNS の代表的な機能で，ドメイン名の問い合わせに対して IP アドレスを返すのが DNS サーバである．

医用情報処理工学 第2版
p.166

○有線 LAN

ネットワークを構成する機器 ★

ネットワークインタフェースカード（LAN カード・NIC）	・コンピュータをネットワークに接続するためのハードウェアで，通常コンピュータに内蔵されている
ハブ（HUB）	・複数のコンピュータをネットワークに接続するための集線装置 ・接続されたコンピュータに関係のないデータは伝送しない仕組みを持つものをスイッチングハブと呼ぶが，現在ハブといえばスイッチングハブを指す
ルータ	・2 つ以上の異なる LAN ネットワーク間を中継する通信装置 ・データ中に示されている IP アドレスを参照して送信先を振り分ける
ブリッジ	・2 つ以上の異なる LAN ネットワーク間を中継する通信装置 ・データ中に示されている MAC アドレスを参照して送信先を振り分ける
リピータ	・信号を受信し，それを増幅して送出する装置．これにより長い距離の伝送が可能となる
モデム（MODEM）	・通信用変調復調装置 ・アナログ信号とディジタル信号を相互変換して，電話回線などを介したネットワーク接続を可能にする

○無線 LAN 【37 回】 ★★

医用情報処理工学 第2版 p.168

➋2.4 GHz または 5 GHz 帯の電波による無線通信を利用して無線通信を利用して構築される LAN（ローカルエリアネットワーク）のことで，WLAN，WiFi と表されることも多い．

➋無線 LAN の代表的な規格には IEEE 802.11 がある．無線 LAN は第三者に傍受される可能性があり，その対策として暗号化と認証の技術 WPA/WPA2 が利用される．

（2）システム構築

○クライアントサーバシステム 【35 回】【36 回】 ★★

➋機能や情報を提供するサーバと，利用者が操作するクライアントをネットワーク通信で結び，クライアントからの要求にサーバが応答する形で処理を進めるコンピュータシステムの形態の 1 つ．

・サーバは役割によって，メールサーバ，Web サーバ，ファイルサーバなどと呼ばれる．

○SasS（Software as a Service：サース） 【37 回】 ★★

➋サーバ側で稼働しているソフトウェアを，クライアント側のユーザがインターネット経由で利用できるサービス．ユーザはクライアント端末とインターネット環境を用意すればよく，導入コストを抑えることができる．ソフトウェアの保守管理の必要はないが，サーバがサービスを停止したりインターネットの接続障害が起きると一切の作業が出来なくなる．

○IoT（Internet of Things）

➋日本語ではモノのインターネットと訳され，様々な「モノ」をネットワーク上で接続する技術で，この技術で接続される「モノ」は，IoT デバイスと呼ばれる．

➋コンピュータと各種機器やセンサをネットワーク上で接続し，データを遠隔（リモート）収集したり遠隔操作することが可能になる．

➋医療分野では，身体に装着したウェアラブルデバイス（体に装着して使用する情報機器）を用いた健康管理や，在宅患者の看護やオンライン診療（遠隔診察・遠隔診断）などへの活用が進んでいる．

（3）情報セキュリティ

医用情報処理工学 第2版 p.177

○脅威と脆弱性

マルウェア 【35 回】【37 回】 ★★

➋コンピュータに被害をもたらすプログラムで，電子メールに潜ませて送られることが多い．

➋マルウェアを含む電子メールをウイルスメールという．

主なマルウェア

種別・名称	主な動作
コンピュータウイルス	プログラムファイルに伝染・感染する
ワーム	自身を複製して他のシステムに拡散する
トロイの木馬	何らかの条件などによって活動を始める
スパイウェア	ユーザに関する情報を収集し，それを外部に伝送する
バックドア	コンピュータを外部から無許可で遠隔利用する通信接続の機能
ランサムウェア	感染したコンピュータの利用を制限し，その制限を解除するために身代金を要求するメッセージを表示する

マルウェア感染への対策と予防

- セキュリティソフト（ウイルス対策ソフト）の導入→マルウェアの検出・駆除
- セキュリティソフトの定義ファイルを定期的に更新
- ファイルバックアップ（プログラムやデータなどを別の記憶媒体に複製（コピー）しておくこと）→改ざんなどによって利用不能となった場合に復旧するため
- 信頼のおけないファイルを開かない→感染の防止
- 信頼のおけないストレージ（USB メモリなどの補助記憶装置）を接続しない→感染の防止
- 電子署名（ディジタル署名）の利用
- OS・ソフトウエアのアップデートを行う→脆弱性の解消
- 利用者の教育・訓練
- パスワードの定期的な変更

感染時の対策

- 通信路（LAN などのネットワーク）の遮断→感染拡散の防止・情報流出の防止（最初に行う）
- セキュリティソフトの使用→マルウェアの検出・駆除

サイバー攻撃 【36 回】 ★★

- ネットワークを通じ，サーバやパソコンなどのコンピュータシステムに対して，破壊活動やデータの窃取，改ざんなどを行うことをサイバー攻撃という．マルウェアもサイバー攻撃の 1 つと考えることができる．

名称	主な動作
標的型攻撃	特定の組織やユーザーに対して悪意のあるファイルを添付したメールや，悪意のあるサイトに誘導するための URL リンクを貼り付けたメールを送信し，パソコンやスマートフォンなどの端末をマルウェアに感染させようとする．
DoS 攻撃	複数の機器から，標的となる Web サーバに大量のアクセスやデータを送る攻撃．サーバに過剰な負荷がかかり，アクセス障害やサービス停止といった不具合を生じさせる．
インジェクション攻撃	文字入力を受け付ける Web サーバに対して不正な文字列を送って想定外の動きをさせ，データの抜き取りやサーバへの不正アクセスを可能にする．

○セキュリティ

- 権限のない者のアクセスから，資源（アプリケーションソフトウェアやデータなど）

を守るための仕組み

情報セキュリティの3要素 【33回】【37回】 ★★

機密性	・情報へのアクセス許可のある人だけが情報を利用することができ，許可のない人は情報の利用も閲覧もできなくすること ・対策例：パスワード認証，アクセス制限，情報の暗号化など
完全性	・情報資産に正確性があり改ざんされることなく保管・維持されていること ・対策例：電子署名（ディジタル署名），ログ管理など
可用性	・情報へのアクセス許可のある人は必要な時点でいつでも情報にアクセスできること ・対策例：システムの二重化，データのバックアップやクラウド化，UPS（無停電電源装置）の使用など

その他の主な用語 【36回】 ★★

ファイアウォール	・外部からコンピュータネットワークへ不正な侵入を防ぐソフトウェア ・インターネットと内部のネットワーク（ローカルネットワーク）システムの間に配置される
プロキシサーバ	・ネットワークから外部へインターネット接続を行う際に，高速なアクセスや安全な通信などを確保するための仕組み
フィルタリング	・不適切サイトへの接続を禁止する仕組み．プロキシサーバが利用される
暗号化	・通信途中で第三者に盗み見られたり改ざんされたりしないよう，決まった規則に従ってデータを変換すること
電子署名	・伝送されたデータの送信元が間違いないか，伝送経路上でデータの改ざんがないかを確認する仕組み ・公開鍵暗号方式に基づくディジタル署名が有力
セキュリティソフト	・不正に動作するコンピュータウイルスなどを検出および除去するソフトウェア ・アンチウイルスソフト，ワクチンソフトともいう
SSL	・インターネット上でデータの通信を暗号化し，送受信させる仕組み ・SSLの標準化仕様であるTSLと併記され，SSL/TSLと呼ぶことも多い

臨床工学技士国家試験問題

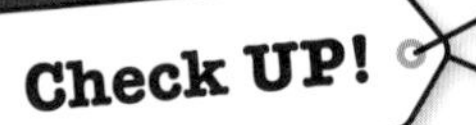

問題 1 □□□ 35A60

ハブやスイッチなどの集線装置を中心に，複数台の情報機器を接続するネットワークトポロジーはどれか．

1. バス型
2. スター型
3. リング型
4. ピアツーピア型
5. メッシュ型

問題 2 □□□ 37A61

インターネットにおいてコンピュータ間のデータ通信を可能にするためのプロトコル群で，通信をパケット化して送受信を行う目的で使用されるのはどれか．

1. TCP/IP
2. HTTPS
3. SMTP
4. POP3
5. FTP

問題 3 □□□ 35A59

コンピュータネットワークに関係する用語と説明との組合せで誤っているのはどれか．

1. TCP/IP ――― インターネットで用いられる標準プロトコル
2. FTP ――― ファイル転送のためのプロトコル
3. HTTPS ――― 通信内容を暗号化したHTTP プロトコル
4. SMTP ――― ネットワーク管理のためのプロトコル
5. POP ――― 電子メールをサーバから取得するためのプロトコル

問題 4 □□□ 33P58

IP アドレスについて誤っているのはどれか．

1. IPv4 は 8 ビットごとに 192.168.100.1 のように表記している．
2. ネットワークアドレス部とホストアドレス部で構成される．
3. グローバル IP アドレスは各国の政府機関で管理されている．
4. LAN 内のみで使えるアドレスをプライベート IP アドレスという．
5. 枯渇に対応して 128 ビットの IPv6 への移行が進められている．

問題 5 □□□ 36A60

サーバとその役割との組合せで正しいのはどれか．

a．SMTP サーバ ――― Web アプリケーションの提供
b．DNS サーバ ――― ファイルの転送
c．FTP サーバ ――― ドメイン名の IP アドレスへの変換
d．Web サーバ ――― HTML ファイルの公開
e．DB サーバ ――― データベースの一元管理

1. a, b　2. a, e　3. b, c　4. c, d　5. d, e

問題 6 □□□ 35P59

クライアントサーバシステムについて誤っているのはどれか．

1. サービスを提供する側をサーバという．
2. サーバの障害はシステム全体に影響する．
3. クライアントの増加はサーバの負荷を軽減させる．
4. Web ブラウザはクライアントソフトである．
5. 電子メールの配送はメールサーバが行う．

問題 7 □□□ 33A58

複数のハードディスクドライブをまとめて一台のドライブとして扱い，読み書きの高速化や耐障害性を持たせた装置はどれか．

1. RAID
2. DRAM
3. OCR
4. CPU
5. SSD

問題 8 □□□ 32P58

外部からの不正アクセスを防ぐ目的で，インターネットと内部のネットワークやシステムの間に置く仕組みはどれか．

1. スイッチングハブ
2. ウイルスチェッカ
3. ファイアウォール
4. SSL（Secure Sockets Layer）
5. スパイウェア

問題 9 □□□ 37A60

無線 LAN について正しいのはどれか．

a．通信規格は IEEE802.11 シリーズで規定されている．
b．同じ周波数帯域を使用する電波利用機器がある．
c．各チャネルの中心周波数は同じである．
d．一つのアクセスポイントに接続できる無線通信端末は 1 台である．
e．暗号化方式として WPA（Wi-Fi Protected Access）がある．

1. a，b，c　2. a，b，e　3. a，d，e
4. b，c，d　5. c，d，e

問題 10 □□□ 36P59

病院内にある業務システムを，インターネット上でソフトウェアを利用するクラウドサービス SaaS（Software as a Service）に移行する際の利点はどれか．

a．導入時の費用負担だけで済む．
b．保守・管理業務の負担が少なくなる．
c．導入後の利用量の増大に対応しやすい．
d．カスタマイズの自由度が増える．
e．ネットワーク障害に強くなる．

1. a，b　2. a，e　3. b，c　4. c，d　5. d，e

問題 11 □□□ 37P59

SaaS（Software as a Service）型 ME 機器管理システムの利用開始に伴い，医療施設内で必須となるのはどれか．

a．クライアント端末の準備
b．システム専用サーバの設置
c．サーバアプリケーションのインストール
d．バックアップ用記憶装置の設置
e．インターネットに接続できる環境の整備

1. a，b　2. a，e　3. b，c　4. c，d　5. d，e

問題 12 □□□ 33P59

正しいのはどれか．

1. データのバックアップは情報漏洩の防止に役立つ．
2. 共通鍵暗号方式では鍵が漏れてもセキュリティ上問題ない．
3. 情報セキュリティにおける完全性とは，情報が正確で改ざんされていないことをいう．
4. オープンソースソフトウェアは，セキュリティ確保のためには使用すべきではない．
5. 院内ネットワークにファイアウォールが導入されていれば，個人の PC を自由に接続してよい．

問題 13 □□□ 34A59

情報セキュリティは機密性，完全性，可用性の 3 つの基本概念で整理できる．可用性を高めるのはどれか．

1. 電子署名の使用
2. 2 段階認証の使用
3. ファイルの暗号化
4. ハードウェアの二重化
5. 廃棄メディアの細断処理

問題 14 □□□ 37P60

情報セキュリティの基本概念としての可用性（availability）を維持するのはどれか．

1. 情報の変更履歴の保存
2. 二段階認証によるログイン
3. 情報の外部への持ち出し禁止
4. UPS によるサーバの電源確保
5. 電子署名によるなりすまし防止

問題 15 □□□ 34P58

標的型攻撃メールの特徴について誤っているのはどれか．

1. 特定組織（官公庁，企業，医療機関等）の機密情報の窃取を目的とする．
2. 件名，本文，添付ファイル名を業務に関連したものに偽装する．
3. 本文や添付ファイルに記載したリンク先にウイルスを仕込む．
4. 組織が頻繁に利用するウェブサイトを改ざんしウイルスを仕込む．
5. 大量のスパムメールを不特定多数に送信する．

問題 16 □□□ 36A61

Web サイトに短時間に大量にアクセスし，過負荷を与えることでサービスを停止させるのはどれか．

1. DoS 攻撃
2. ランサムウェア
3. フィッシング
4. インジェクション攻撃
5. 標的型攻撃

問題 17 □□□ 37P61

マルウェアの説明で正しいのはどれか．

1. コンピュータウイルスの侵入を防ぐためのソフトウェアである．
2. 不正アクセスを防止するためのソフトウェアである．
3. システムに侵入し悪意ある活動をするソフトウェアである．
4. ユーザ評価の低いソフトウェアである．
5. システムの利用ログを記録するソフトウェアである．

問題 18 □□□ 35A61

コンピュータのロックやファイルの暗号化を引き起こし，復元を条件に金銭を要求するマルウェアはどれか．

1. ワーム
2. ボット
3. トロイの木馬
4. スパイウェア
5. ランサムウェア

問題 19 □□□ 35P60

施設内で USB メモリを使用する際のリスクに該当しないのはどれか.

1. 紛失
2. 情報の不正持ち出し
3. 故障による情報消失
4. 不正ソフトウェアの持ち込み
5. フィッシングによる情報漏洩

問題 20 □□□ 35P61

バイオメトリクス認証はどれか

a. 指紋で認証する.
b. ワンタイムパスワードで認証する.
c. 画面に表示された 9 点の一部を一筆書きで結ぶ.
d.「秘密の質問」に答える.
e. 虹彩パターンで認証する.

1. a, b　2. a, e　3. b, c　4. c, d　5. d, e

問題 21 □□□ 36P60

情報セキュリティ対策に使われるファイアウォールの機能はどれか.

1. 外部ネットワークと内部ネットワーク間で特定の通信だけを許可する.
2. 脆弱性が発見された内部システムのソフトウェアを自動更新する.
3. 内部ネットワークへの接続時にパスワードを要求する.
4. 通信パケットに含まれるウイルスを駆除する.
5. 暗号化された通信だけを許可する.

〈解答〉問題 1-2, **問題 2**-1, **問題 3**-4, **問題 4**-3, **問題 5**-5, **問題 6**-3, **問題 7**-1, **問題 8**-3, **問題 9**-2, **問題 10**-3, **問題 11**-2, **問題 12**-3, **問題 13**-4, **問題 14**-4, **問題 15**-5, **問題 16**-1, **問題 17**-3, **問題 18**-5, **問題 19**-5, **問題 20**-2, **問題 21**-1

3. 医療における情報技術

○医療情報システム 【33回】【35回】【36回】 ★★★

- 医療に関する患者情報（個人識別情報）を含む情報およびその情報を扱うシステムの総称を指す.
- 医療情報システムは，医事会計システム，オーダエントリシステム，電子カルテシステム，部門システムなどで構成される.
- 部門システムには臨床検査システム（LIS），放射線科システム（RIS）などがあり，放射線科システムは医用画像管理システム（PACS）と連携して機能する.
- 医用画像管理システム（PACS）上で，医用画像をネットワーク上で交換するために必須の規格であるDICOMは選択肢によく取り上げられる.

HIS	・病院内の各情報システムの全体を指す
RIS	・主に放射線機器による検査に関して，検査の予約から検査結果の管理までを一貫して取り扱うシステム
PACS	・各種検査機器（モダリティ）からディジタル画像を一元的に管理して，必要なときに検索し表示できるようにしたシステム
DICOM	・医用画像を取り扱うための規格 ・DICOMの通信規格はインターネットのプロトコルであるTCP/IPがよく使われる
HL7	・施設間・システム間で臨床情報や管理情報を交換するための規格 ・HL7は文字情報を取り扱う規格
MFER	・心電図，脳波，血圧波形などの医用波形データを相互利用するための標準規約

臨床工学技士国家試験問題 Check UP!

問題 1 □□□ 35A62

患者管理や検査報告など，医療情報交換のための標準規約はどれか．

1. DICOM
2. HL7
3. MFER
4. PACS
5. RIS

問題 2 □□□ 36A62

病院情報システムについて誤っているのはどれか．

a．システムを利用するためには医師の許可が必要である．
b．診療情報を印刷して保存することが規定されている．
c．透析支援システムは部門システムである．
d．クラウド型の電子カルテシステムが認められている．
e．医師の指示はオーダエントリーシステムに記録される．

1. a，b　2. a，e　3. b，c　4. c，d　5. d，e

問題 3 □□□ 36P61

医用画像の保存や通信に使用する規格はどれか．

1. DICOM
2. POP3
3. MFER
4. ICD-11
5. HL7

〈解答〉問題 1-2，**問題 2**-1，**問題 3**-1

Ⅳ. システム工学

1. システム理論

（1）システム理論

医用システム制御工学
p.9

○システムの要素

- 一般には入力信号の変化と出力信号の変化が一致するような応答はない．通常は出力信号が入力信号に追随するため，入力信号に対して出力信号に遅れが生じる．これを応答遅れといい，一次遅れ系と二次遅れ系が出題される（右図はその一例）．

〈一次遅れ系〉

- CR 回路（微分回路・積分回路）の過渡現象で考えるとよい．

〈二次遅れ系〉

- 国試では，二次遅れ系と一次遅れ系との時間変化の違いが分かっていればよい．

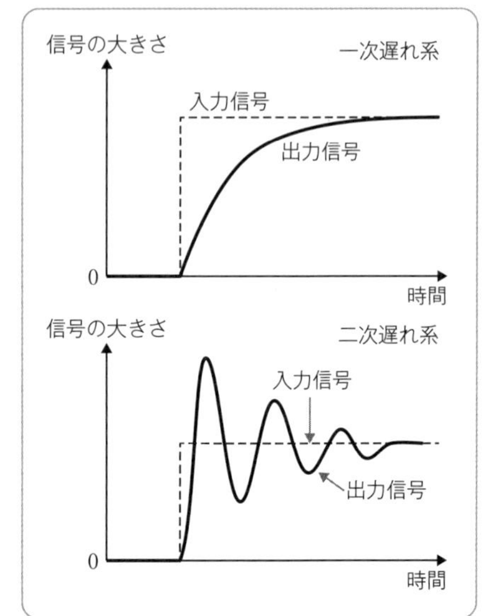

（2）システムの入出力関係

医用システム制御工学
p.81

○伝達関数　【34 回】【35 回】【36 回】　★★★

一次遅れ系の伝達関数

- 時定数を T，ゲイン定数（定常状態のゲイン，定常値ということもある）を K とすると，一次遅れ系の伝達関数 $G(s)$ は，$G(s)=\dfrac{K}{T\cdot s+1}$ となる（分母の定数項が 1 であることに注意）．s はラプラス変換の微分演算子にあたるが，ただの変数と思ってよい．

例題

ある一次遅れ系の伝達関数が，$G(s)=\dfrac{15}{6s+3}$ であるとき，時定数とゲイン定数はいくらか．

解答

$G(s)=\dfrac{15}{6s+3}=\dfrac{5}{2s+1}$ と分母の定数項が 1 になるように分子・分母を約分，基本式と比較すれば，時定数 2，ゲイン定数 5 となる．

二次遅れ系の例：電気ポット内の温度変化

医用システム制御工学 p.102

- 電気ポットの温度設定を80℃から95℃に変更した場合を考える．なお，電気ポットは温度センサを用いたフィードバック制御が行われているとする．
- この場合，温度設定の変化を入力信号（ステップ信号）と考えれば，ポット内の温度を出力信号と考えることができる．

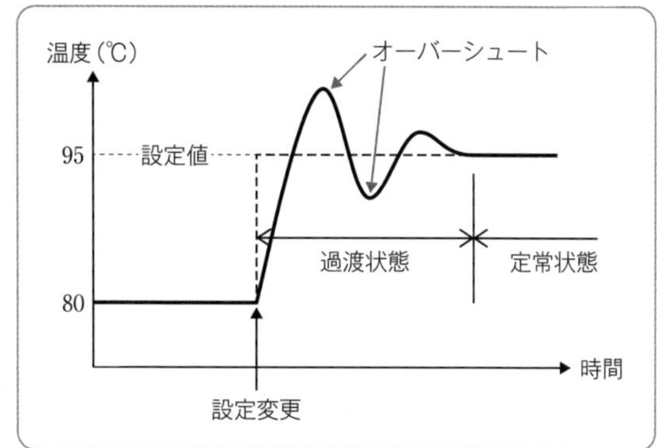

- ポット内の温度が設定値に達しても，直ちにヒータの発熱を止めることができないので，ポット内の加熱が継続し設定値以上の温度になる．これをオーバーシュートと呼ぶ．
- オーバーシュートを含む過渡状態を経て定常状態となるが，この変化は一次遅れ系と異なる．このような変化をする系を二次遅れ系という．

二次遅れ系の応答性と安定性

- 応答の始まりから定常状態になるまでの過渡状態の時間が短いほど，応答性がよいといえる．また，オーバーシュートが小さいほど安定性がよいといえる．
- 過渡状態の時間を短くすると，一般にオーバーシュートは大きくなる．

二次遅れ系の伝達関数

- ゲイン定数（定常状態のゲイン）を K とすると，二次遅れ系の伝達関数 $G(s)$は，

  $G(s)=\dfrac{K\omega_n^2}{s^2+2\zeta\omega_n s+\omega_n^2}$ となる（s はラプラス変換の微分演算子に相当）．

  一次遅れ系の式と比較して，分母が s についての二次式になっていることを知っておけばよい．
- ω_n は系の固有周波数で，オーバーシュートの周期を決定する．
- ζ は減衰定数で，減衰定数が大きいほどオーバーシュートが小さくなる．
  - 特に $\zeta=1$ の状態を臨界減衰といい，$\zeta=0$ の状態を無減衰（単振動），$0<\zeta<1$ の状態を減衰振動，$\zeta>1$ の状態を過減衰と呼ぶ．

医用システム制御工学
p.89

○ブロック線図 【33回】【35回】【37回】 

➲自動制御系の中での信号伝達を表す線図である．次の3つの要素から構成されており，矢印は信号の伝わる方向を示している．

ブロック線図の3要素

加え合わせ点	引き出し点	伝達要素
X →(+)○→ X±Y，±Y（符号同順）	X →●→ X，↓→ X	X → [G] → G×X

➲伝達要素の中に示されている G は伝達関数と呼ばれ，増幅度または倍率と思ってよい．

・したがって，入力信号が X であるとき，出力信号は，$G\times X$ となる．

➲本来，伝達関数は入力に対する出力変化を時間の関数として定め，それをラプラス変換して求める．

➲入力信号が X であるとき，出力信号が Y であれば，伝達関数は $\frac{Y}{X}$ で求めることができる．

➲伝達関数が求められれば，複雑な構成のブロック線図を1つの伝達要素に等価変換できる．

ブロック線図の等価変換（基本）

変換動作	変換前	変換後
直列結合	X → [G] → Z → [H] → Y $Z=GX$　$Y=HZ$ $\therefore Y=GHX$ $\therefore \frac{Y}{X}=GH$	X → [GH] → Y
並列結合	X → [G] → P (+)，X → [H] → Q (±) → ○ → Y $P=GX$　$Q=HX$ $\therefore Y=P\pm Q$ $Y=GX\pm HX$ $Y=(G\pm H)X$ $\therefore \frac{Y}{X}=G\pm H$　（符号同順）	X → [G±H] → Y

ブロック線図の等価変換（応用）

変換動作	変換前	変換後
フィードバック結合 1 正帰還 ポジティブ フィードバック (PFB)	X + Q [G] R Y（+ P） $R=Y=P$ $Q=+X+P=X+Y$ $R=GQ=G(X+Y)$ $Y=R=G(X+Y)$ $\therefore\ Y=G(X+Y)$ $Y=GX+GY$ $Y-GY=GX$ $Y(1-G)=GX$ $\therefore\ \dfrac{Y}{X}=\dfrac{G}{1-G}$	X $\left[\dfrac{G}{1-G}\right]$ Y
フィードバック結合 2 負帰還 ネガティブ フィードバック (NFB)	X + Q [G] R Y（− P） $R=Y=P$ $Q=+X-P=X-Y$ $R=GQ=G(X-Y)$ $Y=R=G(X-Y)$ $\therefore\ Y=G(X-Y)$ $Y=GX-GY$ $Y+GY=GX$ $Y(1+G)=GX$ $\therefore\ \dfrac{Y}{X}=\dfrac{G}{1+G}$	X $\left[\dfrac{G}{1+G}\right]$ Y

○ボーデ線図

医用システム制御工学
p.114

➲伝達関数の周波数特性を表すもので，通常は入出力比を示すゲイン線図と位相線図の組み合わせで示す．その例としてフィルタ回路の周波数特性がある．
右図に高域通過フィルタ（微分回路）のボーデ線図を示す．

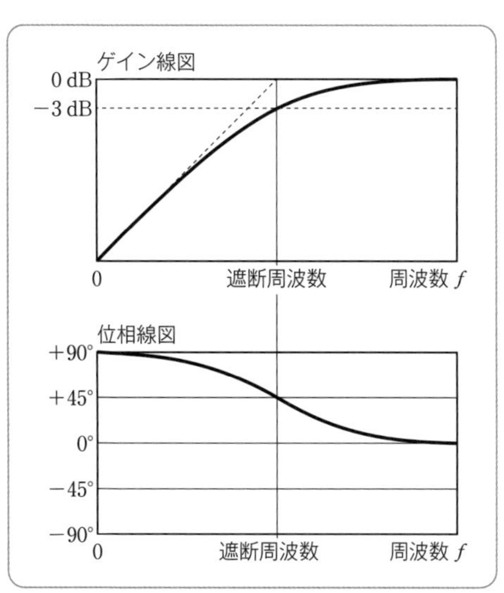

(3) システムの特性

○静特性

➲時間に対して入力の大きさが変化しない場合の特性.

○動特性

➲時間に対して入力の大きさが変化する場合の特性. 国試では主にステップ応答が出題される.

医用システム制御工学 p.97

一次遅れ系のインパルス応答

➲微分回路の入出力信号の関係に近い.

➲例を右図に示す(出力信号の変化は理想化してある).

➲過渡現象と同じように, 出力信号の大きさが最大値の約 36.8% になるまでの時間を時定数という.

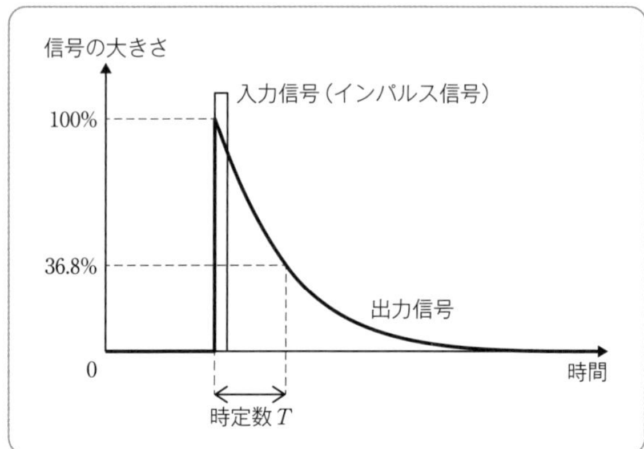

一次遅れ系のステップ応答

➲積分回路の入出力信号の関係に近い. 国試ではこちらの方がよく出題される.

➲例を右図に示す(出力信号の変化は理想化してある).

➲過渡現象と同じように, 出力信号の大きさが定常状態(最終値)の約 63.2% になるまでの時間を時定数という.

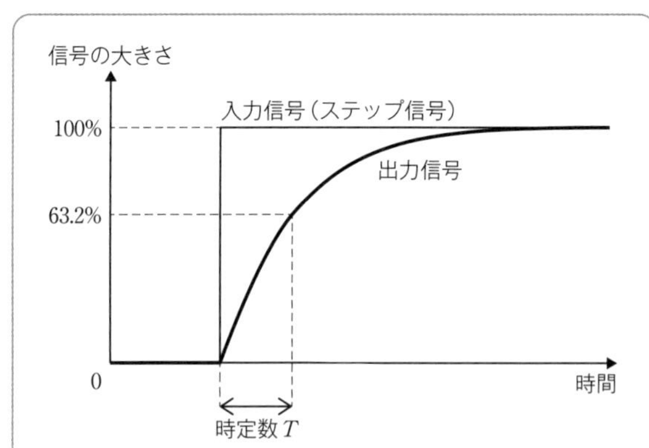

むだ時間

➲右のグラフに示すように, 入力信号が変化しても, 出力信号が全く変化しない時間帯がある. この時間をむだ時間という.

➲さらに時定数による一次遅れに加わるため, 系としての遅れは大きくなる.

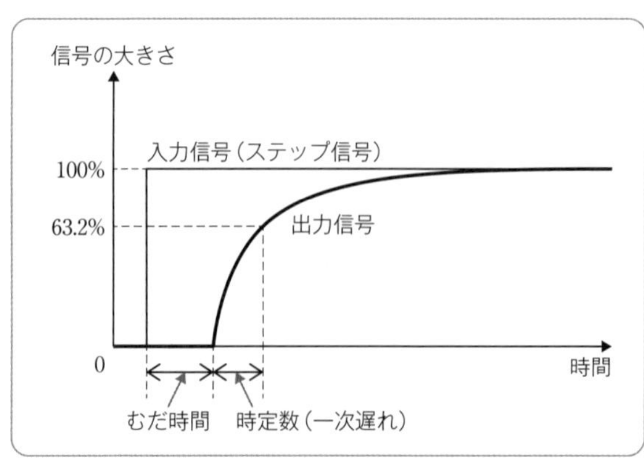

周波数応答

医用システム制御工学
p.112

- 制御を行う機器や回路などにある周波数の正弦波を入力し，定常状態になったときに出力される正弦波の波形の振幅（大きさ）や位相（時間的な遅れ）などが，入力される正弦波の周波数によってどのように変化するかを周波数応答という．
- 周波数特性ともいい，ボーデ線図で表される．
- 周波数応答は制御機器の動作が正常であるかの判断などに使われる．
- フィルタ回路の周波数特性や位相特性も周波数応答の1つである．

二次遅れ系のインパルス応答

医用システム制御工学
p.101

- 例を右図に示す（出力信号の変化は厳密ではない）．
- ここに示す出力信号は減衰定数 $\zeta=0.1$ 程度である．
- 減衰定数を大きくすると，オーバーシュートは小さくなる．
- 減衰定数 $\zeta \geqq 1$ のとき，オーバーシュートは見られなくなり，一次遅れ系と近似する．

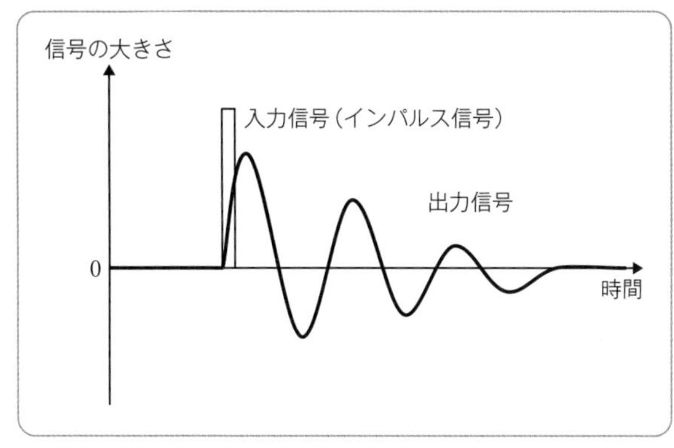

二次遅れ系のステップ応答

- 例を右図に示す（出力信号の変化は厳密ではない）．
- ここに示す出力信号は減衰定数 $\zeta=0.1$ 程度である．
- 減衰定数を大きくすると，オーバーシュートは小さくなる．
- 減衰定数 $\zeta \geqq 1$ のとき，オーバーシュートは見られなくなり，一次遅れ系と近似する．

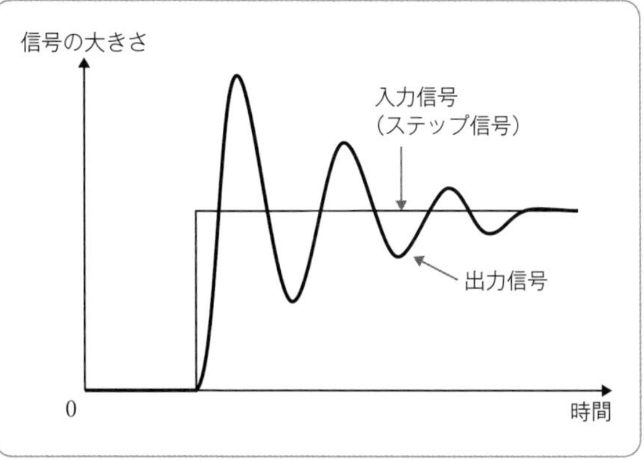

○安定性，不安定性

- 安定なシステムでは，出力信号が一定の値（定常値）へ収束する．これまでに示した一次遅れ系や二次遅れ系の応答では，出力信号が時間の経過とともに定常値に近づき，定常値で保たれており，安定といえる．
- 逆に，時間が経過しても出力信号が一定の値に収束しないシステムや応答を不安定という．

  一例として，不安定なステップ応答を次ページに示す．

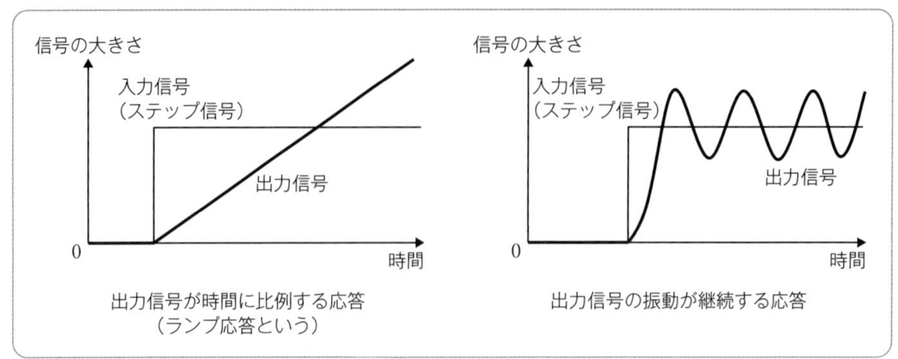

- システムの安定性は，伝達関数から知ることもできる．伝達関数 $G_{(s)}$ を，

  $G_{(s)}=\dfrac{N_{(s)}}{D_{(s)}}$ とする（s は，ラプラス変換の微分演算子に相当するもの）．

  伝達関数式の分母 $D_{(s)}$ を 0 とする s の値を極とよぶが，極の値がすべて負となるとき，そのシステムは安定であると判断できる．

- 例 1：伝達関数 $G_{(s)}=\dfrac{5}{2s+4}$ のシステム

  分母 $2s+4=0$ より，$s=-2$ が極となるので，安定

- 例 2：伝達関数 $G_{(s)}=\dfrac{1}{s-3}$ のシステム

  分母 $s-3=0$ より，$s=+3$ が極となるので，不安定

- 例 3：伝達関数 $G_{(s)}=\dfrac{5}{s^2+3s-4}$ のシステム

  分母 $s^2+3s-4=0$ を因数分解して $(s+4)(s-1)=0$ より，$s=-1,+4$ が極となるので，不安定

- 例 4：伝達関数 $G_{(s)}=\dfrac{s-6}{s^2-5s+6}$ のシステム

  伝達関数は $G_{(s)}=\dfrac{s-6}{s^2-5s+6}=\dfrac{s-6}{(s+1)(s-6)}=\dfrac{1}{s+1}$ と変形できるので，

  この分母 $s+1=0$ より，$s=-1$ が極となるので，安定

臨床工学技士国家試験問題 Check UP!

問題 1 □□□ 25P63

ブロック線図に示すシステムの時定数［秒］はどれか．ただし，s はラプラスの変数とする．

1. 2
2. 3
3. 6
4. 12
5. 24

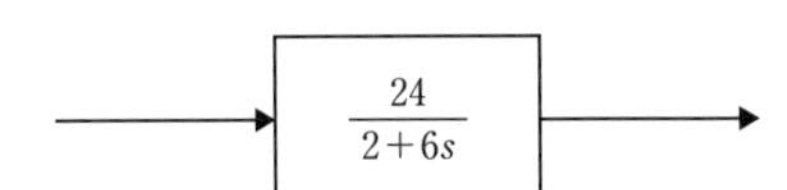

問題 2  34A63

一次遅れ系の伝達関数 $G(s)=\dfrac{\mathrm{K}}{1+\mathrm{T}s}$ における K をゲイン定数，T を時定数という．$H(s)=\dfrac{18}{12s+3}$ のゲイン定数はどれか．ただし，s をラプラス変換の演算子とする．

1. 3
2. 4
3. 6
4. 12
5. 18

問題 3  31A57

図 1 と図 2 の伝達関数は等しい．図 1 中の伝達関数 $G(s)$ はどれか．ただし，s をラプラス変換の演算子とする．

1. $\dfrac{1}{s+6}$
2. $\dfrac{2}{s+6}$
3. $\dfrac{1}{2}\cdot\dfrac{1}{s+5}$ 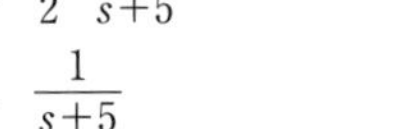
4. $\dfrac{1}{s+5}$
5. $\dfrac{2}{s+5}$

図 1

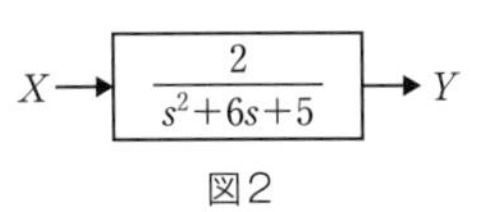

図 2

問題 4 □□□ 30A57

図のブロック線図の伝達関数（Y/X）はどれか．

1. $\dfrac{G_1}{1+G_1+G_1G_2}$
2. $\dfrac{G_2}{1+G_1+G_1G_2}$
3. $\dfrac{G_1}{1+G_2+G_1G_2}$
4. $\dfrac{G_2}{1+G_2+G_1G_2}$
5. $\dfrac{G_1G_2}{1+G_1+G_1G_2}$

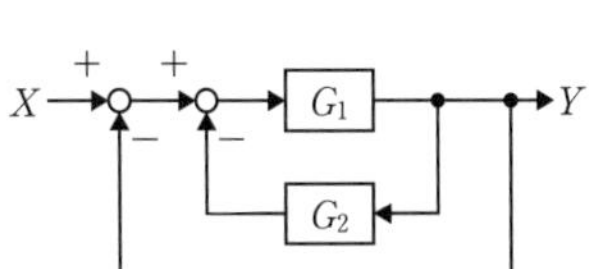

問題 5 □□□ 36A63

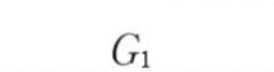

図のシステムの伝達関数（Y/X）はどれか．

1. $\dfrac{G_1}{1+G_1G_2+G_2G_3}$
2. $\dfrac{G_1}{1+G_1G_2+G_1G_3}$
3. $\dfrac{G_1G_2}{1+G_1G_2+G_2G_3}$
4. $\dfrac{G_1G_2}{1+G_1G_2+G_1G_3}$
5. $\dfrac{G_1G_3}{1+G_1G_2+G_1G_3}$

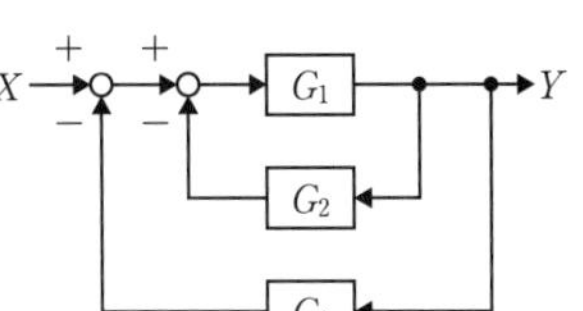

問題 6 □□□ 29P62

図のブロック線図の伝達関数（Y/X）はどれか．

1. $\dfrac{G_1}{1+G_1G_2}$
2. $\dfrac{G_2}{1+G_1G_2}$
3. $\dfrac{G_2}{1-G_1G_2}$
4. $\dfrac{2G_1}{1+2G_1G_2}$
5. $\dfrac{2G_1}{1-2G_1G_2}$

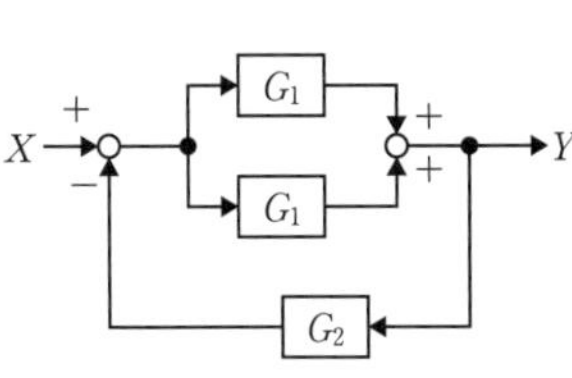

問題 7 □□□ 35P62

図のシステム関数（Y/X）はどれか．

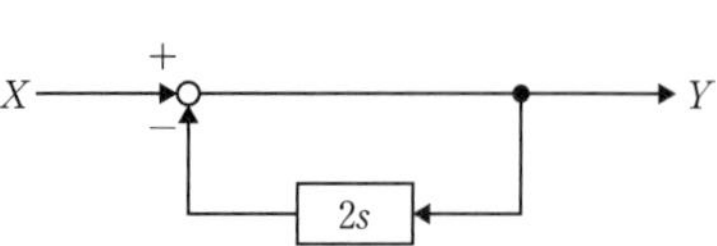

1. $2s$
2. $\frac{1}{2s}$
3. $\frac{1}{1+2s}$
4. $\frac{1}{1+s}$
5. $\frac{2}{2+s}$

問題 8  34P62

図のブロック線図における全体の伝達関数はどれか．

1. $\frac{G_1+G_2}{1-G_1-G_2}$
2. $\frac{G_1-G_2}{1-G_1-G_2}$
3. $\frac{G_1-G_2}{1-G_1+G_2}$
4. $\frac{G_1-G_2}{1+G_1-G_2}$
5. $\frac{G_1+G_2}{1+G_1+G_2}$

問題 9  37P62

図のブロック線図の伝達関数はどれか．

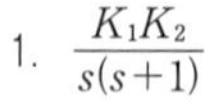

1. $\frac{K_1K_2}{s(s+1)}$
2. $\frac{K_1}{s(s+1)K_2}$
3. $\frac{K_1}{s(s+1)+K_1K_2}$
4. $\frac{K_1K_2}{s(s+1)-K_1K_2}$
5. $\frac{s(s+1)}{s(s+1)+K_1K_2}$

問題 10 □□□ 32A57

ブロック線図に示すシステムの時定数［秒］はどれか．ただし，s をラプラス変換の演算子とする．

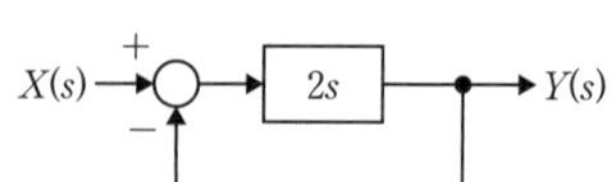

1. 0.25
2. 0.5
3. 1.0
4. 2.0
5. 4.0

問題 11  33A57

図 1 の回路と等価であるブロック線図を図 2 に示す．図 2 の要素 A と B との組合せで正しいのはどれか．

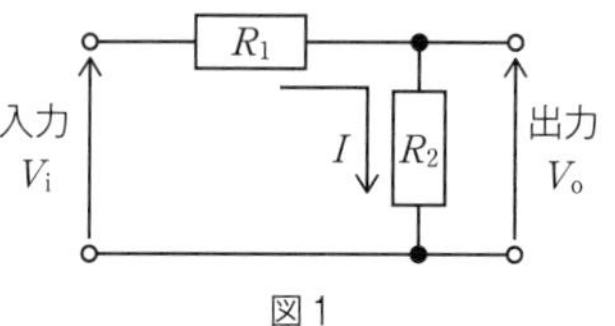

図1

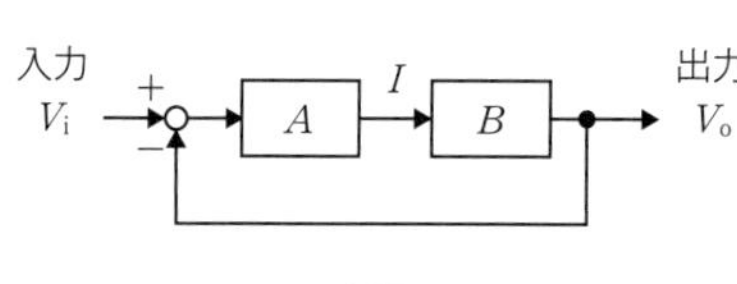

図2

1. $A=1/R_1$　$B=R_2$
2. $A=R_1$　$B=R_2$
3. $A=R_1+R_2$　$B=R_2$
4. $A=R_1$　$B=1/R_2$
5. $A=R_1$　$B=R_1+R_2$

問題 12 □□□ 27A62

システムの動特性を示すのはどれか.

a．シーケンス制御
b．同期加算
c．分散分析
d．インパルス応答
e．周波数応答
1. a, b　2. a, e　3. b, c　4. c, d　5. d, e

問題 13 □□□ 22A63

システムの伝達特性を示すのはどれか.

a．安定判別式
b．ナイキスト周波数
c．分散分析
d．インパルス応答
e．周波数応答
1. a, b　2. a, e　3. b, c　4. c, d　5. d, e

問題 14 □□□ 36P62

システムの伝達特性でないのはどれか.

1. 時定数
2. ゲイン
3. ステップ応答
4. インパルス応答
5. ナイキスト周波数

〈解答〉問題 1-2, **問題 2**-3, **問題 3**-5, **問題 4**-1, **問題 5**-2, **問題 6**-4, **問題 7**-3, **問題 8**-4, **問題 9**-3, **問題 10**-4, **問題 11**-1, **問題 12**-5, **問題 13**-5, **問題 14**-5

2. システムと制御

（1）システム制御の方法 【35回】 ★★

医用システム制御工学 p.69

○フィードバック制御

- 制御対象の状態変化を情報の1つとして取り込み，制御対象が適切な状態となるようにする制御の方式.
- 電気ポットの制御例：操作部で設定された温度（目標値）が保たれるように，ポット内の水温を検知して加熱量を変える仕組みの場合，制御の流れは下図のようになり，水温が一定の温度（目標値）で安定する.
  - ・この制御では，信号（情報）の一部が逆方向（後方：back）に向かって伝達（feed）されており，信号がループを構成しているので，閉ループ制御と呼ばれる.

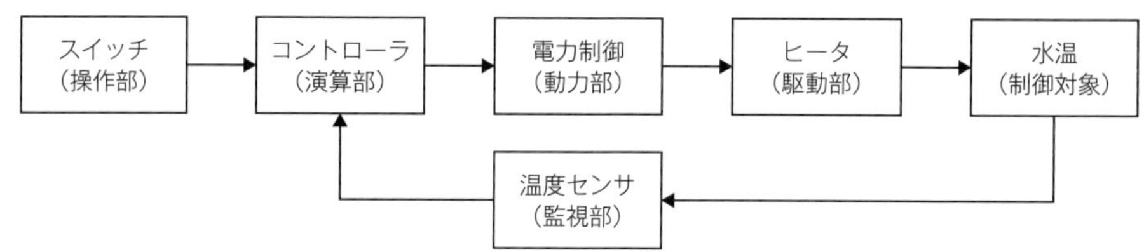

- 信号の流れから，フィードバック（feed-back）制御とも呼ばれる.
- 制御対象からの出力信号の計測は必要である.
- 制御対象に特性変化や外乱が生じて変動が起きても，その変動を抑制するための制御が行われ，目標値との差は収束していく．そのため制御対象の状態は特性変化や外乱の影響を受けにくい.
  - ・ただし，変動に対して制御が後追いとなるため，応答の時間遅れや安定性に影響する.
  - ・上記の例では，物質の混入や水のつぎ足しなどが特性変化や外乱にあたる.

医用システム制御工学 p.70

○フィードフォワード制御

- 原因（操作・設定など）と結果（動作など）の関係が確定しているときに用いられる制御の方式.
- かごにボールを投げ入れる場合の制御例：制御の流れは下図のようになる.
  - ・この制御では，信号（情報）が一方向（前方：forward）に向かって伝達（feed）されており，信号がループを構成していないので，開ループ制御と呼ばれる.

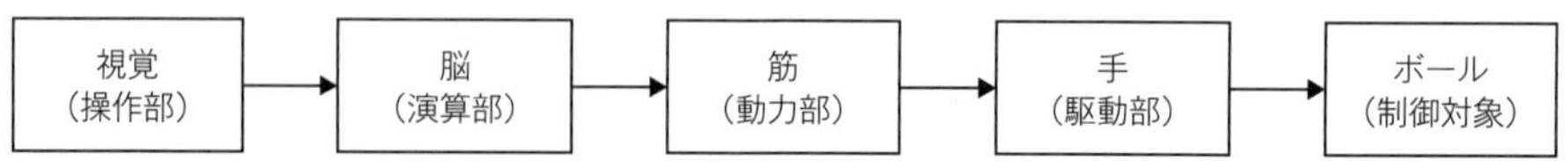

- 信号の流れから，フィードフォワード（feed-forward）制御とも呼ばれる.
- 制御対象からの出力信号の計測は不要である.
- 操作部から信号が伝達された後に制御対象に特性変化や外乱が生じて変動が起きても，その変動を抑制するための制御は行われないので，目標値との差は収束しない.

そのため制御対象の状態は特性変化や外乱の影響を受けやすい．

- しかし，操作部からの信号がそのまま制御に反映されるので，応答速度が速い．
- 上記の例では，“投げたボールに向かって強い風が当たる”，“投げた後にかごが動いた”などが特性変化や外乱にあたる．

➋フィードバック制御，フィードフォワード制御とも長所短所があり優劣は付けがたい．多くの場合，両方式を組み合わせた制御が行われる．

○シーケンス制御

医用システム制御工学 p.65

➋あらかじめ定められた順序または手続きに従って各段階を逐次進めていく制御の方式．

○オン/オフ制御

医用システム制御工学 p.67

➋前述した電気ポットの例のように，ヒータの出力を連続的または段階的に変化させて加熱量を制御するのではなく，ヒータのオン/オフだけで加熱量を変える制御．細やかな制御はできないが仕組みが簡単で，家電製品の多くで利用されている．

○PID 制御

医用システム制御工学 p.108

➋フィードバック制御の 1 つで，入力値に対して出力値と目標値との比率，それらの積分結果，および微分結果の 3 つの要素によって行う制御を指す．

➋比例動作（Proportional），積分動作（Integral），微分動作（Differential）を組み合わせた制御．

（2）システム制御の例

医用システム制御工学 p.53

○生体システム

シミュレーション

➋現実に実験を行うことが困難な事象について，そのモデルを用いて挙動を分析することを指し，模擬実験ともいう．

➋実際に模型を作って行う物理的シミュレーションと，数学的モデルをコンピュータ上で扱う論理的シミュレーションがある．

○アクチュエータ

➋入力されたエネルギーあるいは制御装置から出力された電気信号を，機械的な運動（運動エネルギー）に変換する機械要素で，機構部分と電気回路から構成される．

➋モータや電磁弁などはアクチュエータの 1 つである．

○温度制御

➋フィードバック制御で取り上げた電気ポットのように，温度を一定に保っているのは温度制御の例である．

臨床工学技士国家試験問題 Check UP!

問題 1 □□□ 20P35

フィードフォワード制御系の特徴として正しいのはどれか.

1. フィードバック制御系よりも制御対象の特性変化の影響を受けにくい.
2. フィードバック制御系よりも外乱の影響を受けにくい.
3. 閉ループ制御系である.
4. 制御するためには出力の計測が必要である.
5. 系の時間遅れによる不安定性は生じない.

問題 2 □□□ 21P34

フィードバック制御系の特徴として正しいのはどれか.

a. フィードフォワード制御系よりも制御対象の特性変化の影響を受けやすい.
b. フィードフォワード制御系よりも外乱の影響を受けやすい.
c. 閉ループ制御系である.
d. 制御するためには出力の計測が必要である.
e. 系の時間遅れが安定性に影響する.

1. a, b, c　2. a, b, e　3. a, d, e
4. b, c, d　5. c, d, e

問題 3 □□□ 35A63

生体をシステムとしてみたときの特徴について誤っているのはどれか.

1. フィードバック制御系を持つ.
2. 広い範囲で入力と出力が比例する.
3. 機能不全の一部を補完する能力がある.
4. 環境からの外乱に適応する能力がある.
5. 学習により性能を向上させることができる.

〈解答〉問題 1-5, **問題 2**-5, **問題 3**-2

V. 医用機械工学

1. 力学の基礎

医用機械工学　第2版
p.4

(1) 国際単位系（SI）【34回】 ★★

- 国際的に定められ，世界中で広く使用されている単位系である．
- 7つの基本単位と，基本単位を組み合わせた組立単位で構成される．
- 工学系で使用される公式で用いる物理量のほとんどは，SI単位系に換算する必要がある．

○SI基本単位

量	長さ	質量	時間	電流	熱力学温度	物質量	光度
単位記号	m	kg	s	A	K	mol	cd
単位名称（読み）	メートル	キログラム	秒	アンペア	ケルビン	モル	カンデラ

○SI組立単位

- 基本単位を組み合わせると次のような物理量に単位を示すことができる．

量の例	面積	体積	密度	速度	加速度	流量	磁界の強さ
組立単位	m^2	m^3	kg/m^3	m/s	m/s^2	m^3/s	A/m

- 他の物理量も組立単位として示されるが，そのうち22個の組立単位に利便性を考慮した固有名称が与えられている．

量の例	力	圧力	仕事	仕事率	周波数	電荷量	磁束密度
組立単位	$kg \cdot m/s^2$	$kg/m \cdot s^2$	$kg \cdot m^2/s^2$	$kg \cdot m^2/s^3$	1/s	A·s	$kg/A \cdot s^3$
固有名称	N	Pa	J	W	Hz	C	T
読み	ニュートン	パスカル	ジュール	ワット	ヘルツ	クーロン	テスラ

○SI併用単位

- 国際単位系（SI単位）には含まれないが，広く実社会で用いられ，SI単位との併用が認められている単位．時間を表す分・時・日，体積を表すリットルなどがある．

○SI接頭語

- SI単位の前に付けられ，十進の倍量・分量（10のべき乗）を表す．大きな桁や小さな桁を簡潔に表すために用いられる．24個の接頭語が定義されているが，国試では次の接頭語は覚えておきたい．

接頭語	ピコ	ナノ	マイクロ	ミリ	センチ	デシ
記号	p	n	μ	m	c	d
倍量・分量	10^{-12}	10^{-9}	10^{-6}	10^{-3}	10^{-2}	10^{-1}

接頭語	ヘクト	キロ	メガ	ギガ	テラ
記号	h	k	M	G	T
倍量・分量	10^2	10^3	10^6	10^9	10^{12}

○次元

- 物理量の単位が基本単位をどのように組み合わせているか表したものを次元という．
- 長さの次元を L または [L]，質量の次元を M または [M]，時間の次元を T または [T] で表す．

量の例	面積	速度	加速度	力	圧力	仕事	仕事率
組立単位	m^2	m/s	m/s^2	$kg \cdot m/s^2$	$kg/m \cdot s^2$	$kg \cdot m^2/s^2$	$kg \cdot m^2/s^3$
次元	L^2	$L \cdot T^{-1}$	$L \cdot T^{-2}$	$L \cdot M \cdot T^{-1}$	$L^{-1} \cdot M \cdot T^{-2}$	$L^2 \cdot M \cdot T^{-2}$	$L^2 \cdot M \cdot T^{-3}$

（2）力と運動

○位置，速度，加速度 ★

- 速度とは，単位時間あたりの位置変化の大きさ（移動距離）

$$速度\ (m/s) = \frac{位置変化\ (m)}{所要時間\ (s)} = \frac{おわりの位置-はじめの位置}{おわりの時刻-はじめの時刻}$$

- 加速度とは，単位時間あたりの速度変化の大きさ

$$加速度\ (m/s^2) = \frac{速度変化\ (m/s)}{所要時間\ (s)} = \frac{おわりの速度-はじめの速度}{おわりの時刻-はじめの時刻}$$

- 位置を x，速度を v，加速度を a，時間を t とすると，上記の関係は $v=\frac{dx}{dt}$，$a=\frac{dv}{dt}$ のように微分式で示すことができる．逆に $x=\int vdt$，$v=\int adt$ のように積分式で示すこともできる．
- 位置，速度，加速度の関係は次のように表される．

加速度 ←時間で微分— 速度 ←時間で微分— 位置
加速度 —時間で積分→ 速度 —時間で積分→ 位置

- 物体の加速度 a が時間 t とともに変化する場合は，微積分を用いて物体の運動を考える必要があるが，国試問題では物体に生じる加速度は一定となっており，次に示す運動の基本式で解くことができる．

速度　$v=v_0+at$　　　位置　$x=x_0+v_0t+\frac{1}{2}at^2$

ただし，v_0 は初速度，x_0 は初期位置である．

・上記の 2 式から時間 t を消去すると，速度と位置の関係式 $v^2-{v_0}^2=2a(x-x_0)$ が得られる．

- これらの式を利用する場合には，あらかじめ正の方向と 0 m の位置を決めておく必要がある．
- 国試では，最初の物体の運動方向を正の方向，最初の物体の位置を 0 m の位置とするとよい．位置，速度，加速度はその方向を，正の方向と比較して値の符号を決定する．
- 国試で出題される問題の多くは，初速度 $v_0=0$（または終速度が 0），初期位置 $x_0=0$（あるいはおわりの位置が 0）で考えればよいので，

速度　$v=at$　　　位置　$x=\frac{1}{2}at^2$

と簡略化してよい（ここで a は加速度である）．

- 速度と位置の関係式 $v^2-v_0{}^2=2a(x-x_0)$ も $v^2=2ax$ とすることができる．
- これを変形した $v=\sqrt{2ax}$ も有用である．これらの式では x を移動距離と考えた方がよい．

❯これらを整理すると，右図のようになる．

❯時間が示されており，速度を求める問題であれば，時間と速度の関係式 $v=at$ を用いる．

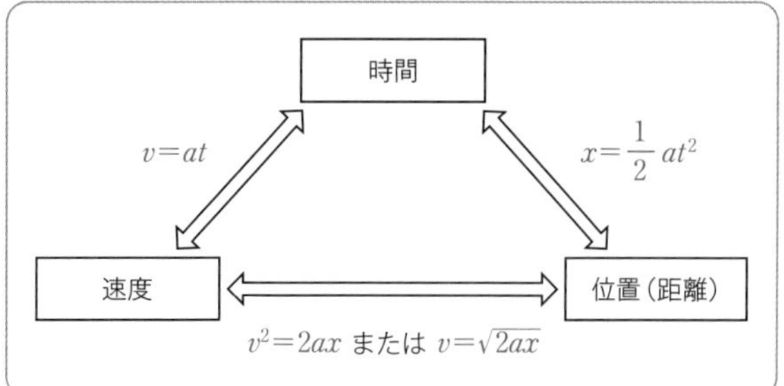

例題

質量 m の物体が初速度 0 で落下するとき，時間 t 後の落下距離を示せ．ただし，重力加速度は g，空気抵抗は無視する．

解答

これは初速度 0 の物体の落下距離を時間から求める問題なので，時間 t と距離 x を結びつける関係式 $x=\frac{1}{2}at^2$ を用いればよい．ここで加速度 $a=g$ であるから，答は $\frac{1}{2}gt^2$ となる．

○斜方投射

❯近年の国試で，斜方投射＝斜め方向投げ上げの問題が見られるようになった．
ここでは，地面から仰角 θ，初速度 v_0 で投げ上げた物体の運動について考えてみる．
ただし，重力加速度を g とする．

- この物体は，下図のように放物線を描いて運動するはずである．
- これは物体に重力が作用しているためである．この重力のために物体には重力加速度が生じる．
- 重力加速度の方向は鉛直方向（上下方向）に下向きであり，鉛直方向の運動にだけ影響を与える．
- 一方，重力は水平方向（左右方向）には作用しないので，水平方向に加速度は生じず 0 のままである．
- このような運動では，重力加速度の影響を受ける鉛直方向の運動と，重力加速度の影響がない水平方向の運動を別々に考えたい．

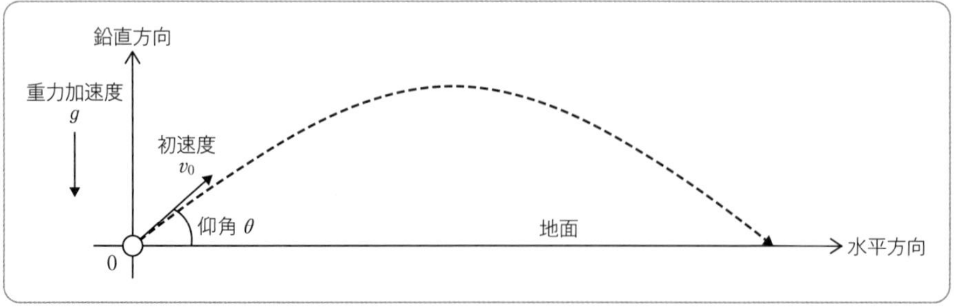

・物体の運動では，物体の初速度が重要である．

・この運動では，初速度も鉛直方向と水平方向で別々に求めておく．

・仰角 θ，初速度 v_0 であるから，右図に示すように，初速度は鉛直方向に $v_0 \sin\theta$，水平方向に $v_0 \cos\theta$ となる．

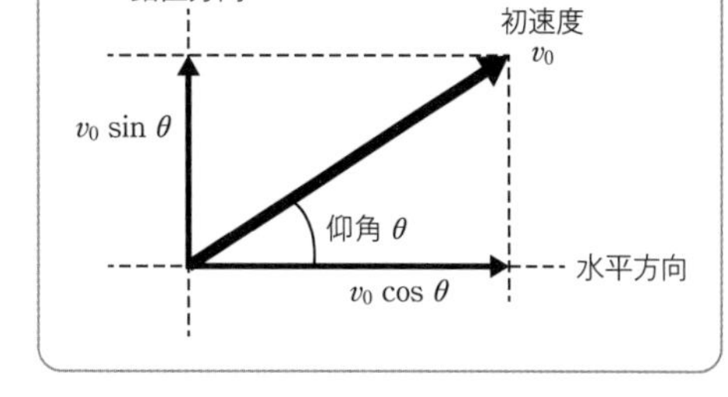

・この結果を用いて，時刻 t における速度および位置は次のように表すことができる．

・鉛直方向については，上向きを正とすると初速度 $+v_0 \sin\theta$，加速度 $-g$ となるので，鉛直方向の速度 v_y は，$v_y = +v_0 \sin\theta + (-g) \times t = v_0 \sin\theta - gt$

鉛直方向の位置 y は，$y = +v_0 \sin\theta \times t + \frac{1}{2} \times (-g) \times t^2 = v_0 t \sin\theta - \frac{1}{2} gt^2$ となる．

・これらの式は，鉛直方向の運動が初速度 $v_0 \sin\theta$ とした真上方向への投げ上げの問題と同等であることを示している．

・水平方向については，右向きを正とすると初速度 $+v_0 \sin\theta$，加速度 0 となるので，水平方向の速度 v_x は，$v_x = +v_0 \cos\theta + 0 \times t = v_0 \cos\theta$

・水平方向の位置 x は，$x = +v_0 \cos\theta \times t + \frac{1}{2} \times 0 \times t^2 = v_0 t \cos\theta$ となる．

・これらの式は，水平方向の運動が初速度 $v_0 \cos\theta$ とした等速直線運動であることを示しており，水平方向には常に一定の速度で進んでいることがわかる．

○ニュートンの運動法則

医用機械工学　第2版
p.10

➲力と物体の運動について，ニュートンによって示された 3 つの法則（ニュートンの 3 法則）．

第 1 法則（慣性の法則）

➲物体に外力が加わらなければ，物体は運動状態を維持する．

➲静止している物体は，静止状態を続ける．

➲運動している物体は，そのときの速度と進行方向を維持し続ける（等速直線運動を続ける）．

第 2 法則（ニュートンの運動方程式 または $\vec{F} = m\vec{a}$）

➲物体に力が作用すると，力の働く方向に加速度が生じる．

➲そのときの加速度 a の大きさは，力の大きさ F に比例し，質量 m に反比例する．

➲物体に加速度が生じると，速度の大きさや運動の方向が変化する．

第 3 法則（作用・反作用の法則）

➲接触する物体の間には，相互作用によって力が生じる．

・一方の物体が受ける力と他方の物体が受ける力は，向きが反対で大きさが等しい．

➲例えば，机の上に物体を置くとする．このとき机も物体も動かない，つまり静止している．このとき常に物体は机を押しており，机も物体を押し返している．

・右図に示すように，物体が机を押す力を F_1（これを作用とする），机が物体を押し返す力を F_2（これが反作用になる）とするとき，この 2 つの力の大きさは等しく，作用する方向は逆向きである．
・ただし，作用と反作用は作用する対象が異なるので，つり合う力ではない．

物体
机
F_2 机が物体を押し返す力
F_1 物体が机を押す力

➲この作用と反作用の関係を運動の第 3 法則という．

➲最近の国試では，第 1 法則と第 3 法則を直接問うことは少なくなった．しかし，運動の法則を理解しているのは当然として問題が作成されている．

➲一方，第 2 法則はよく出題される．第 2 法則を式で表現した $\vec{F}=m\vec{a}$ を利用して計算するだけでよい問題も見られ，他の分野（電気力や電磁力）でも，様々な力と質量・加速度の関係性を求める問題は少なくない．
・運動の第 2 法則（$\vec{F}=m\vec{a}$）が重要であることを認識しておく．

➲上記の 3 つの法則のいずれにも方向に関する表現がある．
・力は，その大きさだけでなく，方向が重要な意味を持ったベクトル量である．
・力がベクトル量であることを明示するため，$\vec{F}=m\vec{a}$ の中で力 F 上に→を付加している．
・加速度 a にも→が付加されているが，加速度もベクトル量であることを示している．
・一方，質量 m に→がついていないのは，質量は方向が意味を持たない物理量（スカラー量）であるためである．

➲$\vec{F}=m\vec{a}$ では，$\vec{F}$ と $\vec{a}$ の符号が必ず一致する．
・これは，作用する力とそれによって生じる加速度の方向が一致することを示している．

○ベクトル量とスカラー量 【33 回】 ★★

ベクトル量	スカラー量
力のように，大きさおよび方向を持つ量 ・力　・電界 ・変位　・磁界 ・速度 ・加速度 ・運動量 ・力積	大きさだけを持つ量 ・仕事　・長さ ・エネルギー　・体積 ・時間　・電位 ・質量　・温度 ・電荷量

医用機械工学 第2版
p.16

（3）力のつり合い

○力の三要素

➲1 つの物体に 2 つ以上の力が作用しているにもかかわらず，その物体が静止している，または物体の速度が変化しないとき，物体に作用する力がつり合っているという．

➲右図のように，物体に 2 つの力 F_1，F_2 が作用しているとき，静止しているか速度変化がないならば，物体に加速度は生じていない．つまり，2 つの力 F_1，F_2

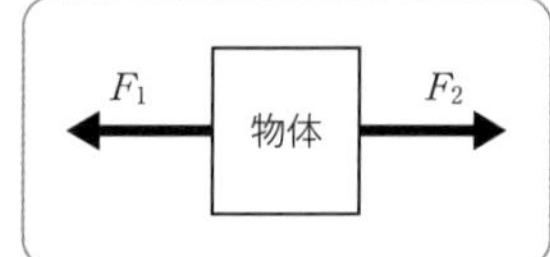

は互いの作用を打ち消しあっている．

- 2 つの力 F_1，F_2 が同じ物体に作用し，その大きさが等しく，向きが逆であるとき，2 つの力 F_1，F_2 はつり合っているという．

○力の種類（重力，ばねの力，摩擦力）

重力

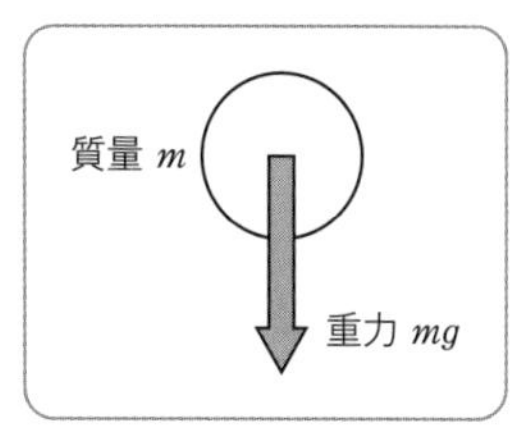

- 全ての物体には重力が作用している．
- 一般に重力とは，地球と物体が互いに引き合う力である．
- 物体の質量を m(kg)，重力加速度を g(m/s^2) とすると，運動の第 2 法則 $\vec{F}=m\vec{a}$ より，重力の大きさは mg(N) であり，重力加速度と同じく鉛直方向下向きに作用する．

ばねの力

医用機械工学　第2版
p.38

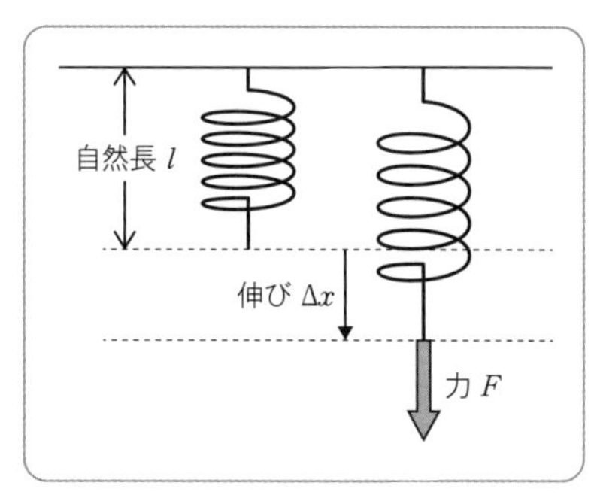

- ばねに力を作用させると，伸び縮みする．このときばねに作用させる力 F(N) の大きさと，ばね自体の長さ＝自然長 l(m) からの伸びまたは縮みの大きさ Δx(m) は比例するので，$F=k\Delta x$ と表すことができる．
- 上式の比例定数 k（N/m）はばね定数と呼ばれ，ばねの伸び縮みのしにくさ（硬さ）を示している．

摩擦力

医用機械工学　第2版
p.13

接触面が物体を押し返す力 ＝ 垂直抗力 N
運動方向
物体
接触面
摩擦力 F
物体が接触面を押す力

- 摩擦力は，運動する物体が他の物体との接触によって生じる抵抗力である．
- 摩擦力の向きは運動の方向と逆向きであり，摩擦力の大きさは垂直抗力に比例する．
  - 垂直抗力は物体が接触面を押す力（水平面では重力に等しい）の反作用で，物体が接触面から受ける力（押し返される力）を指す．
- 垂直抗力を N とすると，摩擦力 F は，$F=\mu N$ と表すことができる．
  - このときの比例定数 μ を摩擦係数という（摩擦係数は単位を持たない）．
- 外力を加えても物体が静止している状態では，外力と摩擦力の大きさは等しい．これを静止摩擦力という．また，$F=\mu N$ に適用される摩擦係数は静止摩擦係数と呼ばれ，外力に比例して大きくなる（一定の値ではない）．
- 外力を徐々に大きくしていくと，いつかは物体が動き出す．物体が動き出す直前に加えていた外力＝摩擦力は，特に最大静止摩擦力と呼ばれる．そのとき $F=\mu N$ に適用される摩擦係数を特に最大静止摩擦係数という．
- 物体が運動しているときに作用する摩擦力は動摩擦力と呼ばれ，$F=\mu N$ に適用される摩擦係数を動摩擦係数という．動摩擦係数は，物体と接触面に変化がなければ外力の大きさや物体の速度に関わらず一定の値となる．

- 動摩擦係数は最大静止摩擦係数より小さく，外力との関係をグラフにすると右図のようになる．

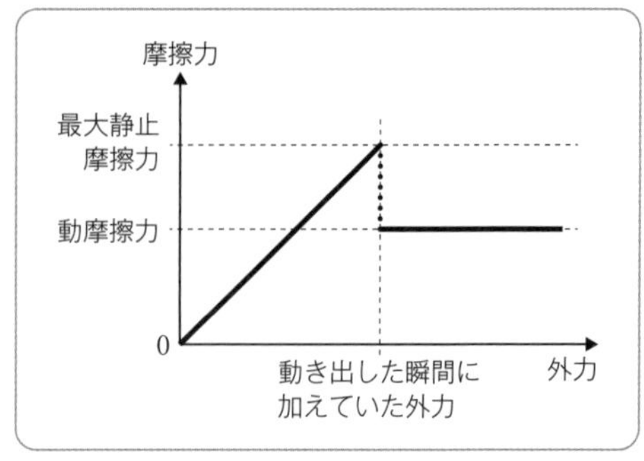

医用機械工学 第2版 p.15

○力のモーメント 【33 回】【35 回】 ★★

モーメント

- 1 点が支持された物体に力を作用させると，支持された点を中心に回転させようとする働きが生じる．この働きをモーメントまたはトルクと呼ぶ（物体をねじるように力を作用させた場合にはこの働きをトルクということが多く，トルクをねじりモーメントと呼んだりする）．
  - ・このとき，物体を支持している点を支点と呼ぶ．

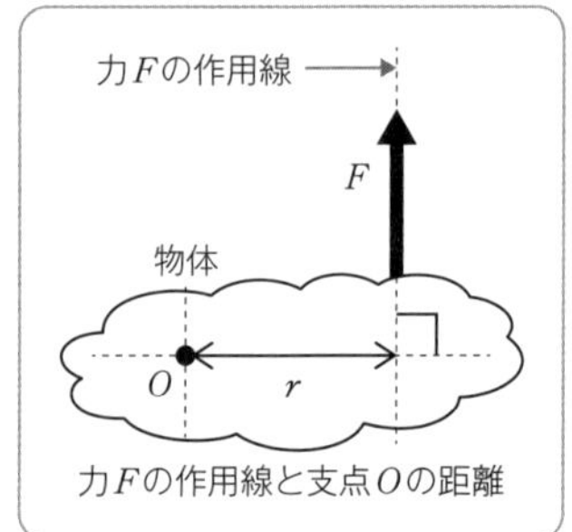

- 右図のように，点 O を支点として保持されている物体に力 F が作用するとき，モーメント M の大きさは，作用する力 F と力の作用線と支点の距離 r の積で与えられ，支点 O のまわりに物体を回転させる作用をもつ．
- 式に表すと $M=F\cdot r$ となり，力の単位は N（ニュートン），距離の単位は m（メートル）であるから，モーメント M の単位は，N·m となる．モーメントには向きがあり，この例では反時計回りとなる．
  - ・この考え方および式は，物体の長さ方向に対して垂直に力が作用する場合に，そのまま利用することができる．

例題

右図に示す棒に軸方向から 30°上方に向かって力 F がかかるとき，支点 O まわりの力のモーメント M はいくらか．ただし，$F=30$ N とする．

解答

物体の長さ方向と力の向きの角度が θ ならばその正弦を用いて，

$M=F\sin\theta\cdot r$ と表すことができるので，この例では，

$M=30_{(\mathrm{N})}\times\sin 30\times 0.2_{(\mathrm{m})}=30\times 0.5\times 0.2=3\ \mathrm{N\cdot m}$ となる．

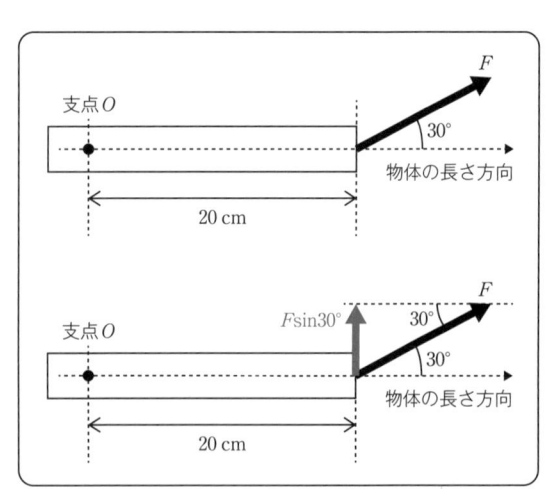

モーメントのつり合い

- 1 点が固定された物体に複数の力が作用すると，時計回りのモーメントの合計と反時計回りのモーメントの合計のうち，大きなモーメントの方向に回転する．全体としてのモーメントの大きさは互いのモーメントの総和の差となる．
- 全体としてのモーメントの大きさ＝互いのモーメントの総和の差が 0 であるとき，言い換えれば時計回りのモーメントの合計と反時計回りのモーメントの合計が等しいとき，モーメントがつり合うという．このとき物体はどちらの向きにも回転しない．
- モーメントのつり合いによって保持された物体では，作用する力もつり合っており，力の総和も 0 になる．

○運動方程式 【34 回】 ★★

医用機械工学 第2版
p.21

- 右図に示すように，質量 m(kg) の物体に 2 つの外力と摩擦力が作用し，物体には加速度 a が生じ運動しているとする．このときの物体に作用する力の関係を記述した式を運動方程式という．
  - 物体に加速度を生じさせた力の大きさは物体の質量（m）×加速度（a）であり，物体に外部から作用する力の総和と等しい．

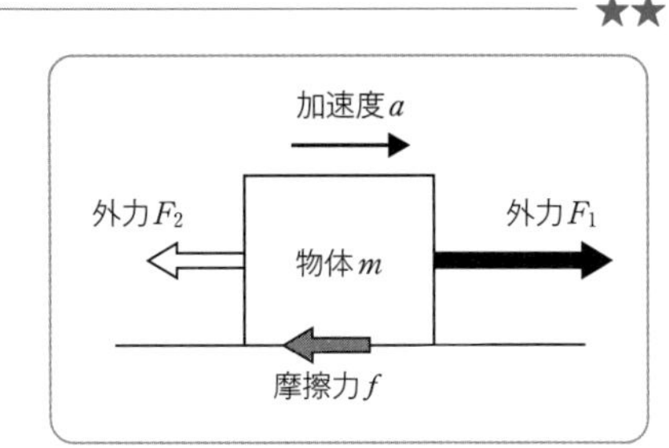

  - ただし，力はベクトル量なので方向を考慮する必要がある．加速度の向きを正とすると，外力 F_1 は正の向き，外力 F_2 と摩擦力 f は負の向きになるので，向きを符号で示すと，次の運動方程式が成り立つ．

    $ma=+F_1-F_2-f$　　これを変形して，　$ma-F_1+F_2+f=0$

    とすることも多い．複数の力が作用する運動では運動方程式を利用するが，国試で不可欠となる問題は少ない．

○斜面上の物体に作用する力 【37 回】 ★★

- 国試では，斜面上の物体についての問題も出される．この物体の運動でも重力が関わるが，重力の方向は運動方向＝斜面方向と平行でも垂直でもないので，重力を分解して考える必要がある．
- 水平面から角度 θ の斜面に物体があるとき，重力は鉛直方向下向きに作用している．この場合は，物体の運動方向＝斜面方向と斜面に垂直な方向に分解する．

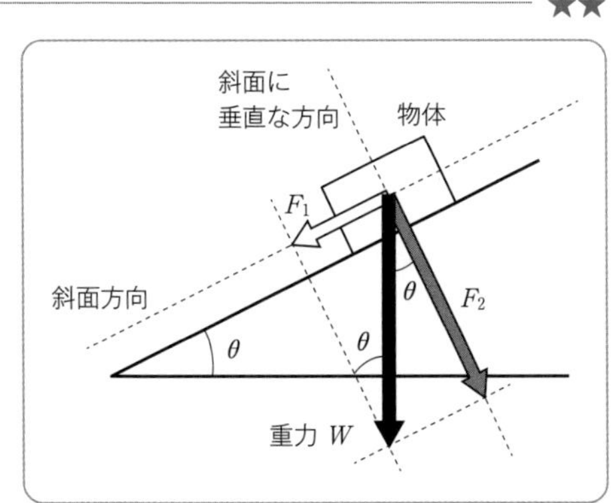

- 物体に作用する重力を W とし，斜面方向に生じる力を F_1，斜面に垂直な方向に生じる力を F_2 とする．斜面の角度を用いて $F_1=W\sin\theta$，$F_2=W\cos\theta$ と表すことができる．物体は F_1 の力で運動することになる．また，F_2 は物体と斜面の間に生じる垂直抗力と同じ大きさとなる．仮に $\theta=30°$ とすると，

$$F_1 = W\sin 30° = \frac{1}{2}W,\ \ F_2 = W\cos 30° = \frac{\sqrt{3}}{2}W$$

となる．

・このとき垂直抗力の大きさは F_2 と等しい．斜面に摩擦がある場合は，F_2 と摩擦係数から摩擦力が求められる．

医用機械工学　第2版
p.25

○回転運動，等速円運動　【35 回】【37 回】　★★

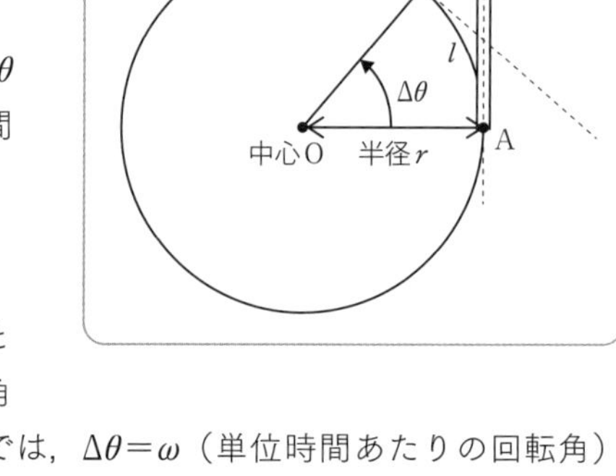

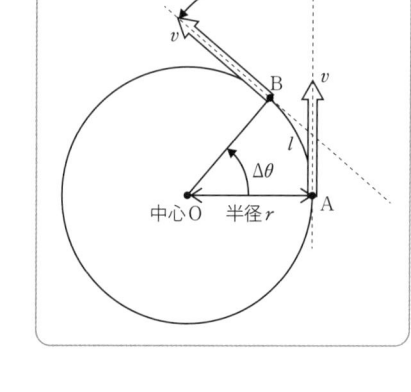

➋物体が円周上を一定の速度で回転する運動である．国試では遠心分離機を想定している．

➋図で A 点にあった物体が，速度 v で円周上を運動し，Δt 秒間に B 点に移動したとする．

・これを中心 O からみれば，角度 $\Delta\theta$（rad）回転したことになり，単位時間（1 秒）あたりの回転角度を考えると，$\dfrac{\Delta\theta}{\Delta t}$ となる．

・これを角速度 ω といい，単位は rad/s となる．円弧 AB の長さ l と半径 r，中心角 $\Delta\theta$ の間には $l = r\Delta\theta$ が成り立つ．ここでは，$\Delta\theta = \omega$（単位時間あたりの回転角）で，l は単位時間あたりの移動距離と考えることができるので，速度 v と等しい．したがって，$v = r\omega$ と表すことができる．v は円周上を移動する速度であるから，周速度と呼ばれる．

➋物体が 1 回転する時間＝回転周期 T は，角速度 ω を用いて $T = \dfrac{2\pi}{\omega}$ と表すことができる．

➋単位時間（1 秒）あたりの回転数 f は $f = \dfrac{1}{T} = \dfrac{\omega}{2\pi}$ である．

➋B 点まで移動した物体も，円周上を接線方向に周速度 v で進もうとしている．

・A 点にあった場合と比較して速度の方向が $\Delta\theta$ 変化している．運動の方向が変化したのは，物体に力が作用したためである．その力の方向は中心 O に向かっており，向心力と呼ばれる．

・このとき物体側から考えると，物体の慣性力のために中心 O から外側に力が作用しているように見える．この外側に向かって作用する力を遠心力といい，大きさは向心力と等しい．

➋物体の質量が m ならば，向心力の大きさは $F = mr\omega^2$ で示される（遠心力も同じ大きさになる）．

➋運動の第 2 法則 $F = ma$ より，加速度の大きさが $a = r\omega^2$ となる．

・この加速度は向心加速度と呼ばれ，向心力と同じく中心 O に向かって物体に生じる加速度である．

・また，$v = r\omega$ であるから，$F = m\dfrac{v^2}{r}$，$a = \dfrac{v^2}{r}$ と表すこともできる．

○エネルギー

医用機械工学　第2版 p.27

- そもそもエネルギーとは何か．物理学では「仕事」という．広い意味では熱や電力量までも含むが，ここでは物体の運動に限って考える．
- 加えられた力によって物体が運動するとき，加えた力の大きさを F(N)，物体が力の方向に移動した距離（変位）を Δx(m) とする．このとき物体の運動の状態は，力を加える前とは変化している（位置だけでなく速度も変化している）．その変化に必要であった物理量のことを，仕事＝エネルギーという．
- その大きさは，$F\cdot\Delta x$ と定義されており，単位には J（ジュール）を用いる．一般に仕事（エネルギー）の量記号として W を用いるので，$W=F\cdot\Delta x$ と表される．
- 力を加えた Δt 秒間であったすると，単位時間（1 秒）あたりの仕事の大きさは，$\dfrac{W}{\Delta t}=\dfrac{F\cdot\Delta x}{\Delta t}$ とすることができる．
  - ・これを仕事率と呼び，単位には W（ワット）または J/s が用いられる（電力の単位と同じ）．
  - ・仕事率の単位の W（ワット）と仕事の量記号である W を混同しないように注意したい．
- 仕事率の量記号は P を用いて表し，$P=\dfrac{W}{\Delta t}$ または $W=P\cdot\Delta t$ となる．

  $W=P\cdot\Delta t$ の式は，仕事 ＝ 仕事率 × 時間と日本語で記憶する方が間違いない．

力学的エネルギーとは

医用機械工学　第2版 p.30

- 運動エネルギーと位置エネルギー（ポテンシャルエネルギー），弾性エネルギーの和を指す（ただし，弾性エネルギーはこれまでの国試では出題されていない）．

位置エネルギーとは

- ある高さ h(m) にある物体がもつエネルギー．物体の質量を m(kg)，重力加速度を g(m/s^2) とすると，位置エネルギーは mgh となる．

運動エネルギーとは

- 運動している物体がもつエネルギー．物体の質量を m(kg)，速度を v(m/s) とすると，運動エネルギーは $\dfrac{1}{2}mv^2$ となる．

弾性エネルギーとは

- ばねが伸び縮みしたときにばねにたくわえられるエネルギー．ばね定数が k(N/m) のばねに外力を作用させて生じた自然長 l(m) からの伸びまたは縮みが x(m) であるとき，弾性エネルギーは $\dfrac{1}{2}kx^2$ となる．

力学的エネルギー保存の法則

- 物体が運動するとき，摩擦などの抵抗力が作用しなければ，その物体がもつ力学的エネルギーが保存される．弾性エネルギーを除くと，運動エネルギーと位置エネルギーの和が変化しない ＝ 一定に保たれていることをいう．運動エネルギー ＋ 位置エネルギー $=\dfrac{1}{2}mv^2+mgh=$一定　と表現できる（国試では弾性エネルギーの出題がないのでここでは省略している）．

- 例えば，物体を投げ上げたとき，上昇する過程では高さが増すので位置エネルギーが増加する．そのときも力学的エネルギー（運動エネルギー＋位置エネルギー）は一定となるはずなので，運動エネルギーが減少する．運動エネルギーが減少すると速度が小さくなる．この過程では，位置エネルギーが運動エネルギーに変換されたと考えられる．
  - 逆に下降する過程では，逆のエネルギー変換が起きると考えてよい．この力学的エネルギー保存の法則を利用すると，運動の基本式を用いずに速度と高さの関係などを求められる．

○浮力 ★

- 流体（液体や気体）中に物体があるとき，流体が物体に重力とは逆向きに作用させる（物体を浮かそうとする）力を浮力という．
- 結果的に流体中にある物体は質量が小さくなった＝軽くなったと考えることもできる（これをアルキメデスの原理という）．流体中に物体があるとき，物体は流体を押しのける．そのとき押しのけられた流体の質量の分だけ物体の質量が減少したようにみえる．
- 例えば，50 cm^3，80 g の物体を水の中に沈めたとする．このとき物体は 50 cm^3 分の水を押しのける．水は 1 cm^3 あたり 1 g であるから，50 g 分の水が押しのけられたことになり，物体の質量が 50 g 減少して水中では 30 g になったようにみえる．水中で物体を持ち上げたとき軽く感じるのはこのためである．

○表面張力

- 表面張力とは，液体や固体の表面積をできるだけ小さくするためにその表面に作用する収縮力を指し，単位には N/m が用いられる．水滴が球形になろうとしたり，毛細管現象が起きるのは表面張力のはたらきである．
- 液体のなかでは水銀は特に表面張力が大きく，分子間に作用する分子間力が大きいほど表面張力は大きくなる．水素結合によって分子間力が大きくなる水は，他の液体（アルコールなど）に比べて表面張力が大きい．また，温度が高いほど表面張力は小さくなり，界面活性剤が加わった場合も表面張力が小さくなる．

（4）機械的振動

- 国試で出題される機械的振動には，ばねの振動と振り子がある．ばねの振動については，周期に関わる問題が多い．
- 振り子については，振動としての出題はなく，おもりの速度を求める問題がみられる．この場合には，力学的エネルギー保存の法則を利用する．

機械的振動に関わる物理量

	量記号	単位	意味
振幅	A	m	振動の振れ幅（大きさ）
周期	T	s（秒）	振動の繰り返し時間
周波数	f	Hz（ヘルツ）または 1/s	単位時間あたりに現れる振動の回数
角周波数	ω	rad/s（ラジアン/秒）	振動 1 回分を 2π(rad) に換算した量
位相	θ	rad（ラジアン）	振動の時間方向のずれ幅

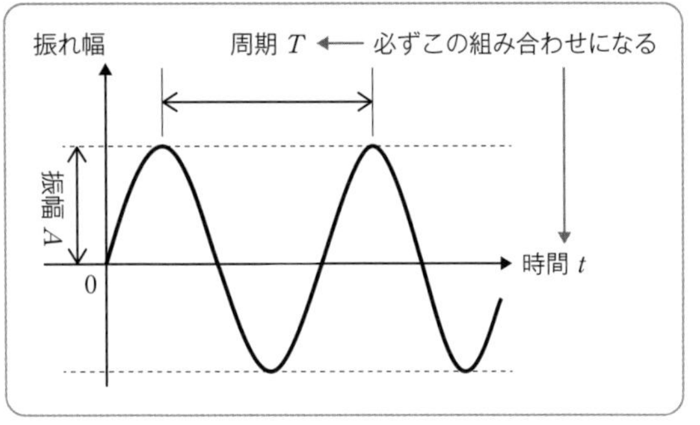

➲周波数，角周波数，周期の間には，

$\omega=2\pi f$，$f=\dfrac{1}{T}$ が成り立つ．

➲機械的振動の一般式として，時間 t における振れ幅 y を次式で表すことができる．

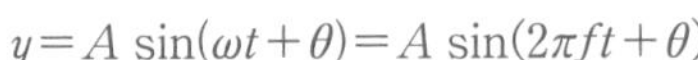

$y=A\sin(\omega t+\theta)=A\sin(2\pi ft+\theta)$

機械的振動の種類

➲近年では，機械的振動の種類についての出題は決して多くないが，ばねの振動周期はよく出題されるので注意が必要である．

○単振動 ★

医用機械工学　第2版
p.33

➲時間が経過しても周期と振幅が一定である振動を単振動という．ばねや振り子の振動は単振動である．

➲ばねにおもりをつけて振動させると，単振動を起こす（実際にはおもりに作用する空気抵抗などの作用で振幅が減衰するが，その点は無視して減衰振動と考えない）．
このときの振動周期 T(s) は，おもりの質量を m(kg)，ばね定数を k(N/m) とすると，$T=2\pi\sqrt{\dfrac{m}{k}}$ となる．

➲この周期は，ばねとおもりの組み合わせ（これをばね―質点系という）で決まるので，固有周期ということもある．

- 上式から，おもりが重いほど，ばね定数が小さいほど（柔らかいばねほど），振動の周期が長くなることが分かる．
- 得られた周期から，振動数（固有振動数），角周波数などを求める問題もある．

このときは，$f=\dfrac{1}{T}$，$\omega=2\pi f=\dfrac{2\pi}{T}=\dfrac{2\pi}{2\pi\sqrt{\dfrac{m}{k}}}=\sqrt{\dfrac{k}{m}}$ を用いる．

➲広い意味では正弦波交流信号も単振動である．

○減衰振動

➲空気抵抗など，大きさが速度に比例する抵抗力が作用して，振動の振幅が時間とともに減衰する振動．ただし，振動の周期は一定（時間によって変化しない）．鐘や太鼓の音は減衰振動である．

○強制振動

➲外部から周期的な力が作用して強制的に起きる振動．

➲共振（共鳴）によって生じる振動や，モータによる回転は強制振動である．

臨床工学技士国家試験問題

問題 1 □□□ 32P81

速度に比例する抵抗力を発揮する機械要素（ダンパ）がある．比例定数であるダンパ定数の次元はどのようになるか．

1. kg·s^{-2}
2. kg·s^{-1}
3. kg·m·s^{-2}
4. kg·m·s^{-1}
5. kg·s

〈ヒント〉
速度 v に比例して抵抗力 F が決まるのだから，比例定数＝ダンパ定数を K とすると，$F=K\cdot v$ と表すことができる．したがって $K=\dfrac{F}{v}$ となり，ダンパ定数は力を速度で割った結果になる．力の組立単位は kg·m/s^2，速度の組立単位は m/s なので，これを整理すればダンパ定数の組立単位つまり次元を知ることができる．

問題 2 □□□ 34A80

力［N］を SI 基本単位で表したのはどれか．

1. kg
2. kg/m^2
3. kg/m^3
4. kg · m/s^2
5. kg · m/s^3

問題 3 □□□ 31A81

質量 20 g の鉄球を水平面から真上方向に 15 m/s の速度で発射した．鉄球が再び水平面に落ちるまでのおよその時間［s］はどれか．ただし，空気抵抗は無視できるものとする．

1. 3.1
2. 5.2
3. 7.3
4. 9.4
5. 10

問題 4 □□□ 36A80

物体を水平面から 60° の角度で斜め上方に初速 30 m/s で射出した．最高点に達したときの速さ［m/s］はどれか．ただし，空気抵抗は無視できるものとする．

1. 0
2. 15
3. $15\sqrt{2}$
4. $15\sqrt{3}$
5. 30

問題 5 □□□ 30P80

質量 100 g の鋼球を水平面から 60° の角度で斜め上方に 10 m/s の速度で発射した．発射 1.0 秒後の鋼球の水平方向速度［m/s］はどれか．ただし，空気抵抗は無視できるものとする．

1. 0.0
2. 1.1
3. 5.0
4. 8.7
5. 10.0

問題 6 □□□ 28P80

静止している物体を 10 m の高さから落下させたとき，地面に到達するまでのおよその時間［s］はいくつか．

1. 1.0
2. 1.4
3. 2.0
4. 2.8
5. 4.2

問題 7　□□□　33A80

回転中心 O で支えられた剛体の棒に図のような加重が働き，棒は静止している．O 点まわりのモーメントのつり合いを表す式はどれか．

1. $J\sin\beta + Ma\sin\theta - Wb = 0$
2. $Ma\sin\theta - Wb = 0$
3. $J\cos\beta + Ma\cos\theta - Wb = 0$
4. $Ma\cos\theta - Wb = 0$
5. $Ma - Wb = 0$

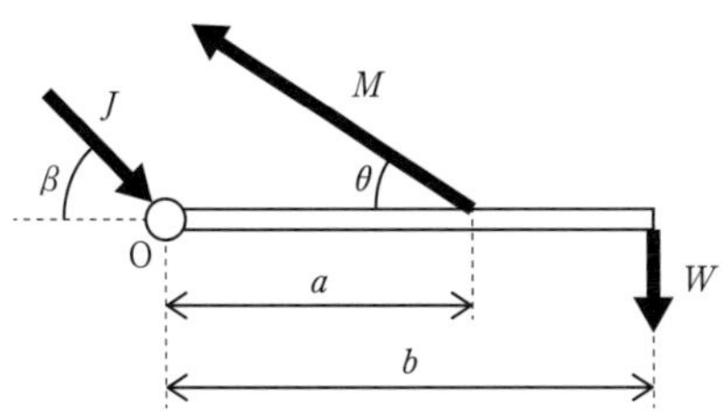

問題 8　□□□　30A80

図のように 0.5 kg の輸液ボトル A が点滴スタンドに吊り下げられている．これにさらに 1 kg の輸液ボトル B を吊り下げると X 点で支持する力のモーメントは，もとの何倍になるか．ただし，点滴スタンドの棒の重さは無視する．

1. 1.0
2. 1.8
3. 2.0
4. 2.8
5. 3.0

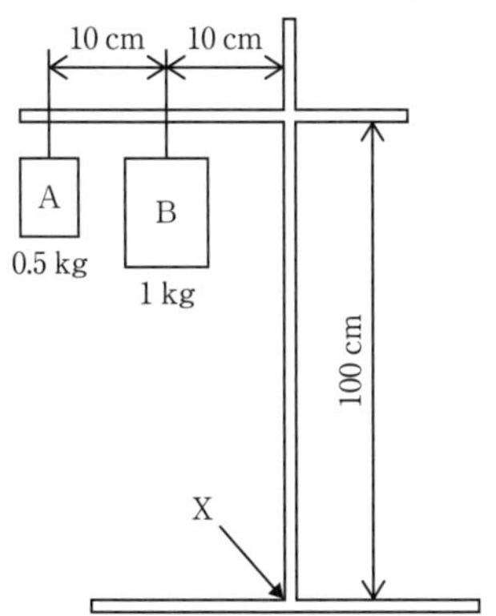

問題 9　□□□　29A80

質量 1.0 kg の剛体の棒が自由に回る継手を介して壁に取り付けられている．継手から 0.30 m の所に質量 1.0 kg の物体を置いた．棒が水平で動かないとき，継手から 0.050 m の所に取り付けたひもが鉛直方向に引っ張るおよその力 [N] はどれか．ただし，棒の重心の位置は継手から 0.15 m の所である．

1. 2.0
2. 5.0
3. 10
4. 20
5. 88

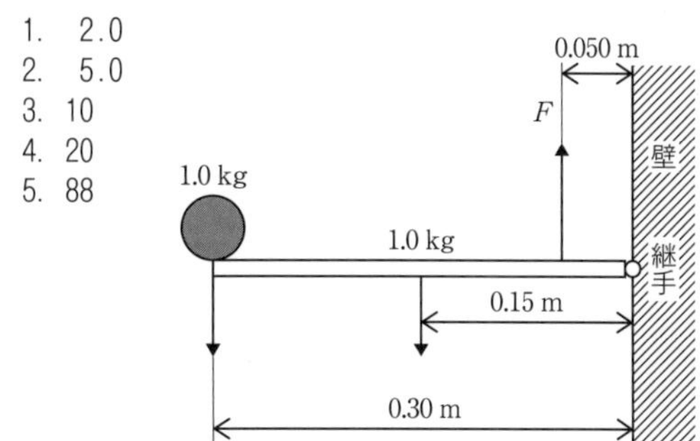

問題 10　□□□　35A80

長さ 1.0 m の質量を無視できる棒がある．棒の中点を支点（回転軸）として，鉛直面内で自由に回転できるようにした．図のように，棒の片端に質量 100 g の重りを取りつけ，棒を水平面から 60° 傾けたときに，棒に働く回転モーメントのおよその大きさ [Nm] はどれか．

1. 0.025
2. 0.05
3. 0.1
4. 0.25
5. 0.5

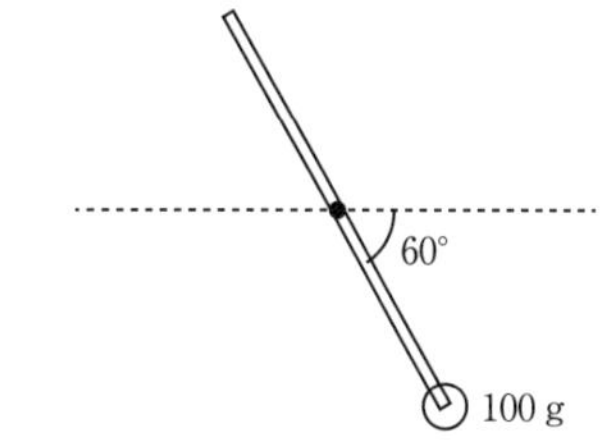

問題 11 □□□ 31A80

動摩擦係数 0.2 の水平な床に質量 4，6，10 kg の箱 A，B，C を図のようにならべて置き，水平に 60 N の力で箱 A を押して動かしているときに箱 C のおよその加速度［m/s^2］はどれか．ただし，力を作用する前の加速度は 0 である．

1. 0.2
2. 1
3. 2
4. 3
5. 6

問題 12 □□□ 26A81

30° の摩擦のない斜面にある質量 10 kg の箱を図のように保持するのに必要な力 F［N］はどれか．ただし，重力加速度は 9.8 m/s^2 とする．

1. 0.9
2. 4.9
3. 9.8
4. 49
5. 98

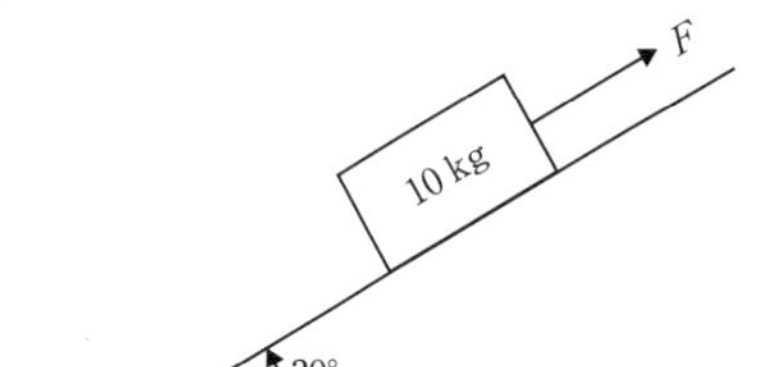

問題 13 □□□ 37A80

図のような摩擦のない斜面上で質量 2 kg の物体を保持していた．静止状態から滑り始めて 3 秒間で滑る距離［m］に最も近いのはどれか．ただし，重力加速度は 9.8 m/s^2 とする．

1. 14
2. 22
3. 30
4. 38
5. 45

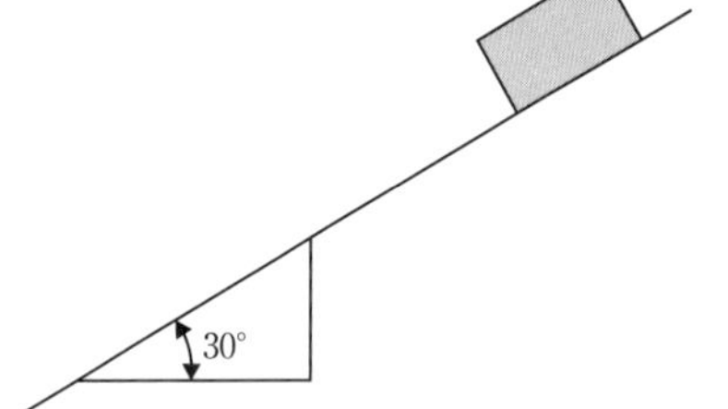

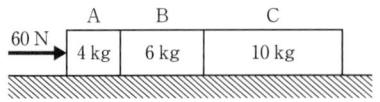

問題 14 □□□ 25A80

摩擦のない水平な直線レール上を速さ 2.0 m/s で進んできた質量 5.0 kg の質点が，動摩擦係数 0.10 の摩擦領域に入った．制動距離［m］はどれか．ただし，空気抵抗は無視し，重力加速度は 9.8 m/s^{2}とする．

1. 1.0
2. 1.5
3. 2.0
4. 5.0
5. 10

問題 15 □□□ 34P80

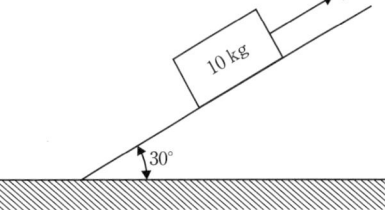

質量 50 kg の物体が秒速 10 m で動いている．この物体に一定の大きさの制動力を加え続けると 25 m 移動したところで停止した．制動力の大きさ［N］はどれか．ただし，制動力以外に運動を妨げる効果は無視できるものとする．

1. 1
2. 2
3. 20
4. 100
5. 200

問題 16 □□□ 35P80

等速円運動をしている物体がある．質量を 0.5 倍，角速度を 2 倍，回転半径を 0.5 倍としたとき，向心力の大きさは何倍になるか．

1. 0.25
2. 0.5
3. 1
4. 2
5. 4

問題 17 □□□ 29P80

質量 100 g の物体が半径 30 cm の軌道上を 1 分間に 30 回転の等速円運動をしている．物体に作用するおよその遠心力［N］はどれか．

1. 0.1
2. 0.3
3. 0.5
4. 0.7
5. 0.9

問題 18 □□□ 37P80

物量 m の物体が半径 r，周速度 v で等速円運動しているときの向心力の大きさはどれか．

1. mrv
2. mrv^2
3. mr^2v^2
4. $m\frac{v}{r}$
5. $m\frac{v^2}{r}$

問題 19 □□□ 23A80

直径 100 mm の円周上を周速度 2 m/s で円運動するときの向心加速度［m/s^2］はどれか．

1. 10
2. 20
3. 40
4. 80
5. 160

問題 20 □□□ 26P80

質量 100 g の物体を 5 秒間で 2 m 上方に持ち上げたときのおよその仕事率［W］はどれか．ただし，重力加速度は 9.8 m/s^2 とする．

1. 0.004
2. 0.04
3. 0.4
4. 4
5. 40

問題 21 □□□ 26P82

流速 10 m/s で鉛直上方に吹き上がる噴水のおよその到達高さ［m］はどれか．ただし，重力加速度は 9.8 m/s^2 とする．

1. 1
2. 2
3. 5
4. 10
5. 20

問題 22 □□□ 32A80

図のようにバネばかりに重さ 500 g の物体を吊るし，台ばかりに載せた容器内の水に物体を静かに沈めたところ，バネばかりの測定値は 350 g であった．物体を沈めた後で台ばかりの測定値は何 g 増加するか．

1. −150
2. 0
3. 150
4. 350
5. 500

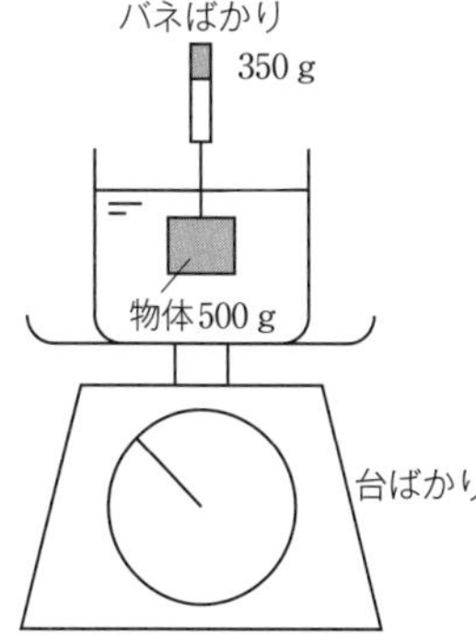

問題 23 □□□ 31P81

バネ定数 400 N/m のバネに質量 1 kg のおもりを吊るし単振動させた．およその周期［s］はどれか．

1. 0.03
2. 0.05
3. 0.3
4. 0.5
5. 3

問題 24 □□□ 36P80

バネ定数 400 N/m のバネにおもりを吊るし単振動させたところ，周期は 0.3 s であった．おもりのおよその質量［kg］はどれか．ただし，空気抵抗は無視できるものとする．

1. 0.1
2. 0.5
3. 1
4. 5
5. 10

問題 25 □□□ 36P82

水の表面張力について誤っているのはどれか．

1. 単位は N/m である．
2. 毛細管現象の要因である．
3. 分子の凝集力によって生じる．
4. 温度が高くなると小さくなる．
5. 液滴の表面積を大きくするように働く．

〈解答〉問題 1-2，問題 2-4，問題 3-1，問題 4-2，問題 5-3，問題 6-2，問題 7-2，問題 8-3，問題 9-5，問題 10-4，問題 11-2，問題 12-4，問題 13-2，問題 14-3，問題 15-4，問題 16-3，問題 17-2，問題 18-5，問題 19-4，問題 20-3，問題 21-3，問題 22-3，問題 23-3，問題 24-3，問題 25-5

2. 材料力学

➋物体に外力を作用させたとき，物体には変形が生じる．
➋物体を引っ張ったときの外力と変形の方向について
・縦方向とは，作用する力と平行な方向
・横方向とは，作用する力と垂直な方向

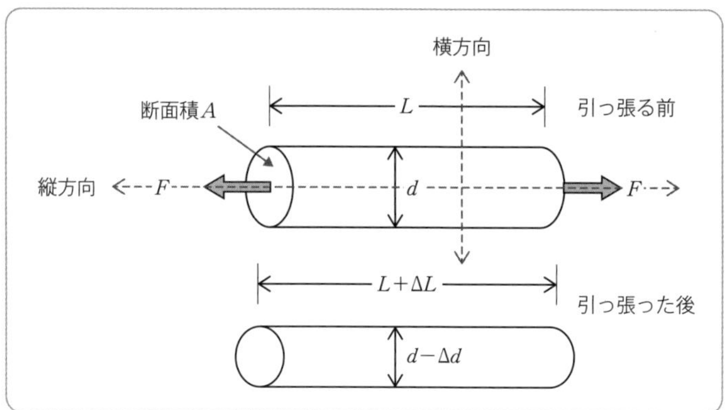

（1）機械的特性

医用機械工学　第2版
p.43

○応力とひずみ　【34回】　★★

ひずみとは

➋変形の程度を表す指標．

$$ひずみ=\frac{伸び\ or\ 縮み}{変形前の大きさ}=\frac{|\ 変形後の大きさ-変形前の大きさ\ |}{変形前の大きさ}$$

絶対値
同じ単位

➋量記号ε（イプシロン：ギリシャ文字）を用いて表すが，単位はない（無次元数）．
➋上図のように長さL，直径dの円筒形の物体に長さ方向に力を加えた場合，長さ方向が縦方向，直径方向が横方向になるので，

縦ひずみ　$\varepsilon_L=\frac{\Delta L}{L}$　　横ひずみ　$\varepsilon_d=\frac{\Delta d}{d}$

応力とは

医用機械工学　第2版
p.42

➋外力に対して，物体の内部に生じる力の大きさを表す物理量．

$$応力=\frac{面に作用する力の大きさ\ (\mathrm{N})}{断面積の大きさ\ (\mathrm{m}^2)}$$

➋量記号σ（シグマ：ギリシャ文字）を用いて表す．上図のように，断面積Aの断面に外力Fを加えるとすると，応力の一般式は　$\sigma=\frac{F}{A}$　となる．応力は圧力と定義式が等しく，同じ単位を用いる．Pa（パスカル）または$\mathrm{N/m^2}$．

応力とひずみの関係

医用機械工学　第2版
p.47

➋後に示すフックの法則では応力とひずみは比例することが示されるが，この関係の比例定数を弾性率という（弾性率の単位は応力と同じくPaを用いる）．

➡応力 σ，ひずみ ε であるとき，弾性率を E とすると，$\sigma = E \cdot \varepsilon$ が成り立つ．

・縦ひずみと応力の比例定数である弾性率は縦弾性率といい，ヤング率ともいう．

➡弾性率が大きな物質ほど変形しにくい．

応力＝比例定数（弾性率）×ひずみ←基本式
応力＝縦弾性率（ヤング率）×縦ひずみ←国試ではこの式のみ
応力＝横弾性率×横ひずみ
応力＝体積弾性率×体積ひずみ
せん断応力＝せん断弾性率×せん断ひずみ

せん断応力とは面に平行な方向に作用する応力で，せん断応力によって生じる変形をせん断変形という．

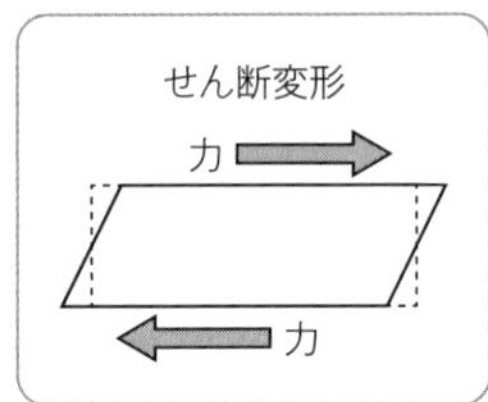

医用機械工学　第2版
p.38

○フックの法則

➡ばねに力を作用させると，伸び縮みする．フックの法則とは，ばねに作用させる力 F の大きさと，自然長 l からの伸びまたは縮みの大きさ Δx が正比例することを示したものであり，$F = k\Delta x$ と表すことができる．このときの比例定数 k はばね定数（N/m）と呼ばれ，ばねの変形しにくさ（硬さ）を示している．

➡国試では，この法則を一般の物質に適用した問題がみられる．弾性率 E の物体に応力 σ を作用させたとき，ひずみ ε が生じたとすると，フックの法則を $\sigma = E\varepsilon$ と表すことができる．

医用機械工学　第2版
p.48

○ヤング率　【35回】　★★

➡ヤング率とは，縦弾性率のことである．単位は Pa．

➡値が大きいほど，外力の方向に変形しにくい≒硬いと考えてよい．

➡主な物質のヤング率は以下の通りである．

・軟鉄：2×10^{11}，木材：1×10^{10}，プラスチック：1×10^{9}

・生体のヤング率：骨：8×10^{9}，腱：1×10^{9}，動脈：2×10^{6}，筋：3×10^{5}

医用機械工学　第2版
p.50

○降伏点　【35回】　★★

応力-ひずみ曲線

➡物体に作用させる応力と物体に生じるひずみの関係を表したグラフを応力-ひずみ曲線または応力-ひずみ線図という．国試では次ページの図のような曲線が示される．この曲線の特徴的な点には名称がある．

➡応力を大きくしなくてもひずみが大きくなってしまう領域の始点と終点を降伏点という．

➡弾性限度を境界として，弾性域と塑性域に分かれる．

➡上降伏点の左側に見られる，応力を減少させてもひずみが増大していく現象をクリープまたはクリープ現象という．

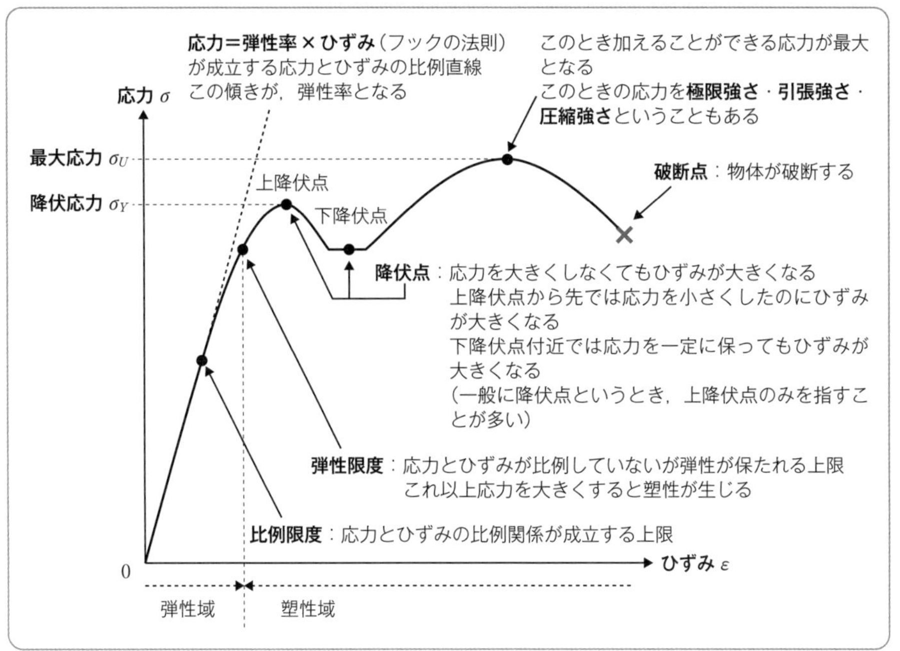
応力＝弾性率×ひずみ（フックの法則）
が成立する応力とひずみの比例直線
この傾きが，弾性率となる
このとき加えることができる応力が最大
となる
このときの応力を極限強さ・引張強さ・
圧縮強さということもある
応力 σ
最大応力 σU
降伏応力 σY
上降伏点
下降伏点
破断点：物体が破断する
降伏点：応力を大きくしなくてもひずみが大きくなる
上降伏点から先では応力を小さくしたのにひずみ
が大きくなる
下降伏点付近では応力を一定に保ってもひずみが
大きくなる
（一般に降伏点というとき，上降伏点のみを指すこ
とが多い）
弾性限度：応力とひずみが比例していないが弾性が保たれる上限
これ以上応力を大きくすると塑性が生じる
比例限度：応力とひずみの比例関係が成立する上限
0
ひずみ ε
弾性域
塑性域

○ポアソン比　【33 回】【35 回】【36 回】　★★★

医用機械工学　第2版
p.45

➋縦ひずみに対する横ひずみの比をポアソン比 ν といい，次のように示される．

$$\text{ポアソン比} = \frac{\text{横ひずみ}}{\text{縦ひずみ}} \qquad \nu = \frac{\varepsilon_d}{\varepsilon_L}$$

➋ポアソン比は単位を持たない無次元数である．

・一般の物質では $\nu=0.3$ 前後となることが多い．ゴムや生体軟組織では $\nu=0.5$ 前後であり，変形が起きても体積変化は極めて小さい．

○塑性変形　【33 回】【37 回】　★★

医用機械工学　第2版
p.37

弾性

➋力を加えると変形が起きるが，力を取り除くと完全に元の形状に戻る性質．

・完全に元の形状に戻るとは，変形がなくなる，ひずみ ε が 0（ゼロ）になることである．

・力を加えると，応力 σ が生じて変形が起き，ひずみも生じて $\varepsilon>0$ となる．

・その後，力を取り除くと応力 $\sigma=0$ となり，ひずみ $\varepsilon=0$ となる．

・弾性が保たれる変形では，応力 σ の大きさとひずみ ε の大きさが比例すると考えてよい．

塑性

➋力を加えると変形が起きるが，力を取り除いても完全には元の形状に戻らない性質．

・力を加えると，応力 σ が生じて変形が起き，ひずみも生じて $\varepsilon>0$ となる．

・その後，力を取り除き応力 $\sigma=0$ としても，ある程度のひずみが残る（ひずみ $\varepsilon=0$ とならない）．

・このとき残ったひずみを永久ひずみ，残留ひずみという．

➲右図のような応力-ひずみ線図を描く材料を考える．

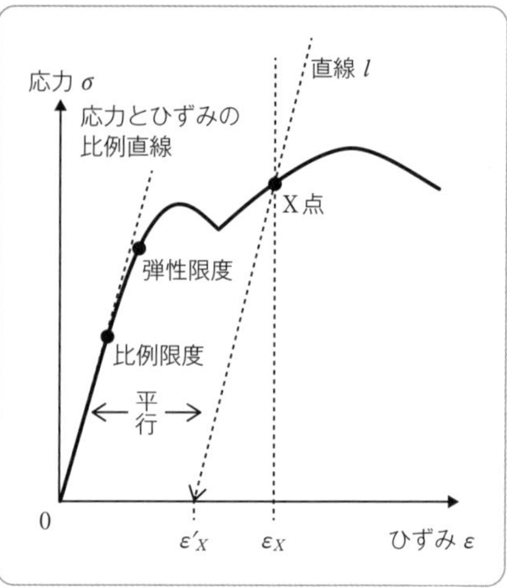

- この材料に弾性限度を超えない範囲で応力を加えたとき，応力を0にするとひずみも0になり，完全に元の形に戻る：弾性変形
- 弾性限度を超え，応力を加え続けX点まで変形させたとき，ひずみはε_Xに達する．この後，応力を0にしても，ひずみは0にはならない：塑性変形
- このとき材料に残ったひずみが永久ひずみ（残留ひずみ）である．
- この永久ひずみの大きさは，「応力とひずみの比例直線」と同じ傾き（平行）で，X点を通る直線lが，ひずみ軸（横軸）と交わる値ε'_Xが永久ひずみの大きさである．

医用機械工学　第2版
p.43

○応力集中

➲形状の不連続性により，その近傍に大きな応力が発生すること．

➲大きな応力が狭い範囲に作用すると，そこから破断しやすくなる．

形状の不連続性	応力集中が小さい例	応力集中が大きい例	左右に外力を作用させると
断面積が異なる（変化が大きい）			F　F
穴があいている（直径が異なる）			F　F
傷や切り込みがある			F　F

青色部分に応力が集中する

医用機械工学　第2版
p.51

○安全率

➲基準強さと許容応力（機能が保たれるための設計上許される最大応力）との比．

$$安全率=\frac{基準強さ\ (\mathrm{Pa})}{許容応力\ (\mathrm{Pa})}$$

同じ単位なので，安全率に単位はない

➲従来は，材料が耐えうる最大応力＝引張強さ（極限強さ）σ_Uを基準強さとして用いていたが，近年では，もろい材料のときは最大応力＝引張強さ（極限強さ）σ_Uを基準強さとして用い，軟鋼や合金鋼のように延性のある材料では降伏点の応力σ_Yを基準強さとして用いる（σ_U，σ_Yについては応力-ひずみ曲線のグラフを参照）．

➲国試では，材料によらず最大応力＝引張強さ（極限強さ）σ_Uを基準強さとしていると考えてよい．次ページ例題では「引張強さは……Pa」と示されているので，特にσ_U，σ_Yについて意識する必要はない．

例題

軟鋼丸棒を安全に使用できる許容応力はいくらか．ただし，引張強さは 400 MPa，安全率は 5 とする．

解答

許容応力＝基準強さ÷安全率となる．国試では，基準強さ＝最大応力＝引張強さなので，
許容応力＝400（MPa）÷5＝80 MPa となる．

問題 1 □□□ 34A81

図のように円柱を軸方向に引っ張った際に生じる横ひずみを表すのはどれか．ただし，破線が変形前，実線が変形後の円柱である．

1. L_2-L_1
2. $\dfrac{L_2-L_1}{L_1}$
3. $\dfrac{F}{L_2-L_1}$
4. D_1-D_2
5. $\dfrac{D_1-D_2}{D_1}$

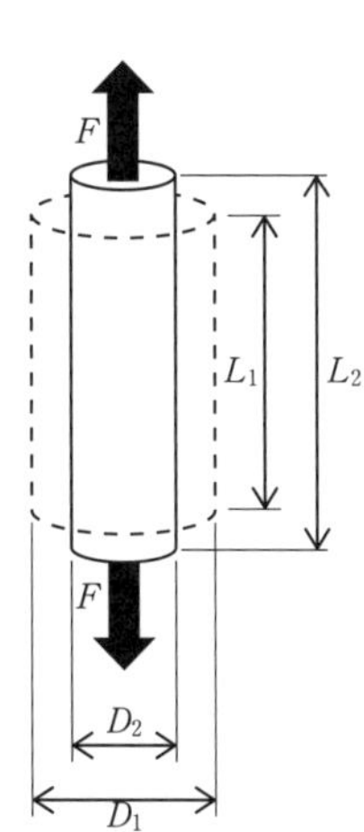

問題 2 □□□ 35P85

正しいのはどれか．

a．ポアソン比は「縦ひずみ/横ひずみ」である．
b．摩擦係数の単位は m/s である．
c．せん断ひずみとせん断応力は等しい．
d．骨のヤング率は筋肉より大きい．
e．粘性率の単位は Pa・s である．

1. a，b　2. a，e　3. b，c　4. c，d　5. d，e

問題 3 □□□ 36P81

図のような長さ 10 cm，直径 *D* の円柱の長軸方向に引張荷重 *F* をかけると 1 cm 伸びた．円柱の材質のポアソン比が 0.3 であるとき，*D* は何倍になったか．

1. 0.94
2. 0.97
3. 1.00
4. 1.03
5. 1.06

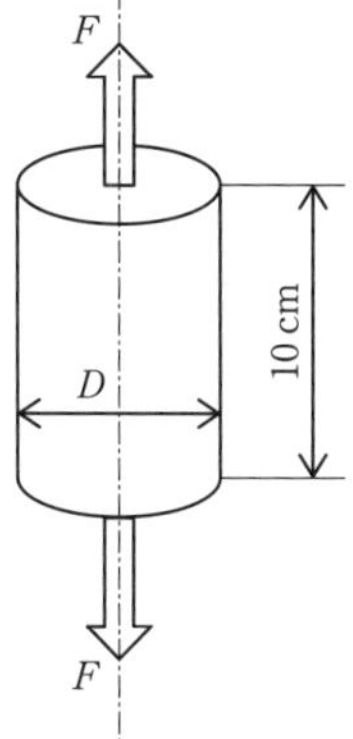

問題 4 □□□ 37A81

鋼の塑製変形について正しいのはどれか．

a．外力を取り除くと元の形状に戻る．
b．永久ひずみが生じる．
c．降伏現象が生じる．
d．弾性ひずみは生じない．
e．変形量はヤング率に比例する．

1. a，b　2. a，e　3. b，c　4. c，d　5. d，e

問題 5 □□□ 30P81

長さ 600 mm，直径 40 mm の丸棒の長さ方向に荷重を加えたところ，長さが 30 μm 増加し，直径が 0.76 μm 減少した．この材料のポアソン比はどれか．

1. 0.0017
2. 0.025
3. 0.067
4. 0.14
5. 0.38

問題 6 □□□ 33P81

ある材料を圧縮したとき，体積変化がなかった．この材料のポアソン比はどれか．

1. 0.1
2. 0.3
3. 0.5
4. 0.7
5. 1.0

問題 7 □□□ 35A81

材料のヤング率を求めるために材料に加える負荷はどれか．

a．圧縮荷重
b．引張り荷重
c．せん断荷重
d．曲げモーメント
e．ねじりモーメント

1. a, b　2. a, e　3. b, c　4. c, d　5. d, e

問題 8 □□□ 32A82

長さ 1.2 m，断面積 4.0 mm^2 の線材を 8.0 N の力で引っ張ったところ長さが 1.2 mm 増加した．この線材の弾性係数［GPa］はどれか．

1. 2.0
2. 5.0
3. 20
4. 50
5. 200

問題 9 □□□ 30A81

断面積 4 mm^2，長さ 2 m，ヤング率 100 GPa の銅線の下端に質量 100 kg の物体をぶら下げた．導線のおよその伸び［mm］はどれか．

1. 0.2
2. 0.5
3. 2
4. 5
5. 20

問題 10 □□□ 25A81

長さ 1 m の鋼材に 10 kN の引張り荷重を加えたとき 1 mm 伸びた．この鋼材の断面積［mm^2］はどれか．ただし，鋼材のヤング率は 200 GPa とする．

1. 2
2. 5
3. 20
4. 50
5. 200

問題 11 □□□ 24A81

直径 60 mm，長さ 300 mm のナイロン製の棒材が長軸方向に一様に圧縮されて 1.5 mm 短縮したときの直径の増大分［mm］はいくつか．ただし，ナイロンのポアソン比は 0.4 とする．

1. 0.012
2. 0.075
3. 0.12
4. 0.60
5. 0.75

問題 12 □□□

34P81

ある材料を引っ張って徐々にひずみを増やし，そのときの応力を記録した結果を図に示す．ある時点から特性が大きく変化して，応力がほとんど増加しないにもかかわらずひずみが増加し続ける現象が起こった．その時点を示すのはグラフ上のどれか．

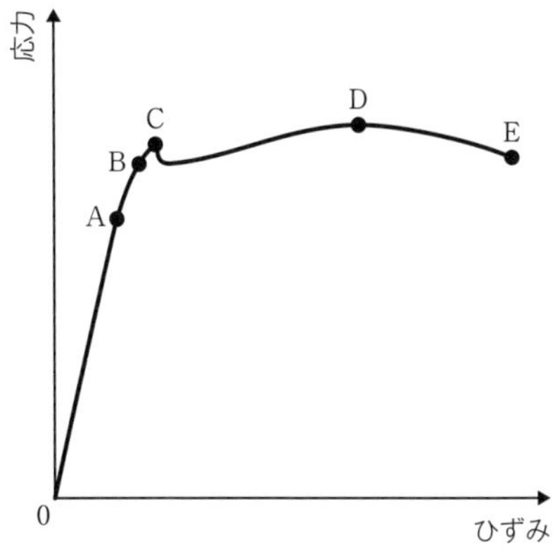

1. A
2. B
3. C
4. D
5. E

問題 13 □□□

35P81

図はある材料の応力－ひずみ線図である．E 点で除負荷したときの永久ひずみを表すのはどれか．ただし，一点鎖線は E 点から除負荷したときの応力－ひずみ関係を，細い実線は D，E 点から横軸に下ろした垂線を表す．

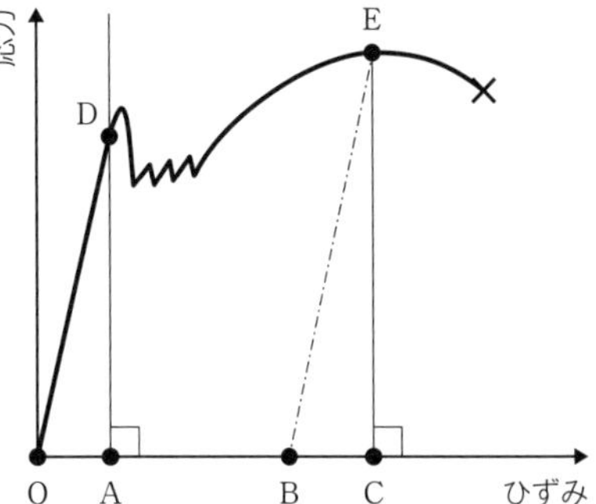

1. OA
2. AB
3. BC
4. OB
5. OC

問題 14 □□□

23A81

2 kN の引張荷重を受ける軟鋼丸棒を安全に使用するために必要な断面積 [mm^2] はいくつか．ただし，軟鋼の引張強さは 400 MPa，安全率は 5 とする．

1. 5
2. 25
3. 50
4. 250
5. 500

〈解答〉問題 1-5，問題 2-5，問題 3-2，問題 4-3，問題 5-5，問題 6-3，問題 7-1，問題 8-1，問題 9-4，問題 10-2，問題 11-3，問題 12-3，問題 13-4，問題 14-2

3. 流体力学

(1) 流体の運動

➲流体とは，気体または液体と考えてよく，形状を変化させながら運動する．

医用機械工学　第2版
p.95

○乱流，層流　【34回】　★★

流れ

➲流れは，流点と流線を用いて解析する．
- 流点とは，流体中に定めた注目点（同時に複数の流点を定めて観察するのが一般的）．
- 流線とは，流点の軌跡（複数の流線の状態から流れを評価する）．

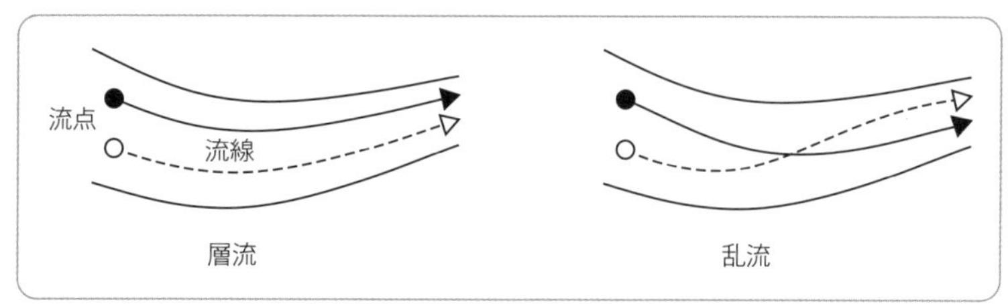

医用機械工学　第2版
p.97

流れの分類

流線同士の関係
- **層流**：どの流線も交差することがない流れ
- **乱流**：流線が交差している流れ

分類の着眼点　⇕ 着眼点が違うので，独立した分類（層流で定常流もあれば，層流で非定常流もある）

流線の時間変化
- **定常流**：時間によらず，流線の状態（形状）が変化しない流れ
- **非定常流**：時間とともに，流線の状態（形状）が変化していく流れ

医用機械工学　第2版
p.95

○レイノルズ数　【34回】【36回】【37回】　★★★

➲慣性力と粘性力との比で定義される無次元数で，流れの状態（層流か乱流か）を調べるために利用される重要な値．

➲一般式は $R_e=\dfrac{\rho Dv}{\mu}$ で，ρ は流体の密度（kg/m^3），μ は粘性率（Pa·s），v は流速（m/s）である．水の密度は 1000 kg/m^3 であるが，国試で記載されていないことが多いので覚えておきたい．特に記載がなければ，血液の密度も 1000 kg/m^3 としてよい．
- D は代表長さ，または特性長さと呼ばれる値で単位は m である．
- 管内の流れでは，代表長さ $L=4\times$断面積(m^2)÷断面の周長(m) で求められる．
- 血管のように断面が円形である円筒管の場合には，内直径を代表長さ D とする．
- 動粘度 $\nu=\dfrac{\mu}{\rho}$ を用いてレイノルズ数を求めることもある．
- 動粘度 ν を用いると，レイノルズ数 $R=\dfrac{\rho Dv}{\mu}=\dfrac{Dv}{\frac{\mu}{\rho}}=\dfrac{Dv}{\nu}$ となる．

➲レイノルズ数が小さい流れは層流，大きい流れは乱流となるので，層流と乱流の識別に用いられる．

・その境界値は臨界レイノルズ数と呼ばれ，円筒管の場合では 2000〜4000 ぐらいの値となる．国試では代表値を 2500 としていることが多い．

➲レイノルズ数が等しい流れを「相似な流れ」と呼ぶ．

➲血流のレイノルズ数は部位によって異なり，毛細血管で 0.001 程度，大静脈で 630〜900，下行大動脈で 1200〜1500 となり層流と考えられるが，上行大動脈ではレイノルズ数が 3600〜5800 になり乱流になっていると考えられる．

○連続の式 ★

医用機械工学　第2版
p.60

➲本来は，「物質が突然現れたり消えたりすることはない」という自然な考え方を表したもの．流体では「定常流が流れる管路の断面を単位時間あたりに通過する流体の質量はどこで調べても同じ」となる．

➲管路の断面積を A，流速を v，その断面における流体の密度を ρ とすると，ρvA＝一定となる．

・ρvA は単位時間（1 秒）あたりに断面を通過する流体の質量を表している．

➲国試では気体についての出題はなく，液体について問われる．液体は，圧縮されても体積変化がほとんどない（非圧縮性である）ので密度変化は無視できる．そのため密度一定と考えてよく，vA＝一定 としてよい．この式は液体の流速が断面積に対して反比例することを示しており，国試ではこれに着目する問題が多い．

・vA は単位時間（1 秒）あたりに断面を通過する流体の体積つまり流量を表している．

例題

図の円管内を液体が流れる場合，内径 20 mm の断面 A での平均速度が 5 cm/s のとき，内径 10 mm の B の断面における平均速度 v を求めよ．

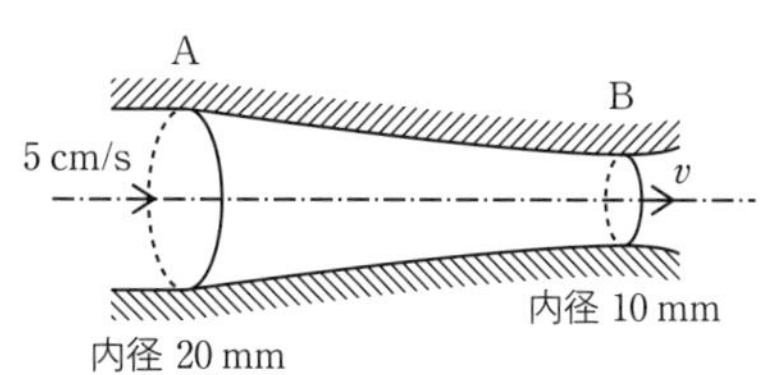

解答

断面 A の半径は 10 mm であるから，断面積は $\pi r^2=\pi\times(10\times10^{-3})^2=100\pi\times10^{-6}m^2$，同様に断面 B の断面積は $25\pi\times10^{-6}m^2$ である．連続の式より流速 v と断面積 A について vA＝一定となるので，$5\times10^{-2}(\mathrm{m/s})\times100\pi\times10^{-6}(\mathrm{m^2})=x(\mathrm{m/s})\times25\pi\times10^{-6}(\mathrm{m^2})$ が成り立つ．これを解いて，$x=20\times10^{-2}(\mathrm{m/s})=20\mathrm{cm/s}$ となる．

別解

断面 B の内径は断面 A の $\frac{1}{2}$ 倍になるのだから，半径も $\frac{1}{2}$ 倍になり，断面積は $\left(\frac{1}{2}\right)^2=\frac{1}{4}$ 倍となる．連続の式より流速と断面積は反比例するので，断面 B の流速は断面 A の 4 倍になる．したがって $5(\mathrm{cm/s})\times4=20\mathrm{cm/s}$ となる．

○圧縮性・非圧縮性流体

医用機械工学　第2版
p.97

➲流体の密度は一般に圧力によって変化する．その変化は流体の速度（流速）によって異なる．

➲流速が流体中の音速に比べてきわめて小さい場合には密度変化が無視できるが，音速と同程度またはそれ以上の場合には密度変化が大きくなる．密度変化を考慮する必要があるとき，その流体を圧縮性流体といい，無視できる場合には非圧縮性流体という．

➋空気の場合では，流速が音速の30％以下なら非圧縮性流体としてよい．

➋国試では静止状態での分類ができればよく，液体は非圧縮性流体，気体は圧縮性流体と考えた方がよい．

医用機械工学　第2版
p.73

○圧力，パスカルの原理　【37回】　★★

➋ある面の単位面積あたりに作用する力の大きさを圧力という．

$$\text{圧力} = \frac{\text{面に作用する力の大きさ（N）}}{\text{面の面積の大きさ（m}^2\text{）}}$$

➋圧力（Pressure）を表す変数名として P を用いるので，面に作用する力を F，断面積を A で表せば $P=\frac{F}{A}$ と示される．

➋圧力の単位は組立単位で N/m^2 となるが，一般には固有名称である Pa（パスカル）を用いる（国際（SI）単位系では，圧力の単位として Pa を用いることが定められている）．

➋圧力は，気体の状態や流体の流れを扱うときに必要になる（物体の変形では応力が用いられるが，その定義式は圧力と同じであり，用いられる単位も同一である）．

➋医療分野における圧力の単位

- 血圧値：mmHg
- マノメータを用いた静脈圧：cmH_2O や mH_2O
- 呼吸：標準気圧（単に気圧ともいう）または atm
- ボンベの充填圧力：kgf/cm^2
- Pa は医療分野では一般的ではない．そのため国試でも，圧力の単位の換算が出題されることが多い．
- 気圧と atm，mmHg と Torr（トル）などのように，単位としては同じ意味だが表記が異なるものがある．1気圧＝1 atm，1 mmHg＝1 Torr である．

➋圧力は単位に関わらず比例関係がある．mmHg 単位で2倍となった圧力は，Pa 単位でも2倍となる．

➋換算を行うために換算表が用いられる．正確な値を覚えるのは大変だが概略値は知っておきたい．

➋相互換算のために，1気圧を別の単位に変換した値を知っておくとよい．

	mmHg	cmH_2O	Pa	kgf/cm^2
1気圧 (1 atm)	760 mmHg	1033.2 cmH_2O	1.0132×10^5 Pa	1.0332 kgf/cm^2

➋これらの換算値を概略値に置き換える（国試問題を考えるときはこちらで十分）．

	mmHg	cmH_2O	Pa	kgf/cm^2
1気圧 (1 atm)	760 mmHg これは，基本的な値なので，このまま扱う	1000 cmH_2O ‖ 10 mH_2O	1×10^5 Pa＝10^5 Pa ‖ 100 kPa＝0.1 MPa	1 kgf/cm^2 近年の出題は少ない

〈参考〉

➋mmHg は，ミリメートル水銀柱とも読まれる．ある面に断面積が一定の水銀柱を乗せたとき，水銀柱の底面に生じる圧力の大きさを水銀柱の高さをミリメートルで表し

た単位である．

- 圧力の大きさは断面積の大きさによって変化することはないが，底面に作用する荷重（力）の大きさは断面積に比例し水銀柱に作用する重力と等しい．水銀の密度（13600 kg/m^3）を ρ，重力加速度を g，水銀柱の高さを h，断面積を A とすると，底面に作用する圧力は ρgh，荷重は ρghA となり，共に高さは h に比例する（このとき単位の換算に注意すること）．
- 水銀柱の代わりに水柱を用いて圧力を示す単位が cmH_2O である．

パスカルの原理

医用機械工学　第2版
p.76

- パスカルの原理では，「密閉容器中の流体は，その容器の形に関係なく，ある一点に受けた単位面積あたりの圧力をそのままの強さで，流体の他のすべての部分に伝える」と示されている．
- 簡単な言い方をすれば，「密閉容器中の流体は，容器の内面にはすべて等しい圧力を作用させる」となる．容器内の壁面に作用する圧力は，どこで調べても同じ大きさとなると考えておけばよい． 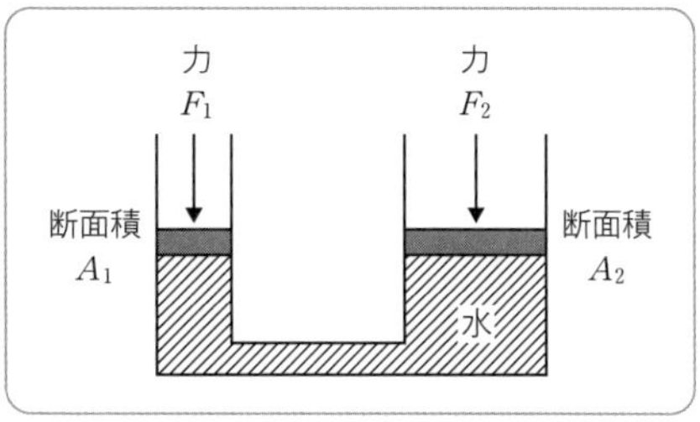
- 右図のように，2つのピストンに管をつないで管内を水で満たし，左右のピストンに加えた力がつり合ったとする．
- このとき，左のピストンが水に作用する圧力は $\frac{F_1}{A_1}$ であり，右のピストンが水に作用する圧力は $\frac{F_2}{A_2}$ である．

パスカルの原理から，左右の圧力は等しく，$\frac{F_1}{A_1}=\frac{F_2}{A_2}$ が成り立つ．

（2）粘性流体 【35回】 ★★

医用機械工学　第2版
p.87

○ずり応力とずり速度

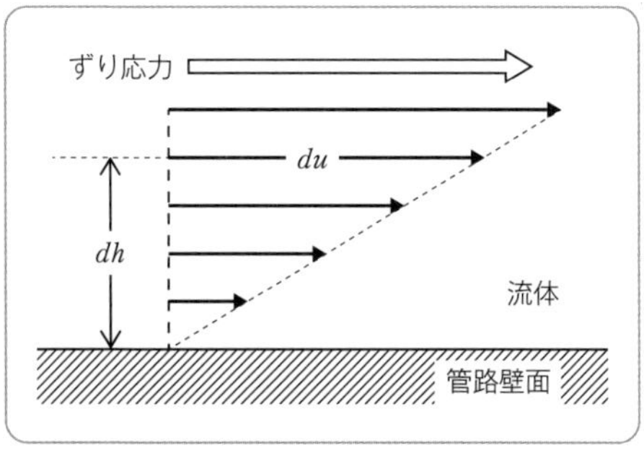

- 流れている流体の中に，流れに沿った1つの面を考えると，面の付近では面に平行な方向に力が働く．このとき生じる力をずり応力または粘性力といい，単位は Pa.
- ずり応力によって流体に生じる速度（流速）は管路壁面から離れるほど大きくなる．
  - 流速 du が，管路壁面からの距離 dh と比例関係があるとき，その傾きを速度勾配またはずり速度 D といい，$D=\frac{du}{dh}$ である．
  - ずり速度の単位は $\frac{\mathrm{m/s}}{\mathrm{m}}=\frac{1}{\mathrm{s}}=\mathrm{s}^{-1}$ である．

- ずり応力とずり速度の比を粘性率または粘性といい，流体の流れにくさを表している．粘性率$=\frac{\text{ずり応力}}{\text{ずり速度}}$

粘性率　【36回】 ★★

- 粘性率の量記号 μ，単位はSI単位で Pa·s
- かつては単位にP（ポアズ）が用いられ，現在でも，水や血液など液体粘性率の単位としてcP（センチポアズ）が用いられることが多い．
- 主な粘性率（1 Pa·s＝10 P＝1000 cP，1cP＝0.001 Pa·s となる）
  - ・水（25℃）：0.89 cP（20℃でほぼ1 cP，37℃では0.67 cP）
  - ・全血（37℃）：3〜4 cP　（水の数倍）
  - ・血漿（37℃）：1.2〜1.3 cP（水の約2倍）
  - ・水に対する倍率は覚えておきたい．

医用機械工学　第2版
p.89

（3）ハーゲン・ポアズイユの法則　【33回】【37回】 ★★

- ハーゲンとポアズイユがそれぞれ独立して発見した「円筒管内の層流の速度分布が放物線を描く」ことを基に導かれた剛体管を流れる層流の流量に関する公式である．したがって，この式は乱流では成り立たない．

  一般式は　$Q=\dfrac{\pi r^4}{8\mu L}\Delta P$

  ここで，Q は流量（m^3/s），μ は粘性率（Pa·s），L は管路の長さ（m），r は管路の内半径（m）である．なお，ΔP は管路の入口・出口の圧力差（Pa）で，流量 Q に比例することが示されている．流量が問われる問題では，この法則を利用することが多い．
- 特に流量 Q が半径 r の4乗に比例することは，国試によく出題される．流量 Q は管路の断面積の2乗に比例することも知っておきたい．
- 一般式にある $\dfrac{\pi r^4}{8\mu L}$ の逆数 $\dfrac{8\mu L}{\pi r^4}$ を管路抵抗と呼ぶ．

医用機械工学　第2版
p.82

（4）ベルヌーイの定理

○動圧，静圧，全圧　【33回】【34回】【36回】 ★★★

- 同一の流線上で成り立つ流体についてのエネルギー保存則に相当し，流体の挙動を表した式である．
- 流体の密度を ρ（kg/m^3），流速を v（m/s），流れの水深を h（m），水深 h における水圧を p（Pa）とすると，一般的な水頭（水のもつエネルギーを水柱の高さに置き換えたもので長さの単位をもつ）による表現では，

  $$\frac{v^2}{2g} + \frac{p}{\rho g} + h = 一定$$

  速度水頭　　圧力水頭　　位置水頭　（各水頭の合計を全水頭と呼ぶ）

  となる（ここで重力加速度を g（m/s^2）とする）．
- 各項を圧力として表現すると（各項に ρg を掛けると）

  $$\frac{1}{2}\rho v^2 + p + \rho g h = 一定$$　となる．

  運動エネルギー　圧力エネルギー　位置エネルギー
- 国試で出題されるような水深 h が変化しない水平な流れで考える場合には，ρgh（静水圧）が一定となるので

$$\frac{1}{2}\rho v^2 \quad + \quad p \quad = \quad 一定$$

動圧　　　静圧　（国試では動圧と静圧の和を全圧または総圧と呼ぶ）

としてよく，この式が最も利用頻度が高い.

- 厳密には正しい表現といえないが，動圧とは流体が流れるとき流れる方向と平行に作用し前方の流体を押す圧力，静圧とは管路の内面に垂直な方向に作用し管路を押し広げようとする圧力と考えるとよい.
- ベルヌーイの定理が成立するのは，定常流で粘性率が 0（完全流体）の流れだけである．粘性流体ではベルヌーイの定理が成立しない．しかし，国試で動圧や静圧を問う問題では，断りがなくてもベルヌーイの定理が成立すると考えてよい.
- ベンチュリ管やピトー管では，この定理を利用して，液体や気体の流速・流量を計測している.

問題 1　□□□　37A82

円管内を液体が流れている．この流れにおけるレイノルズ数に含まれないパラメータはどれか.

1. 管路内圧
2. 管路内径
3. 平均流速
4. 液体の密度
5. 液体の粘性係数

問題 2　□□□　37P82

気圧が 1013 hPa から 934 hPa に低下した．図のように，水銀柱で測定していた場合，柱の高さ h の変化 Δh [cm] に最も近いのはどれか.

1. 10
2. 6
3. −0.6
4. −6
5. −10

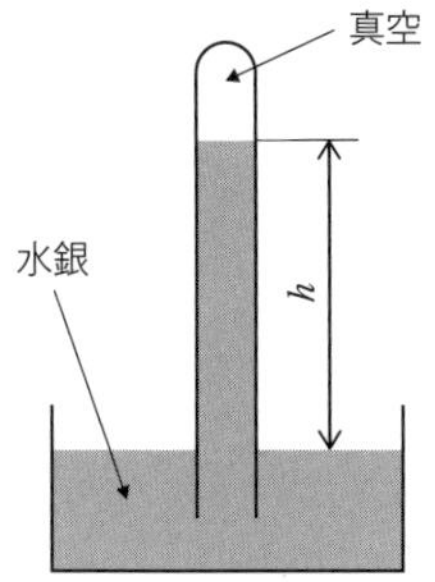

（図：真空，水銀，h）

問題 3　□□□　28A82

内部の直径 20 mm のまっすぐな血管内を粘性係数 0.004 Pa·s の血液が平均流速 0.2 m/s で流れている．この流れのレイノルズ数はどれか．ただし，血液の密度は 1×10^3 kg/m^{3}とする.

1. 1
2. 20
3. 500
4. 1000
5. 5000

問題 4　□□□　27A82

粘性率 4×10^{-3} Pa·s の流体が内径 3 mm の直円管内を平均速度 12 cm/s で流れている．粘性率 1×10^{-3} Pa·s の流体を内径 9 mm の直円管内に流したときに，相似（レイノルズ数が同じ）になる平均速度 [cm/s] はどれか．ただし，密度はすべて等しいとする.

1. 0.25
2. 1.0
3. 9.0
4. 16
5. 144

問題 5 □□□

34A82

円管の中を粘性流体が層流で流れている．同じレイノルズ数になるのはどれか．

a．平均流速 0.5 倍，円管の長さ 2 倍
b．粘性率 2 倍，円管の長さ 0.5 倍
c．平均流速 2 倍，円管の内径 2 倍
d．平均流速 0.25 倍，円管の内径 4 倍
e．粘性率 2 倍，円管の内径 2 倍

1. a，b　2. a，e　3. b，c　4. c，d　5. d，e

問題 6 □□□

36A81

内直径 10 mm の円管の中を動粘度 4×10^{-6} m²/s の流体が速度 1 m/s で流れているときのレイノルズ数はどれか．ただし，動粘度は，粘度/密度である．

1. 40
2. 250
3. 400
4. 2500
5. 4000

問題 7 □□□

30A82

100 mmHg の圧力が 1.00 cm²の面に加えられたとき，この面に加わるおよその荷重［N］はどれか．

1. 1.33
2. 2.72
3. 7.60
4. 13.6
5. 133

問題 8 □□□

29P83

ベッド上の患者の中心静脈圧を，ベッドとは別の専用台に取り付けてあるマノメータで測定した値が 10 cmH_2O であった．ベッドを 10 cm 高くしたときマノメータの表示値［cmH_2O］はどれか．

1. −20
2. −10
3. 0
4. 10
5. 20

問題 9 

31P80

図のように断面積が 10 cm² と 50 cm² の 2 本のピストン管をつなぎ，細いピストンに 10 N の力を加えた．ピストンを静止させるために必要な力 F［N］はどれか．

1. 2
2. 10
3. 50
4. 100
5. 250

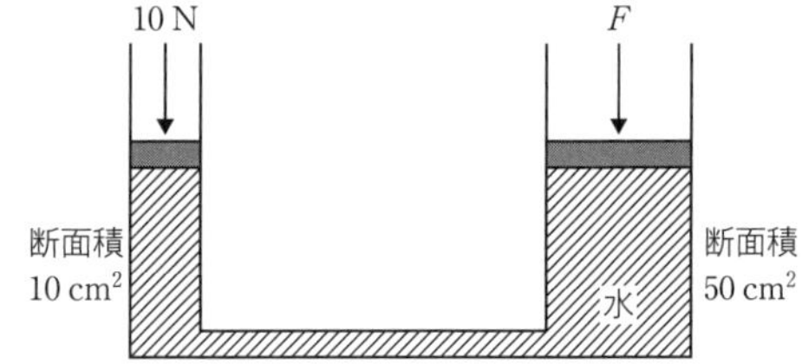

問題 10 □□□

35P82

図のように太さの違う U 字形の器に水を入れ，その水を閉じ込めるように A と B の 2 つのピストンをつける．A に力を加えて B に載せた物体を持ち上げるとき，必要となる最小限の力の大きさ F［N］に最も近いのはどれか．ただし，ピストンの質量や摩擦抵抗は無視できるものとする．

1. 2.5
2. 10
3. 25
4. 100
5. 400

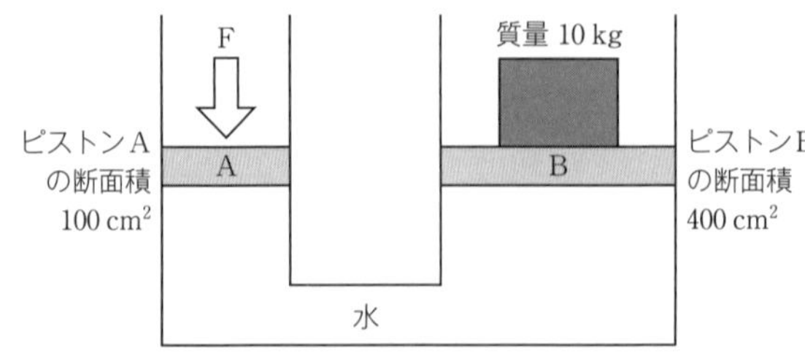

問題 11 □□□ 37A86

ハーゲン・ポアズイユの式はどれか．ただし，Q を流量，ΔP を圧力差，r を管の半径，μ を粘性率，L を管の長さとする．

1. $Q=\frac{\Delta P\cdot\mu\pi r^4}{8L}$
2. $Q=\frac{\Delta P\cdot\mu\pi r^2}{8L}$
3. $Q=\frac{\Delta P\cdot r^2}{8\mu\pi L}$
4. $Q=\frac{\Delta P\cdot\pi r^4}{8\mu L}$
5. $Q=\frac{\Delta P\cdot\pi r^2}{8\mu L}$

問題 12 □□□ 26A83

水タンクをある高さに固定して内半径 r のチューブを接続したところ，流量 Q で流れた．同じ高さで内半径 $2r$ のチューブを接続した場合の流量は Q の何倍か．ただし，流れは層流であるとする．

1. 1/16
2. 1/4
3. 1
4. 4
5. 16

問題 13 □□□ 23A82

円管内の定常な層流において，管の内径を元の 50%にしたとき抵抗は何倍になるか．

1. 2
2. 4
3. 8
4. 16
5. 32

問題 14 □□□ 28P81

図のパイプ状の流路において，上流から下流に行くに従い断面積が半分になる流路がある．上流に対して下流での流速と管路抵抗はどのように変化するか．ただし，管路内の水の流れは層流を維持しているものとする．

1. 下流では流速は 1/2 倍になり，管路抵抗は 1/16 倍になる．
2. 下流では流速は 1/2 倍になり，管路抵抗は 1/4 倍になる．
3. 下流では流速は 1/2 倍になり，管路抵抗は 1/2 倍になる．
4. 下流では流速は 4 倍になり，管路抵抗は 2 倍になる．
5. 下流では流速は 2 倍になり，管路抵抗は 4 倍になる．

上流
下流
流れ

問題 15 □□□ 32P82

流速 1 m/s の血流に生じる動圧［mmHg］のおよその値はどれか．

1. 0.4
2. 1
3. 4
4. 10
5. 40

問題 16 □□□ 34P82

ベルヌーイの定理に含まれるパラメータ（物理変数）はどれか．

a．流速
b．静圧
c．高さ
d．温度
e．粘性率

1．a，b，c　2．a，b，e　3．a，d，e
4．b，c，d　5．c，d，e

問題 17 □□□ 35A82

完全流体では成立せず，粘性流体のみで成立するのはどれか．

a．流れの相似性（レイノルズ数による比較）
b．パスカルの原理
c．連続の式
d．ベルヌーイの定理
e．ハーゲン・ポアズイユの法則

1．a，b　2．a，e　3．b，c　4．c，d　5．d，e

問題 18 □□□ 36P83

流れにおけるベルヌーイの定理を表す式について正しいのはどれか．

a．完全流体に適用される．
b．重力とは無関係である．
c．温度をパラメータとして含む
d．連続の式を導くことができる．
e．力学的エネルギー保存則が適用される．

1．a，b　2．a，e　3．b，c　4．c，d　5．d，e

問題 19 □□□ 36P85

値が上昇すると血液の粘性率が低下するのはどれか．

a．温　度
b．電解質濃度
c．タンパク質濃度
d．ヘマトクリット値
e．血流のせん断速度

1．a，b　2．a，e　3．b，c　4．c，d　5．d，e

〈解答〉問題 1-1，**問題 2**-4，**問題 3**-4，**問題 4**-2，**問題 5**-5，**問題 6**-4，**問題 7**-1，**問題 8**-5，**問題 9**-3，**問題 10**-3，**問題 11**-4，**問題 12**-5，**問題 13**-4，**問題 14**-5，**問題 15**-3，**問題 16**-1，**問題 17**-2，**問題 18**-2，**問題 19**-2

4. 生体の流体現象

(1) ニュートン流体，非ニュートン流体

医用機械工学　第2版
p.86

○血液の流体特性 【33 回】 ★★

- ヘマトクリット値が高いほど血液の粘性率は高くなる．
- 一般に血流速度が速くなると血液の見かけの粘性率が低くなる．
  - ・直径 0.3 mm 以下の細血管で粘性率の低下が顕著にみられ，これをシグマ効果という．
  - ・細血管では血球成分が流れの中心に集まる現象がみられ，これを軸集中（または集軸効果）という（国試では，軸集中＝シグマ効果と表現している問題もみられる）．
- ニュートン流体とは，流速によらず粘性率が変化しない流体である．
- 非ニュートン流体とは，流速によって粘性率が変化する流体である．
- 非ニュートン流体の粘性率を求めるときには，実験式であるキャッソンの式が用いられる．
- 国試では血液の非ニュートン性が主に赤血球の量（ヘマトクリット値）に由来すると考えてよい．血球が存在しない血漿はニュートン流体としてよい．
- ニュートン流体が層流を保ちながら流れるとき，流速分布は右図のように放物線を描く．

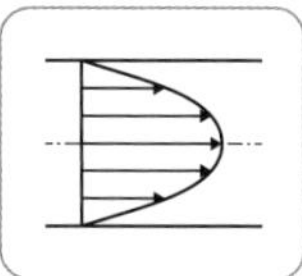

流速と粘性率の関係による流体の分類

比較条件	着眼点	分類名称	物質例
流速が変化したとき	粘性率が変化しない	ニュートン流体	水，血漿，リンパ液など
	粘性率が変化する	非ニュートン流体	血液，ケチャップなど

血液の粘性率の値が必要な場合は，実験式であるキャッソンの式から近似値を求める．

- ずり速度と粘性率の関係が問われる場合も，ずり速度＝流速として考えればよい．

(2) 拍動流

○脈波伝搬速度 【33 回】  ★★

- 脈波伝搬速度（pulse wave velocity：PWV）は，動脈硬化の進行を定量的に診断する，動脈の硬さを表すパラメータの一つ．
- 血管壁のヤング率（縦弾性率）を E，血管壁の厚さを h，血管の内半径を r，血液の密度を ρ とするとき，

$$\mathrm{PWV}=\sqrt{\frac{Eh}{2r\rho}}$$

と表すことができる（メーンズ・コルテベーグの式）．

参考）固体中の音波（縦波）の伝搬速度 c

$$c=\sqrt{\frac{E}{\rho}}$$ （E：固体のヤング率，ρ：固体密度）

- 脈波伝搬速度を求めるような問題は出ないが，血管や血液の物性値と脈波伝搬速度との関係はよく問われる．何が脈波伝搬速度を変化させるかを知っておきたい．

脈波伝搬速度の関係

	速くなる	遅くなる
血管内径：$2r$	細い（狭い）	太い
血管の厚さ（血管壁）：h	厚い	薄い
血液の密度：ρ	低い	高い
血管のヤング率：E	大きい	小さい
血管壁の硬さ	硬い	柔らかい
心拍数	多い	少ない
血圧（動脈圧）	高い	低い

心拍数はPWVの式に含まれていないが，心拍数が増加すると血圧が高くなり，血管壁が硬くなる傾向にある．

間接的に脈波伝搬速度を速くする原因＝血圧の上昇 【36回】 ★★

- 前述した脈波伝搬速度の式には，血圧に関係するパラメータは含まれていない．これは，血圧が変化しても，血管の状態が同じであれば脈波伝搬速度は変化しないことを示している．
- しかし，血圧が上昇すると，血管が膨らみ柔軟性が低下する．このとき見かけのヤング率が高くなることが優勢に作用して脈波伝搬速度を増大させることになる（この原理を利用した血圧モニタが実用化されている）．そのため血圧の上昇は，脈波伝搬速度を速くする間接的な原因としてよい．
- また脈波伝搬速度に脈圧は比例する．脈圧＝一回心拍出量（SV）×脈波伝搬速度（PWV）

臨床工学技士国家試験問題

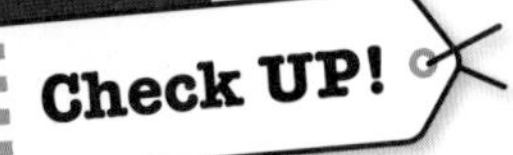

問題 1 □□□ 33P85

値が小さくなると脈波の伝搬速度が増加するのはどれか.

1. 心拍数
2. 平均動脈圧
3. 血管の内径
4. 血管壁の厚さ
5. 血管のヤング率（周方向）

問題 2 □□□ 31A84

正しいのはどれか.

a．毛細血管の分岐部では渦が発生しやすい.
b．大動脈では動圧の値と静圧の値はほぼ等しい.
c．血管に石灰化が起こると脈波伝搬速度は増加する.
d．ヘマトクリット値が上昇すると血液粘度が増加する.
e．動脈血圧のピーク値は体の部位によって異なる.

1. a, b, c　2. a, b, e　3. a, d, e
4. b, c, d　5. c, d, e

問題 3 □□□ 36A82

循環器系の流体現象について誤っているのはどれか.

1. 血管に石灰化が起こると脈波伝搬速度が増加する.
2. 連銭（ルーロー）の形成により血液粘度が増加する.
3. 動脈血圧のピーク値は体の部位によって異なる.
4. 血管内径が小さくなると血管抵抗が上昇する.
5. 大動脈の動圧は静圧より大きい.

問題 4 □□□ 33P83

正しいのはどれか.

a．血管壁中のエラスチンの割合は脈波伝搬速度と正の相関を示す.
b．細い血管では血球が血管壁部に集まる.
c．動脈血圧のピーク値は体の部位によって異なる.
d．ヘマトクリット値が上昇すると血液の粘性が増加する.
e．血管内径が小さくなると血管抵抗は上昇する.

1. a, b, c　2. a, b, e　3. a, d, e
4. b, c, d　5. c, d, e

問題 5 □□□ 35A83

正しいのはどれか.

a．毛細血管内を通過する際，赤血球は変形する.
b．血管内膜のコラーゲンが増加すると脈波伝搬速度が速くなる.
c．大動脈における動圧の値は静圧よりも大きい.
d．細動脈では血球が血管壁部に集まる.
e．安静立位状態では平均動脈圧は測定部位に関わらず同じである.

1. a, b　2. a, e　3. b, c　4. c, d　5. d, e

〈解答〉問題 1-3，**問題 2**-5，**問題 3**-5，**問題 4**-5，**問題 5**-1

5. 波動現象

医用機械工学 第2版
p.112

(1) 波動の基礎

○波動の式 ★

音波振動に関わる物理量

	量記号	単位	意味
振幅	A	V（ボルト），A（アンペア），m など	振動の振れ幅（大きさ）
周波数	f	Hz（ヘルツ）または 1/s	単位時間あたりに現れる振動の回数
角周波数	ω	rad/s（ラジアン／秒）	周波数を 2π(rad) に換算した量
波数	k	rad/m	長さ 2π(m) あたりに現れる振動の回数
周期	T	s（秒）	振動が繰り返される時間的長さ
波長	λ	m（メートル）	振動が繰り返し現れる空間的長さ
伝搬速度	c	m/s	振動が伝わる速度

- 角周波数，周波数，周期の間には，$\omega=2\pi f$，$f=\dfrac{1}{T}$ が，波数と波長には $k=\dfrac{2\pi}{\lambda}$ が成り立つ．
- 伝搬速度については，$c=f\cdot\lambda$ が成り立つ．
- グラフで表すと下図のようになる．

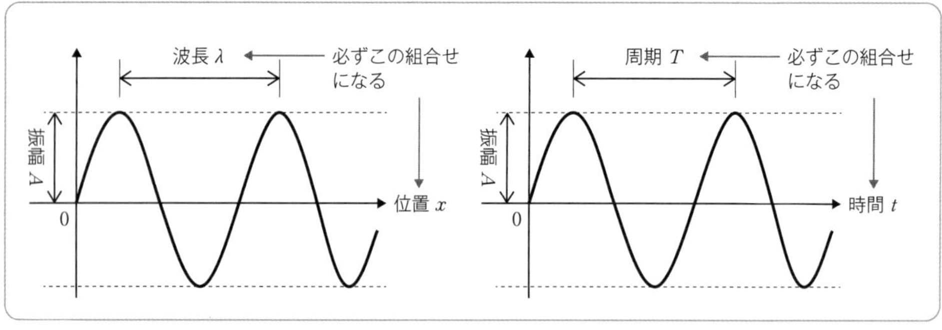

- 音波振動の一般式として，時刻 t における振れ幅 y を次式で表すことができる．

  $y=A\sin(\omega t+kx)$

- 上述の $\omega=2\pi f$，$f=\dfrac{1}{T}$，$k=\dfrac{2\pi}{\lambda}$ より，

$$y=A\sin(\omega t+kx)=A\sin\left(2\pi ft+\frac{2\pi}{\lambda}x\right)=A\sin\left(\frac{2\pi}{T}t+\frac{2\pi}{\lambda}x\right)=A\sin 2\pi\left(\frac{t}{T}+\frac{x}{\lambda}\right)$$

と表すことができる．国試では，グラフに示された振動を数式化することなどが求められる．

- 振動の式から周波数や波長を求める問題もあるが，$y=A\sin\left(\dfrac{2\pi}{T}t+\dfrac{2\pi}{\lambda}x\right)$ または $y=A\sin 2\pi\left(\dfrac{t}{T}+\dfrac{x}{\lambda}\right)$ と比較して，周期や波長を求めるのが望ましい．さらに，$\omega=2\pi f$，$f=\dfrac{1}{T}$，$c=f\cdot\lambda$ を利用して様々な物理量が求められる．

○定常波

医用機械工学　第2版
p.117

➋ある均質な媒質の中を，波長と振幅が等しい 2 つの波が互いに逆方向から進行するときに干渉によってできる波で，定在波ともいう．定常波は元の波と同じ波長になるが，振幅は 2 倍となる．

➋定常波は進行することなく，同じ位置で振動しているようにみえる．振幅が最大となる位置を腹（はら），まったく振動せず振幅が 0 にみえる位置を節（ふし）と呼ぶ．

○縦波と横波

医用機械工学　第2版
p.110

	伝搬方向と振幅方向の関係	例
縦波	伝搬（進行）方向と振幅方向が平行（同方向）	音波，超音波
横波	伝搬（進行）方向と振幅方向が垂直	電磁波

縦波

➋音波が伝搬するためには，媒質（振動を起こす物質）が必要：真空中では伝搬しない．

➋媒質が伸び縮み（圧縮と膨張）を繰り返すことで音波は伝搬する．
- 媒質の弾性を利用した伝搬の仕組みなので，縦波は弾性波とも呼ばれる．
- 媒質の伸び縮みにより，媒質の密度が大きい部分と小さい部分が繰り返し現れるので，縦波は疎密波とも呼ばれる．密度が大きい部分ほど圧力が高い．

➋一般には弾性率が大きい（伸び縮みしにくい）物質ほど速く伝搬できる．

横波（国試では電磁波以外の横波は出題されていない）

医用機械工学　第2版
p.122

➋電磁波は電界と磁界を同時に変化させながら伝搬する ＝ 媒質は不要→真空中でも伝搬する．

➋電界と磁界の変化を伴うので，誘電率や透磁率の大きな場所では伝搬速度が遅くなる．

➋ある空間の電磁波の伝搬速度 c は $c=\frac{1}{\sqrt{\varepsilon\cdot\mu}}$（$\varepsilon$：空間の誘電率，$\mu$：空間の透磁率）で示される．

○弾性波速度 ―――――――――――――――――――――――――――――――― ★

➋媒質中を弾性波（縦波・疎密波）が伝搬するときの速度．伝搬速度ともいうが，音波の伝搬速度は特に音速とよばれる．
- 固体の棒体中では弾性波の伝搬速度は $c=\sqrt{\frac{E}{\rho}}$（E：固体のヤング率，ρ：固体密度）で示される．ヤング率が大きいほど，密度が小さいほど，伝搬速度は大きくなる．

➋伝搬速度 c とすると，周波数 f，波長 λ の間に $c=f\cdot\lambda$ が成り立つ．

➋伝搬速度は媒質によって異なり，下表のようになる．弾性波ではないが電磁波の伝搬速度についても併記する．

媒質	真空	空気	水	生体軟組織	骨
音波	伝搬できない	約 340 m/s	約 1500 m/s	約 1500 m/s	約 3500 m/s
電磁波	3×10^8 m/s (秒速 30 万 km)	真空中とほぼ同じだがやや遅い	真空中の約 0.75 倍	真空中の 7～9 分の 1	真空中の 3～6 分の 1

❸空気中の音速 c(m/s) は気温と共に変化し，気温を t(℃) とすると，音速は $c=331.5+0.6t$ となり，気温が高いほど音速が速くなる．水中の音速は，温度によらずほぼ一定と考えてよい．空気中，水中の音速ともに圧力の影響は受けないと考えてよい．また，同一物質中を伝搬するとき，周波数や波長が変化しても音速が変化することはない．

❸生体軟組織の音速は水中とほぼ同じとしてよいが，硬い組織ほど速度が増加すると考えてよい．体温（35℃）前後での，水中と主な生体組織中の音速は以下の通りである．

媒質	空気	水	脂肪	肝	血液	筋	骨
音速(m/s)	352	1520	1460～1470	1535～1580	1570	1545～1630	2730～4100

JIS 規格では生体軟組織中の音速を 1530 m/s と仮定．
伝搬速度が，骨＞筋＞肝≒血液＞水 ＞脂肪＞肺＞空気となることは知っておきたい．

（2）音波，超音波

医用機械工学　第2版
p.128

○音の三要素　【33 回】【36 回】　★★

❸音の三要素とは，音の大きさ，音の高さ，音色をいう．

❸音の大きさは振幅や音圧，音の高さは周波数，音色は波形によって変化する．

○音の強さの単位

❸音の強さとは伝搬する音のエネルギーであり，単位には W/m^2 を用いる．また，音の大きさ（音圧）は音の振幅の大きさに比例し，単位には Pa を用いる．

❸音の強さ（エネルギー）は音の振幅の 2 乗に比例する．音の強さは音の周波数の 2 乗にも比例する．

❸音の強さの比率 A（倍）を dB 表記する場合，$\mathrm{dB}=10\log_{10}A$ で換算するので，100 倍の音の強さは 20 dB となる．このとき，人の最小可聴音の音の強さ（10^{-12} W/m^2）を基準とした dB 値を音の強さレベルという．

注）音の大きさ（音圧）の比率 A（倍）を dB 表記する場合，$\mathrm{dB}=20\log_{10}A$ で換算し，100 倍の音の大きさは 40 dB となる．このとき，人の最小可聴音の音圧（2×10^{-5} Pa）を基準とした dB 値を音圧レベルという．

○超音波と可聴音の周波数帯域

❸周波数によって区別される．

	周波数帯域
可聴音	20 Hz～20 kHz（20000 Hz） ただし，下限については諸説あり． 16 Hz，30 Hz とされる場合がある
超音波	20 kHz 以上の帯域すべて

医用機械工学　第2版
p.129

○音響インピーダンス　【34 回】【35 回】　★★

❸物質中の音速と物質の密度との積で求められ，音波が伝わるときの抵抗の大きさを表す．

物質の音響インピーダンス ($kg/m^2\cdot s$)＝ 物質中の音速 (m/s)× 物質の密度 (kg/m^3)

❸例えば，音波が水を伝搬するとき，音速は 1500 m/s，水の密度は 1×10^3 kg/m^3 であ

るから，水の音響インピーダンスは，1500(m/s) × 1×10^3(kg/m^3)＝ 1.5×10^6 (kg/m^2·s) となる．

➲同様に，空気の音響インピーダンスは，約 4.1×10^2(kg/m^2·s) となる（水の約 4000 分の 1）．

➲生体組織の音響インピーダンスは，下記の順になる（20℃の時）（$\times10^6$kg/m^2·s)．

骨（骨質）		筋		肝		腎		血液		水		脂肪		肺（空気）
7.8	>	1.7	>	1.65	>	1.62	>	1.61	>	1.48	>	1.38	>	0.0004

➲空気と水のように，異なった物質の接触面を音波が伝搬しようとするとき，音波は音響インピーダンスの不連続面（値が急激に変化する境界面）を通過しなければならない．

- 音響インピーダンスの差が大きな境界面ほど，音波は効率よく通過することができず，大部分の音波が反射される．生体組織の境界面（脂肪と筋，筋と骨など）では，音響インピーダンスが不連続（差が顕著）になるため，音波の反射が起きる．
- 入射波に対する反射波の振幅の比率を音圧（音の大きさ）の反射係数または反射率という．
- 入射波に対する透過波の振幅の比率を音圧の透過係数という．

➲右図に示すように，物質 1（入射側）から物質 2（透過側）との境界面に向かって音波が入射すると，入射波の一部が反射し，一部が透過する．

- ここで物質 1，物質 2 の音響インピーダンスをそれぞれ Z_1，Z_2 とすると，音圧の反射係数 R_p は，$R_p=\dfrac{Z_2-Z_1}{Z_2+Z_1}$ である（$Z_2<Z_1$ のとき $R_p<0$ となるが，このときは入射波と反射波の位相が反転する）．また，音圧の透過係数 T_p は，$T_p=1+R_p=\dfrac{2Z_2}{Z_2+Z_1}$ となる（過去に国試での出題はない）．

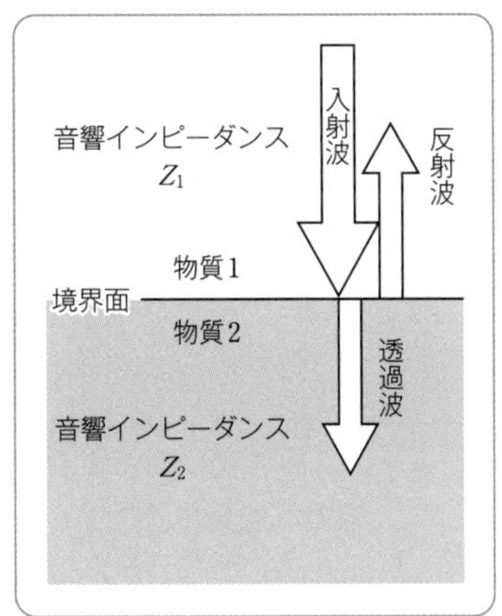

例題

生体組織の音響特性インピーダンスが，脂肪組織で 1.35×10^6 kg/（m^2·s），筋組織で 1.65×10^6 kg/（m^2·s）とすると，脂肪組織と筋組織との境界面での超音波の反射率（音波の振幅比：%）はいくらか．

解答

問題では入射方向が示されていないが，ここでは音響インピーダンスの小さな脂肪組織側を入射側としておく．

音波や超音波は音響インピーダンスが異なる組織の境界面で反射される性質があり，2 つの組織間（Z_2，Z_1）の反射係数 R_p は以下の式で表される．

$$R_p=\frac{Z_2-Z_1}{Z_2+Z_1}=\frac{1.65\times10^{-6}-1.35\times10^{-6}}{1.65\times10^{-6}+1.35\times10^{-6}}=\frac{0.30\times10^{-6}}{3.00\times10^{-6}}=0.1=10\%$$

○減衰と指向性

- 組織中を伝搬する超音波は主に吸収や散乱のために減衰する．
- 生体組織中の減衰の大きさ（減衰定数）は周波数に比例する：周波数が高いほど減衰しやすい＝周波数が高いほど深部に到達しにくくなる．
- 減衰定数が高い生体組織：肺 > 骨 > 空気 > 軟部組織（筋 > 肝 > 脂肪）> 血液．
  - ・減衰定数の単位は dB/MHz·cm が用いられ，減衰量（dB）は周波数（MHz）と伝搬距離（cm）に比例する．
- 伝達距離に対して指数関数的に減衰する：深部には到達しにくい．
- 周波数が高いほど指向性が高い：周波数が高いほど直進性がよい＝拡散しにくい．「周波数が高いほど…」を「波長が短いほど…」に言い換えた問い方もされるので，関係性を誤らないこと．

医用機械工学　第2版
p.132

○ドプラ効果　【33 回】【34 回】【36 回】【37 回】　★★★

- 波（音波や光波や電波など）の発生源（音源，光源など）と観測者との相対運動によって，波の周波数や波長が異なって観測される現象．臨床工学分野では，血流速度の測定などに応用される．国試では周波数の変化が問われる．

基本式

- 周波数・速度の単位は，設問ごとに統一すれば何を用いてもよい．

$$f = f_0 \frac{c \pm v_{人}}{c \mp v_{音}}$$

〈符号の決め方〉
- ・相手（観測者から見れば音源，音源から見れば観測者）へ向かって進むときは，上の符号を使用する．
- ・相手（観測者から見れば音源，音源から見れば観測者）から逃げるように進むときは，下の符号を使用する．

- ・f は観測者に聞こえる音の周波数，f_0 は音源が発する音の周波数，c は音波の伝搬速度（空気中：340 m/s　水中・生体軟組織中：1500 m/s）．
- ・$v_{人}$ は観測者の速度，$v_{音}$ は音源の速度で，正負の符号がついているが，これは作図した上で運動の方向で決める（上記枠内参照．符号が分子・分母で上下逆順になっていることに注意）．

例題

速度 $v_{人}$ で移動している観測者の前方から，速度 $v_{音}$ で向かってくる救急車がある．救急車が発するサイレン音の周波数が f_0 のとき，観測者に聞こえる周波数 f を示せ．ただし，音速を c とする．

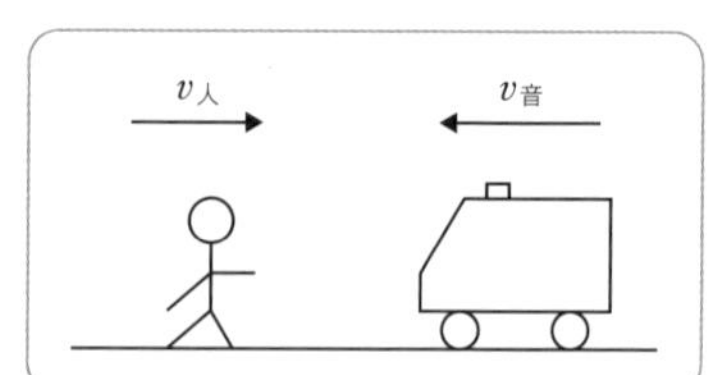

解答

観測者（人），救急車（音源）の位置と運動方向を作図すると考えやすい．
観測者（人）は救急車（音源）に向かっているので，観測者の速度 $v_{人}$ の符号は前述の式の上（＋），救急車（音源）も観測者（人）に向かっているので，救急車の速度 $v_{音}$ の符号も上（−）となる．

したがって，$f = f_0 \dfrac{c + v_{人}}{c - v_{音}}$　となる．

○キャビテーション

- 強い超音波によって生じる機械力などで液体中に負の圧力が生じると，液体中に溶け込んでいた気体が気泡となって現れる現象：生体内部でキャビテーションが発生すると，生体組織を損傷する．
- 圧力差で生じる気化現象だが，温度変化を伴わない機械的な非熱的作用であり，空洞現象ともいう．
- 生体中を伝搬する超音波では，そのエネルギーが 10 W/cm^2＝10 J/（s･cm^2）以上になるとキャビテーションが発生する．また，超音波などの物理的エネルギーが 100 mW/cm^2 以下のときには，生体組織に非可逆的変化が生じることはない．

○衝撃波

- 空気のような圧縮性流体の中で，爆発のような強い圧力上昇が起こると，不連続的な圧力変化を伴う波として音速を超える速さで伝搬する．これを衝撃波という．
- 進行する衝撃波面の前後では，圧力だけでなく，密度，温度も不連続的となる．

問題 1 □□□ 28A83

図に示す波形の音波を水中に発射した．その音波の波長［cm］はどれか．

1. 0.1
2. 3.3
3. 7.5
4. 15
5. 30

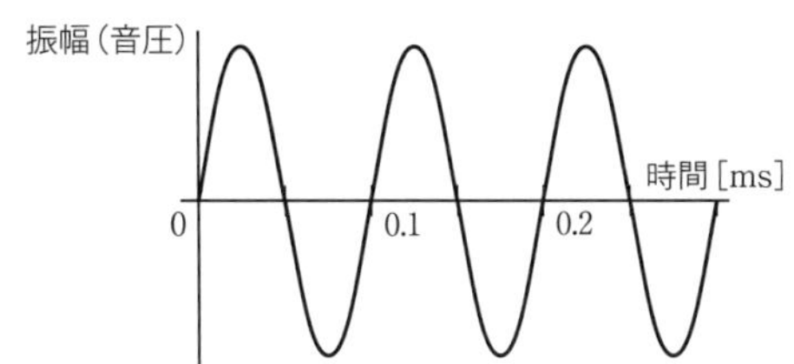

問題 2 □□□ 23A83

図の正弦波が実線の位置から 1 秒後に破線の位置に伝搬した．振動数［Hz］はどれか．

1. 0.1
2. 0.25
3. 0.5
4. 0.75
5. 1

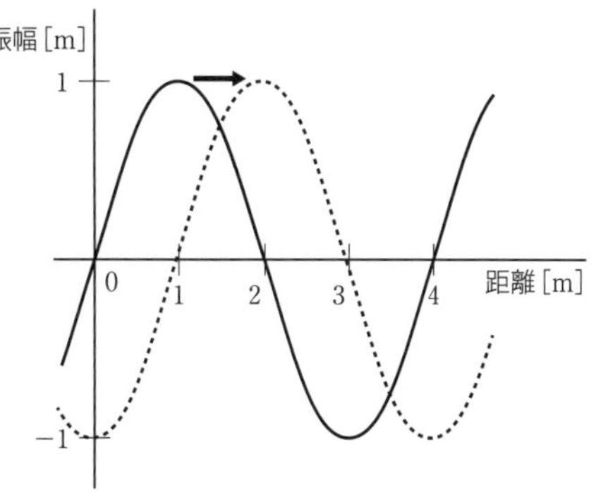

問題 3 □□□ 30A84

図に示す音波の空気中（25℃）におけるおよその波長［cm］はどれか．

1. 8.5
2. 17
3. 34
4. 68
5. 140

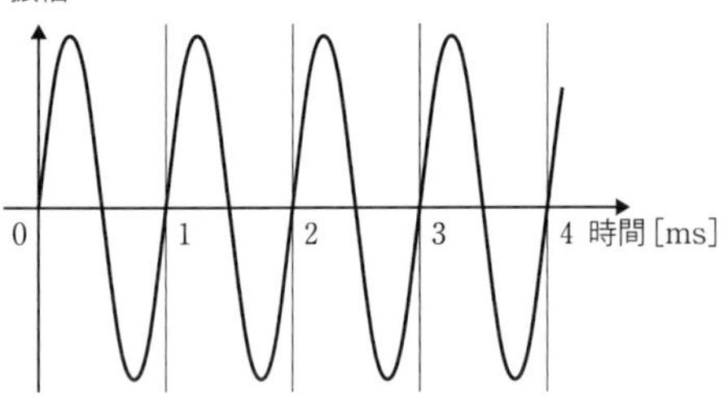

問題 4 □□□ 27A84

1 MHz の超音波が水中を進行するときのおよその波長［mm］はどれか．

1. 150
2. 15
3. 1.5
4. 0.15
5. 0.015

問題 5 □□□ 36A83

音の 3 要素はどれか．

a．高　さ
b．強　さ
c．音　色
d．速　さ
e．方　向

1. a, b, c　2. a, b, e　3. a, d, e
4. b, c, d　5. c, d, e

問題 6 □□□ 25P85

筋の特性音響インピーダンスを 2×10^6 kg･m^{-2}･s^{-1}，骨の特性音響インピーダンスを 8×10^6 kg･m^{-2}･s^{-1} としたとき，筋から骨へ伝わる超音波の反射係数はどれか．

1. 0.2
2. 0.6
3. 0.9
4. 2.0
5. 4.0

問題 7 □□□ 34P86

筋肉の特性音響インピーダンスを 1.7×10^6 kg･m^{-2}･s^{-1}，血液の特性音響インピーダンスを 1.6×10^6 kg･m^{-2}･s^{-1} としたとき，筋肉と血液の境界面の超音波の反射係数はおよそどれか．

1. 0.01
2. 0.03
3. 0.06
4. 0.08
5. 0.09

問題 8 □□□ 35A86

正しいのはどれか．

a．2000 Hz の音波は超音波である．
b．頭蓋骨を伝わる音速は約 1500 m/s である．
c．音響インピーダンスは密度と音速の積である．
d．音波は音響インピーダンスの異なる組織の境界面で反射する．
e．骨の音響インピーダンスは筋肉より大きい．

1. a, b, c　2. a, b, e　3. a, d, e
4. b, c, d　5. c, d, e

問題 9 □□□ 31P83

観測者が静止音源に一定速度で近づき遠ざかる際，音源を通過する前後で観測される音の振動数が 10%低下した．観測者のおよその速度はどれか．ただし，音速を c とする．

1. 0.01 c
2. 0.05 c
3. 0.1 c
4. 0.2 c
5. 0.3 c

問題 10 □□□ 27P83

音速の 1/25 の速度で移動している観測者を，その後方から音源が音速の 1/5 の速度で追いかけるとき，観測者が聞く音の振動数は音源の出す音の振動数の何倍か．

1. 1/5
2. 5/6
3. 6/5
4. 5
5. 125

問題 11 □□□ 30P85

生体組織中に照射された超音波について正しいのはどれか．

1. 周波数が低くなるほど組織中で指向性が高くなる．
2. 周波数が高くなるほど組織中での減衰が増加する．
3. 軟組織では空中での速度の 10 倍を超える速度になる．
4. 骨の中を通り抜けるときは速度が遅くなる．
5. 肺は音響インピーダンスが大きな組織である．

問題 12 □□□ 36P33

皮膚を通して生体内に伝達される物理的エネルギーによって，生体に何らかの不可逆的な障害が生じるとされているエネルギー密度の下限はどれか．

1. 1 mW/cm^2
2. 10 mW/cm^2
3. 100 mW/cm^2
4. 1 W/cm^2
5. 10 W/cm^2

問題 13 □□□ 34P83

可聴音におけるドプラ効果において，観測される音の周波数変化に影響しない因子はどれか．

1. 音波の振幅
2. 風速
3. 音源と観測者の速度ベクトルのなす角度
4. 音源の速さ
5. 観測者の速さ

問題 14 □□□ 37P83

音のドプラ効果について正しいのはどれか．

a．ドプラ効果の大きさ（ドプラシフト）は音速に依存しない．
b．水中でも生じる効果である．
c．音源が出す音波の振幅に依存しない．
d．観測者が音源に接近すると音が低く聞こえる．
e．音のうなり現象はドプラ効果である．

1. a, b　2. a, e　3. b, c　4. c, d　5. d, e

問題 15 □□□ 35P83

1000 Hz の静止音源に観測者が接近したとき，聞こえる音の振動数が 1060 Hz であった．観測者の速度［m/s］に最も近いのはどれか．ただし，音速は 340 m/s とする．

1. 10
2. 15
3. 20
4. 25
5. 30

問題 16 □□□

36P84

図のように，直線上を観測者と振動数 f_0 の音源が互いに近づきながら移動している．観測者の速さを v_1，音源の速さを v_2 とするとき，観測者の聞く音の振動数はどれか．ただし，音速を C とする．

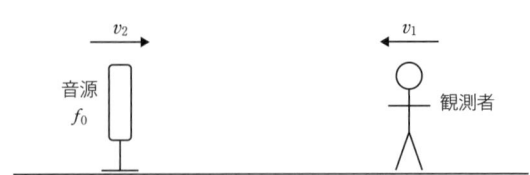

1. $f_0\dfrac{C+v_1}{C-v_2}$
2. $f_0\dfrac{C+v_1}{C+v_2}$
3. $f_0\dfrac{C+v_2}{C-v_1}$
4. $f_0\dfrac{C+v_2}{C+v_1}$
5. $f_0\dfrac{C-v_2}{C-v_1}$

〈解答〉問題 1-4，問題 2-2，問題 3-3，問題 4-3，問題 5-1，問題 6-2，問題 7-2，問題 8-5，問題 9-2，問題 10-3，問題 11-2，問題 12-3，問題 13-1，問題 14-3，問題 15-3，問題 16-1

6. 熱現象

(1) 温度

医用機械工学　第2版
p.156

○熱膨張 【34回】 ★★

➲一般に物質の温度を上げると，物質の長さや体積が増加する．この現象を熱膨張という．

- 単位温度あたりの変化率を熱膨張率（熱膨張係数）という．

➲長さ方向に考える熱膨張率を線膨張率という．

- 線膨張率 α の物体の元の長さを l_0，温度変化を ΔT とするとき，長さの増減量は $l_0 \times \alpha \times \Delta T$ となり，膨張後の長さ l は，$l = l_0 + l_0\alpha\Delta T = l_0(1+\alpha\Delta T)$ となる．

➲体積について考える熱膨張率を体積膨張率という．

- 体積膨張率 β の物体の元の体積を V_0，温度変化を ΔT とするとき，体積の増減量は $V_0 \times \beta \times \Delta T$ となり，膨張後の体積 V は，$V = V_0 + V_0\beta\Delta T = V_0(1+\beta\Delta T)$ となる．
- なお，$\beta = 3\alpha$ の関係があるので，$V = V_0(1+3\alpha\Delta T)$ と表すことができる．

(2) 熱力学

医用機械工学　第2版
p.161

○理想気体

気体の状態方程式

物理量 量記号	圧力 P	×	体積 V	=	物質量 n	×	気体定数 R	×	熱力学温度 T
単位 （化学領域）	気圧 (atm)		L （リットル）		mol （モル）		0.082		K （ケルビン）
単位 （物理領域）	Pa		m^3				8.31		

温度が熱力学温度（単位がK［ケルビン］）であることに注意．
セ氏温度 t(℃) は熱力学温度 T(K) に換算して代入する．$T(\mathrm{K}) = t(℃) + 273$

➲上記の気体の状態方程式を常に（どのような温度・圧力でも）満足する気体を理想気体または完全気体という（正しくは，常に分子間の相互作用が無視できる気体を理想気体または完全気体という．圧力や温度をどのように変化させても気体の状態が保たれ，液体や固体の状態にはならないと考えてよい）．

- 理想気体ではない実在気体（実際に存在する気体）でも，気体状態が保たれている（固体または液体の状態に変化しない）範囲であれば気体の状態方程式を適用できる．

➲化学領域では 0℃(273 K) で1気圧の状態を標準状態と呼ぶ．

- 標準状態では，1 mol の気体の体積は気体の種類によらず 22.4 L となる．
- その体積中に存在する気体の分子数は，気体の種類によらず 6.02×10^{23} 個（アボガドロ数）になる．

○熱容量と比熱 【33回】【37回】 ★★

医用機械工学　第2版
p.145

➲物体に熱を加えると，物体の温度は上昇する．

- このとき単位温度（1 K または 1℃）分の温度上昇に必要な熱の大きさを熱容量と

いう．

・物体に加えた熱が Q(J) であったとき，温度上昇が ΔT(K) ならば，熱容量 C は $C=\dfrac{Q}{\Delta T}$ で与えられる．

・熱容量の単位はJ/Kとなる（熱容量では物体の質量・体積を考慮する必要はない）．

➡熱容量を単位質量（1 kg）あたりに換算した値を比熱という．

・物体の質量を m(kg) とすると，比熱 c は熱容量 C を用いて，$c=\dfrac{C}{m}$ となる．

・比熱は物体の温まりにくさを表していると考えてよい．

➡比熱のSI単位はJ/kg·Kであるが，国試では1 gあたりで換算したJ/g·Kがよく用いられる．例えば，水の比熱は4.2 J/g·Kと問題文に記されることが多い．これは水1 gの温度を1 K上昇させるのに4.2 Jが必要になることを示している．

・1 Kの温度変化は1℃の温度変化と等価であり，温度変化の単位としてKではなく℃を用いても構わない．

➡質量 m，比熱 c の物体に出入りする熱が Q であったとき，温度変化 ΔT との間には，$Q=m\cdot c\cdot\Delta T$ の関係が成り立つ．

➡この式を用いるときは，質量，熱，温度変化の単位を比熱の単位に示されている単位と一致させる．

➡例えば，比熱の単位がJ/g·Kであったとき，質量の単位はg，温度変化の単位はK（温度変化の単位なので℃でもよい），熱の単位はJとする．

➡水1 gの温度を1 K上昇させるのに必要となる熱量は，1 calと定義されている．したがって，1 calの熱量は4.2 Jの熱エネルギーに相当する．これを熱の仕事当量といい，4.2 J/calと示される．

➡主な生体組織の比熱を大きい順に並べると以下のようになる（単位はJ/(g·K)）．

水		血液		筋		皮膚		肺		脳		脂肪		骨・頭蓋骨		空気		銀
4.2	＞	4.0	＞	3.77	≒	3.77	＞	3.71	＞	3.69	＞	2.51	＞	1.59	＞	1.0	＞	0.24

医用機械工学　第2版
p.165

○熱力学の法則 ★

熱力学の第一法則

➡気体についてのエネルギー保存則であり，次式のように表すことができる．

気体に与えられた熱エネルギー	=	物質内部の熱エネルギーの増加量	+	気体が外部にした仕事
Q	=	ΔU	+	$P\cdot\Delta V$

➡物質内部の熱エネルギーの増加量 ΔU は内部エネルギーとも呼ばれる．

➡気体の温度変化の大きさは，内部エネルギーの増減量に比例する．

➡気体が外部にした仕事 $P\cdot\Delta V$ は重要である．

・ピストン管に閉じ込められた気体が圧力 P(Pa) を保ちながら膨張したとき，その体積変化が ΔV(m^3) ならば，その気体は $P\cdot\Delta V$(J) だけの仕事をした＝外部にエネルギーを与えたという．

熱力学の第二法則

- 「自然に，熱が低温の物体から高温の物体に移動することはありえない」ことを示している．
- どのような系（機関）であってもエネルギーを消費することなく，低温の物体から高温の物体に熱（エネルギー）を移動させることが不可能であることが示されている．
- この法則によって，永久機関が実現できないこと，熱の移動が不可逆変化であることなどが導かれる．

熱力学の第三法則

- 「絶対零度（0 K）よりも低い温度はありえない」ことを示している．

○可逆・不可逆変化

- ある物質が状態 A から状態 B へ移った後，再び状態 A へ戻るとき，外部にはまったく変化を与えなかった（外部と物質の間でエネルギーの出入りなどがなかった）場合，状態 A から状態 B への変化は可逆的である，または可逆変化をしたという．
- しかし再び状態 A へ戻す過程で，外部に何かしらの変化を与えた（外部と物質の間でエネルギーの出入りなどがあった）場合は，不可逆的である，または不可逆変化をしたという．
- 一般に熱が関係する変化は可逆的ではない＝不可逆変化である．気体の状態変化だけでなく，力学では摩擦や粘性，抵抗力が関わる運動も可逆的ではなく，化学変化もまた可逆的ではない．

○ボイル・シャルルの法則 【33 回】【34 回】 ★★

医用機械工学 第2版 p.162

- 国試では，容器またはピストン内に閉じ込めた気体について考えるので，気体の出入りはなく物質量 n は一定としてよい．また，気体定数 R は一定であるから，気体の状態によって圧力 P，体積 V，熱力学温度 T だけが変化するとしてよい．
  - ・気体の状態方程式 $PV=nRT$ を変形し $\frac{PV}{T}=nR=$一定 となり，$\frac{PV}{T}=$一定 として利用する．
  - ・これをボイル・シャルルの法則という．ただし，温度 T は熱力学温度であり K（ケルビン）単位であることに注意する．
- 気体の温度が一定であれば，$PV=$一定 となり，これをボイルの法則という．
  - ・ボイルの法則は，気体の温度が一定のとき，圧力と体積が反比例することを示している．
- 気体の圧力が一定であるとき，$\frac{V}{T}=$一定 となり，これをシャルルの法則という．
  - ・シャルルの法則は，気体の圧力が一定のとき，体積と熱力学温度が比例することを示している．

内部エネルギー

医用機械工学 第2版 p.166

- 気体自体が持つエネルギーを気体の内部エネルギーという．気体の熱力学温度に比例する．
- 熱力学の第一法則が示すように，外部から気体に与えられた熱エネルギーの一部は気体がした仕事に変換されるが，残りのエネルギーは気体に吸収され，内部エネルギーの増加となり，気体の温度を上昇させる．
- 内部エネルギーの増加は気体分子の運動エネルギーにも変換される．そのエネルギーによって，気体分子の速度が大きくなり，気体の圧力や体積を増加させる．

医用機械工学　第2版
p.161

○分圧

- 複数の気体成分からなる混合気体で，1つの気体成分が物質量を保ったまま混合気体と同じ体積を単独で占めたと考えたときの圧力をその気体成分の分圧という．
- 各気体成分の分圧の和は，混合気体全体の圧力（全圧）と等しい．
- ドルトンの分圧の法則によれば，各気体成分の分圧と全圧の比は気体成分のモル比と等しい．また，その比は気体成分の成分比（構成比）・分子数比とも等しい．

○気体の溶解

- ヘンリーの法則によれば，
  - 「一定温度で一定体積の溶媒に溶解する気体の物質量（質量）は，その気体の圧力（分圧）に比例する」とされている．
  - つまり「気体の溶解度は圧力に比例する」，「圧力が大きくなるほど溶媒に溶ける気体は増加する」と考えてよい．
- 気体の溶解度は高温になるほど減少する（ルシャトリエの原理）．炭酸水の温度を上げると炭酸が抜けていくのはこのためである．

○等圧・等積変化と断熱変化

- 等圧変化とは，気体の圧力を一定に保ちながら状態を変化させることである．
  - 等圧変化する気体に外部からエネルギーが与えられると，熱力学の第一法則に従って，与えられたエネルギーは内部エネルギーの増加と外部にする仕事に変換される．
- 等積変化とは，気体の体積を一定に保ちながら状態を変化させることである．
  - 等積変化する気体に外部からエネルギーが与えられても，体積変化がないので（$\Delta V=0$），外部にする仕事（$P\cdot\Delta V$）は0になる．
  - したがって，熱力学の第一法則に従って，与えられたエネルギーは全て内部エネルギーの増加に変換される．
- 断熱変化とは，外部との熱の出入りを断って状態を変化させることである．
  - 断熱変化では気体に外部から与えられるエネルギーは0であるから，熱力学の第一法則に従って内部エネルギーと外部にする仕事が相互に変換されることになる．

医用機械工学　第2版
p.167

○熱機関と効率

- 熱機関とは，外部から与えられた熱を仕事に変換する仕組みをいう．蒸気機関や自動車のエンジンが代表的である．このとき，熱機関は与えられた熱の一部しか仕事に変換できない．変換の過程で一部の熱がそのまま放出される（変換されることなく外部へ逃げてしまう）ためである．
- 与えられた熱に対する実際に仕事に変換できた熱の割合を熱効率という．

$$\text{熱効率}=\frac{P\Delta V}{Q}=\frac{\text{仕事に変換できた熱}}{\text{与えられた熱}}=\frac{\text{与えられた熱}-\text{放出された(逃げた)熱}}{\text{与えられた熱}}$$

医用機械工学　第2版
p.153

○相変化と潜熱

- 物質は温度の変化に伴って，固体から液体，液体から気体などのように，状態（相）が変化する．この変化を相変化という．
- 液体から気体への相変化を蒸発（沸騰），気体から液体への相変化を凝結といい，固体から液体への相変化を融解，液体から固体への相変化を凝固という．また，気体と固体の間で起きる相変化はともに昇華と呼んでいるが，気体から固体への変化を凝華と呼び分けることもある．

➋相変化の過程で，物質に出入りする熱を潜熱という．潜熱は相変化のために消費される熱で，相変化する間は物質の温度変化はない．融解で物質が吸収する潜熱を融解熱，凝固で物質から放出される潜熱を凝固熱と呼ぶが，融解熱と凝固熱の大きさは等しい．また，蒸発で物質が吸収する潜熱を蒸発熱（気化熱），凝結で物質から放出される潜熱を凝結熱と呼ぶが，蒸発熱と凝結熱の大きさは等しい．昇華または凝華の際に物質に出入りする潜熱は昇華熱という．

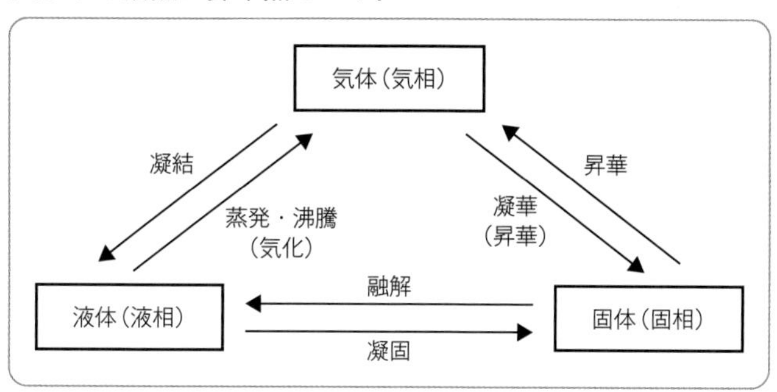

○熱移動 【37 回】 ★★

医用機械工学　第2版
p.147

➋熱が移動する仕組みを熱移動という．熱移動には，熱伝導，熱対流，熱放射（熱輻射）がある．

熱伝導	・物体の内部に温度差があるとき，高温部から低温部へ熱が移動する ・体外循環における熱移動の主な仕組み
熱対流	・膨張・収縮による密度変化のため，浮力による物体の移動に伴う熱移動 ・気体と液体にみられる現象 ・真空中では起きない ・無重力下では起きない
熱放射	・物体表面からの電磁波放射による熱放出 ・真空中でも熱移動が可能で，高温体ほど短波長の電磁波を放出する

2 つの物体が接触するとき，接触面を通して起きる熱移動は熱伝達という．

○伝熱の種類

➋伝熱の基本形態は，熱伝導，熱放射（熱輻射）である．

➋熱伝導は，物体内部での熱移動であるが，熱の伝わりやすさは物体ごとに異なり，それを熱伝導率で表す．主な生体組織の熱伝導率を大きい順に並べると以下のようになる（数値の単位は W/(m・K)）．

骨質	>	頭蓋骨	>	水	>	脳	>	血液	>	筋	>	肺	>	皮膚	>	脂肪	>	空気
2.3		1.2		0.6		0.53		0.52		0.42		0.28		0.21		0.16		0.0241

空気や脂肪は熱を逃がさない＝断熱効果が高い．

➡熱は高温部から低温部に向かって伝わる．図に示すような物体で断面 1 と断面 2 に温度差があり，$\theta_1 > \theta_2$ とすると熱は断面 1 から断面 2 へ伝わる．内部を伝わる熱の大きさ Q は，物体の熱伝導率 λ，断面の温度差 $(\theta_1 - \theta_2)$ と断面積 A に比例し，長さ L に反比例する．また，時間 t にも比例するので，$Q = \lambda A \dfrac{\theta_1 - \theta_2}{L} t$ と表すことができる．

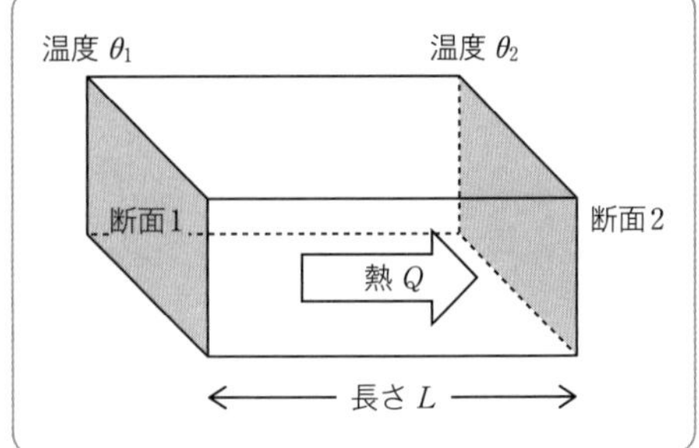

医用機械工学　第2版
p.149

➡熱放射は，電磁波放射によってエネルギーを放出する現象である．

- シュテファン・ボルツマンの法則によれば，放出エネルギーの大きさは物体表面の熱力学温度の 4 乗に比例する．
- 物体表面から放射される電磁波帯のうち，最も強い電磁波の波長が物体表面の熱力学温度に反比例することがウィーンの変位則で示され，温度が高い物体ほど波長の短い電磁波を強く放射している．

➡体表（約 37℃）から放出される電磁波では，波長が約 9.4 μm の遠赤外線が最も強い．

国試　【第 28 回】

組織の両面の温度差が 4℃ で，断面積が 10 cm^2，厚さが 5 mm の生体組織を 1 分間に通過する熱量［J］はいくらか．ただし，生体組織の熱伝導率を 5×10^{-3} J/(cm・s・℃) とする．

解答

単位時間（1 秒）当たりに組織に流れる熱量 I[J/s] は，組織の熱伝導率 k[J/(m・s・K)]，組織の断面積 A[m^2]，組織両面の温度差 ΔT[K] に比例し，厚さ d[m] に反比例する．したがって，$I = \dfrac{\lambda \times A \times \Delta T}{d}$ と示すことができる．

ここで温度差 ΔT は，1℃ の温度変化と 1K の温度変化は等価なので，単位は差し替えてもよい．ただし，問題では熱伝導率の単位が J/(cm・s・℃) となっているので，長さの単位を cm とした方がよい．同様に面積の単位は cm^2 とする．

上に示した式より，　$I = \dfrac{5 \times 10^{-3}\,\mathrm{J/(cm \cdot s \cdot ℃)} \times 10\,\mathrm{cm^2} \times 4℃}{0.5\,\mathrm{cm}} = 0.4\,\mathrm{J/s}$

したがって，1 分間（＝60 秒）の熱量は，$Q = I \times 60 = 0.4 \times 60 = 24$ J

臨床工学技士国家試験問題

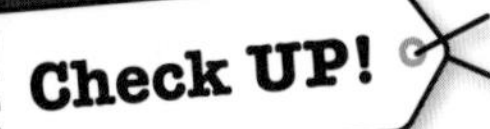

問題 1 □□□ 29P84

線膨張係数が $1.2\times10^{-5}K^{-1}$ で長さ 2.0 m の鉄の棒の温度を 10℃増加させたとき，この鉄の棒の伸び［μm］はどれか．

1. 2.4
2. 12
3. 60
4. 240
5. 600

問題 2 □□□ 34A84

20℃で体積 1000 L の物体を 75℃まで温める．この物体の体膨張係数が $0.0036\ K^{-1}$ であるとき，温まった物体の体積［L］に一番近いのはどれか．ただし，圧力は一定とする．

1. 200
2. 270
3. 1200
4. 1270
5. 1340

問題 3 □□□ 31A87

生体内で比熱の小さい物質あるいは組織はどれか．

a．血液
b．筋
c．骨
d．脂肪
e．細胞内液

1. a, b　2. a, e　3. b, c　4. c, d　5. d, e

問題 4 □□□ 33P87

同じ大きさの熱エネルギーが加えられたとき，温度上昇が最も大きくなるのはどれか．

1. 脂肪
2. 肝臓
3. 腎臓
4. 骨格筋
5. 血液

問題 5 □□□ 32A84

同じ質量で 20℃の物体を 37℃まで加熱するために必要な熱エネルギーが最も大きいのはどれか．

1. 水
2. タンパク質
3. 脂質
4. リン酸カルシウム
5. ステンレス

問題 6 □□□ 35A84

40℃の水 1 kg に 10℃の水 2 kg を加えたときの水の温度はどれか．

1. 15℃
2. 20℃
3. 25℃
4. 30℃
5. 35℃

問題 7 □□□ 24A84

50℃の水 10 kg に 20℃の水を加えて水温を 40℃とした．加えた 20℃の水の質量［kg］はどれか．

1. 1
2. 5
3. 10
4. 50
5. 100

問題 8 □□□ 27P84

20℃の水 9.9 kg に 90℃に熱した 1.0 kg の鋼球を沈めたとき，平衡状態の温度［℃］はどれか．ただし，鋼の水に対する比熱を 0.1 とする．

1. 19.0
2. 20.7
3. 26.4
4. 28.8
5. 32.0

問題 9 □□□ 32P84

20℃，100 g の水を 1 分間加熱して 30℃とするために必要な仕事率［W］はどれか．ただし，水の比熱は 4.2 J/(g·℃) とする．

1. 7
2. 42
3. 70
4. 420
5. 700

問題 10 □□□ 31P47

出力 500 W の電熱器で，20℃の水 100 g を温めたとき，60℃になるまでのおよその時間［s］はどれか．ただし，電熱器の出力はすべて水の温度上昇に使われるものとし，水の比熱は，4.2×10^3 J/（kg・K）とする．

1. 17
2. 34
3. 50
4. 67
5. 84

問題 11 □□□ 28A84

25℃の水 3 L を 500 W のヒータで加熱して 37℃にするのに必要なおよその時間［s］はどれか．ただし，ヒータの出力の 80%が加温に使われ，水の比熱は 4.2 J/(g·℃) とする．

1. 300
2. 380
3. 630
4. 930
5. 1200

問題 12 □□□ 37A84

密度 2500kg/m^3，体積 10L の物体に 100kJ の熱量を与えると物体の温度が 10℃上昇した．この物体の比熱［J/(kg・K)］に最も近いのはどれか．
ただし，与えられた熱量はすべて物体の温度上昇に使われたものとする．

1. 2.5×10^2
2. 4.0×10^2
3. 2.5×10^3
4. 4.0×10^3
5. 2.5×10^4

問題 13 □□□ 33A84

注射器に 12 mL の空気を入れ，先端を閉じてピストンを押して，注射器内の圧力を 150 mmHg に上昇させた．このとき注射器内の空気のおよその体積［mL］はどれか．ただし，大気圧を 760 mmHg とし，空気の温度変化はないものとする．

1. 11
2. 10
3. 9.0
4. 8.0
5. 6.0

問題 14 □□□ 30P84

体積 30 L の容器内に理想気体が圧力 100 kPa，温度 27℃で入っている．気体の温度を 127℃まで上げて体積を 40 L にしたとき容器内の圧力［kPa］はどれか．

1. 1.0
2. 10
3. 35
4. 100
5. 350

問題 15 □□□ 24P84

27℃，1 気圧で 1 L の理想気体を加熱し，127℃，2 気圧にしたとき，気体の体積［L］はおよそいくらか．

1. 0.5
2. 0.67
3. 1.3
4. 2.0
5. 2.4

問題 16 □□□

28P84

図のようにシリンダ内の気体の圧力 P，絶対温度 T，容積 V が与えられている．シリンダ内をヒータによって加熱して絶対温度が 400 K，圧力が 20 kPa になったときの容積［m^3］はどれか．

1. 0.05
2. 0.12
3. 0.20
4. 0.45
5. 0.80

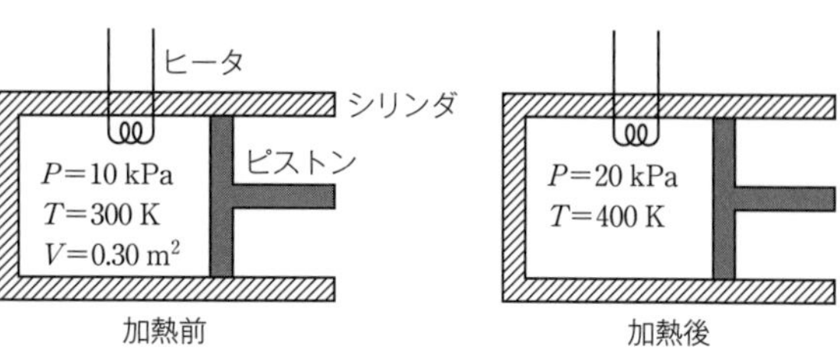

問題 17 □□□

36A84

図のように，体積 0.3 m^3，圧力 100 kPa，温度 300K にて気体を封入したシリンダがある．シリンダ内の圧力を 300 kPa，温度を 600 K としたとき，気体の体積［m^3］はどれか．

1. 0.05
2. 0.2
3. 2
4. 5
5. 10

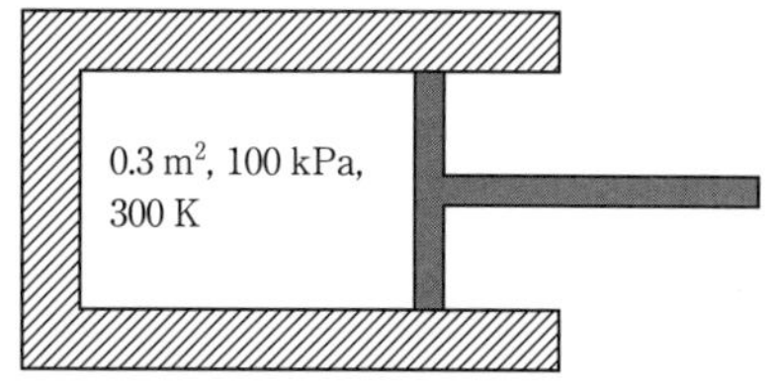

問題 18 □□□

34P84

変形しない容器に空気を密封し 27℃から 57℃に加熱したときの圧力の変化はどれか．

1. 0.9 倍
2. 1.1 倍
3. 1.5 倍
4. 1.8 倍
5. 2.1 倍

問題 19 □□□

28P83

圧力が一定のもとで，水の温度を 37℃から 20℃にしたときの水に溶け込む酸素と二酸化炭素の溶解度の変化について正しいのはどれか

1. 酸素と二酸化炭素の溶解度はどちらも減少する．
2. 酸素と二酸化炭素の溶解度はどちらも増加する．
3. 酸素の溶解度は増加し，二酸化炭素の溶解度は減少する．
4. 酸素の溶解度は減少し，二酸化炭素の溶解度は増加する．
5. どちらの溶解度も変化しない．

問題 20 □□□

37P84

図のような長さ L，断面積 A，熱伝導率 k の物体において，面 a の温度が θ_1，面 b の温度が θ_2である．t 秒間に移動する熱量 Q と反比例するのはどれか．
ただし，熱量は面 a から面 b へのみ移動する．

1. A
2. t
3. L
4. k
5. $\theta_1 - \theta_2$

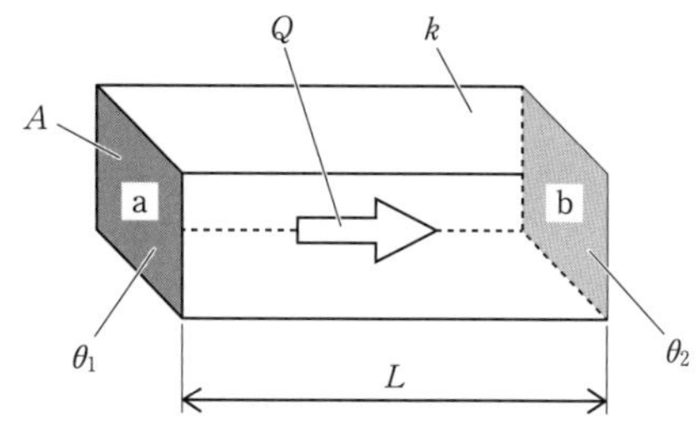

問題 21 □□□ 32P29

体表面サーモグラフで測定する光の主な波長はどれか.

1. 10 nm
2. 100 nm
3. 1 μm
4. 10 μm
5. 100 μm

問題 22 □□□ 35P84

放射について誤っているのはどれか.

1. 真空中でも放射により熱が伝わる.
2. 水中でも放射により熱が伝わる.
3. 0℃の物体からも放射により周囲に熱が伝わる.
4. 37℃の物体からは主に紫外線が放射される.
5. 物体の絶対温度の 4 乗に比例したエネルギーが放射される.

〈解答〉問題 1-4, **問題 2**-3, **問題 3**-4, **問題 4**-1, **問題 5**-1, **問題 6**-2, **問題 7**-2, **問題 8**-2, **問題 9**-3, **問題 10**-2, **問題 11**-2, **問題 12**-2, **問題 13**-2, **問題 14**-4, **問題 15**-2, **問題 16**-3, **問題 17**-2, **問題 18**-2, **問題 19**-2, **問題 20**-3, **問題 21**-4, **問題 22**-4

Ⅵ. 生体物性

1. 生体の電気的特性

生体物性・医用材料工学 p.24

(1) 生体の電気現象の特異性

○電気的異方性 ★

- 方向により特性が異なることを異方性という.
  - ・骨格筋は線維状になっており，細長い筋細胞が集合して筋線維を形成している.
  - ・そのため，軸方向（筋線維方向）と軸に直角な方向では電気的特性が異なる：骨格筋は大きな電気的異方性を示す（骨格筋は力学的異方性も合わせ持つ）.
- 流れている血液の電気的特性についても血球成分の影響により異方性を示す.

生体物性・医用材料工学 p.21

○周波数分散 【33回】【35回】 ★★

- 導電率や誘電率は周波数の上昇と共に変化する.
- 電気定数が周波数に依存して変化することを周波数分散という．大きな変化がみられる周波数が3カ所存在し，周波数の低いほうからα分散，β分散，γ分散と呼ばれている.

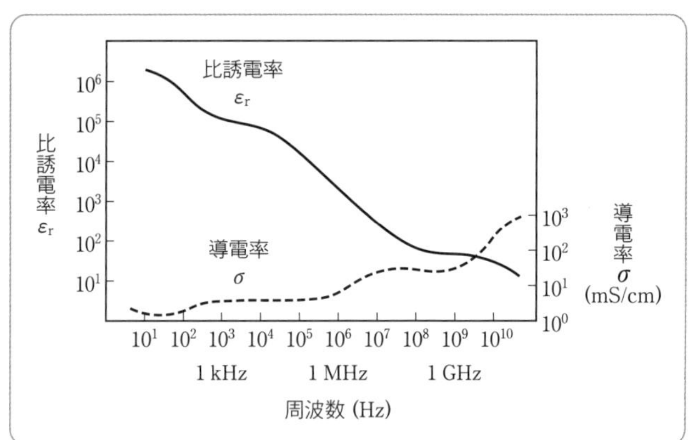

α分散

- 周波数が数百Hz付近（100 Hzあたりから数kHz）にみられる分散.
- α分散は主に体液内のイオンの移動（移動速度），集散時間または細胞膜のイオン透過率の変化などに関係するとされるが，正確には未解明.

β分散

- 周波数が数kHzから十数MHzの広い周波数域（単に1 MHz付近とする場合もある）でみられる分散.
  - ・この周波数域の信号は生体計測に広く使用されており，もっとも重要な分散である.
- β分散は細胞の層状構造（コンデンサに似た構造）に関係しており，構造分散とも呼ばれる.
- 電気的には，細胞膜の静電容量と細胞内液の抵抗値に関係する.
  - ・周波数が低いとき，細胞膜のインピーダンスが高くなるため細胞外液中を電流が流れやすい．

・周波数が高いとき，細胞膜のインピーダンスが低くなるため細胞内液中を電流が流れやすい．

γ分散

- 周波数が 20 GHz 付近（10〜20 GHz 付近とする場合もある）にみられる分散．
- γ分散は水分子の分極の緩和現象あるいは水分子の回転（スピン）に関係する．
- 生体組織には水が多く含まれるため高周波ではγ分散の影響が大きくなる．
- 電子レンジによる加温はこの現象が利用されている（ただし電子レンジが使用する電磁波は 2.4 GHz）．

> α分散：数百 Hz〜数 kHz，細胞でのイオン移動
> β分散：数 MHz，細胞がもつ細胞構造
> γ分散：20 GHz 付近，水分子の誘電移動

周波数依存性 ★

生体物性・医用材料工学 p.11

- 薄い細胞膜は，細胞が大きな電気容量（静電容量・キャパシタンス）をもつ主因である．
- 細胞は大きな電気容量をもつ．細胞膜の電気容量は 1 μF/cm^2 程度．筋細胞の電気容量は 10 μF/cm^2 以上と特異的に大きい．
- コンデンサの容量性リアクタンスと同様に，細胞膜のインピーダンスは周波数に反比例する（周波数に依存する）．
- 低〜中周波数域では，細胞内・外液は抵抗と等価，細胞膜はコンデンサと等価になると考えてよい．
- 高周波数域では，液体部分の容量性（コンデンサ成分）も考慮しなければならない．周波数が高くなるとコンデンサ成分の容量リアクタンスが小さくなり（導電率が大きくなり），流れる電流が増加する．

○閾値電流特性 ★

- 感知電流以下でも電流が直接心臓に流入すれば心室細動を発生しうる．
- 人体内では定在波は生じない．
- 離脱電流とは，筋肉の収縮を連続して起こす電流の閾値であり，その電流値は 10〜20 mA である．
- 電流周波数の増加と共に生体組織の比誘電率は低下するため，周波数が高い電流では電気的感受性が低下する．言い換えれば，周波数が高くなるにしたがって感知できる電流の値は高くなる：感電しにくくなる．
- 電流密度が等しい場合，脂肪組織は筋組織より大きなジュール熱を発生する．

（2）興奮現象

生体物性・医用材料工学 p.29

○脱分極，再分極 【34回】【37回】 ★★

- 活動電位が発生してマイナスであった膜電位がゼロに近づくことを脱分極という．
- 脱分極では細胞内の電位が正方向に変化する．
- 過分極状態では，興奮性が低下する．その後再び静止膜電位に戻ることを再分極という．
- 活動電位が静止電位を下回っている時期を不応期という．

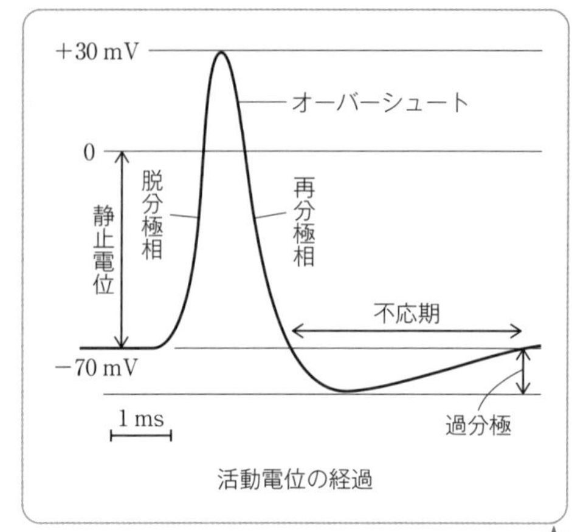

活動電位の経過

生体物性・医用材料工学 p.31

○興奮伝導 ★

- 静止状態の細胞外液は Na^+ を多く含む．
- 静止状態の細胞外液は Cl^- を多く含む．
- 静止状態の細胞内液は K^+ を多く含む．
- 静止状態では Na^+ の透過性より K^+ の透過性の方が高い．
- 興奮状態では細胞膜の Na^+ 透過性が増大する．
- 有髄神経の興奮伝搬は，跳躍伝導．情報は髄鞘の切れ目（ランビエ絞輪）を飛びながら伝わるため，無髄神経より伝導速度が速い．
- 髄鞘はシュワン細胞膜が幾重にも巻き付いてできている電気的な絶縁体である．
- 有髄神経の髄鞘は低い導電性を示す．
- クロナキシーとは，基電流の2倍の電流を流した時に興奮に至る最短通電時間をいう．
- 神経細胞の活動電位の持続時間は数 ms である．
- 細胞膜は電流を流さない脂質二重層の分子膜でできており，電気的にはコンデンサのような役割をする．

（3）膜電位

生体物性・医用材料工学 p.27

○静止電位 ★

- 静止電位とは静止状態の膜電位で，−90〜−50 mV である．
- 静止電位は細胞内外のイオン濃度差に起因する．
- 静止電位の状態（電位がマイナス）を分極という．
- 静止状態で細胞外液から細胞内液への K^+ の移動は能動輸送による．

生体物性・医用材料工学 p.29

○活動電位 ★

- 活動電位の発生は生体の能動特性である．
- 静止状態から興奮状態へ移行する脱分極相では Na^+ チャネルが開いて細胞膜の Na^+ 透過性が増大し，細胞内液に Na^+ が流入する．そのため細胞内液の電位はプラス側に向かい，電位が +30〜40 mV に達すると Na^+ チャネルは閉じる．
- 興奮状態から静止状態に戻る再分極相では Na^+ チャネルが閉じているが，ナトリウムポンプの能動輸送によって，細胞内液の Na^+ が細胞外液へ輸送される．細胞内液の Na^+ が減少し細胞内液の電位はマイナス側に向かう．また K^+ も濃度勾配に従い，K^+ チャネルを通して細胞外液へ輸送されるので細胞内液の電位はさらにマイナス側に向かう．

- ゼロを超えてプラスの電位に達することをオーバーシュートという．
- オーバーシュートは 0〜40 mV である：活動電流
- K^+ が過剰に流出すると細胞内液の電位は静止電位を下回る．この状態を過分極と呼ぶ．このあと K^+ は細胞内液へ再流入して電位は静止電位まで戻る．過分極の状態では刺激によって興奮させることができない．この期間を不応期と呼ぶ．

（4）受動的電気特性

生体物性・医用材料工学 p.11

○導電率，誘電率 【36 回】 ★★

生体組織の導電率と比誘電率

特性	組織	周波数			
		100 Hz	10 kHz	10 MHz	10 GHz
導電率 σ (mS/cm)	骨格筋	1.1	1.3	5	10
	脂肪	0.1	0.3	0.5	1
	肝臓	1.2	1.5	4	10
	血液	5.0	5.0	20	20
比誘電率 ε_r	骨格筋	10^6	6×10^4	10^2	50
	脂肪	10^5	2×10^4	40	6
	肝臓	10^6	6×10^4	2×10^2	50
	血液	10^6	1×10^4	10^2	50

導電率：周波数とともに増加．比誘電率：周波数とともに減少．
各組織の誘電率は真空の誘電率×比誘電率で得られる．

- 生体組織の周波数特性は組織によって異なる．
- 周波数が高いほど導電率は大きくなり，誘電率は小さくなる．
- 低周波数領域では誘電率が非常に大きいが，導電率は小さい．
- 高周波数領域では誘電率が小さいが，導電率は大きい．
- 水分含有量が高い生体組織ほど誘電率が大きくなる．水分含有量が低い脂肪や骨組織は他の組織に比べて誘電率は低い．同一周波数で比較すると生体組織の導電率は，血液 > 骨格筋 > 脂肪　という関係になる．
- 血液の導電率には温度依存性がある．

臨床工学技士国家試験問題 Check UP!

問題 1 □□□ 31A85

興奮性細胞の電気的特性で誤っている組合せはどれか．

1. 再分極相 ―――― 不応期
2. 細胞膜 ―――― 静電容量
3. 静止電位 ―――― −90～−50 mV
4. オーバーシュート ―― 0～40 mV
5. 無髄神経 ―――― 跳躍伝導

問題 2 □□□ 37A85

細胞の興奮における細胞膜電位の変化を下図に示す．オーバーシュートによる電位変化はどれか．

1. A
2. B
3. C
4. D
5. E

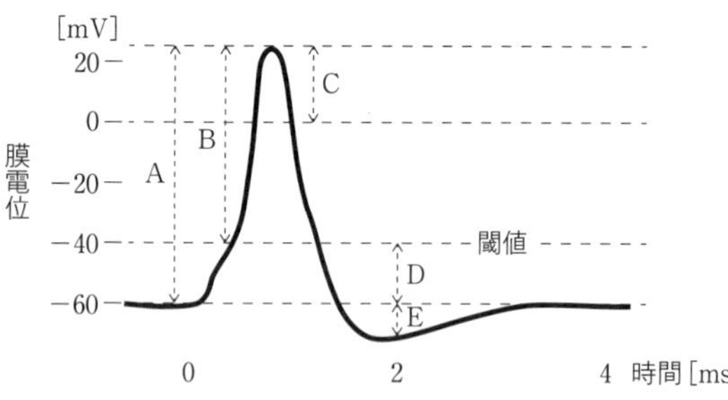

問題 3 □□□ 24A85

クロナキシーはどれか．

1. 電流値と通電時間との積
2. 神経興奮に必要な通電エネルギー
3. 単位時間当たりの通電エネルギー
4. 基電流を流したときに興奮に至る最短通電時間
5. 基電流の 2 倍の電流を流したときに興奮に至る最短通電時間

問題 4 □□□ 23A85

導電率の大きさの関係で正しいのはどれか．

1. 脂肪＜骨格筋＜血液
2. 脂肪＜血液＜骨格筋
3. 血液＜骨格筋＜脂肪
4. 肝臓＜脂肪＜血液
5. 骨格筋＜肝臓＜脂肪

問題 5 □□□ 36A85

100 Hz における生体組織の導電率の大小関係で正しいのはどれか．

1. 脂　肪＜血　液＜骨格筋
2. 脂　肪＜骨格筋＜血　液
3. 骨格筋＜血　液＜肝　臓
4. 骨格筋＜肝　臓＜脂　肪
5. 肝　臓＜血　液＜脂　肪

問題 6 □□□ 26A85

生体の電気的特性で誤っているのはどれか．

1. 活動電位の発生は生体の能動特性である．
2. 組織によっては異方性を示す．
3. 低周波では導電率が大きい．
4. 高周波では誘電率が小さい．
5. β 分散は細胞膜と細胞質との構造に起因する．

問題 7 □□□ 31P85

生体の電気特性について誤っているのはどれか.

1. 骨格筋は大きな電気的異方性を示す.
2. 血液の導電率は肝臓の導電率よりも高い.
3. 周波数の増加とともに導電率は低下する.
4. 細胞膜の電気容量は 1 cm^2 あたり 1 μF 程度である.
5. 周波数が高い電流ほど電気的感受性が低下する.

問題 8 □□□ 30A85

生体組織の電気特性で正しい組合せはどれか.

a. α 分散——数十 kHz
b. β 分散——電解質イオン
c. β 分散——数 MHz
d. γ 分散——水分子
e. γ 分散——数十 MHz

1. a, b　2. a, e　3. b, c　4. c, d　5. d, e

問題 9 □□□ 28A85

生体の電気的特性について正しいのはどれか.

a. α 分散は水分子の分極に起因する.
b. β 分散は組織の構造に起因する.
c. 脂肪の導電率は筋肉よりも低い.
d. 骨格筋の異方性は弱い.
e. 有髄神経の髄鞘は高い導電性を示す.

1. a, b　2. a, e　3. b, c　4. c, d　5. d, e

問題 10 □□□ 35A85

生体の電気特性について誤っているのはどれか.

1. 誘電率は周波数の上昇とともに低下する.
2. 骨格筋は脂肪組織よりも異方性が大きい.
3. 細胞膜は 1 μF/cm^2 程度の静電容量をもつ.
4. α 分散はイオンの集散に起因する.
5. β 分散は約 20 GHz で生じる.

問題 11 □□□ 34A85

生体組織の受動的電気特性について正しいのはどれか.

a. 導電率は周波数とともに増加する.
b. α 分散は水分子の緩和現象に起因する.
c. 皮下脂肪の導電率は筋組織よりも高い.
d. 骨格筋は異方性を示す.
e. インピーダンスは非線形性を示す.

1. a, b, c　2. a, b, e　3. a, d, e
4. b, c, d　5. c, d, e

問題 12 □□□ 34P85

神経細胞の興奮について誤っている組合せはどれか.

1. 跳躍伝導 ―――――― 有髄神経の興奮伝搬
2. 静止電位 ―――――― 細胞内外のイオン濃度差
3. 脱分極 ―――――― Na イオンの細胞内流入
4. 再分極 ―――――― 静止膜電位への復帰
5. 興奮持続時間 ―――― 1 秒程度

〈解答〉 問題 1-5, 問題 2-3, 問題 3-5, 問題 4-1, 問題 5-2, 問題 6-3, 問題 7-3, 問題 8-4, 問題 9-3, 問題 10-5, 問題 11-3, 問題 12-5

2. 生体の機械的特性

(1) 静特性

生体物性・医用材料工学
p.37

○応力，ひずみ，機械的異方性 ★

ポアソン比

生体軟組織	0.5
ゴム	0.48
アルミ	0.33
鋳鉄	0.27
ガラス	0.22
コンクリート	0.2
ダイヤモンド	0.1

- 筋組織は力学的特性に異方性がある．
- 筋組織は腱に比べて引っ張りに対する変形の割合が大きい．
- 筋組織のヤング率は走行方向よりも直交方向の方が大きい．
  - ・筋組織は，走行方向（長軸方向）には容易に伸び縮みするが，直交方向（短軸方向）には変形しにくい．
- 粘弾性体である筋組織のひずみと応力の関係はヒステリシスを示す．
- 血管の力学的特性は非線形である．
- 動脈血管の円周方向の最大変形は100％程度である（周長や内径が約2倍になる）．
  - ・動脈は弾性線維が発達し筋線維は少ない．
- 血液の粘性係数は生体軟組織に比べて小さい．
- 生体軟組織は，変形による体積変化（体積ひずみ）がきわめて小さい．
- 生体軟組織の体積弾性率はヤング率よりも大きい（約1000倍）．
- 生体軟組織は膠原線維の割合が大きいほど変化が小さくなるため，伸展性が小さくなる．
- 円柱状の骨の直径が2倍になると骨の強度はおよそ4倍になる（強度は断面積に比例し，直径または半径の2乗に比例する）．
- 骨組織は筋組織よりもヤング率が大きい．
- 骨のヤング率は鉄材の約1/10である．
- 生体組織が示す一般的な物理的特性
  - ・温度依存性
  - ・非線形性
  - ・周波数依存性
  - ・粘弾性

(2) 動特性

生体物性・医用材料工学
p.40

○粘弾性特性 【34回】【36回】【37回】 ★★★

- 生体組織や人工材料は弾性体だけでなく粘性体としての力学的特性を有する．
  - ・ここでの粘性とは，作用する応力に対してゆっくりと自由に形を変える性質ということができ，弾性とは，作用する応力に対してすばやく変形するが，応力を取り除くと形が元に戻る性質といえる.

- 血液のように流体の特性，つまり粘性によって主な力学的特徴を表すことができるものもあれば，骨のように固体の特性，つまり弾性によって主な力学的特徴を表すことができるものもある．一方，筋肉や脂肪などの軟組織は，粘性と弾性の両方の特性（粘弾性）を兼ね備えていると考えられる．このような性質をもつものを，一般に粘弾性体と呼ぶ（正しくは血液や骨も粘弾性体に含まれる）.
- 粘弾性は，弾性要素（ばね）と粘性要素（ダッシュポット）で近似することができる.

ばね（弾性要素）	ダッシュポット（粘性要素）（ダンパと呼ぶ場合もある）
ばねでは，応力と伸び（ひずみ）が比例し，応力に対して瞬時に変形する性質をもつ. 応力と変形は同じ時間変化となる.	ダッシュポットでは伸びの速度に比例した抵抗力が作用し，応力に対して伸び（ひずみ）が徐々に増加する．応力を取り除いても変形はそのまま保持され，永久ひずみが残る. 応力と変形は異なった時間変化となる.
応力 0 時間 ひずみ 0 時間	応力 0 時間 ひずみ 永久ひずみ 0 時間 ステップ応力を加えるとき 応力 0 時間 ひずみ 0 時間 ステップ変形をさせるとき

○粘弾性モデル

液体的粘弾性モデル

- 細胞内外液や血液などは，弾性要素（ばね）と粘性要素（ダッシュポット）を直列に接続したマックスウェルモデルで表すことができる.

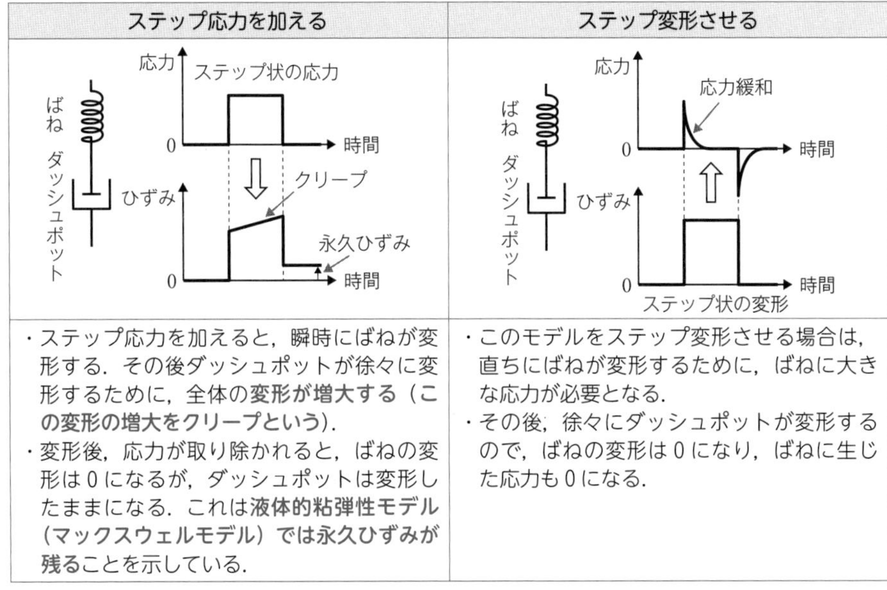

ステップ応力を加える	ステップ変形させる
・ステップ応力を加えると，瞬時にばねが変形する．その後ダッシュポットが徐々に変形するために，**全体の変形が増大する（この変形の増大をクリープという）**. ・変形後，応力が取り除かれると，ばねの変形は0になるが，ダッシュポットは変形したままになる．これは**液体的粘弾性モデル（マックスウェルモデル）では永久ひずみが残る**ことを示している.	・このモデルをステップ変形させる場合は，直ちにばねが変形するために，ばねに大きな応力が必要となる. ・その後，徐々にダッシュポットが変形するので，ばねの変形は0になり，ばねに生じた応力も0になる.

固体的粘弾性モデル ★

- 軟部組織や骨などは，弾性要素（ばね）と粘性要素（ダッシュポット）を並列に接続したフォークトモデル（ケルビン-フォークトモデルとも呼ばれるが国試ではフォークトモデル）で表すことができる．

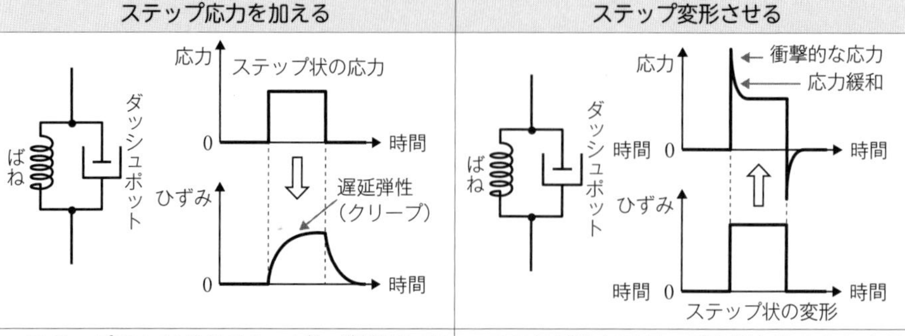

ステップ応力を加える	ステップ変形させる
・ステップ応力を加えると，ばねが瞬時に変形しようとするが，ダッシュポットがそれを抑制するため，全体としては徐々に変形が増大する（このような弾性を特に遅延弾性と呼ぶことがあり，この変形もクリープという）． ・応力が取り除かれた場合，ばねは瞬時に変形を0にしようとするが，ダッシュポットがそれを抑制するため，全体としては徐々に変形が0になっていく．そのため，固体的粘弾性モデル（フォークトモデル）では永久ひずみが残らないことを示している．	・このモデルをステップ変形させようとすると，ダッシュポットが瞬時に変形しなければならないので，衝撃的で大きな応力を加える必要がある． ・変形が定常状態になった後，ばねの変形を保持するために応力を維持する必要がある．

生体組織の一般的特性

➲コラーゲンなどは，粘性物質と弾性線維が複雑に絡み合っている．そのため固体的粘弾性モデル（フォークトモデル）に弾性要素（ばね）を直列に接続した3要素モデル（このモデルをツェナーモデルと呼ぶが，国試では3要素モデル）で表される．

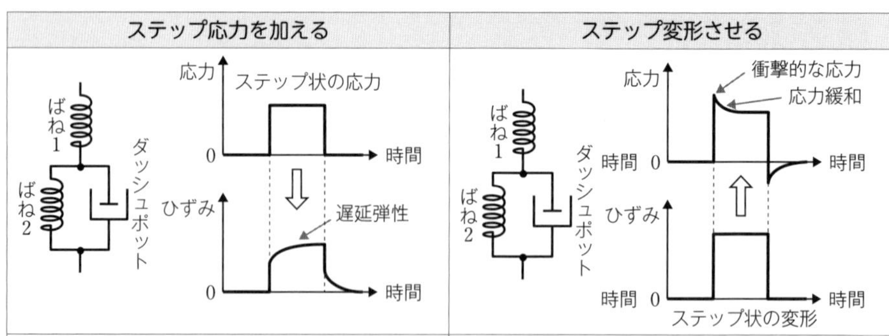

ステップ応力を加える	ステップ変形させる
・ステップ状の応力を加えると，瞬時にばね1が変形し，ある程度大きな変形が生じる．その後，固体的粘弾性モデル（フォークトモデル）部分が徐々に変形して，全体の変形を増大させる． ・応力が取り除かれた場合，直ちにばね1の変形の大きさが0になり，その後，固体的粘弾性モデル部分（並列部分）の変形の大きさが徐々に0になっていく．固体的粘弾性モデルと同じく，永久ひずみが残らないことを示している．	・このモデルをステップ変形させる場合も，固体的粘弾性モデル（フォークトモデル）部分の変形のために衝撃的で大きな外力を必要とするが，3要素モデルでは，ばね1と固体的粘弾性モデル部分で変形を分けあうため，衝撃的に加える応力は比較的小さく，応力緩和も緩やかとなる． ・変形が定常状態になった後，ばねの変形を保持するために応力を維持する必要がある．

➲様々な生体組織が，どのモデルに該当するか整理しておく必要がある．

（3）音響特性

生体物性・医用材料工学
p.43

○音波・超音波の性質

❷超音波特性を表す定数

・音響インピーダンス

・音速

・減衰定数

○音響インピーダンス ★

組織別の音速，音響インピーダンス，減衰定数

	音速 c（m/s）	音響インピーダンス ρc（$\times 10^6$ kg/m^2·s）	減衰定数 a/f（dB/cm·MHz）
脳	1510	1.56	1.0
筋肉	1580	1.70	1.3（線維方向）
肝臓	1560	1.66	0.9
脂肪	1450	1.38	0.6
骨	4080	7.8	13
肺	650	0.26	50
蒸留水	1520	1.51	2.5×10^{-3}
空気	340	0.00043	12

肺の減衰定数が他の組織に比べて大きいのは，肺の内部で超音波が吸収されて減衰するためではない．肺を取り巻く組織から肺内部の空気層へ超音波が伝搬しようとするとき，空気の音響インピーダンスがきわめて小さいため，境界面での反射係数が約 1.0（100%）となり，超音波は境界面でほぼ反射する（反射係数については p.239 を参照）．
そのため超音波は境界面をほとんど透過できず，肺内部へ伝搬する超音波はきわめて小さくなってしまうことが主因である．当然，肺内部で反射する超音波もきわめて小さくなるので，超音波での肺の撮像は困難になる．

❷音響インピーダンスは，媒質密度と媒質中の伝搬速度の積で求められる．

❷周波数が高くなるほど，指向性が高くなる．

❷周波数が高いほど，減衰が大きい．

❷超音波は可聴音よりも反射が大きい．

❷軟部組織中を伝搬する波は主に縦波である．

❷軟部組織中は空気中より伝搬速度が速い．

❷肺は音響インピーダンスが小さい組織である．

❷頭蓋骨は脳より伝搬速度が速い．

❷血液は筋組織より減衰が小さい．

❷空気に比べて筋組織での音速が速い．

国試【19 回】

5 MHz の超音波が軟部組織を 10 cm 伝搬したとき，おおよその減衰量はいくらか．ただし，減衰定数は周波数に比例し，その比例定数は 1 dB/cm·MHz とする．

解答

この問題文中の比例定数は，減衰定数のことである．

減衰定数と減衰量の関係は，減衰定数 $= \dfrac{\text{減衰量}}{\text{伝搬距離} \times \text{超音波の周波数}}$ で表すことができる．

したがって，減衰量 = 比例定数×伝搬距離×超音波の周波数より，（伝搬距離と周波数の単位は減衰定数の単位と合わせる）

$$= 5\,[\mathrm{MHz}] \times 10\,[\mathrm{cm}] \times 1\,[\mathrm{dB/cm \cdot MHz}] = 50\ \mathrm{dB}$$

臨床工学技士国家試験問題 Check UP!

問題 1 □□□ 26P85

生体組織が示す一般的な物理的特性で誤っているのはどれか．

1. 温度依存性
2. 非線形性
3. 周波数依存性
4. 強磁性
5. 粘弾性

問題 2 □□□ 31P86

正しいのはどれか．

1. 血漿はほぼニュートン流体と見なせる．
2. 水を多く含む生体軟組織のポアソン比はほぼ 1 である．
3. 組織のヤング率が大きいほど応力に対するひずみが大きい．
4. マックスウェルモデルは弾性要素と粘性要素が並列に接続されている．
5. 軟組織は膠原線維の割合が大きいほど伸展性が大きい．

問題 3 □□□ 30A86

正しいのはどれか．

1. 筋組織は骨よりもヤング率が大きい．
2. 筋組織のヤング率は直交方向よりも走行方向の方が大きい．
3. 生体軟組織のポアソン比はおよそ 0.5 である．
4. 生体軟組織の体積弾性率はヤング率よりも小さい．
5. 動脈血管の円周方向の最大変形は 10%程度である．

問題 4 □□□ 29P86

生体組織の力学的性質で誤っているのはどれか．

1. ヤング率が大きな組織ほど応力に対するひずみが大きい．
2. 生体軟組織のポアソン比は約 0.5 である．
3. 粘弾性体である筋組織のひずみと応力の関係はヒステリシスを示す．
4. 筋組織は腱に比べて引っ張りに対する変形の割合が大きい．
5. 血液の粘性係数は生体軟組織に比べて小さい．

問題 5 □□□ 26A86

生体中の超音波の性質で正しいのはどれか．

a．横波である．
b．可聴音よりも指向性が低い．
c．可聴音よりも反射しにくい．
d．空気に比べて筋組織での音速が大きい．
e．周波数が高いほど減衰しやすい．

1. a, b　2. a, e　3. b, c　4. c, d　5. d, e

問題 6 □□□ 30P85

生体組織中に照射された超音波について正しいのはどれか．

1. 周波数が低くなるほど組織中で指向性が高くなる．
2. 周波数が高くなるほど組織中での減衰が増加する．
3. 軟組織では空中での速度の 10 倍を超える速度になる．
4. 骨の中を通り抜けるときは速度が遅くなる．
5. 肺は音響インピーダンスが大きな組織である．

問題 7 □□□ 27P85

音速が最も速い媒質はどれか.

1. 骨
2. 脂肪
3. 筋
4. 血液
5. 皮膚

問題 8 □□□ 22P82

血管の脈波伝搬速度で正しいのはどれか.

a．血管壁が硬いほど速くなる.
b．血圧が高いほど速くなる.
c．血管が太いほど速くなる.
d．血管壁が薄いほど速くなる.
e．血液の密度が高いほど遅くなる.

1. a, b, c　2. a, b, e　3. a, d, e
4. b, c, d　5. c, d, e

問題 9 □□□ 36A86

組織を構成する主な線維について正しい組合せはどれか.

a．骨の基質 ―――― アクチン
b．関節軟骨 ―――― ミオシン
c．骨格筋 ―――― ケラチン
d．血管の外膜 ―――― コラーゲン
e．血管の中膜 ―――― エラスチン

1. a, b　2. a, e　3. b, c　4. c, d　5. d, e

問題 10 □□□ 37P81

ダッシュポットに発生する抵抗力に比例するロッドの運動学的条件はどれか.

1. 変　位
2. 速　度
3. 加速度
4. 速度の 2 乗
5. 加速度の 2 乗

問題 11 □□□ 34A86

生体軟組織について誤っているのはどれか.

1. 皮膚組織は粘弾性体である.
2. 弾性線維はコラーゲンからなる.
3. ポアソン比は 0.5 程度である.
4. 弾性要素と粘性要素の直並列モデルで表せる.
5. 外力を負荷すると時間とともにひずみが増加する.

問題 12 □□□

31A82

バネとダッシュポットを並列に接続したフォークトモデルの両端に図のように応力を与えたときのひずみの変化を表しているのはどれか.

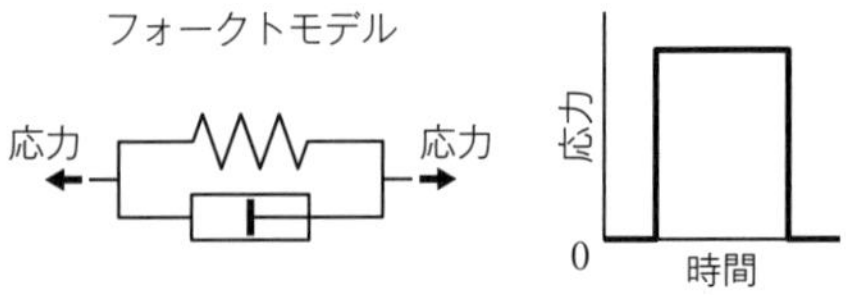

フォークトモデル

応力 応力

応力 0 時間

1. ひずみ 0 時間

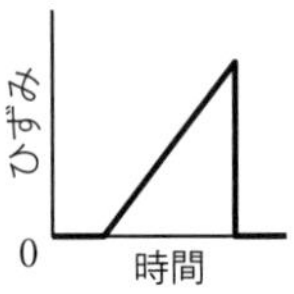

2. ひずみ 0 時間

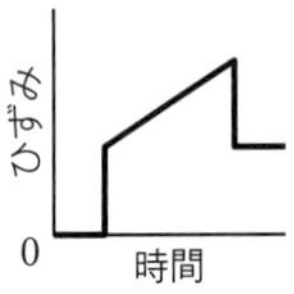

3. ひずみ 0 時間

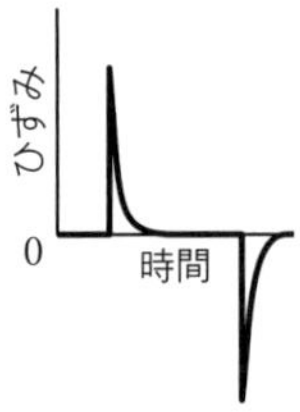

4. ひずみ 0 時間

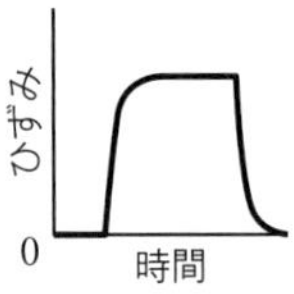

5. ひずみ 0 時間

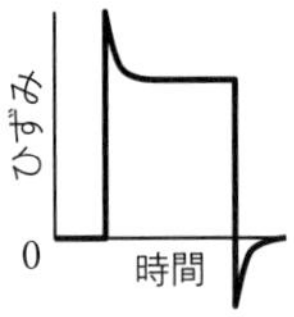

〈解答〉問題 1-4, 問題 2-1, 問題 3-3, 問題 4-1, 問題 5-5, 問題 6-2, 問題 7-1, 問題 8-2, 問題 9-5, 問題 10-2, 問題 11-2, 問題 12-4

3. 生体の磁気特性

(1) 生体と磁気

生体物性・医用材料工学 p.34

○生体磁気 【34回】【37回】 ★★

生体磁気の強度と計測

- SQUIDの磁気センシング感度は10^{-14} T程度である.
- 生体の比透磁率は約1で，真空（空気）と同等の磁気的性質をもつ.
- 脳磁図は脳活動に伴い神経細胞が活動した際に誘起される磁界を計測する.
- 神経伝導の際，その周囲に磁界が発生する：興奮時に神経を伝搬するイオン電流により磁界が発生する.
- 心磁図は洞房結節（洞結節）から心筋の末梢まで伝搬していく興奮による磁界を計測する.
- 心筋の活動で生じる磁界は都市の磁気雑音よりも小さい.
- MRIでは生体内の水素原子核を電磁波で共鳴させている.
- 交流磁界は生体内に渦電流を発生する.

	地磁気	都市の磁気雑音	肺磁界	眼磁界	心磁界	筋磁界	脳磁界
磁束密度(T)	10^{-5}	10^{-7}～10^{-6}	10^{-9}～10^{-8}	2×10^{-10}	10^{-11}～10^{-10}	10^{-12}～10^{-11}	10^{-13}～10^{-12}

○磁性物質

- 反磁性体（非磁性体）
  - ・水
  - ・酸素化ヘモグロビン（オキシヘモグロビン）
  - ・フィブリン
- 常磁性体
  - ・酸素
  - ・脱酸素化ヘモグロビン（デオキシヘモグロビン）

臨床工学技士国家試験問題 Check UP!

問題 1 □□□ 22P85

生体磁気計測について正しいのはどれか.

a．心臓から発生する磁界の強さは 10^{-11}～10^{-10} T である.

b．脳から発生する磁界の強さは 10^{-13} T 程度である.

c．肺内に蓄積された磁性微粉体による磁界の強さは 10^{-8}～10^{-7} T である.

d．ホール素子の磁気センシング感度は 10^{-20} T 程度である.

e．SQUID の磁気センシング感度は 10^{-14} T 程度である.

1. a，b，c　2. a，b，e　3. a，d，e
4. b，c，d　5. c，d，e

問題 2 □□□ 29P87

生体と磁気について正しいのはどれか.

a．生体の比透磁率は約 10 である.

b．脳磁図は脳活動に伴うヘモグロビンの磁性の変化を示す.

c．心筋の活動で生じる磁界は都市の磁気雑音よりも大きい.

d．MRI では生体内の水素原子核を電磁波で共鳴させている.

e．交流磁界は生体内に渦電流を発生する.

1. a，b　2. a，e　3. b，c　4. c，d　5. d，e

問題 3 □□□ 30P86 改

生体の磁気特性について正しいのはどれか.

a．ヘモグロビンは非磁性体である.

b．神経伝導の際に磁界が発生する.

c．心磁図は心筋の透磁率分布を表す.

d．生体は都市の磁気雑音と同程度の交流磁界を発生する.

e．交流磁界は高周波になるほど生体深部に到達しやすい.

1. a，b　2. a，e　3. b，c　4. c，d　5. d，e

問題 4 □□□ 37A87

生体の磁気特性について誤っているのはどれか.

1. 神経伝導で磁界が発生する.
2. 生体の比透磁率は 5000 程度である.
3. 水素の原子核は磁気モーメントをもつ.
4. 酸素化ヘモグロビンは反磁性体である.
5. 脱酸素化ヘモグロビンは常磁性体である.

〈解答〉問題 1-2，**問題 2**-5，**問題 3**-1，**問題 4**-2

4. 生体と放射線

(1) 電磁放射線，粒子放射線

生体物性・医用材料工学
p.71

○X 線，γ 線，電子線，陽子線，中性子線，重粒子線 ★

<table>
<tr><th>崩壊</th><th>放射線</th><th>原子番号・質量数の変化</th><th>電離作用</th><th>透過力</th></tr>
<tr><td>α 崩壊</td><td>α 線</td><td>原子番号 2 減少，質量数 4 減少
陽子 2 個と中性子 2 個よりなるヘリウム原子核を放出するので，質量数 4，原子番号が 2 減少</td><td>大
(直接電離)</td><td>小</td></tr>
<tr><td>陰電子崩壊
(β^- 崩壊)</td><td>β 線
(β^- 線)</td><td>原子番号 1 増加，質量数不変.
原子核内の中性子が電子 (β 線) を放出し陽子に変換される (中性子が 1 減少する代わりに，陽子が 1 増加).
このとき，電子および反中性微子 (反ニュートリノ) が原子核の外に放出される.</td><td rowspan="2">中
(直接電離)</td><td rowspan="2">中</td></tr>
<tr><td>陽電子崩壊
(β^+ 崩壊)</td><td>陽電子線
(β^+ 線)</td><td>原子番号 1 減少，質量数不変.
原子核内の陽子が陽電子を放出し中性子に変換される (陽子が 1 減少する代わりに，中性子が 1 増加).
このとき，陽電子および中性微子 (ニュートリノ) が原子核の外に放出される.</td></tr>
<tr><td>電子捕獲崩壊
(EC : electron capture)</td><td>X 線
(特性 X 線)</td><td>原子番号 1 減少，質量数不変
電子軌道上の電子が原子核に吸収され，原子核内の陽子を中性子に変換する</td><td rowspan="2">小
(間接電離)</td><td rowspan="2">大</td></tr>
<tr><td>核異性体転移
(γ 崩壊)</td><td>γ 線</td><td>原子番号，質量数不変.
励起された原子核のエネルギーが γ 線に変換され放出される (核種が変わらないので，原子番号，質量数は変わらない).</td></tr>
</table>

放射線の電離性	電離の仕組み	放射線の例
直接電離性	放射線が直接，原子の軌道電子あるいは分子に束縛された電子に，電気的な力を及ぼして電離を起こす	荷電粒子線 (α 線，β 線，陽子線，重粒子線など)
間接電離性	放射線が，原子あるいは原子核と相互作用して荷電粒子線を発生させ，二次的に発生した荷電粒子線が電離を起こす	非荷電粒子線 (中性子線) 電磁波 (X 線，γ 線)

○電離放射線の種類 【33 回】 ★★

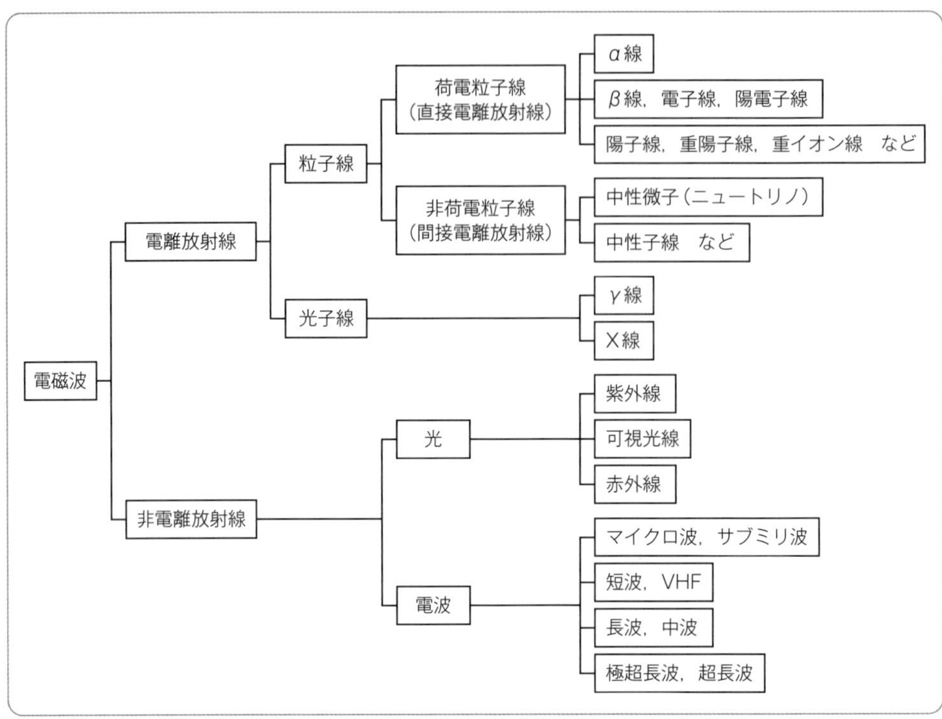

マイクロ波は波長が短い電波（UHF，センチメートル波，ミリ波）の総称である．

- α 線は高速の He 原子核で，正の電荷を持つ粒子放射線である．
- α 線の組織到達深度は小さい．
- α 線は X 線よりも電離作用が強い．
- β 線は高速の電子で，負の電荷を持つ粒子放射線である．
- 陽子線は生体の深部のみに線量を集中させることができる．
- 陽子線は高速の陽子（水素の原子核）で正の電荷を持つ．
- 中性子線は陽子線より組織透過力が大きい．
- 光子線とは波長の短い高エネルギー電磁波（X 線，γ 線）である．
- γ 線，X 線は電磁放射線であり，電荷を持たないが組織透過性が高い．
- 生体中での透過性は強い順に，中性子線 ＞γ 線 ＞β 線 ＞α 線　となる．
- 組織透過性が高い性質を利用して，X 線は生体内部の透視に利用されている．
- 放射線，紫外線は DNA 損傷を伴うことが多い．
- 波長の短い紫外線（波長 315 nm 以下）は電離作用を持つが，電離放射線には分類されない．
- 電磁波を波長が短い順に並べると γ 線＜X 線＜紫外線＜可視光線＜赤外線＜電波 の順である．
- 赤色光は，緑色光より長波長である：波長が短い順に紫色＜藍色＜青色＜緑色＜黄色＜橙色＜赤色．

（2）放射線の測定

生体物性・医用材料工学
p.73

○照射線量，吸収線量，線量当量，放射能 【36回】【37回】 ★★

放射線に関わる単位

- 一概に放射線といっても，種類ごとに電離性の高さや生体への影響度が異なるので，強さを評価する意味（着眼点）ごとに単位が用意されている．

物理量	単位名（読み）	意味（着眼点）
放射能	Bq（ベクレル）	ある物質中の放射性同位元素が単位時間あたりに崩壊する数
電子ボルト	eV（エレクトロンボルト）	1つの放射線が持つエネルギー
照射線量*	C/kg（クーロン毎キログラム）	放射線が，単位質量（1 kg）の空気を電離し，何Cの電荷量となったか
吸収線量	Gy（グレイ）	単位質量（1 kg）あたりの物質に吸収された放射線のエネルギー量（1 Gy＝1 J/kg）
線量当量（等価線量）	Sv（シーベルト）	放射線の照射（被曝）による人体（生体全体）への影響
実効線量	Sv（シーベルト）	放射線の照射（被曝）による個々の生体組織への影響

*：照射線量は，γ線とX線にだけ適用される単位．

- 線量当量（等価線量）＝吸収線量×放射線加重係数　で求められ，放射線加重係数が大きいほど生体への影響が大きい．
  - ICRP2007年勧告で放射線加重係数は，α線が20，陽子線が2，β線やγ線，X線が1とされる．
  - 中性子線は運動エネルギーの大きさ（速度）によって2.5～20.7の範囲で連続的に変化する．
  - 国試では，同じ量の放射線を吸収したとき生体への影響の大きい順に，α線≧中性子線＞陽子線＞β線≒γ線≒X線　と考えておけばよい．
- 実効線量は，生体組織ごとに放射線に対する影響を示しており，実効線量＝線量当量×組織加重係数　で表す．実効線量は組織の放射線感受性が考慮されている（組織加重係数については，放射線障害の項を参照）．実効線量＝吸収線量×放射線加重係数×組織加重係数　と表し，吸収線量から求めることもできる．
- 非荷電粒子線であるX線よりも，荷電粒子線であるα線の方が電離作用は強い．
- X線はα線より到達深度が大きい．
- かつては，放射線の生物に対する影響の尺度として，吸収線量に生物学的効果比を掛けた線量当量が提案されていた．ICRP1990年勧告で尺度の見直しが行われ，吸収線量に放射線荷重係数を掛けた等価線量が改めて定義された．現在，環境省などは生物に対する影響の尺度として等価線量を用いているが，国試では線量当量として出題されており，国試では等価線量と線量当量は同等の扱いでよい．

生体物性・医用材料工学
p.77

(3) 放射線障害

○生体に対する放射線の作用

組織加重係数（放射線感受性）【35回】 ★★

組織・臓器	国際放射線防護委員会（ICRP）による勧告	
	ICRP103 (2007年)	ICRP60 (1990年)
赤色骨髄	0.12	0.12
肺	0.12	0.12
結腸	0.12	0.12
胃	0.12	0.12
乳房	0.12	0.05
生殖腺	0.08	0.20
甲状腺	0.04	0.05
肝臓	0.04	0.05
食道	0.04	0.05
膀胱	0.04	0.05
骨表面	0.01	0.01
皮膚	0.01	0.01
唾液腺	0.01	項目なし
脳	0.01	項目なし
残りの組織・臓器	0.12	0.05
係数の合計	1.00	1.00

- 組織ごとの放射線に対する影響の受けやすさを放射線感受性という．
- ベルゴニエ・トリボンドーの法則から，分裂頻度の高い細胞，若い細胞系，未分化な細胞であるほど放射線感受性が高いとされてきたが，この法則に反する事例も多い．国試では，組織加重係数の大きな組織ほど放射線感受性が高いと考えればよい．

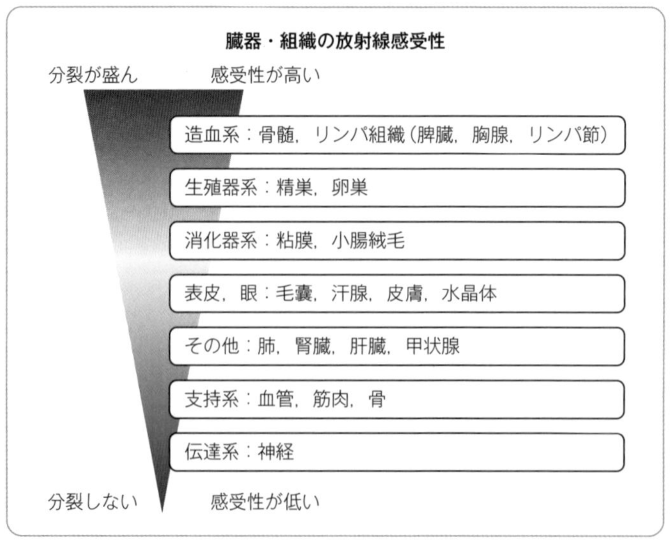

（環境省：放射線による健康影響等に関する統一的な基礎資料（令和3年度版）．第3章　放射線による健康影響，3.2 人体影響の発生機構より）
(https://www.env.go.jp/chemi/rhm/r3kisoshiryo/r3kiso-03-02-06.html)

生物学的効果比（RBE）

生体物性・医用材料工学
p.75

- 放射線は，吸収線量が同じでも放射線の種類により異なる生体作用を引き起こすことがある．放射線の種類の違いによる生物学的作用を比較するための尺度を生物学的効果比（RBE）と呼ぶ．かつては，吸収線量×生物学的効果比の値を線量当量と呼んでいた．
- 高い順に並べると，α 線≧中性子線＞β 線≒γ 線≒X 線　となり，放射線加重係数と等価と考えてよい．

放射線業務従事者の線量限度

実効線量限度	1. 100 mSv/5 年 2. 50 mSv/年 3. 女子：5 mSv/3 カ月間 4. 妊娠中の女子：1 mSv（出産までの間の内部被曝）
等価線量限度	1. 眼の水晶体：150 mSv/年 2. 皮膚：500 mSv/年 3. 妊娠中の女子：2 mSv（出産までの間の腹部表面）

（原子力規制委員会・令和 2 年 3 月 18 日告示より）

各臓器の耐容線量（TD5/5：5 年後に 1～5％の確率で障害が起きる吸収線量）

臓器組織	障害	照射野	TD5/5（Gy）
水晶体	白内障	全域	10
軟骨（小児骨）	成長阻止，低身長	全域	10
成熟軟骨（成人骨）	壊死，骨折，硬化	10 cm^2	60
脊髄	脊髄炎，壊死	20 cm	47
腎臓	臨床的腎炎	全域	23
肝臓	急性，慢性肝炎	全域	30
肺	肺炎	全域	17.5
小腸	潰瘍，穿孔，瘻孔	全域	40
脳	壊死，潰瘍	全域	45
皮膚	皮膚炎，毛細血管拡張	100 cm^2	55

生体物性・医用材料工学
p.97

（4）その他

○電磁波

電磁波の波長とその領域

➲波長の長短と電磁波の名称の関係は把握しておきたい.

名称		周波数	波長
電波	超長波（VLF）	3 kHz～30 kHz	100 km～10 km
	長波（LF）	30 kHz～300 kHz	10 km～1 km
	中波（MF）	300 kHz～3 MHz	1 km～100 m
	短波（HF）	3 MHz～30 MHz	100 m～10 m
	超短波（VHF）	30 MHz～300 MHz	10 m～1 m
	極超短波（UHF）	300 MHz～3 GHz	1 m～100 mm
	センチメートル波	3 GHz～30 GHz	100 mm～10 mm
	ミリ波	30 GHz～300 GHz	10 mm～1 mm
	サブミリ波	300 GHz～3 THz	1 mm～100 μm
光	赤外線		100 μm～770 nm
	可視光線		770 nm～380 nm
	紫外線		380 nm～10 nm
X 線			10 nm～10 pm
γ 線			10 pm 以下

極超短波（UHF），センチメートル波，ミリ波を総称して**マイクロ波**と呼ぶ.

○生体の電磁波吸収様式

領域	周波数［MHz］	波長［m］	吸収の概要
準共振領域	30 以下	10 以上	表面の吸収が大きく深部に入るに従って漸減
共振領域	30～300	10～1	ヒトの身長に共振する周波数でエネルギー吸収が最大となる
	300～400	1～0.75	頭部などの部分的共振部で吸収が最大
ホットスポット	400～2000	0.75～0.15	眼球，睾丸などの部分的共振部で吸収が最大
表面吸収	2000 以上	0.15 以下	皮膚表面（表皮）でほとんど全部吸収

➲生体表面で最も吸収されやすい電磁波の周波数は 2000 MHz（2 GHz）以上.

➲遠赤外線の生体作用は熱的作用が主である.

臨床工学技士国家試験問題

問題 1　□□□　26P86

生体に対する作用の大きさを考慮した放射線の量を表すのはどれか.

1. 照射線量
2. 線量当量（等価線量）
3. 吸収線量
4. 透過線量
5. 放射能

問題 2　□□□　28A86

放射線が同じ線量で生体に吸収されたとき，影響が最も大きいのはどれか.

1. X 線
2. α 線
3. γ 線
4. 電子線
5. 陽子線

問題 3　□□□　22A88

放射線の生体への影響を示す生物学的効果比（RBE）が最も高いのはどれか.

1. 熱中性子線
2. アルファ線
3. ベータ線
4. ガンマ線
5. エックス線

問題 4　□□□　23A87

生体の深部のみに線量を集中できる放射線はどれか.

1. 陽子
2. 中性子
3. 電子線
4. ガンマ線
5. エックス線

問題 5　□□□　28P04

物理的原因による障害のうち DNA 損傷を伴うことが多いのはどれか.

a．放射線
b．紫外線
c．高温
d．気圧変動
e．電気

1. a，b　2. a，e　3. b，c　4. c，d　5. d，e

問題 6　□□□　29A86

生体における放射線感受性を表す組織加重係数が最も大きいのはどれか.

1. 脳
2. 甲状腺
3. 結腸
4. 皮膚
5. 骨皮質

問題 7　□□□　27A87

放射線に対して同じ被曝線量における発がんや遺伝的影響の少ない（組織加重係数の小さい）組織はどれか.

1. 肺
2. 脳
3. 結腸
4. 生殖腺
5. 赤色骨髄

問題 8　□□□　37P85

同じエネルギーの放射線で電離作用の強さの順番が正しいのはどれか.

1. α 線 ＞β 線 ＞γ 線
2. α 線 ＞γ 線 ＞β 線
3. γ 線 ＞β 線 ＞α 線
4. γ 線 ＞α 線 ＞β 線
5. β 線 ＞γ 線 ＞α 線

問題 9 □□□ 35A87

放射線の単位で誤っているのはどれか.

1. 吸収線量 ―――――― Gy
2. 線量当量 ―――――― T
3. 照射線量 ―――――― C/kg
4. 放射能 ――――――― Bq
5. X 線のエネルギー ――― eV

問題 10 □□□ 35P86

放射線感受性の最も高い組織はどれか.

1. 骨髄
2. 神経
3. 血管
4. 心筋
5. 脂肪

問題 11 □□□ 36P86

生物への影響を考慮した放射線量を示す単位はどれか.

1. Bq
2. C/kg
3. Sv
4. Gy
5. eV

〈解答〉問題 1-2, **問題 2**-2, **問題 3**-2, **問題 4**-1, **問題 5**-1, **問題 6**-3, **問題 7**-2, **問題 8**-1, **問題 9**-2, **問題 10**-1, **問題 11**-3

5. 生体の熱特性

(1) 生体の熱特性 【33回】【35回】【37回】 ★★★

生体物性・医用材料工学 p.58

- 体温を一定に保つことは，生体のホメオスタシスに重要である．
- 体温が28℃以下になると体温調節機能が損なわれる．
- 寒冷環境下ではシバリングで熱を産生する．
- 身体の外部環境温度が低くなると代謝量が増加する．
- 身体が寒冷環境下に置かれると皮膚血流量が減少する．
- 身体が温熱環境下に置かれると不感蒸泄が増加する．
- 生体内部での熱の移動は主に血流によって起こる．
- 呼吸の増加は熱放散を増す．
- 末梢血管の拡張は熱放散を増す．
- 生体活動時の熱の産生は主に骨格筋で起こる．
- 皮膚は黒体とみなせる．
- 生命活動に必要なエネルギー源はATPである．
- 人体の熱産生量は成人男性の場合60～150 W（100 W程度）である．
- 生体の基礎代謝で1秒間に発生する熱量はおよそ100 Jである．
- 基礎代謝（BM）とは，目覚めている状態で生命維持に必要な最小限のエネルギー代謝のことであり，体表面積に比例する．
- BMは一般に，男性は女性より6～10％高く，2～3歳で最高となり，成人すると次第に減少する．
- ホルモン分泌過剰，体温の上昇・発熱，タンパク質の多量摂取，あるいは妊娠などはBMを高める．
- 冬季はBMが大きく，夏季はBMが小さくなる．
- 皮下の末梢血管の拡張は体表からの熱の放散を促進させる．

(2) 熱伝導

医用機械工学 第2版 p.145

○熱伝導率・比熱・熱容量 【33回】 ★★

	熱伝導率 W/(m·K)	比熱 kJ/(kg·K)
水（20℃）	0.60	4.19
筋肉	0.42	3.77
脂肪	0.16	2.51
骨	1.92	1.59

- 水は熱を伝えやすい（熱伝導率が高い）．
- 脂肪は断熱性を持つ（熱伝導率が低い）．
- 比熱とは
  - 単位質量の物質の温度を1℃または1 K上げるのに必要なエネルギー量．
  - 比熱が小さい物質ほど熱しやすく，冷めやすい．
  - 水の比熱はSI単位では4.2 kJ/(kg·K)である．
  - 生体の比熱は一般に含水率が高い組織ほど大きくなり，含水率が低い組織ほど小さくなる．

❯熱容量とは

・物体の温度を 1℃または 1 K 上げるのに必要なエネルギー量．
・熱容量は，物体の質量と比熱の積に等しい．

国試【第 22 回】

質量 50 kg のヒトの温度を 1 K 上昇させるのに必要な熱量は何 kJ か．ただし，ヒトの比熱を 3.36[kJ/(kg･K)] とする．

解答

ヒトの比熱を C[kJ/(kg･K)] としたとき，体重（質量）M[kg] のヒトの温度を 1 K（絶対温度：ケルビン）上昇させるのに必要な熱量(エネルギー) = 熱容量は，$C \times M$[kJ] である．

したがって，必要な熱量＝3.36 [kJ/(kg･K)]×50 [kg]＝168 [kJ]

生体物性・医用材料工学
p.63

(3) 熱放散

❯体表からの熱の放散は，放射，伝導，対流，蒸散によって起こる．

○放射 ★

❯熱エネルギーが電磁波となって物体表面から放出される現象を放射とよぶ．放射は媒質がない真空中であっても起きる．放出されるエネルギーの総量はステファン・ボルツマンの法則に従い，物体表面の熱力学温度の 4 乗に比例する．

❯物体表面から放射される電磁波のピーク波長はウィーンの変位則に従い，物体表面の熱力学温度に反比例する．ヒトの体表から放射される電磁波のピーク波長は約 9.4 μm（およそ 10 μm）であり，遠赤外線領域にある．

○伝導 ★

❯熱伝導で伝わる熱の大きさは温度差と熱伝導率に比例し，高温部から低温部へ移動する．生体内部から体表までの熱の移動に関係する．

❯脂肪組織の熱伝導度は水の値よりも小さい．

❯筋組織の熱伝導率は脂肪組織よりも大きい．

○対流

❯皮膚組織内では対流はほとんど存在しない．

❯体表面の熱の放散には空気の対流が役立つ．

○蒸散

❯体温が高くなった場合は汗をかき，気化熱を利用して体温を下げる．

国試【第24回】

成人が1日に600 g の水を水蒸気として放出するとき，これによって失うおよその熱量［kJ］はいくらか．ただし，水の気化熱は 2.3×10^3 kJ/kg とする．

解答

水の気化熱はおおよそ 2.3×10^3 kJ/kg（水1 kg が気化するときに 2.3×10^3 kJ を必要とする）．

600 g（=0.60 kg）の水を水蒸気として放出する（気化する）場合に失う熱量は，

$$0.6\,\mathrm{kg}\times2.3\times10^3\,\mathrm{kJ/kg}=1.38\times10^3\,\mathrm{kJ}$$

（4）熱平衡

- 人体では，活動に伴って生じる熱産生と体温調節のための熱放散と熱輸送のバランスが制御されており，温度環境の変化に対応でき，体温は約37℃前後に保たれている．

○熱産生

- 熱産生とは，物質を代謝して熱を放出することを指す．成人男性の場合60～150 W の熱産生があるとされ，1秒あたり60～150 J（ジュール）のエネルギーが放出されることになる．
  - このうち，約30%（25～35%）はエネルギーとして物質合成，筋収縮，能動輸送などに使われ，約70%（65～75%）は熱として体温維持に使われ，残りは体外へ放出されている．
- 熱産生が行われる部位は，安静時と運動時で異なる．
  - 平均すると，熱産生の約60%が骨格筋で，約20%が内臓系（主に肝臓）で行われる．
  - 食物の摂取後には，腸管での熱産生が増して体温が上がる．

	安静時	運動時
骨格筋	20%	80%
内臓系	50%	12%

- 定常的ではないが，骨格筋のシバリングによる「ふるえ熱産生」もある．

○熱輸送

- 生体内部からの熱の移動（体内）
  - 熱の約99%が血液循環（血流）によって移動する．残りの約1%は体内の熱伝導によって移動する．
- 体表からの熱の放散（体表→体外）
  - 体表の熱の約65%（約2/3）はピーク波長が約9.4 μm の遠赤外線として熱放射され，約25%が蒸散（発汗や不感蒸泄）による気化熱，約10%が空気の熱対流や空気への熱伝導で体外へ放出される．

○体温と生体反応

- ヒトの恒常性維持機構（ホメオスタシス）によって，体温は約37℃付近に保たれている．全身的に小さな体温上昇が起きると，脈拍や呼吸の増加，発汗などが生じる．逆に小さな体温下降が起きると，脈拍や呼吸の減少，筋肉の硬直，シバリングなどが生じる．

・しかし，何らかの原因によって部分的または全身的に体温が大きく変化すると，恒常性が失われ障害が生じる．

・体温が 41℃をこえると組織細胞の死滅が進行する．血液に着目すると，39～40℃では白血球の活動亢進がみられ，50℃前後で原形質の硬直や白血球の死滅，60℃では溶血現象，70℃で血球凝固が起きる．

・体温が 36℃を下回ると筋力の低下，皮膚感覚の麻痺が生じる．34℃を下回ると意識が薄れ，30℃を下回ると心拍数が著しく低下し昏睡状態になり，28℃を下回ると心肺停止に陥る．

（5）熱変性

○人体に対する温度の影響

- 免疫に関係する細胞は体温が下がると機能が低下する．
- 組織の温度が 43℃を超えると細胞生存率が低下する．
- 温溶血現象は 60℃を超えた付近で現れる．
- がん組織は正常組織に比べて温度感受性が高い．
- 熱による組織の凝固は，血液の凝固やタンパク質の変性によるもので，70℃程度で起こる．

問題 1 □□□ 28A87

比熱が最も小さいのはどれか．

1. 脂肪
2. 肝臓
3. 筋肉
4. 血漿
5. 脳

問題 2 □□□ 37A88

生体での熱の伝わり方について正しいのはどれか．

a．皮下組織の熱移動は主に熱伝導による．
b．体表面からの熱の放射は近赤外光による．
c．体表面での空気の対流は熱の放散を促す．
d．体内の熱輸送は主に血流による．
e．体表面からの熱の放射エネルギーは絶対温度に比例する．

1. a, b　2. a, e　3. b, c　4. c, d　5. d, e

問題 3 □□□ 29P88

生体での熱の伝わり方について正しいのはどれか.

a．体表面での熱の放散には空気の対流が役立つ.
b．皮膚組織内では対流はほとんど存在しない.
c．体表面から熱放射する電磁波は近赤外光である.
d．生体内の組織における熱伝導は温度差の 4 乗に比例する.
e．生体内では血流による熱の移動の効果が大きい.

1. a, b, c　2. a, b, e　3. a, d, e
4. b, c, d　5. c, d, e

問題 4 □□□ 31P87

生体における熱作用で正しいのはどれか.

1. 体温が 28℃以下になると体温調節機能が損なわれる.
2. 体温が 40℃を超えるとシバリングが生ずる.
3. 身体が寒冷環境下に置かれると皮膚血流が増加する.
4. 身体が温熱環境下に置かれると不感蒸泄が減少する.
5. 身体内部での熱移動は主に組織間の熱伝導による.

問題 5 □□□ 24A90

生体の熱特性で誤っているのはどれか.

1. 活動時の熱の産生は主に骨格筋で起こる.
2. 脂肪組織の熱伝導率は筋組織よりも大きい.
3. 生命活動に必要なエネルギー源は ATP である.
4. 成人は安静時に 100 W 程度の熱を発生している.
5. 人体組織内の熱輸送のほとんどは血液の循環による.

問題 6 □□□ 27P86

誤っているのはどれか.

1. 体表からの放射エネルギーのピーク波長は赤外領域にある.
2. 生体活動時の熱の産生は主に骨格筋で起こる.
3. 脂肪組織の熱伝導度は水の値よりも小さい.
4. 生体内部の熱の移動は主に熱伝導によって起こる.
5. 身体の外部環境温度が低くなると代謝量が増加する.

問題 7 □□□ 30A87

生体組織の熱に対する性質で誤っているのはどれか.

1. 免疫に関係する細胞は体温が下がると機能が低下する.
2. 組織の温度が 43℃を超えると細胞生存率が低下する.
3. 温溶血現象は 60℃を超えた付近で現れる.
4. がん組織は正常組織に比べて温度感受性が高い.
5. 熱による組織の凝固は水分の沸騰に伴う細胞質の飛散で生じる.

問題 8 □□□ 23P88

生体の熱産生から放散に至るまでの過程に直接関係ないのはどれか.

1. 発汗
2. 血流
3. 代謝
4. 筋活動
5. 能動輸送

問題 9 □□□ 35A88

体表面からの熱放散でないのはどれか.

1. 放射
2. 散乱
3. 伝導
4. 対流
5. 蒸散

問題 10 □□□ 36P10

1 日あたりのエネルギー消費量が 2500 kcal であるときの熱産生率［W］として最も値が近いのはどれか. ただし, 1 cal＝4.2 J とする.

1. 120
2. 100
3. 80
4. 60
5. 40

〈解答〉問題 1-1, 問題 2-4, 問題 3-2, 問題 4-1, 問題 5-2, 問題 6-4, 問題 7-5, 問題 8-5, 問題 9-2, 問題 10-1

6. 生体の光特性

生体物性・医用材料工学 p.93

(1) 電磁波の波長

○可視光 【35回】 ★★

- 可視光は皮膚での散乱が大きい．
- 可視光においても皮膚を通過する波長が存在する．
- 可視光レーザを眼に直接照射すると網膜を損傷する．
- 眼球内の可視光の吸収は小さい．
- 可視光は光を透過する．
- ビリルビンは可視光の一部をよく吸収する．

○紫外線 ★

- 波長の長い順に，UVA，UVB，UVC の 3 種類に分けられ，地表に届く多くの紫外線が UVA である．
  - 長い波長の紫外線：皮膚深部に到達する．
  - 短い波長の紫外線：皮膚表面での反射・吸収が大きい．
  - 核酸（DNA，RNA）は紫外線を吸収する．特に 260 nm 付近の紫外線を強く吸収し，殺菌や定量に使用される．
  - 生体の高分子物質は紫外線をよく吸収する．
  - アミノ酸やタンパク質は 280 nm 付近の紫外線を強く吸収し，吸光度を用いて定量ができる．
  - グルコース水溶液も紫外線を吸収し，340 nm の紫外線の吸光度から濃度が計測できる．

紫外線の種類	波長	特徴と生体への影響
UVA	320～400 nm	・大気圏でほとんど吸収されずに地表に達する ・浴びると肌が黒くなる ・日焼け（火傷・色素沈着）の主因 ・色素沈着は直ちに（10 分以内に）起こり，数日以内に消滅する ・短時間でメラニン色素が沈着 ・細胞への致死的作用が最も強い ・皮膚深部（真皮）に到達しやすい：最も皮膚深部に達するのは UVA
UVB	290～320 nm	・大量に浴びると免疫力の低下や皮膚がん，白内障を引き起こす危険性がある ・307～308 nm が最も作用が強い ・日焼け（火傷・色素沈着）の主因 ・皮膚に紅斑を生じさせる主因 ・色素沈着は遅れて起こる ・UVB による皮膚の着色は 2～3 日後から起こり始め，数カ月かかって消滅する ・皮膚深部（真皮）に到達しやすい ・皮膚がん発生率が高い
UVC	190～290 nm	・オゾン層でほぼ吸収されてしまうため，地上にはほとんど到達しない ・表皮での散乱と吸収が大きい ・生体には最も危険な紫外線領域であり，殺菌光線（254 nm）と呼ばれる．免疫力の低下や皮膚がん，白内障を引き起こす ・DNA が最も損傷を受ける ・表皮で吸収され，深部までは到達しない

○赤外線 ★

- 遠赤外光は水によく吸収され，熱を生じる.
- 水は可視光よりも赤外光をよく吸収する.

(2) 生体組織の光学特性

生体物性・医用材料工学
p.102

○入射したとき

- 吸収によって光強度が減衰する.
- 散乱によって光ビームが広がる.
- 反射によって透過光が減少する.
- 屈折によって光の方向が変わる.

○吸収 【36 回】【37 回】 ★★

- ヘマトクリット値が高いほど血液の光吸収は大きくなる.
- 血流量が多いほど組織の光吸収は大きい.
- ヘモグロビンは赤色光，赤外光よりも可視光から紫外線領域の吸収が大きい.
- 血液中のヘモグロビンは可視光のうち特に 600 nm より短い光をよく吸収する.
  - 青色光：470 nm 周辺→よく吸収される.
  - 赤色光：700 nm 周辺→吸収されにくく，反射される.
- 皮膚組織内のメラニンは可視光（400〜780 nm）において高い吸収性を示す.
- 皮膚組織では光の波長が長いほどメラニンの光吸収係数は減少する.
- メラニンは可視光よりも紫外光をよく吸収する.

○反射

- 皮膚の光反射に影響する.
  - 水
  - メラニン
  - ヘモグロビン

○散乱

- 血液の光散乱は大きい.
  - 血液の光散乱はヘマトクリット値により変化する.

(3) 組み合わせ問題，その他 ★

生体物性・医用材料工学
p.105
p.108

- 組織切開作用——レーザ光の収束性
- 止血作用——レーザ光の光熱作用
- 光解離作用——光子エネルギー
- 光音響・機械作用——パルスレーザ
- 光化学作用——光活性物質
- 光受容——ロドプシン
- 暗所視——ロドプシン
- 色覚——錐体
- 日焼け——メラニン

➋血液の分光特性は酸素飽和度によって異なる．
➋皮膚の光透過は血流量に依存する．
➋視細胞である杆体細胞にはロドプシンが，錐体細胞にはオプシンが存在することで光受容体として働く．
➋杆体は明暗に応答し，錐体は色覚に関係する．
➋ロドプシンは網膜の視細胞の超高感度光センサの働きをするタンパク質である．

問題 1 □□□ 30P87

生体組織の光学特性について誤っているのはどれか．

1. 水は赤外光をよく吸収する．
2. 皮膚の光透過は血流量に依存する．
3. 血液の光吸収は青色光よりも赤色光で大きい．
4. 細胞の DNA は UV_C で損傷を受ける．
5. メラニンは紫外線をよく吸収する．

問題 2 □□□ 22A86

光が生体組織に入射したときの現象で誤っているのはどれか．

1. 吸収によって光強度が減衰する．
2. 散乱によって光ビームが拡がる．
3. 反射によって透過光は減少する．
4. 屈折によって光の方向が変わる．
5. 光速は生体中では空気中より大きい．

問題 3 □□□ 27A88

生体組織の光学特性について誤っているのはどれか．

1. 可視光は皮膚での散乱が大きい．
2. 血液の光散乱は大きい．
3. UV_A は真皮まで到達する．
4. 水の赤外光の吸収は小さい．
5. 眼球内の可視光の吸収は小さい．

問題 4 □□□ 28P87

生体の光学特性について誤っているのはどれか．

a．血液の光吸収はヘマトクリット値に依存する．
b．皮膚に照射された UV_C は真皮まで到達する．
c．ヘモグロビンは青色光よりも近赤外光をよく吸収する．
d．メラニンは可視光よりも紫外光をよく吸収する．
e．水は可視光よりも赤外光をよく吸収する．

1. a, b　2. a, e　3. b, c　4. c, d　5. d, e

問題 5 □□□ 23A86

皮膚の光反射に影響するのはどれか．

a．水
b．メラニン
c．ヘモグロビン
d．ミオグロビン
e．ロドプシン

1. a, b, c　2. a, b, e　3. a, d, e
4. b, c, d　5. c, d, e

問題 6 □□□ 25A88

誤っているのはどれか．

a．紫外線は長い波長ほど皮膚深部に到達する．
b．生体の高分子物質は紫外線をよく吸収する．
c．可視領域では血液の光透過率はほぼ一定である．
d．ヘモグロビンは近赤外線をよく吸収する．
e．遠赤外線の生体作用は熱的作用が主である．

1. a, b　2. a, e　3. b, c　4. c, d　5. d, e

問題 7 □□□ 24P87

正しい組合せはどれか.

a．光受容――ロドプシン
b．色覚―――杆体
c．暗所視――ケラチン
d．紅斑―――ビリルビン
e．日焼け――メラニン

1. a, b　2. a, e　3. b, c　4. c, d　5. d, e

問題 8 □□□ 31A88

太陽光線の生体への作用で正しいのはどれか.

a．UV_A は真皮まで達する.
b．DNA は紫外域での吸収が大きい.
c．血液の散乱はヘマトクリット値により変化する.
d．水での吸収は赤外光よりも可視光の方が大きい.
e．ビリルビンは可視光領域での吸収が小さい.

1. a, b, c　2. a, b, e　3. a, d, e
4. b, c, d　5. c, d, e

問題 9 □□□ 34A88

生体組織の光特性について正しいのはどれか.

1. UV_C は表皮での吸収が大きい.
2. 光の波長が短いほど組織深部に浸透する.
3. メラニンは紫外光よりも赤外光をよく吸収する.
4. 血液は可視光の中で赤色光の吸収が大きい.
5. 眼底での可視光の吸収はない.

問題 10 □□□ 35P87

生体の光特性について正しいのはどれか.

1. UV_A は UV_C より DNA の損傷を引き起こしやすい.
2. 遠赤外光の生体作用は電離作用である.
3. 水は赤外光より可視光の吸収が大きい.
4. メラニンは可視光より紫外線の吸収が大きい.
5. デオキシヘモグロビンは可視光より近赤外光の吸収が大きい.

問題 11 □□□ 36P87

生体の光特性について正しいのはどれか.

a．メラニンは紫外光よりも可視光の吸収が大きい.
b．脂質はタンパク質に比べ紫外光の吸収が大きい.
c．水は可視光よりも赤外光の吸収が大きい.
d．核酸は可視光よりも紫外光の吸収が大きい.
e．ヘモグロビンは赤外光よりも可視光の吸収が大きい.

1. a, b, c　2. a, b, e　3. a, d, e
4. b, c, d　5. c, d, e

問題 12 □□□ 37P86

生体の光特性について正しいのはどれか.

1. 波長が短いほど組織深部に到達する.
2. UV_A は UV_C より表皮での吸収が大きい.
3. 可視光が皮膚表面でほとんど反射される.
4. 血液は可視光域では赤色光の吸収が小さい.
5. 水は赤外光よりも可視光を良く吸収する.

〈解答〉問題 1-3, **問題 2**-5, **問題 3**-4, **問題 4**-3, **問題 5**-1, **問題 6**-4, **問題 7**-2, **問題 8**-1, **問題 9**-1, **問題 10**-4, **問題 11**-5, **問題 12**-4

7. 生体における輸送現象

(1) 輸送現象のメカニズム

生体物性・医用材料工学
p.46

○流動 【34回】 ★★

- 血流量は特定末梢血管組織への酸素運搬量に最も影響を与える.
- ヘマトクリット値が上昇すると血液粘度が増加する.
- 連銭形成（ルーロ形成）が生じると血液の粘性率が増加する.
- 動脈血圧のピーク値は体の部位によって異なる.
- 大動脈では静圧（圧力エネルギー）に比べ，動圧（運動エネルギー）が小さい.

生体物性・医用材料工学
p.123

○拡散 【36回】 ★★

- 二酸化炭素は，拡散によって組織に移行し，その一部は血漿中に物理的に溶解する.
- 血液から組織への酸素の移動は拡散による.
- 血液から組織への酸素の移動はマクロ的な物質輸送である.
- pH が低下するとヘモグロビンは酸素を解離しやすくなる.
- 体温が低下するとヘモグロビンから組織への酸素移動は減少する.
- 拡散速度の条件
  - 膜の表面積
  - 膜の厚さ
  - 膜の内外のガスの分圧較差
  - 血液に対するガスの溶けやすさ
- 健常人において動脈血の酸素分圧が正常な状態であるとき，特定の末梢組織への酸素運搬量に影響を与えるのは，当該組織の血流量である.

○浸透圧 【33回】 ★★

- 0.9%食塩水は血漿と等張である.
- 5%ブドウ糖水溶液は血漿と等張である.
- 単位は一般に mOsm/L（ミリオスモル/リットル）が用いられるが，Osm/L や Pa で示されることもある.
- ヒトの体液の浸透圧は，約 285 mOsm/L である.
- 赤血球を高張液に入れると，血球は潰れる：溶血は起こりにくい.
- 血漿浸透圧への関与は電解質がタンパク質より大きい.
- 血液の浸透圧が低下すると水分は血管外（間質）に漏出しやすくなる.
- 糸球体濾過液中の水分の大部分が再吸収されるのは近位尿細管である.
- 組織から静脈毛細血管への間質液の移動

生体物性・医用材料工学
p.124

○能動輸送 【34回】 ★★

- 能動輸送は，細胞膜両側の濃度勾配に逆らって物質が移動する現象である.
- 静止状態で細胞外液から細胞内液への K^+ の移動は能動輸送による.
- 能動輸送のエネルギー源は ATP である.
- 生体における物質輸送で能動輸送がみられる.
  - 尿細管における Na^+ の移動

・小腸におけるグルコースの移動
・尿細管におけるグルコースの移動（再吸収）
・細胞内の Na^+ は能動輸送によって細胞外に移動する．

（2）組み合わせ問題

➲腎糸球体での物質移動――濾過
➲腎における水分の再吸収――浸透
➲毛細血管壁から血管外への水分移動――濾過
➲興奮性膜の脱分極――イオン流
➲細胞内から細胞外への Na^+ の移動――能動輸送

問題 1 □□□ 30A88

生体内における物質の移動に関わる現象で誤っている組合せはどれか．

1. 腎糸球体での物質移動 ―― 拡散
2. 腎における水分の再吸収 ―― 浸透
3. 毛細血管壁から血管外への水分移動 ―― 濾過
4. 興奮性膜の脱分極 ―― イオン流
5. 細胞内から細胞外への Na^+ の移動 ―― 能動輸送

問題 2 □□□ 26A88

生体における物質輸送で能動輸送がみられるのはどれか．

a．尿細管におけるナトリウムイオンの移動
b．小腸におけるグルコースの移動
c．血液から肺胞への二酸化炭素の移動
d．血液から組織への酸素の移動
e．肺胞から血液への酸素の移動

1. a，b　2. a，e　3. b，c　4. c，d　5. d，e

問題 3 □□□ 25P87

生体内の物質輸送で誤っているのはどれか．

1. 酸素は肺胞と血液間を拡散現象によって移動する．
2. 二酸化炭素は肺胞と血液間を拡散現象によって移動する．
3. 細胞内 Na^+ は能動輸送によって細胞外に移動する．
4. 血漿タンパクは浸透圧によって毛細血管壁を移動する．
5. グルコースは腎糸球体で濾過される．

問題 4 □□□ 29A88

健常人において動脈血の酸素分圧が正常な状態であるとき，特定の末梢組織への酸素運搬量に最も影響を与えるのはどれか．

1. 肺胞換気量
2. 心拍出量
3. 動脈圧
4. 動脈血の酸素飽和度
5. 当該組織の血流量

問題 5　□□□　31A84

正しいのはどれか.

a．毛細血管の分岐部では渦が発生しやすい.
b．大動脈では動圧の値と静圧の値はほぼ等しい.
c．血管に石灰化が起こると脈波伝搬速度は増加する.
d．ヘマトクリット値が上昇すると血液粘度が増加する.
e．動脈血圧のピーク値は体の部位によって異なる.

1. a, b, c　2. a, b, e　3. a, d, e
4. b, c, d　5. c, d, e

問題 6　□□□　34A83

正しいのはどれか.

a．動脈血圧のピーク値は体の部位によって異なる.
b．血管内径が小さくなると血管抵抗は上昇する.
c．血管に石灰化が起こると脈波伝搬速度は増加する.
d．大動脈では動脈の値と静圧の値はほぼ等しい.
e．動脈径が大きいほど脈波伝搬速度は増加する.

1. a, b, c　2. a, b, e　3. a, d, e
4. b, c, d　5. c, d, e

問題 7　□□□　34P87

能動輸送によるものはどれか.

a．肺胞における毛細血管への酸素の移動
b．毛細血管から血管外組織への酸素の移動
c．毛細血管から血管外組織へのグルコースの移動
d．尿細管におけるグルコースの再吸収
e．細胞における静止膜電位の維持

1. a, b　2. a, e　3. b, c　4. c, d　5. d, e

問題 8　□□□　37P87

細胞膜を介して能動輸送される物質はどれか.

1. 水
2. 尿　素
3. 酸　素
4. 二酸化炭素
5. グルコース

問題 9　□□□　36A88

生体内における物質の移動に関わる現象で正しい組合せはどれか.

a．腎臓における水分の再吸収 ———— 拡　散
b．腎糸球体での物質移動 ———— 濾　過
c．肺胞から血液への酸素の移動 ———— 拡　散
d．毛細血管壁から血管外への水分移動 —— 対　流
e．細胞内から細胞外への Na^+ の移動 —— 浸　透

1. a, b　2. a, e　3. b, c　4. c, d　5. d, e

〈解答〉問題 1-1, **問題 2**-1, **問題 3**-4, **問題 4**-5, **問題 5**-5, **問題 6**-1, **問題 7**-5, **問題 8**-5, **問題 9**-3

VII. 医用材料

1. 医用材料の条件

生体物性・医用材料工学
p.139

(1) 医用機能性

○医用機能性

〈医用材料の必要条件〉

- 可滅菌性：消毒および滅菌が可能であること
- 生体安全性（非毒性）：生体に毒性，発がん性がなく，刺激性，炎症惹起性が適切であること
- 機能性：目的とする機能および効果を発揮できること
- 生体適合性：力学的適合性および界面適合性（血液適合性，組織適合性など）を有すること
- 耐久性：耐疲労性および耐摩耗性を有すること

〈その他，医用材料の備えるべき条件〉

- 再現性を持った材料
- 加工性が適切である材料
- 物性，耐疲労性が適切である材料
- 生体内劣化が適切である材料
- 生体への刺激性，炎症惹起性が適切である材料
- 血液成分を破壊，変性しない材料
- 血栓をつくらない材料
- 発がん性，催奇形性のない材料

生体物性・医用材料工学
p.144

○可滅菌性 ★

- EOG（エチレンオキサイドガス）滅菌
  - 温度 40～60℃，相対湿度 50～60％の条件下で行われる．
  - EOG 滅菌後は残留ガスを除くため，エアレーションが必要．
  - EOG 滅菌は耐熱性の低い材料（ポリアクリロニトリルなど）に使われる．
- 濾過滅菌
  - 目が細かい（孔径が小さい）フィルタに通すことで微生物を除去する．
  - フィルタを通過する微生物が存在するため完全な滅菌とはいえない．
- 乾熱：ガラス器具，エンドトキシンの無毒化に使われる．
- γ 線滅菌
  - γ 線を照射することによる滅菌法
  - 電子線滅菌より透過性が高い．
- 高圧蒸気滅菌
  - 高温の飽和水蒸気による滅菌法
  - リネン類の滅菌に用いられる．
- 再生セルロース膜には，γ 線滅菌，高圧蒸気滅菌が用いられる．
- ポリスルホン膜には，γ 線滅菌，高圧蒸気滅菌が用いられる．
- ポリテトラフルオロエチレン（テフロン）には，高圧蒸気滅菌が用いられる．

2. 安全性試験

(1) 安全性評価 【34回】【35回】 ★★

生体物性・医用材料工学
p.203

安全性試験	生物学的試験	物理学的・化学的情報の収集，細胞毒性試験，感作性試験，刺激性／皮内反応試験，材料由来の発熱性試験，急性全身毒性試験，亜急性全身毒性試験，亜慢性全身毒性試験，慢性全身毒性試験，埋植試験，血液適合性試験，遺伝毒性試験，がん原性試験，生殖発生毒性試験，生分解性試験	医療機器の接触による生理的影響を，接触部位・接触期間（接触時間）によって分類し試験を行う．
	物性試験	耐圧試験，耐熱試験，強度試験など	力学的特性を保持しているかを評価する．
	化学的試験	溶出物試験，溶血性試験など	主素材および副資材からの溶出物または分解生成物の受容可能性を評価する．
	無菌性試験	無菌試験	医療機器に対する滅菌の妥当性を確認する．滅菌処理後に，その無菌性を評価するため無菌試験が必要である．
性能試験		性能を裏付ける試験	
臨床試験		臨床試験	

- 医用機器には，バイオマテリアルの品質確保のための規格，基準，および安全に関する取り決めがある．
  - 薬機法（医薬品医療機器等法，旧薬事法）に基づく品質基準
  - 産業標準化法に基づく日本産業規格（JIS）
- 薬機法（医薬品医療機器等法，旧薬事法）に定められた安全性試験
  - 物性試験
  - 化学的試験
  - 生物学的試験
  - 無菌性試験
- 安全性試験
  - 無菌性を評価する．
  - 溶出物を用いて評価する．
  - 機械的な特性を評価する．
  - 接触部位と接触期間（時間）による分類がなされている．
  - 試験は，医療機器を製造販売する者が検査機関に依頼して実施する．
- 表面接触機器では必要ない試験
  - 血液適合性試験
  - 埋植試験

(2) 無菌性試験

生体物性・医用材料工学
p.215

- 無菌処理後に，その処理を評価するため無菌試験が必要である．

生体物性・医用材料工学
p.206

(3) 生物学的安全性試験 【36回】【37回】 ★★

- 接触部位および接触期間に関わらず，すべての医療機器に必須な試験は細胞毒性試験，感作性試験，刺激性または皮内反応試験であり，物理学的・化学的情報の収集は実施されなければならない（2020年1月のJIS改定より）.
- 生物学的安全性試験項目
  - 細胞毒性試験
  - 感作性試験
  - 刺激性／皮内反応試験
  - 材料由来の発熱性試験
  - 急性全身毒性試験
  - 亜急性全身毒性試験
  - 亜慢性全身毒性試験
  - 慢性全身毒性試験
  - 埋植試験
  - 血液適合性試験
  - 遺伝毒性試験
  - がん原性試験
  - 生殖発生毒性試験
  - 生分解性試験

○細胞毒性試験 ★

- 動物レベルでの毒性試験
- すべての医用材料に行う必要がある.

○感作性試験 【33回】 ★★

- 材料から遊離してくる化学物質によるヒトのアレルギーのリスクを前臨床段階で予知する.
- 皮膚組織反応：遅延型アレルギー試験
- 体内埋込機器には必須である.
- 化学物質による遅延型接触アレルギーの有無を調べる.

○刺激性／皮内反応試験 ★

- ヒトにおける臨床試験の危険性を最小限にするために行われる.
- 目や粘膜の組織反応
- 溶出物質が示す刺激性の程度を評価する.

○慢性および亜急性全身毒性試験 ★

- 慢性全身毒性試験
  - 体内と体外を連結する機器や，体内埋込機器に必要な試験である.
- 亜急性全身毒性試験
  - 医療機器などの抽出液などを経口あるいは経皮的に反復投与（1日1回，4週間以上）させるか，臨床使用形態に近似した形で使用（4週間以上）して評価する.

○遺伝毒性試験

- 1個の細胞レベルに生じたDNA傷害に派生して，細胞や個体レベルで遺伝子突然変異や染色体異常を起こす遺伝性毒性物質を検出する試験.
- DNAに作用してがんや遺伝病を生じる危険がある場合に行う.

○埋植試験 ★

- 短期筋肉内埋植試験は材料が軟組織に及ぼす影響を評価する.
- ある期間埋め込むか，留置する時に行う.
- 長期の発がん性を評価するためには生体内試験として実験動物への埋植試験が必要である.
- 血液接触機器には埋植試験が義務付けられている.
- 体内埋込用医用材料として不可欠条件
  - 可滅菌性
  - 機能性
  - 非毒性
  - 生体適合性
- 長期埋植に適する材料
  - チタン合金
  - 白金
  - コバルトクロム合金
  - アルミナ

○血液適合性試験（溶出物試験） ★

- 血液適合性試験（溶出物試験）は血液に接触する可能性が高い医療用具または材料の溶血性などを評価するための試験.
- 試験項目
  - 溶血性
  - 血栓形成
  - 血液凝固
  - 血液学的項目（赤血球数，血小板数，白血球数など）
  - 血小板の活性化
  - 補体系の活性化
- 血液が直接触れる材料に行う.
  - IABPカテーテル
  - 血液回路用材
  - 人工心肺セット
  - 人工腎臓
  - 人工肝臓
  - 人工血管
  - ペースメーカ
- 表面接触機器には不要である.

○発熱性物質試験

- 試験材料の抽出液中に，原材料を由来とした発熱性物質（エンドトキシンおよび非エンドトキシン性発熱物質）が存在しないことを確認する．

○その他

医療用具における生物学的安全性評価の組合せ

- 気管チューブ――細胞毒性試験
- IABP カテーテル――血液適合性試験
- 血液透析器――血液適合性試験

表面接触機器で必要な生物学的安全性試験

- 細胞毒性試験
- 感作性試験
- 刺激性試験

具体的な試験方法

- 人工肺で念頭に置くべき生物学的安全性試験
  - 細胞毒性試験
  - 刺激性/皮内反応試験
  - 感作性試験
- 注射針の生物学的安全性評価項目
  - 急性全身毒性試験
  - 血液適合性試験
  - 細胞毒性試験
  - 感作性試験
  - 刺激性/皮内反応試験
  - 発熱性試験

問題 1 □□□ 25P88

医療機器の安全性試験で正しいのはどれか．

a．性能試験
b．物性試験
c．無菌試験
d．生物学的試験
e．機能試験

1．a，b，c　2．a，b，e　3．a，d，e
4．b，c，d　5．c，d，e

問題 2 □□□ 23A88

生物学的試験（第 1 次評価）の必須事項はどれか．

1．発熱性
2．遺伝毒性
3．血液適合性
4．感作性
5．埋植試験

問題 3 □□□ 27P88

医療機器の安全性試験（生物学的試験）の第一次評価に含まれない試験項目はどれか.

1. 血液適合性
2. 埋植
3. 生分解性
4. 感作
5. 細胞毒性

問題 4 □□□ 26A89

医療機器の安全性試験として正しいのはどれか.

1. 溶出物試験は含まない.
2. 物性試験は含まない.
3. 生物学的試験は含まない.
4. 接触面積による分類がなされている.
5. 接触期間による分類がなされている.

問題 5 □□□ 23P89

医療機器の安全性テストで正しいのはどれか.

a. 溶出物試験で長期の発がん性を評価できる.
b. 溶出物試験で溶血性を評価できる.
c. 細胞毒性は生物学的試験に含まれる.
d. 滅菌処理後には無菌試験は必要ない.
e. 物性試験は安全性テストに含まれない.

1. a, b　2. a, e　3. b, c　4. c, d　5. d, e

問題 6 □□□ 28A88

表面接触機器の生物学的安全性試験で正しいのはどれか.

a. 血液適合試験
b. 埋植試験
c. 細胞毒性試験
d. 感作性試験
e. 発がん性試験

1. a, b　2. a, e　3. b, c　4. c, d　5. d, e

問題 7 □□□ 30A89

生物学的安全試験で誤っているのはどれか.

1. 表面接触機器 ―― 細胞毒性試験
2. 表面接触機器 ―― 血液適合性試験
3. 体内と体外を連結する機器 ―― 感作性試験
4. 体内植込み機器 ―― 刺激性試験
5. 体内植込み機器 ―― 細胞毒性試験

問題 8 □□□ 34P88

医用材料の滅菌で正しいのはどれか.

1. 電子線滅菌の処理時間は数時間である.
2. 乾熱滅菌は高分子材料の滅菌に用いられる.
3. 高圧蒸気滅菌はタンパク質を変性させる.
4. EOG 滅菌の処理温度は 80℃程度である.
5. 濾過滅菌はウイルスの除去に用いられる.

問題 9 □□□ 35P88

医療機器の安全性試験として含まれていないのはどれか.

1. 接触面積による分類
2. 接触期間による分類
3. 溶出物試験
4. 物性試験
5. 生物学的試験

問題 10 □□□ 34A89

医療機器の安全性試験について誤っているのはどれか.

1. 溶出物試験が行われる.
2. 医療機器安全管理責任者が行う.
3. 生物学的試験が行われる.
4. 医薬品医療機器等法で規制される.
5. 物性試験が行われる.

問題 11 □□□ 37A89

医療機器の生物学的安全性評価に含まれないのはどれか.

1. 無菌試験
2. 感作性試験
3. 発熱性試験
4. 遺伝毒性試験
5. 化学的情報の収集

問題 12 □□□ 36P88

医療機器の生物学的安全性評価で誤っているのはどれか.

1. 感作性試験を行う.
2. 細胞毒性試験を行う.
3. 生体と接触する時間で分類される.
4. 生体と接触する面積で分類される.
5. 生体と接触する部位で分類される.

〈解答〉問題 1-4, **問題 2**-4, **問題 3**-3, **問題 4**-5, **問題 5**-3, **問題 6**-4, **問題 7**-2, **問題 8**-3, **問題 9**-1, **問題 10**-2, **問題 11**-1, **問題 12**-4

3. 相互作用

（1）全身・局所，慢性・急性反応　【33回】【35回】　★★

生体物性・医用材料工学
p.174

初期反応（急性期）	局所反応	急性炎症，組織壊死，血液凝固，血栓，貪食，異物排除
	全身反応	発熱，ショック，急性毒性，循環障害，即時型アレルギー，アナフィラキシーショック，補体の活性化
後期反応（慢性期）	局所反応	慢性炎症，潰瘍形成，がん化，カプセル化（被包化），偽内膜形成，組織肥厚化，器質化，石灰化，癒着，瘢痕化，発がん，肉芽形成，血管増生
	全身反応	遅延型アレルギー，臓器障害，催奇形性，慢性毒性

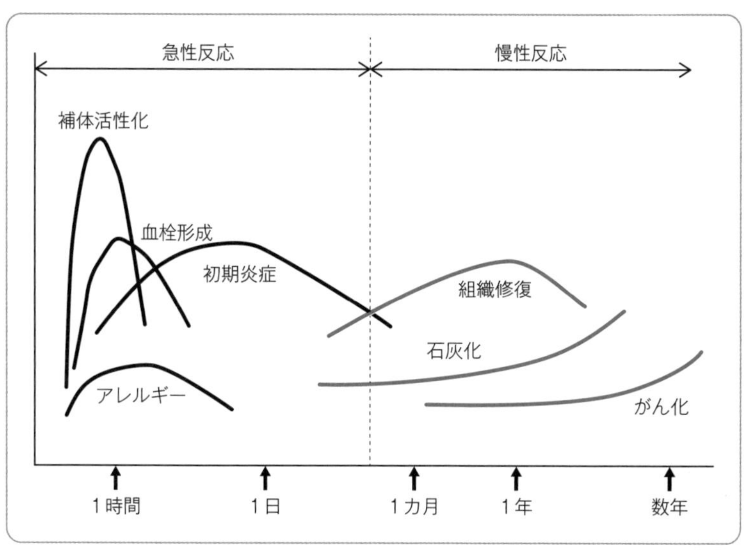

- 補体活性化，血栓形成は医用材料を埋植した後，1時間以内に反応のピークを迎える．
- 初期炎症は10時間から24時間が経過する頃に反応のピークを迎える．

（2）急性全身反応

生体物性・医用材料工学
p.184

アナフィラキシー　【33回】　★★

- 急性のアレルギー反応（Ⅰ型アレルギー）
- IgEが関与する．

（3）急性局所反応

生体物性・医用材料工学
p.189

炎症　【33回】【37回】　★★

- 生体に対し損傷を与える刺激に対する免疫反応．
- 初期にヒスタミンまたはセロトニンによって弱い反応が引き起こされ，白血球，単球，リンパ球などが作用する．

生体物性・医用材料工学 p.175

○血栓 【37回】 ★★

- 異物と接触した血小板が粘着し，さまざまな因子（セロトニン，カルシウムなど）が放出され最終的にフィブリンが形成され，血小板，血球をとらえて血餅を形成する．
- タンパク質の吸着
- 血小板の活性化
- トロンビンの活性化
- Ca^{2+} の働き
- 第 Xa 因子の活性化

（4）慢性全身反応

- 慢性全身反応として，抗原抗体反応，慢性毒性反応，臓器障害，催奇形性，遅延型アレルギーなどがある．

生体物性・医用材料工学 p.191

（5）慢性局所反応

○石灰化 【33回】【34回】 ★★

- 生体材料の周りにリン酸カルシウムなどの無機物が沈着して硬くなる現象．
- 医用材料を埋め込んだ際，生体側と材料側の両方に起こりうる．

生体物性・医用材料工学 p.194

○カプセル化（被包化） ★

- 線維芽細胞が産生するコラーゲンが異物を周囲の生体組織から隔離・排除する．

（6）血液適合性

○血栓形成 【33回】 ★★

- トロンビンがフィブリノーゲンをフィブリンに変化させ，フィブリン血栓を形成する．

○補体活性化 ★

- 補体は感染防御や生体防御に関与し，抗原抗体複合体の作用により連鎖的に活性化される．
- 補体は C1～C9 までである．
- C3a，C4s，C5a をアナフィラトキシンと呼び，さまざまな炎症を引き起こす．

生体物性・医用材料工学 p.196

（7）医用埋植材料の変化

○生体内での医用埋植材料の変化

- 機械的劣化
- 摩耗
- 成分溶出
- 生体成分吸着
- 化学的分解
- 二次物質生成

○埋植した時，生体との接触によって医用材料が受ける作用 ★

- 腐食
- 金属疲労
- イオン化
- 加水分解
- 酸化
- 石灰化
- 生体成分の吸収・吸着（タンパク質の吸着など）

○医用材料が血液と接触した時に起こりうる生体反応 ★

- 血液凝固
- 補体活性化
- タンパク質吸着
- 血小板の粘着
- 白血球数の一過性の減少
- 溶血

○医用材料への血漿タンパク質吸着について

- 医用材料の性質によって吸着量と種類が異なる．
- 血漿タンパク質の性質によって吸着量と種類が異なる．
- 吸着後の医用材料表面の構造は変化する．
- 吸着後の血漿タンパク質の構造は変化する．
- 吸着したタンパク質は脱着したり，溶血中に存在する他のタンパク質と交換するなどの動的平衡状態となる．

○セルロース系膜で起こる現象 【33回】 ★★

- アレルギー反応：抗原抗体反応
- 血液凝固系の活性化
- 補体の活性化：白血球数の一過性の減少
- 白血球の透析膜への吸着
- 血小板の透析膜への吸着

○抗凝固剤

- ヘパリン
  - 動物の肝臓などの組織に存在し生理的抗凝血作用を持つ．
  - 人工材料表面にヘパリンを固定して血液凝固を防ぐことができる．
  - プロトロンビンがトロンビンに転化する反応を阻止するために人工物の表面にコーティングすることによって抗凝血作用を示す．

○線維

- ケラチン
  - 皮膚，爪，毛髪の表面を構成する硬い線維状のタンパク質である．
- コラーゲン
  - 骨や軟骨などを構成する線維状のタンパク質で，力学的な強度を与える．

エラスチン
- コラーゲンと同じ線維状のタンパク質で，真皮などの結合組織の弾力を保つ．

ミオシン，アクチン
- 骨格筋の線維は太い筋フィラメントと細い筋フィラメントから構成され，太いものがミオシンで，細いものがアクチンである．
- この両者がすべりあうことによって筋肉の収縮が起こる．

フィブリン
- 線維素であり，血漿タンパク質の一つのフィブリノーゲンがトロンビンの作用によって重合して形成されるもので，血液の凝固に重要な働きをする．

(8) その他 ★

- 材料の溶出や摩耗が原因となって毒性反応や異物反応を生じる．
- 異物として認識したものは生体防御系による多様な反応を受ける．
- 異物に対する生体の反応は材料の構造と組成に大きく影響される．
- 生体の示す反応として発がんも含まれる．
- カスケード反応には外因系と内因系の 2 通りの経路がある．
- 血小板が異物と接触すると粘着性が生じる．
- 血小板凝集の過程で活性化因子が放出される．

抗血栓性をもつもの
- リン脂質ポリマー：親水基が露出した膜状に形成し，材料表面に親和性を付与．タンパク質の吸着が少なく抗血栓性をもつ．
- セグメント化ポリウレタン：親和性材料であり，タンパク質の吸着が少なく抗血栓性をもつ．

γ-グロブリン
- 血清タンパク質であり，免疫グロブリンと呼ばれる抗体はこの γ-グロブリンに含まれる．
- 線維は形成しない．

臨床工学技士国家試験問題

問題 1 □□□ 23A89

生体埋植材料に対する生体の慢性反応はどれか.

a．石灰化
b．血液凝固
c．アナフィラキシー
d．補体活性化
e．カプセル化

1. a, b　2. a, e　3. b, c　4. c, d　5. d, e

問題 2 □□□ 28P88

人工血管を埋植したとき急性期に起こる反応はどれか.

1. 癒着
2. 肉芽形成
3. 石灰化
4. 異物排除
5. 血管増生

問題 3 □□□ 29P90

急性全身性反応はどれか.

1. 潰瘍形成
2. 肉芽形成
3. 石灰化
4. 補体活性化
5. 壊死

問題 4 □□□ 22A90

医用材料が血液と接触したときにみられる現象はどれか.

a．血小板の粘着
b．血液凝固系の活性化
c．気体の発生
d．材料の融解
e．タンパクの吸着

1. a, b, c　2. a, b, e　3. a, d, e
4. b, c, d　5. c, d, e

問題 5 □□□ 27P89

体外循環時に起こりうる生体反応はどれか.

a．癌化
b．カプセル化
c．血液凝固
d．補体活性化
e．石灰化

1. a, b　2. a, e　3. b, c　4. c, d　5. d, e

問題 6 □□□ 27A89

生体へ埋植後，材料に生じうる反応はどれか.

a．腐食
b．アナフィラキシー
c．溶血
d．壊死
e．加水分解

1. a, b　2. a, e　3. b, c　4. c, d　5. d, e

問題 7 □□□ 26P89

材料の血液適合性に関係するのはどれか.

a．溶血
b．血栓形成
c．被包化
d．肉芽形成
e．補体活性化

1. a, b, c　2. a, b, e　3. a, d, e
4. b, c, d　5. c, d, e

問題 8 □□□ 31A90

医用材料に対する生体反応と関連する物質との組合せで誤っているのはどれか.

1. カプセル化 ―― コラーゲン
2. 補体活性化 ―― アナフィラトキシン
3. 石灰化 ――― リン酸カルシウム
4. 血栓形成 ――― エラスチン
5. 炎症 ――― ヒスタミン

問題 9 □□□ 35P89

生体内における材料の劣化に影響しないのはどれか.

1. 活性酸素
2. 水の存在
3. 材料の化学組成
4. フィブリノーゲンの存在
5. 酵素反応

問題 10 □□□ 35A89

材料と生体との相互作用において急性反応はどれか.

a．カプセル化
b．石灰化
c．肉芽形成
d．補体活性化
e．ショック

1. a，b　2. a，e　3. b，c　4. c，d　5. d，e

問題 11 □□□ 37A90

医用材料を埋植したときに起こる急性局所反応はどれか.

1. アナフィラキシー
2. 血栓形成
3. 肉芽形成
4. 器質化
5. 石灰化

問題 12 □□□ 34P89

埋植した材料に対する慢性局所反応で正しいのはどれか.

a．血栓形成
b．肉芽形成
c．石灰化
d．アナフィラキシー
e．補体活性化

1. a，b　2. a，e　3. b，c　4. c，d　5. d，e

問題 13 □□□ 36P89

血液と医用材料が接触したとき，最初に起こるのはどれか.

1. タンパク質吸着
2. 線溶系亢進
3. 赤血球凝集
4. 血小板粘着
5. 石灰化

問題 14 □□□ 37P88

医用材料に対する血液凝固の促進反応で正しいのはどれか.

a．ヘパリンが作用する.
b．クエン酸が関与する.
c．カルシウムイオンが関与する.
d．プロトロンビンが活性化する.
e．第Ｘａ因子が活性化する.

1. a，b，c　2. a，b，e　3. a，d，e
4. b，c，d　5. c，d，e

〈解答〉問題 1-2，**問題 2**-4，**問題 3**-4，**問題 4**-2，**問題 5**-4，**問題 6**-2，**問題 7**-2，**問題 8**-4，**問題 9**-4，**問題 10**-5，**問題 11**-2，**問題 12**-3，**問題 13**-1，**問題 14**-5

4. 医用材料の種類

（1）金属材料

生体物性・医用材料工学
p.149

金属の腐食について

- 医療現場では湿腐食が主である．
- 鉄は腐食する際に電子を放出する．
- チタンは酸化皮膜を形成しやすい．
- 貴金属はイオン化傾向が水素より小さく耐食性に極めて優れる．
  - 白金のイオン化傾向は水素より小さい．
  - 水素よりイオン化傾向が小さな金属：(H)＞Cu＞Hg＞Ag＞Pt＞Au

感作性が強い金属

- ニッケル
- クロム
- コバルト
- ロジウム
- カドミウム
- 水銀

感作性が弱い金属

- 金
- 白金（プラチナ）
- 銀
- チタン

金属材料　まとめ　【34回】【35回】【36回】 ★★★

材料名と主成分	特徴	用途
ステンレス鋼 **(SUS)** Fe（鉄） Cr（クロム） Ni（ニッケル） Mo（モリブデン） Mn（マンガン）	＜長所＞ ・低コストで**機械的加工性（成形加工）に優れる** ・**酸化クロム**が金属表面に酸化皮膜（不動態）を形成し，耐食性に優れる ＜短所＞ ・**機械的性質が劣る** ・Ni を含む材料では金属アレルギーが起きる可能性がある	骨折部の固定材料，手術用ワイヤー 医療用刃物
コバルトクロム合金 (バイタリウムまたは Co-Cr 合金ともいう) Co（コバルト） Cr（クロム） Mo（モリブデン） Ni（ニッケル）	鋳造用として ＜長所＞ ・耐摩耗性が高い ・機械的性質に優れる ・耐食性に優れる ＜短所＞ ・機械的強度が低い 加工用として ＜長所＞ ・耐摩耗性が高い ・機械的性質に優れる ＜短所＞ ・機械的強度が高い ・耐食性がやや劣る ・**長期の生体埋植に適している** ・鍛造加工（たたく加工）が困難，通常は鋳造加工（溶かして型に入れる加工）を行う ・成分を変えた，鋳造加工に適した鋳造用と，切削加工に適した加工用がある	耐摩耗性が高く人工関節材料として用いる 歯科材料（インプラントなど）にも用いる
チタンまたは **チタン合金** Ti（チタン） Nb（ニオブ） Ta（タンタル） Zr（ジルコニウム）	＜長所＞ ・機械的性質に優れる ・耐食性に優れる ・生体適合性に優れる ・比重が小さく軽いが強度は高い ＜短所＞ ・耐摩耗性が劣る ・加工性が悪い ・高コスト ＜その他＞ ・チタン合金は生体組織と接触する部分に用いられる ・チタンはイオン化しやすい金属で**酸素と結合して表面に安定した酸化皮膜（不動態）を形成する．その酸化皮膜はイオン化しづらく感作性が弱い（生体適合性がよい）．**また腐食されにくい ・**酸化チタンは光触媒として使用される** ・**チタンは強度を上げるため合金化して使用される** ・**チタン合金は生体との界面適合性に優れる** ・**弾性率が低い**：弾性率とは変形のしにくさを表す．すなわち弾性率が低い→変形しやすい	細胞毒性が低く生体適合性も高いので，埋め込み材料に適している **人工歯根**
形状記憶合金 Ni-Ti 合金 Fe-Mn-Si 合金 Cu-Zn-Al 合金	・**無機材料系** ・形状記憶性と超弾性を持つ ・形状記憶性 　**血管用ステント，人工関節，ペースメーカ，カテーテルガイドワイヤ**に用いる ・金属材料を生体内でインプラント材料として使用する場合，**ニッケル単独では毒性が強く，発がん性やアレルギー性があるため，長期埋植して使用する場合は極力さける**	脊椎側弯症のブリッジ材料など 血管狭窄における**ステント材料**

導電率

材料	特徴	導電率
ステンレス	金属材料	高い
酸化チタン	セラミックであるため絶縁物質	低い
ジルコニア	セラミックであるため絶縁物質	低い
テフロン	合成高分子材料であるため絶縁物質	低い
シリコーン	合成高分子材料であるため絶縁物質	低い

(2) 無機材料

生体物性・医用材料工学
p.152

バイオセラミック 【35回】 ★★

➋バイオセラミックとは，生体に用いられる非金属無機材料のことを指す．

	生体内での機能・変化	主な材料
生体内不活性材料	生体組織との間に化学結合が起きない材料	カーボン，アルミナ（Al_2O_3），ジルコニア（ZrO_2）など
生体内活性材料	生体組織との間に生体反応が起きて，強い化学結合が形成される材料	**リン酸 Ca（HAP；ハイドロキシアパタイト），バイオガラス，結晶化ガラスなど**
生体内崩壊性材料	生体組織内で次第に崩壊し，次第に新しい生骨へと置換されていく材料	トリカルシウムホスフェイト（TCP），テトラカルシウムホスフェイト（TeCP）など

無機材料まとめ

材料名	特徴	用途
カーボン （パイロライトカーボン）	・金属より軽い ・機械的性質，耐疲労性に優れる ・生体との親和性が高い ・安定で抗血栓性に優れる	人工弁など
アルミナ（Al_2O_3） （Crを含む結晶＝ルビー） （Tiを含む結晶＝サファイア）	・ダイヤモンドに次いで硬い（モース硬度9） ・耐摩耗性に優れる ・骨との親和性が高い ・**酸化物でセラミックである**	骨折固定材料，人工関節（骨頭），歯科用材料など
ジルコニア（ZrO_2）	・アルミナよりも強度が高い ・耐摩耗性や耐摩擦性に優れる ・生体内での安定性が高い ・ジルコニア化合物には，ごく少量であるが放射性物質が含まれている	人工歯根，人工関節（骨頭）
バイオガラス	・骨との親和性が高い ・溶出して造骨を促進する（ただし結晶化ガラスは機械的強度が高いが，生体ガラスは機械的強度が低い）	骨との化学的結合を目的としたコーティング材料
リン酸カルシウム （HAp） （ハイドロキシアパタイト）	・**ハイドロキシアパタイトはカルシウムを含む** ・ハイドロキシアパタイトはリンを含む ・生体中の骨や歯の無機成分組成と酷似する ・生体との親和性が高い ・骨内部に埋込まれると短期間に新生骨の侵入が見られる：骨充填剤 ・機械的性質は悪い	歯槽骨充填用顆粒，骨置換用多孔質ブロック

生体物性・医用材料工学
p.153

(3) 有機材料

化学式 【33回】【37回】 ★★

ポリ塩化ビニル	ポリメタクリル酸メチル（アクリル樹脂）	ポリエチレン	ポリビニルアルコール	ポリメチルシロキサン（シリコーン樹脂）	ポリ乳酸エステル結合
$-[CH_2-CH(Cl)]_n-$	$-[CH_2-C(CH_3)(C(=O)-O-CH_3)]_n-$	$-[CH_2-CH_2]_n-$	$-[CH(OH)-CH_2]_n-$	$-[CH_2-Si(CH_3)(CH_3)]_n-$	$-C(=O)-O-$

エステル結合	アミド結合	ウレタン結合	ウレア結合（尿素結合）
$-C(=O)-O-$	$-C(=O)-N(H)-$	$-N(H)-C(=O)-O-$	$-N(H)-C(=O)-N(H)-$
ポリエチレンテレフタレート，ポリ乳酸	ポリアミド（ナイロン）	ポリウレタン	ポリウレア（尿素樹脂）

エーテル結合	シロキサン結合	エチレン　重合	ビニル系　重合
$-R-O-R'-$	$-Si(R)(R)-O-$	$-C(H)(H)-C(H)(H)-$	$-C(H)(H)-C(H)(X)-$
ポリエーテルスルフォン（$R=R'=C_6H_4$）	ジメチルポリシロキサン（$R=CH_3$）	ポリエチレンテレフタレート，ポリエチレン	ポリ塩化ビニル（X=Cl） ポリビニルアルコール（X=OH） ポリプロピレン（$X=CH_3$） ポリアクリロニトリル（X=CN）

天然高分子材料 ★

- 生体内に分解，吸収される高分子．
- 生分解高分子材料は縫合糸や骨折用固定ねじなどに利用される．
- 生分解高分子材料の使用は患者にとって肉体的負担が小さい．
- 生体吸収性材料は，非吸収性材料に比べ耐久性が劣る．

ポリエチレン 【33回】 ★★

- カテーテルに使用される．
- ポリオレフィンである．
- 合成高分子である．

医療用縫合糸

吸収性縫合糸	天然繊維	腸線糸，コラーゲン，キチン糸，ポリジオキサノン糸　など
	合成繊維	ポリビニルアルコール，**ポリエステル（ポリグリコール酸糸，ポリ乳酸糸）**
非吸収性縫合糸	天然繊維	絹糸（シルク），木綿糸，金属線糸
	合成繊維	ポリアミド（ナイロン）糸，ポリエチレンテレフタレート糸，ポリプロピレン糸，ポリエチレン糸，延伸加工ポリテトラフルオロエチレン糸

木綿糸は強度も弱く，最近は使用されない．

（4）生物由来材料

生体物性・医用材料工学
p.164

	種類・特徴	用途
コラーゲン	・天然タンパク質（線維状タンパク質） ・結合組織に存在する ・骨や軟骨の内部に存在し弾性力を高めている ・傷害を受けた血管のコラーゲンが血小板と反応し，最終的に凝血を作る ・生体内にて高分子として存在する	創傷被覆材 軟組織埋植材 人工皮膚
ゼラチン	・タンパク質	止血剤 軟組織埋植材 薬剤のカプセル
絹（シルク）	・タンパク質（プロテイン）	縫合糸
セルロース	・天然炭水化物 ・多糖類	ガーゼ 包帯
セルローストリアセテート		血液透析膜
キチン・キトサン	・甲殻類や昆虫類，菌類に含まれる多糖類 ・生体内で分解される	創傷被覆材
ヒアルロン酸	・天然炭水化物 ・多糖類	関節炎の治療薬
ポリグリコール酸*1 ポリ乳酸 カットガット*2	・カットガット（コラーゲン線維）	外科用縫合糸
β-リン酸三カルシウム	・生体内の粘性が高く，骨内に埋植した場合は自家骨に置き換わる性質をもつ	人工骨，関節，インプラントの歯など

＊1：ポリグリコール酸は，代表的な生体吸収材料．
＊2：カットガットは，ヒツジの腸（ガット）を細かく加工したもの．

臨床工学技士国家試験問題

問題 1 □□□ 23P90

無機材料系の医用材料について正しいのはどれか.

a．ハイドロキシアパタイトはカルシウムを含む.
b．アルミナはセラミックスである.
c．パイロライトカーボンは人工肝臓用吸着剤である.
d．チタンは感作性が高い.
e．ニッケルチタン合金は血管用ステントに用いられる.

1. a, b, c　2. a, b, e　3. a, d, e
4. b, c, d　5. c, d, e

問題 2 □□□ 25A89

生分解性を有する高分子はどれか.

1. ポリ塩化ビニル
2. ポリエチレン
3. ポリプロピレン
4. ポリスルホン
5. ポリグリコール酸

問題 3 □□□ 30P90

導電率の最も高い材料はどれか.

1. 酸化チタン
2. ジルコニア
3. テフロン
4. ステンレス
5. シリコーン

問題 4 □□□ 26A90

感作性の強い金属はどれか.

a．銀
b．白金
c．カドミウム
d．クロム
e．ニッケル

1. a, b, c　2. a, b, e　3. a, d, e
4. b, c, d　5. c, d, e

問題 5 □□□ 24P90

生物由来の材料はどれか.

1. ポリテトラフルオロエチレン
2. セルロース
3. ナイロン
4. バイオガラス
5. パイロライトカーボン

問題 6 □□□ 28P89

生体内で吸収される材料はどれか.

a．β-リン酸三カルシウム
b．ポリ乳酸
c．アルミナ
d．シルク
e．ニッケルチタン合金

1. a, b　2. a, e　3. b, c　4. c, d　5. d, e

問題 7 □□□ 24A89

コラーゲンで正しいのはどれか.

1. 結合組織中に存在する.
2. 骨中には存在しない.
3. 血小板とは結合しない.
4. 生体内では低分子として存在する.
5. 球状タンパク質である.

問題 8 □□□ 31P89

抗血栓性をもつのはどれか.

a．リン脂質ポリマー
b．セルロース
c．ポリメチルメタクリレート
d．コラーゲン
e．セグメント化ポリウレタン

1. a, b　2. a, e　3. b, c　4. c, d　5. d, e

問題 9 □□□ 30P89

生体組織と強く結合して一体化する性質をもつ医用材料はどれか.

1. 酸化チタン
2. ハイドロキシアパタイト
3. 親水性ポリマー
4. ニッケル－チタン合金
5. セルローストリアセテート

問題 10 □□□ 35P90

シリコーン（silicone）について正しいのはどれか.

1. 親水性である.
2. セラミックスである.
3. Si-O 結合からなる.
4. 透析膜に使われる.
5. 可塑性である.

問題 11 □□□ 34P90

形状記憶機能をもつのはどれか.

1. ニッケル－チタン合金
2. パイロライトカーボン
3. ステンレス
4. チタン－アルミニウム－バナジウム合金
5. コバルト－クロム合金

問題 12 □□□ 35A90

生体活性材料はどれか.

a．アルミナ
b．ジルコニア
c．リン酸三カルシウム
d．バイオガラス
e．パイロライトカーボン

1. a, b　2. a, e　3. b, c　4. c, d　5. d, e

問題 13 □□□ 36A89

不動態について正しいのはどれか.

a．チタン合金に形成される.
b．ステンレス鋼に形成される.
c．酸化被膜である.
d．形状記憶効果を示す.
e．熱硬化性をもつ.

1. a, b, c　2. a, b, e　3. a, d, e
4. b, c, d　5. c, d, e

問題 14 □□□ 37P90

ポリエチレンテレフタレートを構成する結合はどれか.

a. 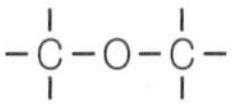 $-\overset{|}{\underset{|}{C}}-O-\overset{|}{\underset{|}{C}}-$

b. $-\overset{|}{\underset{|}{C}}-\overset{|}{\underset{|}{C}}-$

c. $-\overset{O}{\overset{\|}{C}}-O-$

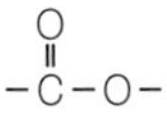

d. 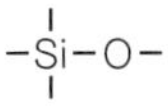 $-\overset{|}{\underset{|}{Si}}-O-$

e. 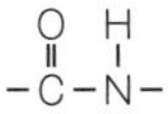 $-\overset{O}{\overset{\|}{C}}-\overset{H}{\overset{|}{N}}-$

1. a, b　2. a, e　3. b, c
4. c, d　5. d, e

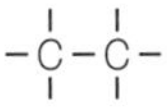

問題 15 □□□ 33A90

ポリ乳酸を構成する結合はどれか.

1. 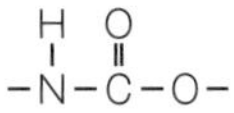 $-\overset{H}{\overset{|}{N}}-\overset{O}{\overset{\|}{C}}-O-$
2. 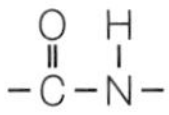 $-\overset{O}{\overset{\|}{C}}-\overset{H}{\overset{|}{N}}-$
3. 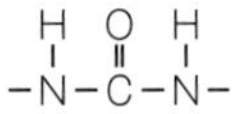 $-\overset{H}{\overset{|}{N}}-\overset{O}{\overset{\|}{C}}-\overset{H}{\overset{|}{N}}-$
4. 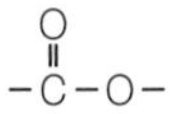 $-\overset{O}{\overset{\|}{C}}-O-$
5. $-Si-O-Si-$

〈解答〉問題 1-2, **問題 2**-5, **問題 3**-4, **問題 4**-5, **問題 5**-2, **問題 6**-1, **問題 7**-1, **問題 8**-2, **問題 9**-2, **問題 10**-3, **問題 11**-1, **問題 12**-4, **問題 13**-1, **問題 14**-3, **問題 15**-4

5. 材料化学

生体物性・医用材料工学 p.170

（1）結合

○イオン結合

- 陽性の原子から陰性の原子へ価電子が移動し，生成した陽イオンと陰イオンがクーロン力で引き合う結合である．NaCl や AL_2O_3 など，金属元素と非金属元素との間に形成されることが多い．
- 共有結合とともに無機材料を構成する主要な結合．
- 炭酸水素ナトリウム（重曹），塩化ナトリウム，アルミナなど．

○共有結合 ★

- 不対電子を有する原子間において電子を共有することで形成される化学結合．
- 共有結合を形成する物質は，分子結晶と共有結合結晶に分類される．
- 価電子を共有することによる分子内の結合であり，非金属元素間に形成されることが多い．
- 有機化合物の炭素骨格は共有結合によるものである．
- 無機材料を構成する主要な結合．
- ダイヤモンド，メタン，ブドウ糖，シリコン（ケイ素）など．

○金属結合

- 金属原子が自分の持つ電子を外に出して陽イオンとなり，金属原子の陽イオンと自由電子が静電引力によって引き合う結合である．
- 単体の金属または金属元素間の結合に広くみられ，導電性を有する．
- ナトリウム，マグネシウム，鉄など．

○その他の結合【34 回】★★

〈水素結合〉

- 電気陰性度の大きな 2 つの原子間に水素原子が介在することによって生じる，静電引力的な分子間相互作用である．
- 水，DNA の相補的塩基間，タンパク質など．

〈ファンデルワールス結合〉

- ファンデルワールス力（原子や分子などの間に働く凝集力の総称）による電荷を持たない中性の原子や分子の結合である．
- 分子結晶（ドライアイスやナフタレン，ヨウ素の結晶など），非極性の高分子化合物など．

○無機材料を構成する結合

- 共有結合
- イオン結合

※無機材料（セラミック）は，金属の性質を示す金属元素と，それ以外の非金属元素がイオン結合または共有結合したものである．

○結合の強さ

➋共有結合 ＞ イオン結合 ＞ 金属結合 ≫ 水素結合 ＞ ファンデルワールス結合

・水素結合やファンデルワールス結合は分子間力（分子同士が引きあう力）とよばれ，分子同士が直接結びつく結合ではない．また，水素結合やファンデルワールス結合は他の結合と比較して非常に弱い．

○結晶

結晶の分類	構成粒子	結合力	融点・沸点	電気伝導性	機械的性質
共有結合結晶	非金属元素同士の結合	共有結合	非常に高い	なし	きわめて硬い
イオン結晶	金属元素(陽イオン）と非金属元素（陰イオン）の結合	イオン結合	一般に高い	なし	硬くてもろい
金属結晶	金属元素同士の結合	金属結合	高い	あり	展性・延性に富む
分子結晶	分子同士の結合	水素結合 ファンデルワールス結合	低い	なし	柔らかい

➋共有結合結晶の特徴

・電子を共有する
・融点・沸点が高く，硬い
・電気伝導性がない（黒鉛は例外）
・水やその他の溶媒に溶けにくい（溶解性が低い）

臨床工学技士国家試験問題

問題 1 □□□ 28P90

無機材料を構成する主要な結合で正しいのはどれか.

a．共有結合
b．ファンデルワールス結合
c．分子間結合
d．水素結合
e．イオン結合

1. a, b　2. a, e　3. b, c　4. c, d　5. d, e

問題 2 □□□ 27P90

共有結合結晶について正しいのはどれか.

a．反応性に富む.
b．電子を共有する.
c．沸点が高い.
d．融点が低い.
e．軟らかい.

1. a, b　2. a, e　3. b, c　4. c, d　5. d, e

問題 3 □□□ 29A90

ポリエチレンの骨格である炭素と炭素間の結合はどれか.

1. ファンデルワールス結合
2. 共有結合
3. 金属結合
4. 水素結合
5. イオン結合

問題 4 □□□ 34A90

化学結合の強さの順番で正しいのはどれか.

1. 金属結合＞ファンデルワールス結合＞共有結合
2. ファンデルワールス結合＞共有結合＞金属結合
3. 共有結合＞ファンデルワールス結合＞金属結合
4. 金属結合＞共有結合＞ファンデルワールス結合
5. 共有結合＞金属結合＞ファンデルワールス結合

問題 5 □□□ 36A90

分子間力に関連するのはどれか.

a．ファンデルワールス力
b．共有結合
c．金属結合
d．イオン結合
e．水素結合

1. a, b　2. a, e　3. b, c　4. c, d　5. d, e

〈解答〉問題 1-2, **問題 2**-3, **問題 3**-2, **問題 4**-5, **問題 5**-2

6. 医用材料まとめ 【33回】【37回】― ★★

<table>
<tr><th colspan="2">用途</th><th>素材</th></tr>
<tr><td rowspan="2">透析膜</td><td>均一構造膜</td><td>セルロース，酢酸セルロース（セルロースアセテート），エチレンビニルアルコール共重合体（EVAL），ポリメチルメタクリレート（PMMA）</td></tr>
<tr><td>非対称構造膜</td><td>ポリアクリロニトリル（PAN），ポリスルフォン（PS），ポリエーテルスルフォン（PES），ポリエステル系ポリマーアロイ（PEPA）</td></tr>
<tr><td colspan="2">血漿分離膜</td><td>ポリエチレン（PE），ポリビニルアルコール（PVA）</td></tr>
<tr><td rowspan="2">人工肺膜</td><td>均質膜</td><td>シリコーン（ポリジメチルシロキサン）：ガス透過率が高い</td></tr>
<tr><td>多孔質膜</td><td>ポリプロピレン（PP），PS</td></tr>
<tr><td rowspan="3">ペースメーカ</td><td>本体</td><td>チタン合金（チタン合金の周りをシリコーンでコーティングしてあるものもある）</td></tr>
<tr><td>コネクタハウジング</td><td>エポキシ樹脂，シリコーン</td></tr>
<tr><td>電極</td><td>白金</td></tr>
<tr><td colspan="2">人工血管</td><td>ポリエステル（PET）繊維編織物，ポリエチレンテレフタレート（PET），延伸テフロン（e-PTFE），ポリテトラフルオロエチレン（PTFE），セグメント化ポリウレタン</td></tr>
<tr><td colspan="2">血管用ステント</td><td>ニッケルチタン合金</td></tr>
<tr><td colspan="2">人工弁</td><td>パイロライトカーボン（熱分解カーボン），チタン</td></tr>
<tr><td rowspan="2">人工関節</td><td>臼蓋部</td><td>高密度ポリエチレン</td></tr>
<tr><td>骨頭部</td><td>チタン合金，アルミナ，ジルコニア，ポリジメチルシロキサン（シリコーン）</td></tr>
<tr><td rowspan="2">コンタクトレンズ</td><td>ハード</td><td>PMMA</td></tr>
<tr><td>ソフト</td><td>ポリメタクリル酸ヒドロキシエチル（P-HEMA）＝ポリヒドロキシエチルメタクリレート</td></tr>
<tr><td colspan="2">眼内レンズ</td><td>PMMA，シリコーン</td></tr>
<tr><td colspan="2">容器（リザーバなど）</td><td>ポリカーボネート（PC）</td></tr>
<tr><td colspan="2">輸液バッグ</td><td>低密度ポリエチレン（LDPE），EVAL</td></tr>
<tr><td colspan="2">血液バッグ</td><td>ポリ塩化ビニル（PVC）</td></tr>
<tr><td rowspan="2">カテーテル</td><td>短期</td><td>PVC，PE，ポリウレタン（PU），シリコーンゴム，ポリブタジエン</td></tr>
<tr><td>長期</td><td>セグメント化PU，HEMA/スチレンブロック共重合体</td></tr>
<tr><td colspan="2">大動脈内バルーン（IABPバルーン部）</td><td>PU，PE，PET</td></tr>
<tr><td colspan="2">血液ポンプ</td><td>セグメント化PU，HEMA/スチレンブロック共重合体，ラテックスゴム，PVC，シリコーンゴム</td></tr>
<tr><td colspan="2">人工心臓</td><td>ポリウレタン：優れた生体適合性</td></tr>
<tr><td colspan="2">血液回路</td><td>PVC，シリコーン</td></tr>
<tr><td colspan="2">注射器</td><td>PP，PET</td></tr>
<tr><td rowspan="2">手術用縫合糸</td><td>吸収性</td><td>天然：羊腸（カットガット），キチン・キトサン，コラーゲンなど
合成：ポリグリコール酸（PGA），ポリグラクリン（PG-910），ポリジオキサノン（PDO），ポリ乳酸（PLA）</td></tr>
<tr><td>非吸収性</td><td>天然：絹糸，改質セルロース
合成：ナイロン，ポリエステル，PPなど</td></tr>
<tr><td colspan="2">骨折固定材</td><td>チタン，タンタル，PLA</td></tr>
<tr><td colspan="2">骨充填材</td><td>リン酸三カルシウム</td></tr>
<tr><td colspan="2">骨コーティング材</td><td>バイオガラス</td></tr>
</table>

用途	素材
生体接着剤	フィブリン糊
人工皮膚	コラーゲン，ゼラチン，キチン・キトサン
創傷被覆保護材	キトサン
人工骨	ハイドロキシアパタイト
人工歯根	アルミナ，ジルコニア，チタン合金
癒着防止膜	酸化（オキシ）セルロース
人工肝臓	多孔性ポリマービーズ
人工食道	ポリエチレン
血栓を防ぐ（コーティング剤）	シリコーン，ヘパリン
止血剤	ゼラチン

〈ポリウレタン（PU）〉

- 高弾性，抗血栓性に優れ，大動脈内バルーン，人工心臓，カテーテルなどに使用される．

〈ポリジメチルシロキサン〉

- 柔軟性，耐久性に優れ，人工乳房，人工指関節，顔面補綴物などに使用される．

〈ポリエチレン（PE）〉

- 耐摩耗性，衝撃吸収性に優れ，人工股関節，血漿分離膜などに使用される．

〈ポリテトラフルオロエチレン（PTFE）〉

- 柔軟性，耐久性に優れ，人工血管，人工腱・靭帯などに使用される．
- フッ素原子と炭素原子のみから構成される．
- 摩擦が小さい．
- 耐熱性，耐溶剤性，疎水性に優れる．
- 化学的に不活性で毒性はなく，血栓も形成されにくい．

〈ポリプロピレン（PP）〉

- 透明性，耐熱性に優れ，人工肺膜，注射器などに使用される．

〈ポリメチルメタクリレート（PMMA）〉

- 透明性，耐久性に優れ，眼内レンズ，歯科用接着剤などに使用される．

〈ポリヒドロキシエチルメタクリレート〉

- 尿道カテーテル，ソフトコンタクトレンズなどに使用される．

〈ポリエーテルスルフォン（PES）〉

- 親水性に優れ，透析膜などに使用される．

〈カテーテル本体材料〉

- ポリ塩化ビニル：可塑剤を添加することで軟質性を持たせることができる．安価であり，チューブ，バッグ類に使用．
- ポリウレタン：IABP のバルーンなどに使用．
- ポリジメチルシロキサン：分子量を調整することでゴム状にすることができるためチューブ類で使用．

〈アクリル系材料の医療における用途〉

- コンタクトレンズ
- 透析膜
- 歯科充填剤

臨床工学技士国家試験問題

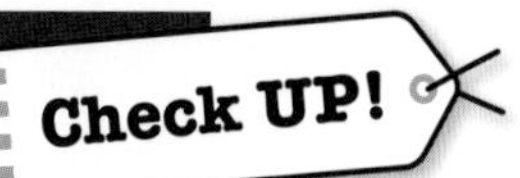

問題 1　□□□　24P89

正しい組合せはどれか.

1. ポリビニルアルコール —— 膜型人工肺用中空糸
2. パイロライトカーボン —— ステント
3. 高分子ポリエチレン ——— 眼内レンズ
4. ポリウレタン ————— バルーンカテーテル
5. ポリカーボネート ———— 血液透析膜

問題 2　□□□　23A90

血液透析膜に使用される膜材料はどれか.

a．ポリエチレン
b．ポリスルホン
c．ポリアクリロニトリル
d．再生セルロース
e．ポリ塩化ビニル

1. a, b, c　2. a, b, e　3. a, d, e
4. b, c, d　5. c, d, e

問題 3　□□□　30A90

ポリ塩化ビニルが使われていないのはどれか.

a．血液回路
b．カテーテル
c．注射筒
d．コンタクトレンズ
e．輸液チューブ

1. a, b　2. a, e　3. b, c　4. c, d　5. d, e

問題 4　□□□　27A90

正しい組合せはどれか.

1. 人工弁弁葉 —— ステンレス鋼
2. 膜型人工肺 —— ポリスルホン
3. ステント ——— ニッケル・チタン合金
4. 人工歯根 ——— 高密度ポリエチレン
5. 血液透析膜 —— ポリジメチルシロキサン

問題 5　□□□　28A89

カテーテル本体の材料でないのはどれか.

1. ポリ塩化ビニル
2. ポリテトラフルオロエチレン
3. ポリカーボネート
4. ポリウレタン
5. ポリジメチルシロキサン

問題 6　□□□　36P90

人工肺のハウジング（外筒）に使われる材料はどれか.

1. ポリ核酸
2. セルロース
3. ポリカーボネート
4. ポリウレタン
5. ポリビニルアルコール

問題 7　□□□　37P89

医用材料と用途との組合せで正しいのはどれか.

1. セルロース————————血液回路
2. ポリスルフォン——————透析膜
3. ポリ塩化ビニル——————人工血管
4. ポリグリコール酸—————眼内レンズ
5. ポリテトラフルオロエチレン———血漿分離膜

〈解答〉問題 1-4, **問題 2**-4, **問題 3**-4, **問題 4**-3, **問題 5**-3, **問題 6**-3, **問題 7**-2

7. 再生工学

➲再生工学とは，主として培養増殖した幹細胞を体内に移植し，機能的・器質的に障害された臓器や組織の改善や修復を目指す医療技術をさす．iPS 細胞や ES 細胞などを利用した研究が進んでいる．

生体物性・医用材料工学 p.167

○iPS 細胞（induced pluripotent stem cell）

➲人工多能性幹細胞のことである．

➲体細胞に遺伝子を導入して作られる．

➲体細胞を使用するので，ES 細胞のような生命倫理的な問題が生じない．

➲一般的には，4 種の転写因子（遺伝子の発現を制御するタンパク質）を合成する遺伝子を体細胞に導入することで，細胞のリプログラミング（初期化）をはかっている．

➲体を作る全ての細胞に分化できる分化多能性（分化万能性）を持つ．しかし，胚盤胞には分化できないため，1 つの細胞から個体を発生させる全能性は持たない．

○ES 細胞（embryonic stem cell）

➲胚性幹細胞とも呼ばれ，受精卵から生じる胚盤胞から作られる．

➲受精卵を材料としているので，生命倫理的な問題が伴う．

○間葉系細胞

➲骨髄や脂肪から作られ，安全面・倫理面の問題が少ない．

➲分化多能性を持つ．

問題 1 □□□ 29A89

人工多能性幹細胞（iPS 細胞）で正しいのはどれか．

1. 受精卵にタンパク質を導入して作られる．
2. 受精後の胚から採取して作られる．
3. 体細胞の遺伝子を取り出して作られる．
4. 体細胞にタンパク質を導入して作られる．
5. 体細胞に遺伝子を導入して作られる．

〈解答〉問題 1-5

8. その他

(1) 組み合わせ問題

- ハイドロキシアパタイト——骨親和性
- シリコーンゴム——酸素透過性
- ポリテトラフルオロエチレン——耐熱性，耐薬品性
- 人工血管，人工腱——親水性
- セグメント化ポリウレタン——抗血栓性
- チタン合金——力学強度，親和性

(2) 医療ガス

- ヘリウム
  - 不活性ガスであるため反応性がなく，安定である．
  - 水に溶けにくい．
  - 圧縮性である．
  - 空気より軽い．
  - IABP のバルーンを膨らませるガスに使用される．

(3) その他

- 浸透圧を表す単位は Osm/L，あるいは接頭辞 m（ミリ）をつけて mOsm/L である．
- pH は水素イオン指数であり，水素イオン濃度の逆数の常用対数として定義される．
- 温度が高いほど分子同士の衝突が増え反応が促進されるため，化学反応速度は速くなる．
- 酸化とは，対象とする物質が電子を失う化学反応のこと．
  - 酸素と結合する反応，水素が奪われる反応，酸化数が増える反応も酸化という．
- 還元とは，対象とする物質が電子を受け取る化学反応のこと．
  - 酸素が奪われる反応，水素と結合する反応，酸化数が減る反応も還元という．

臨床工学技士国家試験問題 Check UP!

問題 1 □□□ 24P88

誤っている組合せはどれか.

1. エチレンオキサイド ── ポリアクリロニトリル
2. ポビドンヨード ── 手術野
3. 高圧蒸気 ── リネン類
4. γ 線 ── テフロン
5. 乾熱 ── ガラス器具

問題 2 □□□ 22A89

常温のヘリウムについて正しいのはどれか.

1. 反応性に富む.
2. 水に溶けやすい.
3. 圧縮性である.
4. 空気より重い.
5. 医療では使われない.

問題 3 □□□ 31A89

誤っているのはどれか.

1. 生体適合性要件は材料によって異なる.
2. EOG 滅菌は耐熱性の低い材料に使われる.
3. 人工腎臓には再吸収機能がある.
4. アレルギー性元素を含む医用材料がある.
5. 生体吸収性材料は非吸収性材料に比べ耐久性が劣る.

問題 4 □□□ 29P89

正しいのはどれか.

1. mol は浸透圧を表す単位である.
2. pH は水素イオン濃度の逆数の常用対数である.
3. 一般に温度が高いほど化学反応速度が遅い.
4. 酸化とは電子を受け取ることである.
5. 還元とは酸素と結合することである.

〈解答〉問題 1-4, **問題 2**-3, **問題 3**-3, **問題 4**-2

過去10年間（第28～37回）の臨床工学技士国家試験出題傾向

（科目は令和3年版国試出題基準に準拠）

科目		平均出題数
大見出し	小見出し	
医学概論	(1) 臨床工学に必要な医学的基礎	10.9
	(2) 人体の構造及び機能	10.4
臨床医学総論	(1) 内科学概論	1.5
	(2) 外科学概論	3.0
	(3) 呼吸器系	3.6
	(4) 循環器系	3.6
	(5) 内分泌·代謝系	1.6
	(6) 神経・筋肉系	0.9
	(7) 感染症	2.3
	(8) 腎臓・泌尿器・生殖器系	2.8
	(9) 消化器系	2.1
	(10) 血液系	1.4
	(11) 麻酔科学	1.3
	(12) 救急・集中治療医学	1.6
	(13) 臨床生理学検査	
	(14) 免疫・移植	0.9
医用治療機器学	(1) 治療の基礎	1.0
	(2) 各種治療機器	10.5
生体計測装置学	(1) 計測工学	3.1
	(2) 生体電気・磁気計測	3.0
	(3) 生体の物理・化学現象の計測	6.0
	(4) 医用画像計測	3.9
医用機器安全管理学	(1) 医用機器の安全管理	14.6
生体機能代行装置学	(1) 呼吸療法装置	10.5
	(2) 体外循環装置・補助循環装置	11.2
	(3) 血液浄化療法装置	11.3
医用電気電子工学	(1) 電気工学	12.0
	(2) 電子工学	10.0
	(3) 情報処理工学	11.4
	(4) システム工学	1.5
医用機械工学	(1) 医用機械工学	9.8
生体物性材料工学	(1) 生体物性	7.2
	(2) 医用材料	5.1
	合計	180

過去10年間（第28～37回）の回数別臨床工学技士国家試験合格者数・合格率

回数	実施日	受験者数（人）	合格者数（人）	合格率（%）
第28回	平成27（2015）年3月1日	2,848	2,370	83.2
第29回	平成28（2016）年3月6日	2,739	1,987	72.5
第30回	平成29（2017）年3月5日	2,947	2,413	81.9
第31回	平成30（2018）年3月4日	2,737	2,017	73.7
第32回	平成31（2019）年3月3日	2,828	2,193	77.5
第33回	令和2（2020）年3月1日	2,642	2,168	82.1
第34回	令和3（2021）年3月7日	2,652	2,232	84.2
第35回	令和4（2022）年3月6日	2,603	2,096	80.5
第36回	令和5（2023）年3月5日	2,706	2,311	85.4
第37回	令和6（2024）年3月3日	2,630	2,090	79.5

索　引

和文索引

あ

い

う

え

お

か

き

く

け

す

せ

そ

た

ち

つ

て

と

な

に

ね

の

は

ひ

ふ

へ

ほ

ま

み

む

め

も

や

ゆ

よ

ら

り

る

れ

ろ

数字

ギリシャ文字

記号

欧文索引

A

B

C

D

E

F

臨床工学技士国家試験 Check UP!
医用電気電子工学/医用機械工学/生体物性材料工学
2025　ISBN978-4-263-73235-9

2022年10月10日　第1版第1刷発行
2023年10月10日　第2版第1刷発行
2024年10月10日　第3版第1刷発行

編　集　臨床工学技士国家試験研究会
発行者　白　石　泰　夫
発行所　医歯薬出版株式会社
〒113-8612　東京都文京区本駒込1-7-10
TEL.(03) 5395-7620(編集)・7616(販売)
FAX.(03) 5395-7603(編集)・8563(販売)
https://www.ishiyaku.co.jp/
郵便振替番号 00190-5-13816

乱丁，落丁の際はお取り替えいたします．　印刷・真興社／製本・愛千製本所